D0673948

LA CROIX DE L'OCCIDENT

Max Gallo

LA CROIX DE L'OCCIDENT

Suite romanesque

I
Par ce signe tu vaincras
(Tu hoc signo vinces)

II
Paris vaut bien une messe

ÉDITIONS FRANCE LOISIRS

Édition du Club France Loisirs,
avec l'autorisation de la librairie Arthème Fayard

Éditions France Loisirs,
123, boulevard de Grenelle, Paris.
www.franceloisirs.com

Le Code de la propriété intellectuelle n'autorisant, aux termes des paragraphes 2
et 3 de l'article L. 122-5, d'une part, que les « copies ou reproductions strictement
réservées à l'usage privé du copiste et non destinées à une utilisation collective »,
et, d'autre part, sous réserve du nom de l'auteur et de la source, que les « analyses
et les courtes citations justifiées par le caractère critique, polémique, pédago-
gique, scientifique ou d'information », toute représentation ou reproduction inté-
grale ou partielle, faite sans le consentement de l'auteur ou de ses ayants droit ou
ayants cause, est illicite (article L. 122-4). Cette représentation ou reproduction,
par quelque procédé que ce soit, constituerait donc une contrefaçon sanctionnée
par les articles L. 335-2 et suivants du Code de la propriété intellectuelle.

© Librairie Arthème Fayard, 2005
ISBN : 2-7441-8700-3

I

Par ce signe tu vaincras
(Tu hoc signo vinces)

Les enfants de ce siècle ont Satan pour nourrice
On berce en leurs berceaux les enfants et le vice
Nos mères ont du vice avec nous accouché
Et en nous concevant ont conçu le péché.

Agrippa d'AUBIGNÉ.

PROLOGUE

C'était une tête de christ aux yeux clos.

Elle avait été tranchée.

Le bois de la sculpture portait à la base du cou des entailles, ces plaies que la lame, s'abattant avec fureur, avait provoquées.

Cette tête coupée reposait sur un tissu de soie plissé, rouge comme si le sang l'avait imbibé avant de se répandre dans toute la vitrine de cet antiquaire situé au numéro 7 de la rue de l'Arbre-Sec, non loin du palais du Louvre, à quelques pas de l'église de Saint-Germain-l'Auxerrois, dans le Ier arrondissement de Paris.

La tête de christ était la seule pièce exposée, éclairée par deux petits projecteurs dont la lumière crue accentuait la couleur livide de ce bois peint aux teintes délavées.

Le sculpteur avait réussi à donner l'impression que le visage entier pleurait, qu'il était ondoyé par une pluie de larmes. Elles glissaient le long des cheveux collés aux joues, de la moustache et de la barbe bouclées. Elles creusaient la peau de fines rides, plus accentuées à la commissure des lèvres.

Les traits, affaissés, s'estompaient sous l'accablement et la souffrance.

J'avais été ému en découvrant le vendredi 22 août 2003, en début d'après-midi, cette tête de christ aux yeux clos.

La canicule depuis des semaines n'en finissait pas d'oppresser les rues. La liste des morts s'allongeait. Les passants allaient d'une ombre à l'autre, s'écartant de cette vitrine éclairée, provocante, inconvenante, même, dans l'intense blancheur solaire.

Mais c'était vers elle que je m'étais dirigé.

La veille, une inconnue qui s'était présentée comme étant Maria de Ségovie, antiquaire, m'avait téléphoné.

Elle était, avait-elle affirmé, l'amie la plus proche d'Armelle, mon assistante de recherches.

Elle savait que depuis quelques mois je rassemblais des documents concernant le XVIᵉ siècle, les affrontements entre chrétiens, juifs, Maures, Turcs, les persécutions, les rapports entre États et religion.

Elle m'avait dit avec une sorte de jubilation qu'elle ne réussissait pas à dissimuler :

— Un labyrinthe meurtrier, ce siècle, n'est-ce pas ? Peut-être le temps le plus barbare de l'Europe chrétienne. On s'entre-tue au nom du Christ et on est en guerre contre l'islam. Comme aujourd'hui, vous ne pensez pas ? C'est pour cela que vous étudiez le XVIᵉ siècle ? Qu'est-ce que vous nous préparez ?

J'avais laissé passer ce flot, prêt à raccrocher sans répondre, irrité par les confidences d'Armelle, par cette irruption dans ce qui n'était encore qu'une vague esquisse, l'intuition que ce que nous commencions à vivre, le « choc des civilisations » pour employer la formule convenue et galvaudée que tout le monde réfutait mais employait, s'était produit déjà, et avec quelle intensité, au XVIe siècle.

J'avais cependant écouté Maria de Ségovie. Elle m'avait distrait et étonné. Elle était informée, perspicace, employant une expression aussi juste que « labyrinthe meurtrier » pour qualifier un siècle impitoyable où les tortures, les bûchers, les crimes, les massacres perpétrés par les uns ou les autres s'étaient succédé.

J'avais été tenté de réciter à cette femme exubérante ces vers d'Agrippa d'Aubigné, le poète protestant rescapé des tueries de la Saint-Barthélemy :

Les enfants de ce siècle ont Satan pour nourrice
On berce en leurs berceaux les enfants et le vice
Nos mères ont du vice avec nous accouché
Et en nous concevant ont conçu le péché.

Mais Maria de Ségovie ne m'avait pas paru disposée à m'écouter et j'avais renoncé à l'interrompre, intrigué et séduit, en fait, par son bavardage.

Elle m'avait expliqué qu'elle avait acheté plusieurs pièces du XVIe siècle, dont elle était sûre qu'elles m'intéresseraient. Elle ne voulait pas les vendre à n'importe qui, à l'un de ces pilleurs d'Histoire, de ces brigands qui ne cherchent qu'à placer leurs dollars, à faire commerce de la mémoire des hommes.

Il fallait, avait-elle insisté, que quelqu'un comme moi redonnât vie à ce passé.

— Avec probité, avait-elle répété.

Elle savait que j'avais, dans mes romans, utilisé les

souvenirs d'une famille de nobles provençaux, les Thorenc. Or, ce qu'elle avait acquis provenait de l'un de leurs ancêtres, Bernard de Thorenc, qui avait vécu au XVIe siècle.

— Je crois aux rencontres que le hasard ou la providence organisent, avait-elle ajouté. Je parlais de mes trouvailles à Armelle qui a sursauté quand j'ai cité le nom de Thorenc. Elle m'a longuement raconté vos romans que je ne connaissais pas. J'ai lu, depuis, tout ce que vous avez écrit sur les Thorenc. Comment aurais-je pu ne pas vous téléphoner ? Vous devez à Bernard de Thorenc de l'attention : il est venu vers moi pour que je le guide vers vous. Vous ne pouvez l'ignorer, refuser. Je vous attends demain au 7, rue de l'Arbre-Sec.

Demain, c'était le vendredi 22 août 2003.

Le vendredi 22 août 1572, il y avait quatre cent trente et un ans jour pour jour, à la fin d'une matinée étouffante – et cela faisait des semaines, comme en cet été 2003, que Paris était écrasé par une chaleur torride –, l'amiral de Coligny, le chef protestant, venait de quitter le palais du Louvre.

Il avait longuement envisagé avec le roi Charles IX les moyens d'apaiser la haine meurtrière qui opposait les catholiques aux protestants, ceux qui s'appelaient avec mépris papistes, huguenots, hérétiques, « mal-sentants de la foi », débauchés ou dévoyés.

J'avais été frappé, ce vendredi 22 août, par la coïncidence des dates et par la découverte de cet ascendant, Bernard de Thorenc, ancêtre de ces Thorenc – Martial, Louis, Villeneuve, François ou Bertrand Renaud – dont j'avais en effet raconté les vies.

J'avais été flatté aussi par l'insistance de Maria de Ségovie à me solliciter, par l'importance qu'elle paraissait accorder à ma visite.

Mais j'avais été surtout sensible à cette adresse, à cette rue de l'Arbre-Sec, aux événements qu'elle évoquait.

Dans cette rue-là, entre Louvre et Seine, autour de l'église de Saint-Germain-l'Auxerrois, la France s'était jadis déchirée.

Après avoir raccroché sans promettre à Maria de Ségovie que je lui rendrais visite, j'ai feuilleté *Les Tragiques* d'Agrippa d'Aubigné – encore lui !

J'ai retrouvé ce passage qui n'a cessé de me fasciner et de m'accabler par la force endeuillée avec laquelle il décrit la lutte fratricide entre chrétiens, entre Français :

> *Je veux peindre la France une mère affligée*
> *Qui est entre les bras de deux enfants chargée.*
> *Le plus fort, orgueilleux, empoigne les deux bouts*
> *Des tétons nourriciers, puis, à force de coups*
> *D'ongles, de poings, de pieds, il brise le partage*
> *Dont nature donnait à son besson l'usage...*
> *Elle dit : « Vous avez, félons, ensanglanté*
> *Le sein qui vous nourrit et qui vous a portés.*
> *Or vivez de venin, sanglante géniture,*
> *Je n'ai plus que du sang pour votre nourriture.*

Or cette saison de meurtres, de corps égorgés, éventrés, écartelés, dépecés, de femmes violées, d'enfants jetés aux chiens, avait commencé le vendredi 22 août 1572.

Coligny ce jour-là se dirigeait vers la rue de l'Arbre-Sec. À l'angle de cette rue et de la rue de Bétisy se trouvait l'hôtel de Ponthieu, sa demeure.

Il était entouré de gentilshommes protestants.

L'un d'eux lui remet tout en marchant une lettre. Coligny se penche pour la lire et c'est à cet instant qu'éclatent des détonations. Le mouvement en avant de l'amiral lui a sauvé la vie. Le tueur avait visé la tête, mais Coligny n'est blessé qu'au bras gauche et il a l'index arraché.

On l'entraîne dans la rue de l'Arbre-Sec pour le mettre à l'abri.

On se précipite vers la maison d'où sont partis les coups de feu. On découvre une arquebuse encore brûlante au pied d'une fenêtre dont les volets sont entrouverts. On entend le galop d'un cheval. Le meurtrier – un certain Maurevert, spadassin au service du duc de Guise – vient de s'enfuir par l'arrière de la maison qui donne sur le cloître de l'église de Saint-Germain-l'Auxerrois.

À quelques pas de la boutique d'antiquités de Maria de Ségovie, au n° 7 de la rue de l'Arbre-Sec.

Je me suis immobilisé devant la tête de christ d'une pâleur verdâtre.

Posée sur le tissu de soie rouge, elle paraissait baigner dans son sang. Mais le plus insoutenable, le plus émouvant, c'était le désespoir manifesté par ces paupières baissées, telles celles d'un cadavre dont, d'un geste lent, on a fermé les yeux.

À force de regarder ce visage, de scruter son expression, je compris que l'artiste n'avait pas voulu représenter la mort du Christ, mais un moment d'accablement.

Le Christ ferme les yeux pour ne pas voir ce que les hommes autour de lui accomplissent. Il s'aveugle délibérément, par miséricorde et compassion, afin de ne pas condamner les bourreaux, de ne pas avoir à choisir entre les crimes non plus qu'entre les meurtriers.

Et qui ne l'avait pas été, en ce siècle où les souverains faisaient étrangler ou empoisonner leurs proches ?

Où l'on brûlait des centaines de femmes et d'enfants priant dans leurs lieux de culte, églises ou temples ?

Où les Turcs, quand ils s'emparent de Chypre, possession de Venise, le 1er août 1571, égorgent plus de vingt mille des habitants de Famagouste, la dernière ville à leur résister ?

Ils embarquent sur leurs galères deux mille jeunes femmes destinées aux harems des vizirs et du sultan. Des milliers d'autres ont été violées puis éventrées. Quant aux deux chefs vénitiens, Astor Baglione et Marcantonio Bragadino qui, après avoir longuement combattu, ont capitulé, le premier est coupé en morceaux sur ordre de Lala Mustapha, le commandant des Turcs, et à l'autre, après qu'on l'eut humilié en l'obligeant à ramper devant la tente du chef turc, le dos écrasé par des sacs, on tranche le nez et les oreilles avant de l'écorcher vif. On remplira sa peau de paille, on exposera ce macabre mannequin sur la place de Famagouste, puis on l'accrochera au mât de la galère de Lala Mustapha.

Quelques jours plus tard, le 17 août, l'église Saint-Nicolas de Famagouste sera transformée en mosquée, et

17

son sol lavé avec le sang de chrétiens égorgés dans la même journée de vendredi, jour sacré de l'islam.

Ce vendredi 22 août 2003, je ne pouvais cesser de fixer ce visage de christ aux yeux clos.

— Vous êtes venu, je n'en doutais pas.

La voix claironnante – triomphante, même – de Maria de Ségovie m'a arraché à ma contemplation.

Je me suis tourné et c'est alors que je l'ai vue.

Un étroit bandeau de velours noir couvre son œil gauche.

Je suis si surpris que je recule d'un pas. Elle rit. Ses lèvres d'un rouge incarnat sont soulignées par un mince trait de maquillage noir.

— Espagnole, dit-elle en effleurant du bout des doigts son bandeau. Il y a toujours eu des femmes borgnes à la cour d'Espagne.

Elle hausse les épaules. Elle s'est blessée il y a plusieurs années, en examinant des armes turques. L'œil est infecté.

— Une malédiction ou une vengeance des fils du Prophète après des siècles. Nous les avons chassés d'Europe, ils nous poursuivent de leur haine. Vous ne croyez pas à ces forces souterraines ? Vous êtes français, vous imaginez que l'Histoire est une ligne droite bien dessinée qui va de bas en haut, vers la raison, sans nul mystère.

Sa voix s'est durcie. Elle soulève un peu son bandeau.

Quand elle a perdu son œil, reprend-elle, au lieu de tenter de dissimuler son infirmité elle a décidé de la montrer, ou plutôt de la suggérer.

— Je suis comme Anna Mendoza de la Cerda, princesse d'Eboli, la borgne la plus célèbre d'Espagne, maîtresse de Philippe II, mère de dix enfants, dont un au moins, blond ou roux, bâtard du roi, les autres nés de son mari Ruy Gomez, le confident du souverain. Il couchait au pied du lit de Philippe II. Il était le complice de ses crimes et de ses frasques. Lorsque Ruy Gomez meurt, la princesse se retire dans un couvent des carmélites. Mais elle rend les nonnes folles par ses extravagances, ses toilettes, ses parfums, ses poudres, ses chiens, ses courtisans, ses domestiques auxquels elle ne renonce pas. Au bout de quelques mois, Thérèse d'Ávila la chasse et la princesse d'Eboli choisit pour amant Antonio Pérez, le nouveau conseiller de Philippe II, l'homme le plus avide, le plus tortueux, le plus ambitieux qu'ait jamais compté l'Espagne. Ces deux-là...

Elle penche un peu la tête, soupire, me fixe de son œil droit dont l'ovale est prolongé par une cicatrice de rimmel qui monte jusqu'à la tempe.

— ... ces deux-là sont emportés par une passion ardente. Ils se couvrent chaque jour de cadeaux. Ils ont besoin de cette démesure. Un matin, un certain Escovedo, secrétaire de don Juan d'Autriche...

Elle soupire.

— ... vous connaissez, j'imagine, don Juan, le demi-frère de Philippe II, le bâtard de Charles Quint, le général de la Mer, vainqueur des Turcs à Lépante ? Même un Français ne peut ignorer cela, non ?

Elle me tend la main comme pour s'excuser.

— Un matin, donc, Escovedo surprend les deux amants au lit. C'est un naïf, un imbécile, un vertueux, et sans doute avant tout un envieux. Il s'indigne :

19

« C'est inadmissible, dit-il. Je suis obligé d'en avertir le roi. »

La princesse d'Eboli sort du lit, vêtue seulement de ce bandeau qu'elle portait comme moi sur l'œil gauche qu'elle avait perdu en se battant en duel avec un amant infidèle. Elle s'avance vers Escovedo et lui crie : « Fais comme tu voudras, Escovedo ! J'aime mieux le derrière d'Antonio Pérez que la personne du roi ! »

Maria de Ségovie répète la dernière phrase et ajoute :

— Philippe II, le fils de Charles Quint : il faut oser, non ?

Elle s'appuie de l'épaule au cadre de la porte d'entrée de sa boutique. Le corps légèrement penché, elle semble ainsi regarder la tête de christ. J'imagine alors qu'il ferme les yeux par pudeur, pour ne pas la juger, la condamner. C'est une grande femme aux épaules et aux bras nus. Son bustier rouge étreint sa peau laiteuse. Elle porte une jupe noire à longues franges. Des lacets de cuir entourent ses chevilles comme des bracelets. Les talons dorés de ses chaussures sont hauts et fins.

Le corps de Maria de Ségovie s'impose sans qu'on songe à s'interroger sur son âge. Trente-cinq ou cinquante ans ? Peu importe. Elle n'est ni jeune ni vieille, ni belle ni laide. Singulière.

Elle se penche davantage.

— Je voulais vous montrer cette tête de christ, dit-elle. J'ai beaucoup d'autres objets, des manuscrits qui ont appartenu à Bernard de Thorenc. Mais ce christ est un signe.

Proche de moi, elle se tient devant cette tête tranchée aux yeux clos.

— *Tu hoc signo vinces*, murmure-t-elle. « Par ce signe

tu vaincras. » La devise de l'empereur Constantin, le chrétien. Ce que j'ai appris...

Elle s'adosse à la vitrine comme pour m'obliger aussi à la regarder si je veux contempler la tête de christ. Elle croise les bras, parle d'une voix exaltée.

En lisant les Mémoires de Bernard de Thorenc, elle a découvert que cette phrase était inscrite sur le crucifix. Cette croix – la *Croix de l'Occident*, précise-t-elle – était fixée au sommet du mât de la galère la *Marchesa* sur le pont de laquelle se trouvaient deux cents soldats, et, parmi eux, Bernard de Thorenc, Miguel de Cervantès, oui, l'auteur de *Don Quichotte*, et Benvenuto Terraccini, l'artiste vénitien qui sculpta ce corps, cette tête de christ.

C'était le dimanche 7 octobre 1571 dans le golfe de Lépante.

La *Marchesa* était la première des galères chrétiennes à devoir affronter l'escadre turque commandée par Ali Pacha, non loin d'Ithaque, la patrie d'Ulysse, et face au promontoire d'Actium, là où, en 31 avant Jésus-Christ, la flotte d'Octave avait mis en fuite celle d'Antoine et Cléopâtre.

— À Lépante, tout est signe, ajoute Maria de Ségovie.

J'ai lu de nombreux récits de cette bataille.

Je sais ce qu'en dit Cervantès, embarqué sur la *Marchesa* :

« En ce jour heureux dont le sort fut aussi sinistre à la flotte ennemie que favorable et propice à la nôtre, je fus présent personnellement à cet événement, rempli de terreur et de volonté... J'ai vu le formidable escadron défait et dispersé, et le lit de Neptune rougi du sang des barbares et des chrétiens ; la mort courroucée dans sa

21

fureur insensée courant çà et là..., les bruits confus, le vacarme épouvantable, le visage crispé de malheureux qui mouraient entre le feu et l'eau ; les profonds et lamentables soupirs qui s'élevaient des poitrines blessées, maudissant leurs sorts contraires... D'une main j'empoignais mon épée et de l'autre le sang coulait. Je sentais ma poitrine profondément blessée et ma main gauche brisée en mille endroits, mais le contentement qui remplit mon âme fut tel, voyant l'infidèle vaincu par le chrétien, que je ne faisais aucun cas de mes blessures, bien que sous le coup de la douleur j'aie plusieurs fois perdu connaissance... Mais il sied mieux au soldat d'être mort dans la bataille que libre dans la fuite... Les blessures que le soldat porte sur le visage et sur la poitrine sont des étoiles qui guident les autres au ciel de l'honneur et au désir des nobles louanges... »

Je croyais tout connaître et cependant j'écoute Maria de Ségovie. Elle raconte comment la *Marchesa* éperonne la *Sultane*, la galère capitane d'Ali Pacha, et comment le mât central de la *Marchesa* s'abat sur le pont du vaisseau musulman. Les janissaires d'Ali Pacha se précipitent. L'un d'eux tranche d'un coup de hache la tête de christ, la brandit comme un trophée, le signe de la victoire turque, bien que le combat vienne à peine de commencer en cette aube du dimanche 7 octobre 1571. Mais la mer est déjà rouge de sang.

— Alors, dit Maria de Ségovie, Bernard de Thorenc, suivi par Benvenuto Terraccini, bondit sur le pont de la *Sultane*.

Elle s'interrompt, montre la tête de christ aux yeux clos.

— *Tu hoc signo vinces*, dit-elle à nouveau

Elle prend ma main, m'entraîne à l'intérieur de la boutique.

J'avance dans la pénombre d'une salle voûtée aux murs de pierres inégales. Je devine, au fond, une porte ouverte sur une galerie plus obscure. C'est de là que vient le souffle humide qui rafraîchit la pièce.

Je distingue, accrochés aux murs, des casques, des glaives, des boucliers et un grand étendard de damas rouge. Je m'approche. Je reconnais les figures brodées du Christ, de saint Pierre et de saint Paul, et, entourant une croix de Malte, blanche, les mots : *Tu hoc signo vinces*.

Le pape Pie V a choisi cette devise, celle de l'empereur Constantin, pour la flotte chrétienne de la Sainte Ligue.

— C'est l'étendard de la *Marchesa*, dit Maria de Ségovie. Bernard de Thorenc l'a repris aux Turcs de la *Sultane*, avec la tête de christ.

Elle m'invite à m'asseoir sur l'un des coffres, s'installe en face de moi dans un fauteuil de bois. Elle montre les objets, les manuscrits, les livres ouverts sur des chevalets.

— J'aime les traces que les hommes laissent derrière eux, murmure-t-elle. Les signes, les symboles qu'ils se sont donnés, pour lesquels ils ont combattu, continuent de vivre. J'aime les lieux qu'ils ont habités. Et vous ?

Elle se lève, appuie ses paumes ouvertes sur les pierres.

— J'ai l'impression que le sang suinte encore. Ici, ici même – elle montre la porte –, dans cette salle, cette galerie qui conduit aux berges de la Seine, on a égorgé

23

des dizaines de gentilshommes protestants, on a violé des femmes, on a entassé des enfants pour aller les noyer dans le fleuve.

Je croyais aussi connaître tout cela, mais en écoutant Maria de Ségovie j'ai l'impression de découvrir pour la première fois ce qu'a été ce XVIe siècle que j'étudie depuis plusieurs mois.

Maria de Ségovie évoque les haines, les meurtres, ces souverains qui consultent leurs mages, Catherine de Médicis qui ourdit des complots, ordonne à son parfumeur de lui préparer des mixtures avec lesquelles elle empoisonnera ses ennemis. Cette reine noire interroge les miroirs pour y déchiffrer l'avenir. Elle rencontre Nostradamus.

— Les chrétiens ont vaincu les Turcs à Lépante, poursuit Maria de Ségovie, un dimanche 7 octobre 1571, et moins d'un an plus tard, un autre dimanche, celui de la Saint-Barthélemy, le 24 août 1572, ils se sont entre-tués ici, au nom du Christ.

Elle s'interrompt, s'immobilise devant moi.

— Notre siècle va ressembler à celui-là, dit-elle. On tue déjà au nom de Dieu, du Christ et d'Allah.

Elle m'invite à me lever, me guide jusqu'à l'entrée de la galerie noire. J'entends la rumeur sourde du fleuve.

Le dimanche 24 août 1572, raconte Maria de Ségovie, les huguenots qui s'étaient réfugiés là espéraient gagner les berges, y trouver des barques, s'enfuir, échapper aux tueurs qui sillonnaient les rues, traquaient les « mal-sentants de la foi ». On avait blessé puis tué l'amiral de Coligny. Il fallait massacrer tous les huguenots pour les empêcher de se venger. Sur ordre du roi et de la reine mère Catherine, le prévôt des marchands avait fait fermer les portes de Paris et arrimer toutes les barques avec des chaînes.

— Ils ont tous été pris ici, égorgés, éventrés, dépecés, noyés.

Elle retourne s'asseoir.

— Une seule femme, Anne de Buisson, a survécu, ajoute-t-elle.

Elle tend le bras, montre un livre.

— Plus tard, Anne a raconté ce qu'elle a vécu. Huguenote, elle s'était convertie. Si Paris vaut bien une messe, sa vie à elle valait davantage, non ?

Maria écarte les bras. La peau sous ses aisselles est flasque et fripée. C'est comme si, tout à coup, son corps vieilli et las passait aux aveux.

Elle surprend mon regard, se lève, se dirige vers la vitrine tout en continuant de parler.

Elle a, dit-elle, trouvé le manuscrit d'Anne de Buisson dans le legs Bernard de Thorenc.

— Peut-être l'a-t-il sauvée ? peut-être se sont-ils aimés ?

Elle me tourne le dos, se penche vers la vitrine.

— Il faut écrire leur histoire, dit-elle.

Elle se redresse et s'avance vers moi, portant dans ses mains cette tête de christ aux yeux clos.

— Ces temps-là reviennent, murmure-t-elle. On veut à nouveau décapiter le Christ !

PREMIÈRE PARTIE

Lépante est le plus retentissant des événements militaires du XVIe siècle en Méditerranée [...]. L'enchantement de la puissance turque est brisé.

FERNAND BRAUDEL.

1.

Moi, Bernard de Thorenc, je commence à écrire, en implorant la miséricorde de Dieu, le récit de ma vie.

J'ai pris cette décision hier après que Vico Montanari, mon vieux compagnon, m'eut annoncé que Philippe II, roi des Espagnes, avait été rappelé à Dieu le 13 septembre de l'année 1598.

Nous étions le 7 janvier, jour anniversaire de ma naissance, il y avait soixante et douze années.

Car j'ai vu le jour en 1527, la même année que Philippe II. Mon père avait paru fier et heureux de cette coïncidence qui me plaçait, à l'en croire, sous les mêmes auspices glorieux que le fils de l'empereur Charles Quint.

Mais alors sa mort scellait aussi ma vie.

Et que la nouvelle de ce décès m'ait été donnée dans la même salle où j'étais né m'a paru le signe que Dieu, dans Sa bonté, m'avertissait. Il n'avait pas voulu me saisir par surprise, me laissant ainsi le temps de me préparer à comparaître devant Lui.

J'ai voulu connaître, comme on se regarde dans un miroir, les derniers moments du roi Philippe II, dont Montanari avait été le témoin. Ambassadeur de la république de Venise auprès du souverain, j'ai pensé qu'il n'ignorait rien des détails de l'agonie du souverain.

29

Mais il a paru ne pas entendre mes questions alors même qu'aux coups d'œil qu'il me lançait et à la manière dont il détournait le regard j'étais sûr qu'il avait perçu mon impatience et en avait deviné les raisons. La mort de Philippe II annonçait la mienne, ses souffrances préfiguraient celles que j'allais devoir affronter.

Pourtant, au lieu de répondre à mon attente, Montanari s'est attardé à décrire les obstacles qu'il avait rencontrés tout au long de son voyage, lequel avait duré plus de trois mois.

Penché en avant, les pieds contre la cheminée, mains tendues au-dessus des flammes, il m'a expliqué qu'il avait quitté le palais de l'Escurial dès le lundi 14 septembre. Il s'était rendu à Barcelone afin d'embarquer sur un navire qui l'eût conduit au plus vite jusqu'à Venise. Mais aucun capitaine n'était disposé à prendre la mer ne fût-ce que pour voguer jusqu'à Gênes. Tous craignaient les tempêtes d'un automne précoce et les pirates barbaresques, toujours à l'affût, quelle que fût la saison.

Montanari avait donc été contraint d'emprunter la voie terrestre.

La neige tombée tôt avait rendu le franchissement des Pyrénées difficile. Des pluies torrentielles l'avaient contraint à séjourner longuement à Montpellier, puis à Nîmes. Une fièvre maligne l'avait terrassé en Avignon où il avait dû demeurer plusieurs semaines isolé, accusé de répandre les miasmes de la peste atlantique dont on savait qu'elle ravageait Tolède et Séville, Valladolid et Madrid, et à laquelle on imputait la mort du roi Philippe II.

Montanari avait dû fuir la ville pour échapper à une foule menaçante qui voulait incendier l'auberge où il était descendu.

Affaibli, il avait cheminé lentement. Le temps, tout au long de la route d'Avignon à Apt et Draguignan, était aux bourrasques et aux nuits glaciales.

Parvenu à Grasse, il s'est souvenu que ma demeure était située à quelques heures de marche, le long de la vallée de la Siagne, et, au début de l'après-midi de ce 7 janvier 1599, il a frappé à la poterne du Castellaras de la Tour.

Le vent soufflait en rafales, ployant les arbres nus, repoussant la neige contre les murailles, comblant les fossés, hurlant comme une horde de loups affamés.

Je n'ai d'abord reconnu que la voix grave et le regard voilé de Vico Montanari.

J'ai aussitôt serré contre moi son corps de vieil homme. Il grelottait et j'étais ému au souvenir de la vigueur du jeune soldat qui, sur le pont de la galère la *Marchesa*, avait vu avec moi la flotte turque d'Ali Pacha surgir dans la lumière grise de l'aube, sur cette mer Ionienne encore noire mais que le combat allait teinter de rouge. Je l'avais retrouvé à Paris, ambassadeur de la sérénissime République. C'était alors un homme dans la force de l'âge et durant les journées sanglantes de la Saint-Barthélemy il m'avait ouvert sa porte.

Mais nous étions devenus vieux.

Cependant que les valets l'aidaient à ôter son long manteau au col de fourrure, puis ses bottes, il murmura :

— Le roi Philippe est mort.

Peut-être a-t-il cru que je n'avais pas entendu, car il a répété d'une voix forte :

— Le roi de notre jeunesse héroïque, le fils de l'empereur Charles Quint, le roi de Lépante a été rappelé à Dieu !

J'ai reculé comme si j'avais craint que cette nouvelle, telle une maladie, ne me pénètre et me terrasse.

À cet instant, j'ai compris que l'heure de ma mort était venue et qu'il fallait que je me prépare, par la confession de toute ma vie, à comparaître devant Dieu.

Je l'ai invité à me suivre dans la chapelle, à quitter cette grand-salle où le feu flambait, illuminant de ses hautes flammes les murs de pierre.

J'étais né là, devant cette cheminée, entouré de mon père Louis, de mon frère Guillaume et de ma sœur Isabelle. On m'a raconté que notre confesseur, un jeune moine dominicain, Verdini, et le médecin Salvus tenaient chacun l'une des mains de ma mère. La pauvre femme geignait, le visage couvert de sueur. Dieu n'avait pas voulu qu'elle survécût à ma naissance.

J'ai guidé Montanari jusqu'à l'autel.

Nous nous sommes agenouillés épaule contre épaule, comme nous l'avions fait sur le pont de la *Marchesa*, en cette aube du 7 octobre 1571, la tête levée vers le crucifix qui couronnait le grand mât de notre galère. Près de nous se tenaient, priant avec la même ferveur, Benvenuto Terraccini, le Vénitien qui avait sculpté ce christ en croix, et Miguel de Cervantès, l'Espagnol, qui tremblait de fièvre mais avait tenu à prendre sa place parmi les soldats afin de combattre les infidèles.

Lorsque les gardes-chiourme avaient commencé à crier, à frapper pour que les rameurs accélèrent la cadence, nous nous étions redressés, nous portant tous vers la proue de la *Marchesa* afin de pouvoir bondir sur l'une des galères musulmanes que nous allions éperonner.

Ce fut la *Sultane*, la galère capitane d'Ali Pacha. Notre grand mât brisé par la canonnade s'était effondré sur le pont ennemi et il m'avait semblé que mes os craquaient avec lui.

Lorsque j'ai vu un janissaire trancher d'un coup de hache la tête du christ, j'ai sauté à bord de la *Sultane* avec Terraccini et Montanari à mes côtés.

C'était il y a près de trois fois dix ans, à la bataille de Lépante.

Nous avons prié dans ma chapelle pour le salut du roi Philippe.

Puis Montanari s'est avancé jusqu'à l'autel et a contemplé longuement cette tête de christ que j'avais placée à droite du tabernacle, sur l'étendard de damas rouge, celui qui flottait à la poupe de notre *Marchesa* et qui portait la devise : *Tu hoc signo vinces* ainsi que, brodées, les figures du Christ, de saint Paul et de saint Pierre.

Montanari s'est signé puis a placé ses mains sur mes épaules.

— Le voyage jusqu'ici a été long, m'a-t-il dit.

Ce faisant, il m'a semblé qu'il parlait aussi de toutes ces années écoulées depuis ce matin du 7 octobre, quand notre galère doubla la pointe de Scropha et que nous découvrîmes, venant de Lépante, occupant presque toute l'étendue du golfe de Patras, les vaisseaux musulmans d'Ali Pacha.

Nous sommes sortis de la chapelle et nous sommes installés devant la cheminée, dans la grand-salle.

— Philippe II est donc mort ! ai-je lâché.

J'attendais avec anxiété que Montanari me parlât de l'agonie du souverain, mais il a commencé le récit de son long voyage, et ce n'est qu'au moment où le rougeoiement des braises éclairait seul la pièce et que le froid commençait à peser sur nos épaules qu'il a murmuré :

— Le corps du roi était couvert d'abcès, de plaies, de sang, et cela a duré cinquante-trois jours.

J'ai écouté Vico Montanari.

Il décrivait un calvaire, ne m'épargnant rien.

J'ai vu les abcès qui, gros comme des œufs, gonflaient à la pliure des genoux, à l'aine, sur la poitrine et le cou de Philippe II. J'ai fermé les yeux quand le chirurgien les a fendus de la pointe de son scalpel.

J'ai vu le corps du souverain s'enfler comme une outre tandis que ses mains et ses pieds, son visage se desséchaient, la peau pareille à un parchemin usé qu'un faux mouvement suffit à déchirer.

Mais le fils de Charles Quint, qui avait régné sur Bruxelles, Milan et Naples, sur Lisbonne et le Nouveau Monde, ne bougeait plus. Ses chairs couvertes de poux grouillaient de vers. Pour tenter de vidanger les pourritures qui s'accumulaient dans son ventre, il avait fallu crever le lit afin que les déjections s'écoulent, puisque son corps, réduit à l'état de plaie purulente, ne pouvait plus ni se mouvoir ni être soulevé.

Il avait fait placer près de son lit un cercueil tapissé de satin blanc et exigé qu'on en préparât un autre, en plomb, dans lequel on coucherait son cadavre qu'il ne faudrait ni autopsier ni embaumer.

On veillerait seulement à ce que ses bras soient repliés sur sa poitrine et à ce qu'il tînt dans sa main le simple crucifix de bois qu'avait serré entre ses doigts morts l'empereur Charles.

Aux premiers jours de sa maladie, Philippe avait voulu qu'on ouvrît le cercueil de l'empereur pour qu'on s'assurât que c'était bien ainsi, bras croisés sur la poitrine, qu'avait été inhumé son père.

J'écoutais.

Je me souvenais du roi des Espagnes, droit dans son armure aux rivets d'or. Colliers et bijoux, foulards et dentelles rehaussaient le noir métal.

Je m'étais incliné devant le souverain dont je partageais alors la jeunesse. D'une extrémité du monde à l'autre il combattait pour Dieu et l'Église.

J'avais voulu le servir.

Pour lui, j'avais lutté contre les Maures, les Turcs et les hérétiques.

J'avais osé parfois croiser son regard, j'en avais saisi le bref éclat quand il dévisageait une femme.

Et lui qui décidait d'un mot du sort de peuples entiers était devenu cette chair gangrenée livrée à la vermine.

Quels péchés avait-il donc commis pour que Dieu le soumît à une telle torture ?

J'ai interrompu Montanari.

Toute ma vie, lui ai-je rapporté, j'avais défendu l'honneur de Philippe II. J'avais combattu ses ennemis, même quand ils appartenaient à ma propre famille. Je n'avais jamais cru à leurs accusations. Je leur avais fait rendre gorge chaque fois que je les entendais prétendre que Philippe II avait été un frère incestueux, qu'il avait ordonné l'assassinat de son fils, don Carlos, et fait empoisonner son frère don Juan, notre grand général de la Mer, qui avait commandé la flotte chrétienne à Lépante et dont j'avais pu admirer le courage, l'enthousiasme et l'élégante beauté.

Avais-je eu tort de croire aveuglément et si longtemps en la vertu du roi ?

Cette si longue et cruelle agonie n'était-elle pas le châtiment infligé par Dieu à un coupable ?

Montanari m'a écouté puis s'est levé. Il a tisonné le feu, faisant jaillir une myriade d'étincelles, redonnant vie aux braises que des flammèches bleutées, tout à coup, embrasèrent.

— Dieu n'ignore rien, a-t-il murmuré. Mais qui peut prétendre connaître Ses intentions ?

Il a rapproché son fauteuil du foyer puis s'y est à nouveau assis.

— Mais peut-être Dieu s'est-Il désintéressé de nous ? a-t-il poursuivi. Peut-être nous a-t-Il abandonnés aux forces cachées de la nature ? Et sommes-nous pour Lui, depuis que nous avons péché, semblables à des vers ou à des rats ? Que nous soyons galériens, ambassadeurs ou rois, notre vie est aussi vaine que la leur.

Il a entrecroisé ses doigts comme pour une prière.

— Mais je parle comme un hérétique, a-t-il ajouté.

On brise les os, on étrangle, on arrache la langue, on brûle pour moins que ça ! Mais si Dieu nous ignore, quelle folie que de vouloir partager les hommes en bien ou mal-sentants de la foi !

Il a placé ses mains au-dessus des flammes.

— Sur le pont de la *Marchesa*, comment aurais-je imaginé qu'un jour j'en viendrais à penser cela ? a-t-il soupiré. Mais est-ce que je le pense ? Je suis ambassadeur de la sérénissime république de Venise. J'exécute les instructions que me donnent le doge et le Grand Conseil. Il faut que j'obtienne le droit pour nos galères de naviguer librement afin de transporter nos futaines, notre cuivre, notre étain, nos armes, les épices, les drogues, le coton, le poivre. Voilà ce qui compte. Pour le reste...

Il m'a tapoté le genou.

— Le roi des Espagnes est mort. Et chaque homme, toi, moi, le suivra un jour dans la tombe. Dieu seul choisit l'instant et les circonstances. Il faut se tenir prêt.

Après un silence, Montanari a repris son récit.

Philippe II avait voulu rassembler autour de son lit ses enfants, l'infante Isabelle et son fils Philippe, appelé à lui succéder. Les ambassadeurs et les grands du royaume avaient été conviés à cette entrevue.

— J'étais là, a narré Montanari. L'odeur, malgré les parfums, était fétide. Nous tenions tous un mouchoir plaqué sur notre visage. On craignait qu'en pourrissant le corps du roi ne répande les germes de la mort. Philippe II avait le visage et les mains dévorés de plaies. D'un mouvement de tête, il appela l'un des médecins, exigea que l'on découvrît son corps. C'est alors que nous avons vu les boursouflures, le sang et le pus mêlés qui dessinaient des auréoles jaunâtres sur la peau et les draps.

« Le souverain s'est quelque peu redressé et les médecins l'ont soutenu. Il a dit d'une voix étouffée : « Voyez, vous, mon fils, et vous qui représentez les rois et les puissances terrestres, voyez ce qu'il reste des grandeurs de ce monde quand Dieu a décidé que l'heure du jugement avait sonné. Méditez sur l'état de mon corps. Voyez ce que c'est que la mort quand elle est à l'œuvre. N'oubliez jamais cela quand vous parlez au nom de vos rois, et vous, mon fils, puisque demain vous allez régner, souvenez-vous où mène le chemin des grandeurs, souvenez-vous de mon corps ! »

« Il est retombé, mais il a continué de murmurer, et jusqu'aux tout derniers instants, quand il a réclamé qu'on approche de ses lèvres le crucifix qui avait appartenu à son père, il n'a jamais fermé les yeux.

« On a placé dans sa main gauche un cierge allumé bénit au couvent de Montserrat. La droite tenait le crucifix. Ses yeux ne se révulsèrent qu'à l'aube, quand commença la première messe chantée.

« Ainsi est mort le roi des Espagnes, ce dimanche 13 septembre 1598.

Montanari s'est levé.

Il voulait repartir dès le lendemain matin. Il devait faire au doge et au Grand Conseil de la République le récit de cette agonie et rapporter ce qu'il savait du caractère et des projets du nouveau souverain, Philippe III.

Je l'ai accompagné jusqu'à sa chambre puis suis retourné dans la chapelle où je me suis agenouillé.

Montanari m'avait dit que durant plusieurs jours Philippe II s'était confessé, implorant le pardon de Dieu pour les fautes qu'il avait commises.

Il me fallait agir de même, dire ce que j'avais fait de ma vie.

J'ai pris dans mes mains la tête du christ posée sur l'autel, puis l'ai portée dans ma chambre et placée sur ma table de travail.

C'est devant le christ aux yeux clos que j'ai décidé d'écrire ma confession.

2.

Je Vous regarde, Seigneur.

Lorsque j'ai découvert pour la première fois votre visage tel que Benvenuto Terraccini l'avait sculpté, je n'ai pu cacher mon étonnement, ma déception et même ma colère.

J'étais sur le pont de la *Marchesa*, la galère que commandait un vieux capitaine vénitien, Ruggero Veniero, au visage couturé et au corps voûté. Il avait combattu les infidèles à Tunis, à Rhodes, à Chypre et à Corfou. Il se tenait sur le château arrière, debout entre les deux fanaux, décrivant d'un large mouvement du bras la rade et le port de Messine où, serrées les unes contre les autres, les coques des navires de la Sainte

39

Ligue commençaient à s'entrechoquer, car ce 15 septembre 1571 le vent se levait.

Veniero nous avait fait aligner de la poupe à la proue. Nous étions plus de deux cents soldats et marins, épaule contre épaule, le visage tourné vers lui qui nous haranguait, mêlant le vénitien et l'espagnol. Le poing levé, il maudissait les infidèles, ces bourreaux cruels dont il fallait nettoyer le ciel et la terre.

— Jamais, avait-il dit, autant de navires n'ont été rassemblés depuis le temps d'Octave, d'Antoine et de Cléopâtre.

Il avait montré les mâts et les étraves, les éperons qui prolongeaient les proues, tout ce bois et ce fer de nos navires qui cachaient la mer.

Il avait saisi les franges de l'étendard de damas rouge hissé à la poupe et il avait répété : *Tu hoc signo vinces.* « Par ce signe tu vaincras. »

Nous nous étions agenouillés et nous avions prié, écoutant Veniero nous rappeler que la flotte turque était invaincue. Ali Pacha avait réuni au moins cent quatre-vingts galères à Lépante et le combat serait le plus grand à s'être livré sur mer depuis la venue du Christ.

Nous allions décider du sort du monde chrétien.

— Avec l'aide de Dieu, nous materons ces chiens ! avait-il crié.

Il s'était redressé et sa voix s'était faite plus forte au fur et à mesure qu'il comptait les navires tout en nous les montrant du bras tendu. Il avait désigné d'abord les cent six galères vénitiennes et les six énormes galéasses, des forteresses de mer, elles aussi armées par la Sérénissime. Puis salué les quatre-vingt-dix galères espagnoles et les douze pontificales, ainsi que ces trente navires ronds, les naves, dont les canons briseraient les coques des galères infidèles.

Près de cent mille hommes, soldats, marins, rameurs enchaînés à leurs bancs, s'affronteraient.

— Il faut noyer ces rats, avait continué Veniero.

Ils souillaient le tombeau du Christ, avaient mis à sac Budapest et menacé Vienne. Ils avaient assiégé les forteresses de Corfou et de Kotor. Ils avaient conquis Chypre et massacré ceux de ses habitants qu'ils n'avaient pas réduits en esclavage. Ils devenaient chaque jour plus audacieux, poursuivant les navires chrétiens jusqu'au fond de l'Adriatique, dévastant les villes et les villages côtiers, pillant, violant, raflant les hommes, les femmes, les enfants. Et ils martyrisaient aussi des dizaines de milliers de chrétiens emprisonnés à Alger, Tunis, Constantinople. Les femmes étaient enfermées dans les harems des sultans, des beys et des vizirs, les enfants livrés aux vices de leurs maîtres, les hommes battus, mutilés, écorchés vifs, réduits à n'être que des galériens, torturés au moindre soupçon de rébellion ou à la première tentative de fuite.

— Nos frères attendent que nous brisions leurs chaînes, comme l'empereur Charles Quint l'a fait pour des milliers d'entre eux lorsqu'il a conquis Tunis.

Veniero avait secoué la tête, fermé les yeux, dit lentement qu'il avait été de ce combat-là dans son extrême jeunesse.

— Qui n'a vu de ses yeux ce que les infidèles infligent aux chrétiens ne peut imaginer ce qu'est l'enfer, avait-il ajouté.

41

J'avais vu, Seigneur ! C'est pour cela que je voulais vaincre, pour cela que je priais en écoutant Ruggero Veniero.

Ce faisant, je me préparais à mourir plutôt que de connaître à nouveau l'humiliation de l'esclavage, l'effroi qui glace à chaque instant, cette torture de l'âme plus douloureuse encore que celle qu'endure le corps.

Veniero avait saisi à deux mains la balustrade qui entourait le château arrière de la *Marchesa*. Sa silhouette noire s'était arc-boutée comme s'il avait dû affronter une bourrasque.

— Honte à ceux qui ne combattent pas à nos côtés ! avait-il lancé. Que Dieu les juge pour ce qu'ils sont, des renégats !

J'ai baissé la tête, Seigneur !

Le roi de France était mon suzerain. Mon père était mort pour lui et mon frère Guillaume l'appelait le Très Chrétien.

J'avais su dès l'enfance, par notre confesseur le père Verdini, qu'ils avaient accepté toutes les missions que le roi leur avait confiées.

— Ils se damnent, m'avait répété le père Verdini. Un monarque n'est légitime et on ne lui doit obéissance que s'il se met au service de Dieu, de la sainte Église et de son chef, le souverain pontife. Prions pour votre père et votre frère, Bernard, implorons le Seigneur qu'Il les éclaire et leur montre le chemin !

Mon père et Guillaume s'absentaient souvent du Castellaras de la Tour pour plusieurs mois, me laissant seul avec le père Verdini, le médecin Salvus et ma sœur Isabelle.

Parfois je surprenais les propos qu'échangeaient le médecin des âmes et celui des corps. Selon Salvus, mon père et mon frère étaient ensorcelés. Le roi et ses empoisonneurs leur avaient fait oublier leurs devoirs de chrétiens. Ils étaient aveuglés. Ils plaçaient la fidélité à la couronne et au royaume au-dessus des exigences de la foi.

Je devais, moi, racheter leurs fautes, servir le roi des Espagnes qui défendait la chrétienté contre les musulmans, la Juste Foi contre les mécréants. Moi, cadet des Thorenc, je devais être capable de me dresser contre le monarque qui trahissait sa foi en ayant partie liée avec les infidèles et les hérétiques. Je devais me séparer des miens qui le suivaient.

Il faudra, Seigneur, que je fasse une confession détaillée de ce que mon père, mon frère et jusqu'à ma sœur Isabelle appelaient ma félonie, et que le père Verdini nommait fidélité à Dieu et à la sainte Église.

Plus tard, à Alger, où je fus captif des infidèles durant plusieurs années, j'appris à être d'abord chrétien avant d'être sujet du roi de France.

Je découvris que, pour les infidèles, quelles que fussent nos origines, vénitiennes ou espagnoles, françaises ou génoises, nous étions des misérables dont la vie ne valait pas plus qu'un grain de sable. J'ai vu des hérétiques empalés, d'autres, adeptes de la secte luthérienne, ont eu devant moi les oreilles et le nez tranchés comme s'ils avaient été de bons chrétiens, non des « mal-sentants de la foi ».

Les musulmans ne préservaient la vie que de ceux dont ils espéraient tirer bonne rançon.

Peut-être, Seigneur, est-ce le souvenir de ce que j'ai vécu et appris au long de ces années passées dans les prisons et les chiourmes musulmanes qui a fait qu'avec le temps, à la fin de ma vie, j'ai rejoint le parti de la paix entre chrétiens et retrouvé ainsi le service de mon roi ?

Mais, ce 15 septembre 1571, à Messine, j'avais honte que le capitaine Ruggero Veniero ne pût montrer, parmi la flotte de la Sainte Ligue, une seule galère du roi Très Chrétien. Parmi les cent mille hommes qui allaient prendre la mer au nom du Christ, nous n'étions que quelques-uns à être venus du royaume de France.

L'un d'eux, Enguerrand de Mons, se trouvait à bord de la *Marchesa*.

Lorsque je m'étais présenté à Ruggero Veniero, il se trouvait à la droite de notre capitaine. Il portait la cape blanche à croix rouge des chevaliers de Malte et dominait Veniero de la tête et des épaules. Il avait fait mine de ne pas me reconnaître alors que nos routes s'étaient déjà croisées à maintes reprises.

Nous nous étions battus sur les berges de notre rivière, la Siagne. Plus aguerri et plus agile que moi, il me rossait, me traitant de mécréant, de félon, d'hérétique, de renégat. Il me laissait pantelant, couché au milieu des branches cassées, puis il regagnait la rive droite de la Siagne. Là s'étendait, jusqu'à Draguignan, Lorgues et Montauroux, la seigneurie des Mons, alors que nos propres terres couvraient la rive gauche de la rivière, d'Andon à Saint-Vallier, de Cabris à Grasse.

La demeure des Mons, qu'on appelait la Grande

Forteresse, surplombait la rivière et faisait face à notre Castellaras de la Tour.

Nos familles étaient rivales, ennemies, même, et j'avais d'abord relevé le gant, voulant moi aussi terrasser celui des Mons que la volonté de Dieu avait placé en face de moi.

C'était Enguerrand de Mons. Et mon père comme mon frère me félicitaient de mon intrépidité.

Mon père me racontait comment les Mons avaient toujours trahi le roi de France, cherchant protection auprès du duc de Savoie dont les États s'étendaient jusqu'au Var et qui régnait sur Nice.

Les Thorenc, au contraire, avaient défendu les droits du roi Très Chrétien en harcelant les Mons et le duc de Savoie.

— Le duc et les Mons sont les hommes liges de Charles Quint et de Philippe II ! s'emportait mon père.

Il me racontait comment il avait accompagné le roi François à Madrid, là où Charles Quint le retenait prisonnier. Il avait fallu rassembler une rançon d'un million deux cent mille écus d'or pour que l'empereur libérât le roi de France, exigeant pour garantie du paiement que lui fussent livrés les fils de ce dernier.

Cette humiliation infligée au roi de France jamais ne pourrait être oubliée, répétait mon père. Le roi des Espagnes, comme ceux qui le servaient et qui avaient déjà été les hommes liges de Charles Quint, seraient toujours nos ennemis. Pour les combattre, on pouvait s'allier avec le diable. Et j'avais entendu mon père déclarer : « Tout ce que l'on pourra susciter et entretenir de grabuge dans les États d'Espagne et parmi les alliés de Philippe sera à l'avantage du roi de France et devra être accompli. »

Seigneur, je le confesse, j'ai d'abord endossé moi aussi cette querelle et je me suis tenu en embuscade, avec quelques serviteurs, sur les sentiers qui longeaient la Siagne, guettant Enguerrand de Mons et les siens, bondissant sur lui, le traitant d'Espagnol et de traître.

Puis j'ai écouté le père Verdini, et Salvus, notre médecin, notre mage.

Nous marchions à travers la forêt qui domine le Castellaras de la Tour. Le père Verdini m'expliquait en quoi la loi divine est supérieure à celle des royaumes et des fiefs. En quoi elle s'impose à tous.

Est-ce que je savais que le roi Très Chrétien, François Ier – « Dieu veuille lui dessiller les yeux ! » –, avait envoyé plusieurs ambassades auprès des Turcs ? Il avait passé alliance avec le sultan pour combattre les Rois Catholiques. Est-ce que je comprenais qu'ainsi il perdait la protection de Dieu et devenait l'égal d'un mécréant, d'un renégat ?

Verdini et Salvus posaient leurs mains sur mes épaules. Il me fallait du courage, disaient-ils. Ils ne doutaient pas que j'en ferais preuve. J'étais celui que Dieu avait choisi pour sauver l'honneur des Thorenc, pour arracher leur lignée à ce bourbier où ils avaient suivi le roi de France.

Verdini murmurait que Louis de Thorenc et Guillaume, mon père et mon frère, s'étaient rendus dans les terres infidèles, à Alger et à Constantinople, pour présenter les propositions d'alliance du roi de France afin de mener la guerre en commun contre le roi des Espagnes, défenseur de la sainte Église.

Pouvais-je accepter cela ?

Mon père et mon frère avaient quitté le Castellaras de la Tour. J'avais le sentiment d'avoir été abandonné. Lorsque mon confesseur et notre médecin me proposèrent de me rendre à la Grande Forteresse afin d'y sceller la paix avec les Mons, je les y suivis.

C'est là que j'appris qu'Enguerrand de Mons avait gagné l'île de Malte était devenu l'un des chevaliers de l'ordre. J'ai envié son sort, rêvé de l'imiter, et j'ai défié mon père, à son retour, lui révélant que j'avais choisi de servir ceux qui défendaient la sainte Église et la Juste Foi, non ceux qui faisaient alliance avec les infidèles.

Il m'a souffleté. Il a hurlé que j'étais non seulement félon à l'égard de mon suzerain, mais traître à notre famille.

Mais j'étais à l'âge où l'on n'entend pas les mots d'un père. J'avais choisi. Je voulais racheter, par mes actions, les péchés de mon roi et de mon père.

Je n'ai pas dévié de cette route, Seigneur, durant la plus longue partie de ma vie, et ce n'est qu'aujourd'hui que j'ai choisi un autre chemin.

Mais toujours pour Vous, Seigneur.

Le 15 septembre 1571, à Messine, j'écartai de mon âme tous les doutes. J'étais un soldat de la Sainte Ligue. J'allais prendre la mer pour combattre la flotte des infidèles. J'allais libérer ceux des chrétiens qui souffraient dans leur chair de la cruauté de leurs maîtres musulmans. Je pouvais exhiber les cicatrices laissées par leurs tortures.

Tel était le devoir. Et quand le capitaine Veniero a répété : « Maudits soient les renégats qui déchirent le corps du Christ et sont les alliés de ses persécuteurs et des infidèles ! » je n'ai pas osé regarder Enguerrand de Mons, qui se trouvait à quelques pas. J'ai baissé la tête.

À cet instant, la voix de Ruggero Veniero, qui devait vouer à l'enfer tous ces félons de Français, ce roi Très Chrétien qui avait refusé de se joindre à la Sainte Ligue, a été recouverte par les chants de la procession qui s'avançait sur la jetée.

Ce fut un effet de Votre miséricorde, Seigneur !

Deux soldats espagnols et deux marins vénitiens marchaient en tête, portant le crucifix que nous devions hisser, avant d'appareiller, au sommet de notre grand mât.

Des moines suivaient, chantant des psaumes, puis venaient les arquebusiers et, derrière eux, la foule en prière des habitants de Messine.

J'étais proche de la passerelle et au moment où les soldats la franchissaient malaisément, soulevant le cruci- fix puis l'inclinant pour qu'il pût passer entre les cor- dages, j'ai pu voir Votre visage, Seigneur.

Je Vous répète, Seigneur, mon étonnement, ma déception et même ma colère. En cette veille de bataille, la plus grande, celle qui devait enfin faire plier le genou aux musulmans, j'aurais voulu que Vous soyez, Sei- gneur, dans la gloire de la Résurrection, rayonnant de la joie de la Victoire. Et je Vous ai vu souffrant, plein de compassion pour ceux qui Vous avaient trahi et qui Vous suppliciaient.

J'ai pour la première fois, Seigneur, douté, en Vous voyant, de la justesse de notre guerre.

Ne la vouliez-Vous pas, puisqu'elle Vous faisait à ce point souffrir ? Allions-nous une nouvelle fois être vaincus par les fils du Prophète, et des milliers d'entre nous allaient-ils, comme moi jadis, subir la loi cruelle des infidèles, devenir leurs esclaves, le jouet de leur cruauté ?

J'en ai voulu au jeune homme qui s'agenouillait près de moi et me chuchotait qu'il avait sculpté Votre corps et Votre visage, qu'il se nommait Benvenuto Terraccini et était citoyen de la sérénissime république de Venise.

J'ai déversé sur lui mes reproches.

Notre Christ aurait dû brandir le glaive du châtiment et de la victoire. C'était un Christ combattant que nous voulions pour signe : *Tu hoc signo vinces...* Les larmes pouvaient-elles nous guider dans le combat contre les galères d'Ali Pacha ?

Benvenuto Terraccini a seulement murmuré que sa main n'avait été qu'un outil, qu'elle avait tenu le ciseau à bois mais qu'elle s'était dirigée seule, qu'il n'avait fait qu'obéir à cette volonté qui lui ordonnait de clore les yeux du Christ, de creuser de rides son visage, de laisser deviner le sillon des larmes, d'exprimer ainsi la souffrance et la compassion.

— *Tu hoc signo vinces...* Je ne doute pas, avait-il ajouté, que ce Christ et sa douleur nous conduisent à la victoire. Et je suis venu non pour pleurer, mais pour combattre.

Vico Montanari, le Vénitien avec qui je partageais le

réduit qui, le long de la coque, vers la poupe, était réservé aux officiers, s'est alors penché vers moi.

— Dieu nous voit, a-t-il dit. Il veut notre victoire. Il sait aussi que beaucoup d'entre nous rougiront la mer de leur sang. Mais compassion n'est pas reddition.

Vico Montanari s'était redressé et avait contemplé la flotte rassemblée.

De chaque navire s'élevait un chant, une prière. Don Juan d'Autriche, notre général de la Mer, allait d'une galère à l'autre, saluant les capitaines, s'agenouillant quelques instants aux côtés des marins et des soldats, promettant aux galériens chrétiens la liberté s'ils combattaient courageusement. Il était prêt à les débarrasser de leurs chaînes et, quand la bataille serait engagée, à leur faire distribuer haches, épées et coutelas.

Plus tard, alors que les charpentiers et les gabiers agrippés aux cordages clouaient le crucifix à la pointe du grand mât de la *Marchesa*, Vico Montanari m'a longuement parlé.

C'était un homme maigre au visage étroit et osseux. Ses yeux bleus, qui semblaient percer sa peau mate, étaient presque cachés sous des sourcils noirs et touffus. Sa voix était sèche, ses phrases courtes, hachées par des silences, comme s'il avait hésité à poursuivre ou avait voulu que l'on pesât à leur juste poids chacun des mots qu'il avait prononcés.

Il avait commencé par se présenter. Il arrivait de la cour de France qu'il avait quittée malgré les objurgations d'Orlandi, l'ambassadeur de la Sérénissime, dont il était le conseiller le plus écouté. Il avait voulu rejoindre le vieux capitaine Veniero, l'un des proches de sa famille, être à ses côtés lors de cette bataille. Et, pourtant, il n'était pas homme à croire qu'elle provoquerait la chute de l'Empire ottoman. Il avait vécu dans de nombreux comptoirs vénitiens tout autour de la Méditerranée. Il avait représenté la République à Constantinople. Il parlait le turc. Il avait lu le Coran.

— Nous, Vénitiens, sommes les seuls chrétiens à connaître vraiment les infidèles. Ils ne peuvent plus nous abuser. Nous les avons vus vivre et prier. Nous savons comment ils tuent et comment ils jouissent de la souffrance de leurs victimes. Le roi de France, ses courtisans et même ses ambassadeurs auprès du sultan ignorent tout du plaisir qu'éprouvent les infidèles à faire le mal. Le roi François imagine qu'il va se servir des Turcs dans la lutte de son royaume contre celui d'Espagne. Il se trompe. Les infidèles le mèneront comme un cheval au manège. Ils sont retors, sûrs d'eux-mêmes comme nous ne le sommes plus. Notre religion se brise en deux : papistes contre huguenots. L'Empire chrétien s'est émietté en nations rivales. La religion des infidèles est un bloc inentamé. De la Perse à Budapest, d'Alger à Chypre, de Kotor à Jérusalem, le sultan Selim II règne sans partage sur ses sujets. Et les fait écorcher ou empaler s'ils se rebellent.

Montanari avait attendu que cessent les acclamations des soldats et des marins saluant l'agilité des charpentiers et des gabiers qui se laissaient maintenant glisser le long des cordages, leur travail achevé, le crucifix solidement arrimé.

— Ils veulent être partout les maîtres, avait repris Montanari. Ils veulent nous chasser du monde comme ils nous ont déjà chassés de Jérusalem. Et nous l'avons accepté. Ils ont conquis Chypre. Ils se sont avancés jusqu'à Vienne. Ils sont déjà à Valona, à Durazzo, à Scutari, à Castelnuovo. Leurs navires croisent devant la lagune et nous défient. Leurs espions sont innombrables.

Il s'était penché, avait murmuré que rares étaient ceux qui avaient su que les arsenaux et les chantiers navals de la République avaient été détruits, il y avait de cela quelques mois, en septembre, par des explosions et des incendies.

— Celui qui peut acheter les hommes ou qui les terrorise trouve partout des alliés, des complices, des mercenaires.

Un instant il avait écouté les chants, les tambours, les trompettes qui donnaient le signal de l'appareillage.

— La guerre avec eux ne cessera jamais, avait-il continué, même si, dans quelques jours, nous remportons la victoire et dispersons la flotte d'Ali Pacha. Nous, Vénitiens, avons déjà essayé mille fois d'instaurer avec eux la paix du commerce. J'ai payé les rançons qu'ils exigeaient. J'ai versé les droits qu'ils nous imposaient. J'ai négocié des traités, des trêves. Nous avons pu vendre nos futaines et acheter leur soie et leurs épices. Mais j'ai eu beau me soumettre à leurs règles, respecter nos conventions, ils ont toujours, à la fin, trahi leurs serments. Ils veulent faire de nous leurs esclaves. Pour eux nous sommes vils comme la poussière, damnés, voués à l'enfer. Voilà ce qu'ils disent et écrivent de nous.

Il s'était tourné. Après avoir doublé la jetée de Messine, les premières galères affrontaient déjà la houle.

— Donc, avait ajouté Montanari, cette guerre sera sans fin.

Il avait serré ses mains en les soulevant à hauteur de son visage.

— Nous sommes liés à eux comme le Bien l'est au Mal, comme les corps des enfants monstres soudés l'un à l'autre. Jusqu'au jugement dernier notre avenir aura ainsi la couleur du sang.

Il avait regardé le crucifix et le mât qui, sous l'effet du roulis, oscillaient.

— Dieu le sait, avait-il murmuré.

3.

Seigneur, Vico Montanari avait raison !

Tout au long de ma vie j'ai vu couler le sang des hommes et, Vous le savez, je l'ai moi-même répandu.

Souvent, avec un entrain féroce, j'ai crevé les corps ennemis à coups de dague et d'épée.

J'ai ordonné aux arquebusiers que je commandais d'ouvrir le feu en visant la poitrine et le visage des infidèles et des hérétiques.

Et lorsque, le dimanche 7 octobre 1571 en fin de matinée, j'ai bondi sur la *Sultane*, la galère capitane d'Ali Pacha, j'ai crié qu'il ne fallait pas faire de quartier.

Je n'avais jamais vu les infidèles se refuser le plaisir d'infliger des souffrances à l'un d'entre nous.

Durant ces cinq années que j'ai passées dans les bagnes barbaresques d'Alger ou enchaîné au banc de leurs chiourmes, combien de chrétiens ont-ils tailladés, écorchés, empalés, dépecés, parce qu'il fallait que le maître musulman amuse et surprenne ses invités, ou glace d'effroi la chrétienne que, ce soir-là, il avait choisie dans son harem ?

Il suffit que je me souvienne de ces scènes pour en avoir, tant d'années après, le corps couvert de sueur. Et il faut que je me morde les lèvres, Seigneur, pour ne pas hurler de rage et maudire non seulement l'infidèle, notre bourreau, mais les renégats qui avaient fait alliance avec lui, oubliant que nous étions des milliers de chrétiens à souffrir sous sa loi.

Alors que notre vie dépendait du bon vouloir et des humeurs de notre maître, comment n'aurais-je pas maudit mon père, mon frère et mon roi qui accueillaient des infidèles dans nos ports et sur notre terre, les honoraient, préparaient avec eux le siège de villes chrétiennes parce qu'elles appartenaient à l'empereur Charles Quint, au roi des Espagnes ou au duc de Savoie ?

Je n'ai donc eu aucun remords quand, au soir de la bataille de Lépante, j'ai vu flotter par centaines des cadavres d'infidèles au milieu des rames, des épaves brisées, des mâts rompus par la canonnade. J'ai éprouvé au contraire le sentiment d'une mission accomplie, d'un juste devoir rempli.

Éclairée par les incendies qui achevaient de dévorer les galères musulmanes, la mer était comme du sang.

Je devinais, courant au milieu des flammes, les silhouettes de nos soldats, de nos marins, des forçats chrétiens qu'on avait libérés de leurs chaînes pour le temps des combats. Ils pillaient les coffres des pachas, s'enveloppaient de tissus de soie, achevaient ou jetaient à la mer les blessés infidèles.

De temps à autre, dominant le son des trompettes, des castagnettes et des tambours, voire le crépitement des ultimes arquebusades, des cris retentissaient : « La victoire est à nous ! » lançaient d'une galère à l'autre les chrétiens. C'était comme un rugissement qui roulait sur la mer rougie.

J'étais appuyé au château de poupe de la *Marchesa*.

Blessés et morts gisaient autour de moi parmi les débris de bois.

Assis à mes côtés, Miguel de Cervantès étanchait le sang qui coulait de son bras et de sa main gauches, main brisée par une décharge d'arquebuse.

Les vêtements déchirés, l'armure bosselée, Vico Montanari somnolait contre mon épaule.

Le visage balafré par un coup de lame, Benvenuto Terraccini regardait la tête du christ que j'avais posée sur mes genoux, la tenant à deux mains. Il répétait qu'il avait toujours su que son œuvre nous protégerait, qu'elle était signe de victoire, parce qu'une volonté divine avait guidé sa main lorsqu'il avait sculpté le bois.

Plus loin sur le pont, parmi les corps allongés, j'ai reconnu celui d'Enguerrand de Mons.

J'ai craint, en découvrant les taches de sang qui maculaient sa cape blanche de chevalier de Malte, qu'il n'eût succombé.

J'ai fermé les yeux et prié Dieu qu'Il me fasse compagnon du dernier voyage d'Enguerrand de Mons.

Nous cheminions de conserve depuis si longtemps !

Enguerrand de Mons et moi nous nous étions d'abord griffés, mordus, empoignés, battus à coups de branche ou d'épée dans les forêts qui entourent la Grande Forteresse de Mons et le Castellaras de la Tour. Puis nos familles s'étaient réconciliées pour quelques mois.

Le roi François Ier avait cessé sa guerre contre l'empereur Charles Quint et décidé de se rapprocher de la sainte Église et de son pontife, Clément VII. Je n'ai compris cela que plus tard, quand j'ai cherché à déceler pourquoi, après s'être tant haïs, les Mons et les Thorenc chevauchaient côte à côte sur la route qui, par Draguignan, conduit à Marseille.

J'écoutais. J'observais. J'entendais le père Verdini raconter comment les « mal-sentants de la foi » avaient défié le roi jusqu'en son château de Blois en affichant des placards imprimés sur la porte de la chambre du souverain.

Il avait pu y lire qu'il n'était, lui, le Très Chrétien, qu'un homme qui refusait la vérité sainte, qui professait, comme tous les papistes, les « horribles, grands et insupportables abus de la messe papale inventée directement contre la sainte cène de Notre-Seigneur, seul médiateur et sauveur Jésus-Christ. »

Furieux, le roi avait appris que ces placards avaient été répandus partout et qu'à Paris une statue de la Vierge avait été brisée au coin de la rue du Roi-de-Sicile et de la rue des Juifs, qu'en d'autres villes du royaume les huguenots, les adeptes de la secte luthérienne, avaient commis de semblables sacrilèges.

Alors François Ier avait ordonné qu'on brûle ces prétendus réformés qui n'étaient que de vrais hérétiques.

Et dans tout le royaume les flammes des bûchers avaient commencé de s'élever, la chair de grésiller.

Le père Verdini se signait en se félicitant : « Dieu, disait-il, avait éclairé le roi et ceux qui le suivaient. »

Mon père et mon frère avaient regagné le Castellaras de la Tour. Ils avaient assisté à toutes les messes que le père Verdini célébrait dans notre chapelle. Ils l'avaient écouté, sans ciller, vouer à l'enfer les « mal-sentants de la foi », mais aussi ceux – et sa voix avait tremblé – qui prenaient langue avec les infidèles afin qu'une alliance impie se noue entre un royaume chrétien et les profanateurs du tombeau du Christ.

Puis j'avais appris avec étonnement que nous allions nous mettre en route pour Marseille en compagnie des sieurs et dames de Mons.

Je n'avais jamais vu le père Verdini dans un tel état d'exaltation. Il m'annonça que le pape Clément VII et le roi François Ier allaient se rencontrer. Le pape se rendrait à Marseille avec une flotte de dix-huit galères. Sur l'une d'elles avait pris place sa nièce, Catherine de Médicis, dont le souverain pontife allait célébrer le mariage avec Henri, fils du roi Très Chrétien.

Le père Verdini avait répété que Dieu avait enfin dessillé les yeux du souverain et qu'ainsi la chrétienté serait unie, que c'en serait bientôt fini des huguenots, des « mal-sentants de la foi » ; qu'enfin rassemblés et plus forts que jamais les chrétiens pourraient lutter contre l'infidèle, et le chasser de Jérusalem.

Tout au long de ce voyage dans une campagne qui sentait les fruits mûrs et le raisin pressé, où parfois nous franchissions à gué des rivières gonflées par les pluies de septembre, j'ai chevauché près de la voiture où se tenaient les dames de Mons.

L'une d'elles était une jeune fille que j'imaginais de mon âge, dont les blonds cheveux étaient noués en longues tresses rassemblées en chignon.

Lorsque je l'avais vue, j'avais remercié Dieu d'avoir permis la naissance d'une personne dont la rencontre me donnait la joie et l'émotion les plus fortes que j'eusse jamais éprouvées.

Elle se nommait Mathilde et était la sœur d'Enguerrand de Mons.

À Marseille, lors de l'entrée du pape qui s'avançait, précédé du saint sacrement, au milieu des acclamations de la foule agenouillée, puis le lendemain, lorsque le roi et la reine défilèrent à leur tour dans la ville avec leurs officiers de maison, et ensuite encore, lors de la célébration du mariage, je n'ai regardé que Mathilde de Mons.

Elle était à peine plus jeune que Catherine de Médicis dont j'avais entendu mon père et mon frère dire qu'elle avait dans les quatorze ans.

J'ai donc rêvé de demander à mon père de présenter une demande en mariage aux Mons. Et j'ai imaginé déjà que nous célébrerions notre union, Mathilde et moi, dans la chapelle du Castellaras de la Tour.

Puis le père Verdini, exalté, m'a appris que les familles Mons et Thorenc allaient annoncer le mariage de Guillaume, mon frère, et de Mathilde. Ce fut la première et peut-être la plus grande douleur de ma vie, si inattendue, comme un coup de dague entre mes deux épaules, à la base du cou, quand le sang jaillit à gros bouillons et que le corps n'est plus qu'une gargouille qui se vide.

Seigneur, j'ai souhaité à cet instant que la paix qui s'était établie entre les Mons et les Thorenc soit rompue, et peu importait s'il fallait, pour cela, que le roi François Ier choisît à nouveau de s'allier avec les infidèles, que mon père et mon frère reprissent le chemin de leurs ambassades auprès des Turcs !

Oui, Seigneur, ma déception et mon amertume étaient si vives que tout me paraissait préférable au mariage de Guillaume et de Mathilde de Mons.

Et, comme je l'espérais, ils ne se sont jamais unis.

Il a suffi de quelques mois pour que la belle alliance célébrée à Marseille s'effiloche.

C'était Charles Quint qui s'emparait de Tunis et libérait des milliers de chrétiens, devenant ainsi le protecteur de la chrétienté.

C'était François Ier qui demandait à mon père et à mon frère de rejoindre Constantinople pour y rencontrer le sultan.

Ils m'abandonnèrent à nouveau au Castellaras de la Tour en compagnie de Salvus et du père Verdini. J'écoutai leur condamnation du roi Très Chrétien et de ceux qui le suivaient.

J'apercevais sur l'autre rive de la Siagne la Grande Forteresse des Mons. Il me semblait que Mathilde devait me voir, peut-être m'attendre.

Mais comment la rejoindre ?

La Siagne, la rivière qui nous séparait, était devenue un abîme, un torrent de sang.

Les armées de Charles Quint la traversaient, venant de Nice, pour aller combattre les trente mille hommes des troupes royales qui les attendaient dans un camp fortifié de la plaine du Comtat.

Ainsi ai-je découvert pour la première fois la guerre. Les paysans s'installaient dans nos forêts, fuyant leurs villages pillés par les lansquenets de Charles Quint. Le père Verdini craignait que ces reîtres ne viennent jusqu'au Castellaras de la Tour et n'y mettent le feu pour punir les Thorenc de leur fidélité au roi de France. Il tremblait aussi pour nos vies et la vertu de ma sœur Isabelle. Puisque mon père et mon frère étaient absents, il suggéra que nous nous réfugiions dans la Grande Forteresse : les lansquenets ne l'attaqueraient jamais puisque les Mons étaient les protégés de l'empereur et du duc de Savoie.

Et puis, prêchait-il, là est la Juste Foi, là sont ceux qui défendent la sainte Église.

Je me réjouissais de ses propos. Je priais pour qu'il ait le courage de prendre cette décision.

Mais, tenaillées par la faim, les troupes de Charles Quint ont été vaincues. Leurs entrailles pourries par la maladie, elles ont dû regagner les terres du duc de Savoie, et mon père et mon frère sont rentrés de leur ambassade.

Ma sœur leur a révélé que j'avais accepté de gagner la Grande Forteresse des Mons et m'a ainsi livré à leur colère.

J'étais félon, traître au roi de France et à ma famille.

Ainsi a débuté cette partie de ma vie dont la bataille de Lépante fut le couronnement.

Sur le pont de la *Marchesa*, j'ai rouvert les yeux.

J'ai vu Enguerrand de Mons se redresser lentement en prenant appui sur son glaive.

Pour lui et pour moi, le moment de nous présenter devant Dieu n'était pas encore venu.

Je me suis levé, j'ai rejoint Enguerrand et nous nous sommes donné l'accolade.

Ruggero Veniero s'est avancé vers nous.

— La victoire a été grande ! a-t-il clamé. Il faut en remercier Dieu.

Nous nous sommes signés.

Veniero a montré les corps étendus sur le pont, les cadavres qui venaient battre la coque de la *Marchesa* et auxquels le mouvement des vagues donnait une apparence de vie.

— Tant de nos gentilshommes de grande valeur sont morts, a-t-il dit. Mais je ressens envers eux de l'envie plutôt que de la compassion. Ils sont morts dans l'honneur, pour leur patrie et leur foi en Jésus-Christ !

J'ai serré contre ma poitrine la tête tranchée du christ.

Tu hoc signo Turcos vici.

Avec ce signe j'avais vaincu les Turcs.

4.

Cette victoire sur les infidèles, le dimanche 7 octobre 1571, Vous le savez, Seigneur, je l'avais attendue si longtemps !

Pour la première fois je Vous ai prié de m'accorder la grâce de vivre ce jour de revanche et d'éclat quand j'ai senti sur ma nuque le talon de la botte du capitan-pacha Dragut.

J'avais seize ans. J'étais à genoux, les mains et le visage plongés dans ce liquide gluant et rouge, le sang des hommes.

Autour de moi, sur le pont de cette galère dont Dragut venait de s'emparer, gisaient les corps des marins chrétiens – des Espagnols – avec qui j'avais combattu, essayant de repousser ces hommes à grands turbans qui jaillissaient des deux navires entre lesquels nous étions pris comme entre les mâchoires d'un étau.

Nous avions été ensevelis sous la nuée hurlante des infidèles brandissant piques, poignards, cimeterres et haches. J'avais vu les têtes chrétiennes rouler l'une après l'autre, et le pont se couvrir de sang.

J'avais été désarmé d'un coup de plat de lame sur mon poignet et j'avais pensé que ces hommes qui me saisissaient allaient m'égorger quand, tout à coup, j'avais vu, bondissant sur notre pont, un homme dont le turban enveloppait aussi le visage. Mais à sa haute taille, à ses bras démesurés, aux bagues qu'il portait à chacun de ses doigts, à sa manière si souple de se mouvoir, ses longues jambes ployées, comme toujours prêt à bondir et à courir, je l'ai reconnu d'emblée : c'était Dragut.

Je l'avais vu, quelques mois auparavant, entrer dans la grand-salle de notre Castellaras de la Tour, escorté par deux hommes armés de cimeterres. Sur l'aire, devant la poterne du Castellaras, se tenaient une dizaine d'hommes, eux aussi coiffés d'un turban.

C'est avec effroi et effarement que j'avais assisté aux embrassades que se donnaient Dragut, mon père et mon frère.

Dragut avait fait déposer devant eux des coffres dont il disait qu'ils étaient remplis de présents pour le grand roi de France, l'allié du sultan, Soliman le Magnifique.

Mon père m'avait appelé pour me convier à m'incliner devant Dragut, capitan-pacha d'Alger, émissaire du sultan, combattant valeureux, dont bientôt les navires, avec ceux du roi de France, attaqueraient Nice, ville du duc de Savoie, l'allié de Charles Quint.

François Ier venait de lancer à tout le royaume un « cry de guerre » contre l'empereur Charles qui, disait le souverain, voulait, sous couvert de défendre la chrétienté, imposer sa loi à toutes les nations. Le roi de France n'était pas le genre de monarque à plier le genou. Il en allait de même du roi d'Angleterre et des princes d'Allemagne, de même que des nobles et des peuples des Pays-Bas. Selon François Ier, dont mon père citait les paroles, Charles Quint n'était qu'un ambitieux Habsbourg qui voulait faire croire que son armée était une paisible procession de fidèles et de défenseurs du pape ! L'empereur avait-il oublié que ses reîtres et ses lansquenets avaient mis Rome à sac ?

— L'année même de ta naissance ! m'avait lancé mon père.

Je lui avais désobéi. Non seulement j'avais refusé d'aller saluer Dragut, mais j'avais montré avec insolence le mépris que j'éprouvais pour l'homme qu'il accueillait avec la familiarité dont témoignent entre eux les compagnons d'armes.

Le père Verdini m'avait révélé que Dragut était un renégat, l'un de ces nombreux chrétiens qui, prisonniers des Barbaresques, abjuraient leur foi et adoptaient celle de leurs geôliers. Ils échappaient ainsi à la prison et à la chiourme. Ils étaient libres. Mais comme ils craignaient que leurs maîtres ne les soupçonnassent de vouloir un jour revenir à leur ancienne religion et de songer à profiter de leur liberté pour s'enfuir, ils devenaient les plus cruels et les plus pervers des musulmans, les plus furieux des Barbaresques. Ils combattaient avec adresse, torturaient avec raffinement. Leur zèle étonnait leurs anciens maîtres qui, bientôt, leur accordaient confiance, pouvoir, fortune et parfois affection.

Le capitan-pacha Dragut était le plus illustre de ces renégats. Né en Calabre, les Barbaresques l'avaient enlevé avec tous les jeunes hommes de son village. Les femmes avaient été égorgées après avoir été violées. Ce jour-là, les infidèles n'avaient besoin que de rameurs pour leurs chiourmes. Ils avaient marqué Dragut au fer rouge sur la joue gauche comme s'il n'avait été qu'une bête de leur troupeau.

Or Dragut n'était ni un mouton ni un chien, mais un homme-loup, de ceux qu'on ne dompte pas et qu'aucun lien, aucune cage ne peut retenir prisonnier.

Il avait d'abord plié et accepté, le regard baissé, humiliations et sévices. Il avait obéi sans rechigner aux ordres des gardes-chiourme, tressaillant à peine quand les lanières des fouets lui cinglaient le dos et la nuque. Sa peau s'était tannée.

Au bout de quelques mois, l'un des gardes-chiourme l'avait choisi pour remplacer un marin qu'une vague avait emporté.

Dragut avait fait merveille, grimpant au mât, agile et soumis. Peut-être son corps souple et long avait-il séduit l'un des officiers de la galère. On l'avait laissé cacher sa marque infamante sous un grand turban et, peu à peu, on avait oublié qu'il n'était qu'un prisonnier chrétien. Il avait fait brûler avec une lame rougie l'empreinte qui le défigurait et, lorsqu'il ôtait son turban, on pouvait imaginer qu'il avait été blessé au cours d'un combat.

Car il était devenu l'un des plus renommés des pirates barbaresques, s'aventurant dans les golfes et les baies, les ports même des côtes espagnoles, italiennes ou provençales, pour attaquer les navires chrétiens, les piller, tuer ou rafler leurs équipages, libérer les rameurs musulmans. Il n'oubliait jamais d'offrir une part de son butin et les plus beaux et vigoureux de ses captifs aux représentants du sultan à Alger.

Après quelques années, il avait été nommé capitan-pacha de la ville et le sultan en avait fait souvent son émissaire auprès des chrétiens, qu'ils fussent vénitiens ou français.

Jamais il n'avait tenté de s'enfuir. Il demeurait non loin du port d'Alger, dans un palais entouré d'un jardin immense qui sentait l'orange et le laurier. Son harem comptait plus de soixante femmes, chrétiennes pour la plupart.

Lorsque j'avais hurlé son nom, à l'instant où il bondissait sur notre galère, il avait levé le bras, et les mains des soldats qui appuyaient déjà la lame de leur cimeterre contre ma gorge s'étaient immobilisées.

Dragut s'était approché de moi, plissant les paupières, dissimulant ainsi son regard dont j'avais pourtant perçu, entre les cils, la dure acuité. Les hommes qui me tenaient par les bras avaient voulu me forcer à m'incliner devant lui. J'avais résisté et dit :

— Castellaras de la Tour, Louis et Guillaume de Thorenc.

Dragut m'avait dévisagé puis, d'un geste, il avait ordonné aux soldats de me contraindre à m'agenouiller.

Ils avaient tordu mes poignets, pesé sur mes épaules jusqu'à ce que mes lèvres s'imprègnent de la suave tiédeur du sang qui inondait le pont.

Le talon de Dragut s'était enfoncé dans ma nuque.

— Qui es-tu ? avait-il questionné d'une voix rauque et méprisante.

Je n'avais pas répondu malgré les coups de pied qu'il commençait à m'asséner, frappant de la pointe de sa botte mes flancs et mon visage.

Mais j'étais prêt à mourir plutôt que d'avouer, parmi les morts qui m'entouraient, que j'étais le fils de Louis de Thorenc et le frère de Guillaume.

J'avais rompu avec eux.

Je m'étais enfui du Castellaras de la Tour en compagnie du père Verdini et de Salvus.

J'avais entendu mon père et mon frère promettre à Dragut qu'une flotte royale rassemblée à Marseille et à Toulon allait rejoindre les cent galères barbaresques que le Sultan avait promises à François Ier et que Dragut devait conduire devant Nice afin de bombarder puis de conquérir la ville.

J'avais compris que, depuis que François Ier avait lancé son « cry de guerre » contre Charles Quint, peu lui importait de connaître la religion de ceux qui étaient décidés à s'allier à lui.

Et mon père et mon frère partageaient cette opinion.

Ils se souciaient peu de savoir que des prisonniers chrétiens étaient enchaînés sur les bancs des galères de Dragut, qu'ils y étaient fouettés jusqu'au sang.

Ils étaient prêts à laisser les infidèles piller une ville chrétienne, en violer les femmes, en égorger les hommes ou les réduire en esclavage. J'avais honte de porter le nom de Thorenc.

J'ai confié à Enguerrand de Mons ce que je savais. Ce faisant, je n'ai pas eu le sentiment de trahir les miens ni le roi de France, mais, au contraire, celui d'être fidèle à ma foi. Je rachetais leur faute.

Pendant que je parlais à Enguerrand, j'ai aperçu sa sœur Mathilde qui m'écoutait, assise dans la pénombre. Ma voix s'est faite plus assurée.

Aujourd'hui, Seigneur, après tant d'épreuves subies, tant de sang répandu, il m'arrive de me demander si, dans ma résolution d'alors, il n'y avait pas avant tout le désir de plaire à Mathilde de Mons.

Je sais maintenant que les raisons qui poussent les hommes à agir sont aussi mêlées que les fils d'un écheveau.

Mais je n'ai pu alors m'approcher de Mathilde.

À peine ai-je eu le temps de croiser son regard et d'en être ému, puis de remarquer, au moment où son frère m'entraînait, qu'elle me suivait des yeux. J'en trébuchai tant j'étais troublé.

Mais l'heure n'était pas aux échanges courtois.

Enguerrand de Mons donnait l'ordre qu'on sellât des chevaux.

Il fallait, me dit-il, avertir les défenseurs de Nice de l'attaque qui se préparait contre leur ville.

Lui tenterait de s'y rendre par voie de terre. Mais l'entreprise était difficile ; les troupes de François Ier s'étant avancées jusqu'aux berges du Var, il craignait de ne pouvoir franchir le cours d'eau.

Il m'invita donc à embarquer sur l'une des galères espagnoles qui relâchaient dans les criques de la côte qu'on appelait des Maures, cherchant à surprendre les navires barbaresques dont les équipages dévastaient les villages du littoral.

L'un de nous, espérait Enguerrand de Mons, réussirait bien à gagner les terres du duché de Savoie.

— Dieu nous protège ! lança-t-il au moment où nous nous séparions.

Je ne suis jamais parvenu jusqu'à Nice.

À peine notre galère eut-elle quitté l'abri des rochers rougeâtres que deux vaisseaux barbaresques, plus rapides, nous prirent en chasse.

J'ai imaginé les galériens chrétiens courbés sur les rames, fouettés jusqu'au sang, accélérant la cadence afin que les navires de leurs bourreaux nous rejoignent.

Bientôt ce fut fait.

Alors les hommes de Dragut bondirent sur le pont de notre galère et commencèrent à hacher et à tuer.

5.

Seigneur, il m'a fallu attendre notre victoire de Lépante, le dimanche 7 octobre 1571, pour voir enfin rouler sur le pont des galères les têtes des infidèles.

Elles étaient comme de grosses boules noirâtres enveloppées de chiffons blancs qui peu à peu se teintaient de rouge.

Chaque fois que l'une d'elles, tranchée au ras des épaules, tombait à mes pieds, j'espérais que ce fût le chef enturbanné de Dragut qu'on venait de couper.

Je n'avais rien oublié de la manière dont il m'avait humilié et battu, pas plus de l'effroi et de la haine qu'il m'avait inspirés.

Il était le Mal.

Il avait livré quelques-uns des survivants de notre équipage aux galériens musulmans dont il avait fait briser les chaînes.

Ces hommes nus, aux corps faméliques, avaient la peau déchirée par les coups de fouet dont, depuis des mois et même des années, les gardes-chiourme chrétiens les avaient cinglés.

Ils s'étaient jetés comme des fauves sur les marins espagnols. Ils n'avaient pour armes que leurs ongles et leurs dents. C'était assez pour arracher les yeux et les oreilles, lacérer le visage et le ventre, fouailler dans les entrailles. Puis ils avaient empalé ce qui restait des malheureux.

Durant ce carnage, Dragut de son cimeterre avait tenu ma tête soulevée. Il voulait que rien n'échappe à ma vue. Chaque fois que je fermais les yeux, il éraflait ma gorge et me frappait de la pointe du pied.

— Regarde, disait-il, après ce sera toi ! Mais je prendrai tout le temps qu'il faut. Ceux-là – il désignait les galériens qui s'étaient répandus dans la galère et la pillaient – ne savent pas l'art de faire souffrir. Moi je sais. J'ai appris.

Il parlait un français rugueux mêlé de mots arabes et calabrais, mais ses gestes me laissaient assez deviner le sens de ses propos.

Pour ne pas l'entendre j'ai prié, Seigneur.

Je Vous ai demandé de m'accorder la mort comme une bénédiction, une grâce infinie.

Et, parce que je restais en vie, j'ai pensé que Vous m'aviez abandonné, ou que Vous vouliez que ma souffrance rachète la trahison de mon père et de mon frère, ainsi que celle du roi de France, notre suzerain. Cependant, alors que je doutais de Vous, je continuais de prier et cela seul m'empêchait de hurler de terreur alors que les infidèles, autour de moi, recherchaient parmi les corps ceux qui n'étaient que blessés afin d'achever de les martyriser.

Tout à coup Dragut s'est penché et m'a longuement dévisagé. J'ai su qu'il hésitait encore entre m'égorger sur-le-champ ou me livrer aux enragés qui rôdaient autour de moi, attendant un signe pour me supplicier.

J'ai cru, Seigneur, que Vous aviez enfin entendu ma

prière, et la peur m'a quitté. Je me suis même redressé pour défier Dragut.

Mais son expression avait changé. Il a esquissé un sourire dédaigneux comme s'il m'avait enfin reconnu.

Il a murmuré « Castellaras de la Tour », puis il a ricané, ordonnant qu'on m'attache au banc de la chiourme.

Il s'est éloigné, puis est revenu sur ses pas et m'a giflé plusieurs fois à toute volée, si durement que j'ai eu l'impression qu'à l'intérieur de ma tête tout n'était plus que débris douloureux.

On m'a traîné jusqu'à un banc auquel on m'a enchaîné.

Nous étions ainsi quelques chrétiens épargnés pour peupler une partie de la chiourme de notre galère qu'un des navires de Dragut remorquait.

Où allions-nous ?

En enfer, ai-je pensé lorsque les coups de fouet se sont abattus sur mon échine, que mon dos n'a bientôt plus été qu'une insupportable brûlure.

J'ai pleuré. J'ai geint. J'avais à peine seize ans.

Je Vous ai à nouveau invoqué, Seigneur, pour que Vous me rappeliez à Vous, que la mort soit Votre messagère bienveillante et bienvenue.

Rivé à la même chaîne que moi, un officier espagnol s'est indigné, m'accusant de n'être que l'un de ces Français, hommes par l'apparence, femmes par les mœurs et la couardise. Puis il a paru regretter ses propos.

— Tu vis, donc tu espères ! m'a-t-il répété plusieurs fois, dents serrées, sur un ton de commandement, tirant sur la rame avec hargne, m'entraînant dans son mouvement.

Cet homme, Diego de Sarmiento, que Vous aviez placé près de moi, Seigneur, m'a arraché au désespoir.

J'ai eu honte d'avoir douté de Vous et de Vous avoir demandé ce que Vous ne deviez pas m'accorder.

J'ai donc ramé.

Je me suis couché, collant ma poitrine à la rame pour éviter de recevoir dans leur pleine violence les coups de fouet.

À chaque fois que la lanière de cuir claquait, Sarmiento murmurait :

— Baisse-toi, Français, baisse-toi !

Je me mordais les lèvres jusqu'à remplir ma bouche de sang afin de ne pas hurler de douleur quand le fouet atteignait mes plaies à vif.

— Rame ! répétait Sarmiento.

Mais il me semblait que mes bras, mes mains, mes jambes raidis refusaient l'effort que je leur demandais, qu'il me fallait à chaque fois les briser pour accomplir les gestes du rameur.

J'y réussissais, ne pensant à rien d'autre qu'à cette tâche, oubliant jusqu'à la succession du jour et de la nuit.

Dans la pénombre de la chiourme, nous n'étions que des bêtes attelées, nourries d'une poignée de grain, de haricots et de biscuits grouillants de vers, abreuvées d'une louche d'eau saumâtre. Nos corps étaient couverts de croûtes de sang séché et de nos déjections.

Lorsque nos gardes-chiourme passaient parmi nous,

ils se couvraient le visage avec un pan de leur turban, tant nous puions.

Je n'éprouvais plus rien. Pendant des jours, peut-être des semaines, je suis aussi devenu sourd. Ma tête était remplie par un bourdonnement aussi fort que le battement de la cloche de notre chapelle quand il m'arrivait de grimper jusqu'au clocher afin d'apercevoir les gorges de la Siagne et, les dominant, les quatre tours de la Grande Forteresse des Mons.

Un jour, enfin, nous avons cessé de ramer et j'ai entendu la canonnade. La flotte de Dragut bombardait Nice ; et les coups espacés et éloignés devaient être la riposte de l'artillerie du château.

J'ai imaginé qu'Enguerrand de Mons avait réussi à gagner la ville et pu alerter sa garnison.

Mais – au bout de combien de temps ? – j'ai perçu, d'abord lointains, puis de plus en plus proches, des cris de femmes.

— La ville est prise, a murmuré Sarmiento. Ils embarquent les femmes sur leurs galères.

J'avais déjà acquis assez de prudence et d'expérience pour ne pas crier ma rage.

Je me suis tassé sur mon banc. J'ai essayé de ne plus écouter ces voix qui s'éloignaient, de ne pas imaginer le destin de ces femmes, de ne pas penser à Mathilde de Mons.

Peut-être n'aurais-je pu me taire longtemps si nous étions restés immobiles, échappant peu à peu à notre épuisement. Mais le sifflement du fouet, les hurlements des gardes-chiourme, le choc des vagues contre les flancs de la galère ont à nouveau rempli ma tête.

Nous nous sommes remis à ramer.

C'était l'automne, avec ses tempêtes.

Les paquets de mer qui s'engouffraient dans la chiourme me jetaient contre les bancs et la coque. Les anneaux de la chaîne déchiraient mes chevilles et mes poignets. Le sel brûlait mes plaies. Le désespoir pourrissait mon âme.

J'enviais ces rats que l'eau chassait de leurs repaires et qui couraient, libres, sur mon corps.

Si Sarmiento n'avait été à mes côtés, peut-être aurais-je cessé de ramer, ma tête et mon corps ballants, attendant que les gardes-chiourme me brisent les reins, puis me jettent par-dessus bord.

Mais Sarmiento me retenait à la vie.

D'un coup de coude, il m'obligeait à me redresser. Il me parlait. Il comprenait l'arabe. Il écoutait les gardes-chiourme et me rapportait ce qu'il avait appris.

Si Nice avait été conquise par les infidèles, pillée, saccagée, les femmes embarquées de force sur les galères, le château, lui, n'avait pas été pris. Les flottes de Dragut et de François Ier avaient dû quitter la baie parce que le vent s'était levé, menaçant de drosser les galères contre les récifs.

— Ils n'ont pas réussi, a répété Sarmiento. On peut, on doit les vaincre ! Avec l'aide de Dieu, nous les écraserons un jour.

J'ai imaginé qu'Enguerrand de Mons avait participé aux combats, qu'il avait survécu, et que, rentré à la Grande Forteresse, il s'était, avec Mathilde, soucié de mon sort.

Je me redressais. Je ramais. J'évitais les lanières de cuir qui claquaient dans la chiourme.

Sarmiento a ajouté que de nombreux chrétiens avaient réussi à fuir les prisons ou les navires barbaresques. D'autres, plus nombreux encore, avait été rachetés par leurs familles. Il en avait rencontré plusieurs, en Espagne. Il fallait donc survivre.

Après plusieurs jours de gros temps, la galère s'est mise à glisser sur une mer lisse dans laquelle les rames s'enfonçaient presque sans effort.

Nous étions entrés dans la rade de Toulon. Nous entendîmes les pas des marins qui couraient sur le pont. Les gardes-chiourme s'interpellaient, s'exclamaient et riaient.

Sarmiento a craché :

— Ton roi leur a livré la ville !

Il s'est mis à jurer, à maudire ces Français, ce roi qui se prétendait Très Chrétien mais qui avait forcé les habitants de Toulon à abandonner leur cité, à se réfugier dans les villages voisins afin que les infidèles, ses alliés, s'installent dans la ville pour l'hiver, mettent leurs galères à l'abri des tempêtes.

— Il choisit l'infidèle, a-t-il ajouté. Il trahit sa foi et ses sujets. Il t'abandonne !

Mais Sarmiento n'est resté que quelques instants prostré. J'ai vu son visage se durcir. Il a tiré d'un coup sec sur les chaînes comme s'il avait pu les briser.

— Dieu, peut-être..., a-t-il soufflé, expliquant que la galère n'était ancrée qu'à quelques brasses d'une terre chrétienne.

Il connaissait les infidèles. Ils quitteraient leurs vaisseaux pour occuper les maisons abandonnées par leurs habitants. Ils y vivraient avec leurs esclaves et les femmes qu'ils avaient embarquées à Nice. La surveillance se relâcherait. Il ne fallait plus penser qu'à fuir.

Il a de nouveau tiré sur ses chaînes.

J'ai posé mes mains près des siennes sur les anneaux de fer. Il m'a regardé droit dans les yeux.

— Toi et moi, a-t-il murmuré.

Puis il a ajouté d'une voix plus sourde encore :

— Mais s'ils nous soupçonnent, s'ils nous reprennent, nous envierons le Christ de n'avoir été que crucifié !

6.

Seigneur, les infidèles ne percèrent de clous ni mes paumes ni mes chevilles, ils ne me crucifièrent pas comme l'avait craint Sarmiento, mais ils blessèrent mon âme si profondément que le cours de ma vie s'en trouva changé.

Cela se passa à Toulon durant l'hiver 1544, peu après que Sarmiento m'eut convaincu qu'il nous fallait tenter de fuir, quels qu'en fussent les risques.

Notre galère était amarrée à l'un des quais du port. Les bruits qui venaient de la ville étaient notre tentation et notre torture. J'écoutais comme une promesse le gargouillis d'une fontaine qui me semblait le chant le plus doux, le plus émouvant que j'eusse entendu depuis mon enfance.

J'entendais les grincements des charrois, le martèlement des sabots des montures.

Je respirais l'odeur de la terre et rêvais de rouler mon corps dans la poussière pour le sécher de l'humidité saumâtre qui le pourrissait depuis que l'on m'avait attaché à ce banc de galérien.

Maudit soit ce jour, et que Dragut brûle en enfer !

Je l'avais vu, quelques jours après notre arrivée à Toulon, se pencher sur la chiourme et dévisager l'un après l'autre les galériens. Il m'avait semblé qu'il me cherchait, puis me désignait à l'un des gardes.

J'avais enfoncé la tête dans mes épaules. Je ne voulais plus mourir, mais fuir.

Chaque nuit, alors que nos compagnons respiraient comme on râle, leurs corps secoués par des cauchemars qui leur arrachaient parfois des cris de douleur dans leur sommeil, Sarmiento et moi, tels des rats, griffions la pièce de bois dans laquelle la chaîne qui nous liait était scellée.

Nous n'avions que nos ongles pour arracher les fibres de cette carène contre laquelle nous nous blessions.

Parfois, l'un de nous s'accroupissait dans les immondices pour essayer de mordre à même ce bois noir.

Nous dérangions les rats qui s'approchaient de nos doigts en sang. Nous craignions leurs morsures.

Puis l'aube venait, de plus en plus tardive.

Presque chaque jour les gardes-chiourme choisissaient quelques-uns d'entre nous pour décharger le butin qui avait été embarqué à Nice après la conquête et le pillage de la ville.

Nous ne les revoyions plus. Peut-être étaient-ils morts sous les coups, ou voués au service de tel ou tel infidèle, capitan de galère ou simple garde-chiourme, occupant une des maisons dont les habitants avaient été chassés par le roi, ce monarque qui avait pourtant reçu de Dieu mission de les protéger et de défendre la foi en Christ.

Sarmiento murmurait que nos compagnons étaient peut-être parvenus à fuir, à gagner les villages chrétiens, mais il s'exprimait d'une voix si abattue que je ne pouvais croire à ses propos.

Il savait comme moi que les gardiens se seraient vengés sur nous d'une évasion réussie. Or ils paraissaient se désintéresser de notre sort, nous jetant quelques croûtons de pain, remplissant un seau d'une eau qui nous semblait d'autant plus saumâtre et fétide que nous entendions, sur le quai, chanter la fontaine.

Aussi, la nuit, continuions-nous de ronger et creuser avec nos ongles le bois de la carène.

Un jour, les gardes-chiourme nous détachèrent avec les derniers galériens. De la pointe de leurs piques et de leurs sabres, ils nous poussèrent sur le pont, tout en nous injuriant et en nous frappant parce que nous trébuchions et cherchions à nous agripper aux cordages.

J'ai reçu ma bonne part de coups et ai chancelé, hésité, titubé comme un homme craintif qui ne sait plus ni tenir debout ni marcher.

La lumière, l'air vif, les couleurs des collines qui entouraient la ville, la vue des arbres m'ont enivré.

On m'a poussé sur le quai.

J'y suis resté agenouillé. J'ai levé les yeux et découvert les maisons basses aux toits de tuile et aux façades craquelées, blanches ou jaunies.

Cette terre, cette ville étaient chrétiennes.

Puis j'ai entendu les cris rocailleux, les voix gutturales, et j'ai aperçu ces hommes en turbans, suivis par leurs esclaves aux chevilles entravées, qui marchaient sur les quais, s'engouffraient dans les ruelles, s'interpellaient d'une fenêtre à l'autre, palabraient sur le seuil des maisons.

Non, cette terre, cette ville n'étaient plus chrétiennes.

Elles avaient été livrées aux infidèles par mon suzerain, le roi Très Chrétien, et mon père et mon frère avaient favorisé cette félonie.

Ils avaient prétendu qu'il s'agissait de défendre le royaume de France, menacé par l'empereur Charles Quint qui cherchait à établir sur le monde sa monarchie universelle et masquait ses ambitions sous les grimaces de la foi.

C'est ce que mon père m'avait dit.

Mais j'étais à genoux sur le sol d'une ville livrée aux infidèles.

Pleuvaient sur mon dos les coups de hampe. On me frappait du plat des sabres. On me piquait les jambes comme on fait à un animal pour qu'il se redresse.

Et je me suis levé, et l'on m'a séparé de mes compagnons.

Je les ai vus s'éloigner, attachés l'un à l'autre, Sarmiento marchant le dernier. Il était le plus grand, et tenait son corps droit, noble sous les haillons.

Il s'est tourné vers moi et a crié :
— Dieu te protège, frère !

Le garde qui le suivait lui a asséné un coup sur les épaules, mais il n'a pas baissé la tête et a continué à me regarder.

Avant de disparaître dans l'une des ruelles, il a crié derechef :
— *Esperanza !*

J'ai vu le garde lever sa pique sur lui et on aurait dit que c'était mon âme qu'on perçait.

L'espace de quelques instants, le désespoir m'a à la fois aveuglé et paralysé. Je n'ai pu avancer malgré les bourrades, les coups, les cris de l'homme qui me gardait.

Puis il a tiré sur la chaîne qui me liait les poignets et les chevilles, et il m'a forcé à trottiner, à sautiller comme un animal tenu en laisse.

J'ai eu honte.

La foule des infidèles m'entourait. La plupart m'ignoraient, mais quelques-uns se moquaient, me crachant au visage, me bousculant avec mépris, me faisant trébucher et s'esclaffant lorsque je chutais sur le pavé.

J'ai eu la tentation de ne pas me relever. Il aurait bien fallu alors que mon gardien me traîne ou me tue.

À tout prix je voulais redevenir un homme.
— *Esperanza !* m'avait crié Sarmiento.

Je suis resté couché sur le sol, indifférent aux coups dont le gardien me rouait. Il me tapait sur le dos et les cuisses, enfonçait dans mes mollets la pointe de sa pique.

Tout à coup, un vieil homme s'est approché et a repoussé mon gardien en le menaçant du poing, et la foule autour de nous s'est écartée.

Le vieillard s'est accroupi. Il portait un turban noir qui s'enroulait autour de son cou. Il m'a tendu la main.

Nos regards se sont croisés et je n'ai lu dans ses yeux que de la compassion, de la fraternité, de l'humilité.

Un sanglot m'a étouffé.

Esperanza, esperanza.

J'ai saisi sa main, l'ai serrée. Je me suis mis à genoux, puis debout.

Le vieil homme m'a caressé le visage, puis s'est éloigné. Aussitôt, le gardien s'est remis à me battre, martelant de la hampe de sa pique mon flanc droit.

Longtemps nous avons marché par les ruelles encombrées et bruyantes. Dans l'une d'elles où se succédaient les échoppes de cordonniers, de tailleurs, d'armuriers, de changeurs, j'ai aperçu derrière leurs comptoirs des chrétiens et un juif en longue tunique jaune qui palabraient avec les infidèles.

J'ai essayé de croiser le regard de ces hommes qui avaient choisi de poursuivre leur commerce dans cette ville livrée à l'ennemi et où les seuls chrétiens que j'avais vus jusqu'alors étaient enchaînés, battus, humiliés comme moi.

Ces marchands-là empochaient leur argent et, le soir, devaient compter les deniers de la trahison.

Comme mon père, mon frère, comme le roi Très Chrétien devaient soupeser les bénéfices de leur alliance avec le sultan.

Je les ai tous maudits, ces félons, ces renégats !

Et j'ai prié, Seigneur, pour que vienne le jour de leur châtiment, et que j'en sois le témoin !

Nous sommes parvenus sur une place au centre de laquelle se tenait un groupe de femmes chrétiennes entourées de soldats.

Une foule d'hommes silencieux, aux visages tendus, ne les quittait pas des yeux.

Elles étaient assises à même le sol, serrant entre leurs bras leurs jambes repliées, le front appuyé à leurs genoux.

Une seule était debout et me tournait le dos.

Lorsque j'ai vu son visage, je me suis immobilisé malgré les coups.

Ses cheveux blonds dénoués tombaient jusqu'à sa taille. Elle croisait les bras, paraissant ne pas voir les gardiens qui allaient et venaient, menaçant de leurs piques la foule des hommes qui avançaient puis refluaient.

J'ai crié, j'ai voulu m'élancer vers Mathilde de Mons.

Une douleur m'a brisé la nuque. Une lueur brûlante a envahi mes yeux, ma tête, enveloppant du même coup Mathilde de Mons.

Je suis tombé.

Quand j'ai rouvert les yeux, j'ai d'abord vu du bleu, puis j'ai compris que j'étais allongé sur le parquet d'une pièce au plafond peint de cette couleur. Je pouvais à peine bouger la tête. J'ai tenté de rassembler les débris de ma mémoire, mais je ne savais plus si cette femme debout, altière, était Mathilde de Mons, ou bien si j'avais imaginé sa présence au milieu des femmes capturées, destinées au harem.

J'ai voulu me persuader que Mathilde ne pouvait se trouver parmi les captives. Puis, peu à peu, je me suis souvenu de ces bandes d'infidèles qui, débarqués d'une galère, la nuit, dans une crique, attaquaient les villages, se glissaient dans les vallons, surgissaient à des jours de marche de la mer, surprenant les paysans dans leurs champs, détruisant les récoltes, saccageant les églises, pillant masures et châteaux.

Puis, avec leur butin et leurs prisonnières, ils regagnaient le navire qui les attendait.

Ils avaient donc pu remonter la vallée de la Siagne jusqu'à la Grande Forteresse de Mons. Peut-être mon père et mon frère leur avaient-ils indiqué les gués, les sentiers qui leur permettraient d'éviter les postes de garde.

C'était de bonne guerre. Les Thorenc et les Mons étaient rivaux et ennemis, les trêves entre eux avaient toujours été brèves, destinées à préparer leur prochain affrontement.

Et puis, si François Ier avait livré Toulon aux infidèles, pourquoi Louis de Thorenc ne leur aurait-il pas facilité le pillage de la Grande Forteresse des Mons ?

Mon âme n'était plus qu'amertume et douleur.

J'ai entendu des pas, mais, avant que j'aie pu me redresser, on m'avait saisi par les épaules, soulevé, maintenu debout.

Au centre de la grande pièce sur les murs de laquelle

j'ai deviné, comme des traits de clarté sur les boiseries sombres, les emplacements de deux crucifix, j'ai découvert Dragut.

Grand, maigre, vêtu d'un pourpoint et de pantalons bouffants noirs, tête nue, les cheveux ras, il était planté comme un pieu acéré. Sa joue gauche labourée par une large cicatrice rose vif tranchait avec le brun mat du visage.

Il s'est avancé. J'ai reconnu sa démarche souple qui donnait l'impression qu'il ne touchait pas le sol.

— Tu es vivant parce que je l'ai voulu, m'a-t-il dit.

Puis, s'approchant encore, si bien que j'ai senti l'entêtant parfum dont ses vêtements devaient être imprégnés, il a ajouté, méprisant :

— Thorenc fils ! Si je ne t'ai pas égorgé, c'est parce que tu vaux mille ducats.

Il s'est tourné, a tendu le bras, montré un coffre posé sur une table.

— Ils ont payé ta rançon. J'aurais pu exiger davantage. Mais – il a écarté les mains, ricané – nous sommes les alliés de l'empereur de France et les Thorenc le servent. Ils m'ont accueilli et le sultan les a reçus.

Il a tout à coup serré le poing et a hurlé d'une voix menaçante :

— Mais toi, que faisais-tu sur une galère espagnole ? Fou ! La tête farcie des mensonges d'un moine : voilà ce qu'ils m'ont dit de toi !

Il s'est mis à arpenter la pièce, penché en avant, ses longs bras allant et venant, accompagnant ses phrases.

— Les prêtres, les moines, leur religion, ton Dieu, je les connais !

Il s'est arrêté, a laissé tomber la tête sur son épaule, bras en croix.

— Un Dieu vaincu, crucifié !

Il a ramené les bras le long de son corps et a repris :

— On me destinait au séminaire. Mais ton Dieu, celui que je priais depuis l'enfance comme tous les habitants de mon village, est-ce qu'Il nous a protégés ? Nos maisons ont brûlé, tout comme l'église. J'ai pensé : Il n'est donc pas le plus fort ! J'ai reconnu le vrai Dieu, Allah l'Unique, et Mahomet Son prophète. J'obéis à Sa parole. Il est mon guide. Je suis Son soldat. Il me protège et sait me récompenser.

Il a croisé les bras.

— Je suis là et je peux, si je le veux, t'écorcher comme un mouton, puis crucifier ce qu'il restera de toi. Qu'en dis-tu ?

J'ai baissé la tête.

— Ce n'est pas ton Dieu qui t'a sauvé, a-t-il repris. C'est moi ! Moi, fils du prophète Mahomet, je décide de te vendre à Louis de Thorenc pour mille ducats !

Ce qui m'a fait répondre à Dragut :

— Je ne connais pas Louis de Thorenc.

7.

Est-ce Vous, Seigneur, qui m'avez inspiré les mots qui ont scellé mon destin ?

Je n'ai pas eu le courage de les répéter lorsque Dragut

l'a exigé, m'empoignant par le col et commençant à me secouer.

J'ai baissé la tête pour ne pas voir son visage, ne pas succomber à l'effroi qu'il suscitait en moi, tant émanait de lui une implacable cruauté.

— Tu ne connais pas Louis de Thorenc ? répéta-t-il.

Je me suis mordu les joues et les lèvres pour ne pas crier : « Oui, j'ai menti ! Je suis son fils ! Oui, je lui rends grâces d'avoir payé ma rançon ! Oui, je veux être libre, quitter cette ville, ne plus penser à ceux que j'y abandonne : Mathilde de Mons, Diego de Sarmiento, et mes frères chrétiens livrés par leur roi, enchaînés, battus, martyrisés ! Je veux chevaucher jusqu'aux forêts qui couvrent les sommets, au-delà du Castellaras de la Tour. Je veux y chasser le sanglier ou le chamois, y vivre loin des hommes, laisser les uns s'allier aux infidèles, les autres les combattre. Je ne veux plus être entraîné dans leur guerre. Je ne veux pas être écorché, empalé, crucifié. Je ne veux plus pourrir parmi les rats dans la pénombre de la chiourme ! »

Seigneur, j'ai dû combattre la tentation de me renier et n'ai trouvé la force d'y résister que dans la prière. J'ai rempli ma bouche et ma tête de Vous, Notre Père qui êtes aux cieux, et de Marie, Mère de toutes les grâces.

Dragut m'a souffleté, puis a serré ses mains autour de mon cou, ses pouces pressant si profondément ma gorge que j'ai eu l'impression qu'il allait les y enfoncer et m'arracher la tête.

Un voile rouge a alors recouvert mes yeux.

Lorsqu'il s'est déchiré, j'étais à genoux, mains liées dans le dos, un bâton passé sous les bras. Les deux hommes qui me gardaient en tenaient les extrémités, me soulevant parfois quand ils me voyaient m'apaiser.

Dragut était assis en face de moi.

— Ainsi, tu veux rester avec nous ? a-t-il dit.

Il parlait d'une voix posée, les doigts noués sur sa poitrine.

— Tu es un homme précieux. Ta valeur va augmenter. Bientôt, c'est deux mille ducats que je demanderai à Louis de Thorenc. Et pour cette rançon-là je te livrerai tel que tu es maintenant, attaché comme un chevreau avant qu'on l'égorge.

Il a secoué la tête.

— Mais je te garde pour la fin du ramadan.

Il s'est levé et s'est mis à tourner autour de moi, se baissant pour me relever la tête en me tirant les cheveux.

— Mais tu veux peut-être reconnaître qu'Allah est l'Unique et écouter la voix du Prophète ?

Il s'est accroupi, son visage tout près du mien.

— Tu es jeune, tu as la peau lisse.

Il m'a caressé la joue.

— Moi, je suis resté sept ans enchaîné sur le banc d'une chiourme. Regarde...

Il effleura du bout des doigts sa cicatrice.

— Ils m'ont marqué comme un cheval, un taureau. J'ai moi-même appliqué sur ma peau la lame d'un sabre rougie au feu. Je suis devenu Dragut-le-Brûlé. Quand tu auras vécu cela, alors tu sauras reconnaître la puissance d'Allah !

Il s'est redressé, m'a de nouveau tiré sur les cheveux, m'obligeant à le regarder.

— Tu deviendras peut-être capitan-pacha, comme moi. Allah est généreux avec ceux qui L'ont reconnu. Et le sultan veille sur ceux qui le rejoignent.

J'ai répondu dans un murmure :

— Je crois en Jésus-Christ, Notre-Seigneur.

DEUXIÈME PARTIE

8.

Seigneur, parce que j'avais proclamé ma foi en Vous, Dragut a, d'une inclination de tête, ordonné qu'on me fouette.

À tour de rôle, les deux gardes m'ont cinglé les mollets, les cuisses, les bras que j'avais toujours liés dans le dos.

J'ai entendu le sifflement des lanières, puis la douleur m'a envahi et, à chaque coup, mon corps, malgré moi, s'est cabré.

Le sang m'obscurcissait la vue et celui qui coulait de mes narines glissait jusque dans ma bouche.

Puis Dragut a crié et ils ont cessé de me frapper.

Je n'étais plus qu'un corps inerte qu'on a traîné dans les ruelles. À chaque fois que les deux gardes soulevaient le long bâton passé sous mes aisselles, voulant ainsi me contraindre à marcher, j'étais incapable de tenir debout et de faire un pas.

Ils me laissaient retomber, me tirant comme on fait d'un animal capturé et blessé qu'on conduit au boucher pour l'égorger.

Mes genoux heurtaient les pavés et je sentais le long de mes mollets le sang suinter de mes écorchures.

Dragut n'avait pas voulu que je meure.

J'ai laissé pendre ma tête. Le bâton me cisaillait les

épaules et j'avais l'impression que ma poitrine se fendait par le milieu.

Sans comprendre où j'étais ni combien de temps s'était écoulé, j'ai deviné qu'on nettoyait mon visage et mes plaies.

Je n'ai perçu autour de moi que des silhouettes à peine distinctes dans la pénombre. J'ai entendu des chuchotements.

Puis j'ai enfin reconnu la voix de Diego de Sarmiento et je Vous ai remercié, Seigneur, d'avoir permis qu'il vive.

Je me suis redressé.

Une cinquantaine d'hommes étaient serrés les uns contre les autres dans une pièce ronde à peine éclairée par deux étroites ouvertures. Sarmiento était assis près de moi, sa main me caressait le front.

Il s'est penché, a murmuré à mon oreille que les gardes m'avaient jeté dans cette salle de la tour de la forteresse de Toulon. C'est là qu'ils enfermaient à la fois les chrétiens rebelles, ceux qui avaient tenté de fuir, donc promis au supplice, et ceux qui avaient refusé de devenir esclaves en se prétendant gentilshommes. Ces captifs-là, dont les familles allaient payer une rançon, devaient, dans l'attente de son versement, être respectés.

— Ici, a expliqué Sarmiento, il y a des hommes qui seront bientôt libres et d'autres qu'on empalera ou écorchera.

Il m'a pris la main, l'a serrée.

— Et toi ? a-t-il demandé.

Il s'est emporté quand il a appris que j'avais refusé d'être racheté.

— Il faut toujours choisir d'être libre ! s'est-il récrié.

— Et s'il fallait, pour cela, perdre son honneur, abandonner sa foi ? Devenir un renégat ?

Il n'a pas répondu, préférant me raconter ce qu'il avait vu.

La ville était occupée par plusieurs dizaines de milliers d'infidèles : des marins de la flotte de Dragut, des janissaires qui y vivaient avec leurs femmes. Chaque jour, des charrois apportaient de toute la Provence, sur ordre du roi Très Chrétien, des poules, des chevreaux, des lapins, des fruits. Il y avait même, amarrés aux quais du port ou ancrés dans la rade aux côtés des galères infidèles, des navires français commandés par un certain Polin que François Ier avait nommé chef et capitaine général de l'armée du Levant.

Chaque soir, Polin s'attablait avec Dragut et on faisait bombance. Les deux flottes devaient appareiller pour gagner Constantinople.

Sarmiento a craché à terre.

— Les Français disent Istanbul, comme les Turcs, a-t-il ajouté.

Il s'est emporté, parlant d'une voix rageuse, le corps penché en avant, les poings serrés.

Les Français, a-t-il poursuivi, ont oublié l'empereur chrétien Constantin. Ils ne sont plus les dignes fils de Saint Louis le croisé. Ils sont aussi maléfiques que les infidèles, pires même, peut-être, parce qu'ils continuent de se prétendre catholiques alors qu'ils trahissent la chrétienté, soucieux seulement de renforcer leur nation, de favoriser leur roi, prêts pour cela à s'agenouiller devant la Sublime Porte, à baiser les pieds du sultan, à lui livrer des villes chrétiennes, à combattre à ses côtés comme lors du siège de Nice.

Mais le châtiment viendrait. Le pape avait menacé d'excommunier François Ier. Qu'il le fasse, qu'il le fasse ! Quant aux Turcs...

Sarmiento avaient entendu quelques-uns des capitans barbaresques dire que le sultan devait conserver Toulon, qu'un musulman n'était pas lié par les promesses faites à un chrétien. Or, pour un infidèle, François Ier l'était. Il n'avait pas reconnu qu'Allah est le plus grand, et Mahomet Son prophète. Comme un brigand sans foi ni loi, il ne se souciait que de l'intérêt de son royaume. Viendrait un jour où il se rapprocherait de la papauté et de Charles Quint, comme il l'avait déjà fait par le passé.

Il y avait quelques années, le pape avait marié à Marseille l'une de ses nièces, Catherine, au fils de François Ier. Ce dernier avait accueilli à Aigues-Mortes l'empereur Charles Quint dont il était aujourd'hui l'adversaire, mais avec qui il ferait demain la paix. Il lui avait ouvert les portes de ses châteaux, celles de Paris, après lui avoir fait traverser la France entière pour le conduire jusqu'aux Pays-Bas afin qu'il pût y combattre ses ennemis.

Il fallait donc se défier de François Ier. Il faisait dresser des bûchers dans ses villes pour brûler ceux des chrétiens qui se disaient réformés protestants, huguenots, les mêmes que Charles Quint persécutait à Gand, Bruxelles, Mons. Complices et rivaux : tels étaient les deux souverains.

Comment croire que l'un ou l'autre pût être un allié sûr ?

Charles Quint n'avait au moins jamais tenté de

chercher l'appui de la Sublime Porte, au contraire de François Ier. Exclusivement soucieux de ses intérêts, celui-ci était aussi retors qu'un Vénitien.

Mais, alors, pourquoi lui rendre Toulon, cette ville aux jardins innombrables, aux arbres chargés d'oranges amères et de citrons, dont la rade permettait d'abriter des tempêtes plus de deux cents navires ?

Les Français avaient perçu les hésitations turques. On disait qu'ils s'inquiétaient de l'attitude des infidèles et les pressaient déjà de se préparer à quitter la ville, conformément aux engagements pris. Mais Dragut se dérobait, exigeait qu'on libérât les galériens musulmans qui se trouvaient à bord des vaisseaux français.

Polin, ce félon qui se targuait d'être général d'une armée chrétienne et se pavanait aux côtés de Dragut, s'était exécuté et près de quatre cents infidèles avaient été ainsi débarqués, accueillis comme des héros par une foule en liesse.

— Et nous, nous sommes ici ! avait maugréé Sarmiento en frappant le sol de la main.

On assurait même que les Français avaient accepté de verser huit cent mille ducats aux infidèles pour qu'ils abandonnent la ville !

Plusieurs nuits durant, on avait vu des dizaines d'hommes entourés de janissaires entasser dans de grands draps blanc et rouge des monceaux de pièces d'or que l'on portait ensuite à bord des galères. Dragut avait veillé chaque nuit à l'embarquement de ce qui n'était qu'une rançon de plus.

— Le roi Très Chrétien rachète la ville qu'il a lui-même livrée aux infidèles ! a ajouté Sarmiento avec une grimace de dégoût. Mœurs françaises...

Il a secoué la tête, grogné que j'avais eu bien tort de ne pas accepter l'offre de Dragut. Le renégat allait garder les mille ducats et exigerait une nouvelle rançon, plus forte, lorsque je solliciterais mon père pour qu'il obtienne ma liberté, quand j'aurais découvert ce que sont les bagnes d'Alger et que j'aurais passé peut-être plusieurs années dans les chiourmes des galères infidèles.

— Je ne changerai pas d'avis, ai-je répondu.

Sarmiento a murmuré que j'étais plus têtu et plus orgueilleux qu'un Castillan.

J'ai hésité longuement, attendu que les autres prisonniers autour de nous se soient endormis, et alors seulement je lui ai parlé de ce groupe de femmes que j'avais vues, captives, sur une place proche de la demeure de Dragut. L'une d'elles...

Il m'a interrompu :

— Oublie les femmes, Français !

9.

Je n'ai pas suivi le conseil de Diego de Sarmiento.

Le souvenir de Mathilde de Mons, altière, les cheveux dénoués, debout au milieu des captives, n'a cessé de me hanter.

Je rêvais de la revoir.

Parfois, j'essayais de me convaincre que j'avais été victime d'une ressemblance ou d'une illusion, ou bien qu'Enguerrand de Mons avait versé une rançon et que sa sœur avait recouvré sa liberté.

Et, cependant, ma certitude demeurait qu'elle était là, dans cette ville, peut-être toute proche de moi.

J'aurais voulu pouvoir quitter chaque matin, comme la plupart des prisonniers, la salle de la forteresse où nous étions enfermés.

Je me présentais aux gardiens lorsqu'ils ouvraient les portes, dès l'aube, qu'ils pénétraient dans la salle, distribuant des coups de pied aux corps allongés, les frappant de leurs longs bâtons, hurlant que les chrétiens, ces chiens, devaient se rassembler, avancer.

Les prisonniers étaient employés toute la journée comme portefaix, charpentiers ou bûcherons. Certains – Sarmiento étaient de ceux-là – figuraient dans la domesticité des maisons que s'étaient appropriées les capitans barbaresques.

Je tendais les poignets aux gardiens pour qu'ils m'enchaînent, me conduisent au travail avec les autres et me permettent ainsi de traverser la ville, d'y apercevoir peut-être Mathilde de Mons. Mais je titubais, fiévreux, les jambes enflées, la peau lacérée, purulente.

Les gardiens me repoussaient en enfonçant leur bâton dans ma poitrine et je serais tombé si Sarmiento, à chaque fois, ne m'avait retenu.

Il me portait jusqu'à un coin de la salle proche des soupiraux. Il m'enveloppait avec les haillons que certains prisonniers abandonnaient. Il me répétait que je devais vivre et donc prier pour que Dieu me donnât la force de le vouloir.

Je le suppliais de se renseigner sur le sort de ces femmes, puis j'osais prononcer le nom de l'une d'elles, Mathilde, sœur d'Enguerrand de Mons qui avait sans doute combattu à Nice avec les défenseurs invaincus du château de la ville.

Sarmiento s'éloignait sans me répondre, rejoignant la file des prisonniers que les gardiens poussaient hors de la salle, frappant ces hommes qui se courbaient, lui seul ne baissant jamais la tête.

À son retour il s'asseyait près de moi. Son visage portait souvent les traces de coups qu'il avait reçus. Il ne se plaignait pas, me confiant seulement que le capitan Husseyin, qui l'employait, se conduisait avec lui en gentilhomme, lui offrant même du pain et des fruits qu'il partageait avec moi.

C'étaient donc les gardiens qui le frappaient tout au long du trajet et au moment où les prisonniers rentraient dans la salle de la forteresse, cherchant à le défigurer, ne supportant pas la noblesse de ses traits ni sa fierté.

— Ils ne me tueront pas, murmurait Sarmiento. Je suis un captif de rançon. Je vaux au moins cinq cents ducats. Dragut leur ferait trancher la tête si je mourais sous leurs coups.

Je l'écoutais, impatient de l'interroger, mais, avant même que je lui demande ce qu'il avait appris à propos de ces femmes, de l'une d'elles en particulier, il secouait la tête et répétait :

— Rien, rien.

Un soir, il s'est penché, a examiné mes plaies qui cicatrisaient, m'a assuré que je serais bientôt sur pied. Il s'est tu quelques instants, puis m'a dit :

— Le capitan Husseyin m'a parlé de Dragut-le-Brûlé.

Husseyin méprisait ce renégat qui avait abandonné sa foi non parce qu'il avait reconnu qu'Allah était le Dieu unique et Mahomet Son prophète, mais seulement pour complaire au capitan de sa galère, un homme qui pouvait décider de lui faire quitter la chiourme et devenir son protecteur. Cet homme...

En écoutant Sarmiento, Seigneur, j'ai pensé aux flammes purificatrices de Sodome et Gomorrhe.

Car Sarmiento me parlait là du vice de sodomie qui avait uni Dragut et le capitan de sa galère, de cette corruption du corps et de l'âme dont le renégat s'était servi pour se hisser au faîte du pouvoir. Maintenant qu'il était capitan-pacha, il continuait de corrompre, choisissant parmi les esclaves chrétiens les jeunes gens et les jeunes filles qui lui permettaient d'assouvir ses désirs.

Sarmiento m'avertissait ainsi de ce qu'allaient être les dangers que j'allais rencontrer. Il me faudrait résister non seulement aux coups, mais à la séduction, aux tentations, au vice. De nombreux jeunes chrétiens y succombaient, devenant des objets de plaisir, obtenant le privilège de vivre auprès de leurs amants. Ils échappaient ainsi à la chiourme et au bagne. Vêtus de vêtements de soie, portant des boucles et des bagues, partageant les festins de leurs maîtres, ayant perdu à la fin leur honneur et leur dignité, ils se convertissaient à la religion d'Allah.

Corrompus, dévoyés, perdus, ils devenaient les plus cruels des bourreaux. Ils ne supportaient pas de découvrir que des chrétiens préféraient le martyre au vice. Ces renégats tuaient pour oublier qu'il existait d'autres routes, d'autres choix que ceux, ignominieux, qu'ils avaient choisis.

Sarmiento s'est tout à coup interrompu. Il a paru hésiter, m'a dévisagé, puis, baissant la tête, me serrant l'épaule, comme je l'interrogeais, il a murmuré que Dragut était un damné, que la plupart des infidèles le méprisaient et le redoutaient. Eux étaient des hommes dont on devait rejeter la religion, qu'il fallait combattre afin de les chasser du tombeau du Christ et des terres chrétiennes, mais dont on pouvait espérer qu'un jour leurs yeux s'ouvriraient, qu'ils reconnaîtraient le mystère du Christ et la bonté de la Vierge Marie. Bien des Maures s'étaient convertis en Espagne, et même les juifs avaient rejoint la sainte Église.

Mais Dragut, lui, ne méritait plus le nom d'homme. Le capitan Husseyin, pour sa part, le lui refusait, disant qu'il était l'allié des puissances du Mal. Un démon.

— Tu es si jeune, a ajouté Sarmiento. Défie-toi de lui. Il pourra faire de toi sa proie. Il jouera avec toi. Il agit ainsi avec les jeunes chrétiens.

Il les harcelait, menaçait de les torturer, paraissait un temps les oublier, puis les faisait à nouveau comparaître devant lui, les contraignait à assister à l'exécution d'un chrétien ou d'un musulman.

La mort du malheureux était toujours lente. On lui tranchait d'abord le nez et les oreilles. Entre chaque supplice Dragut se montrait disert, enjoué, caressant le visage, les cuisses des jeunes gens, puis c'était le moment du pal, l'atroce agonie.

Alors le monstre conduisait jusqu'à sa couche ces

chrétiens pantelants d'effroi et il leur offrait de choisir entre le vice et le martyre. Il voulait qu'ils s'avilissent et se renient, et que, pour obtenir leur grâce, ils fussent les premiers à s'offrir, à devancer ses désirs.

Dragut jouissait de les mépriser et parfois les rejetait, les renvoyait au bagne ou à la chiourme, ou bien, après les avoir corrompus, les faisait libérer pour qu'ils témoignent parmi les chrétiens que personne ne résistait au vice, et que lui, Dragut, le renégat, avait sur tous pouvoir de vie, de mort et de perdition.

— Dragut peut aussi bien jeter son dévolu sur toi, a conclu Sarmiento. J'ai voulu que tu saches comment il agit. Car si le capitan Husseyin m'a ainsi parlé de lui, c'est pour nous mettre en garde.

Il s'est penché vers moi, m'entourant d'un bras les épaules, et m'a serré contre lui.

— Husseyin m'a aussi parlé de ces femmes. De l'une d'elles en particulier.

Dragut-le-Brûlé, Dragut-le-Damné était aussi le maître d'un harem de soixante femmes que même le sultan lui enviait. Il offrait jusqu'à cent ducats aux capitans de ses galères pour une jeune vierge chrétienne. À chaque retour de leurs attaques des villages d'Italie, de Provence ou d'Espagne, tous lui présentaient les femmes qu'ils avaient prises.

— Dragut ne choisit que les blondes, a précisé Sarmiento.

Mathilde de Mons avait été embarquée avec trois autres femmes sur l'une des galères de Dragut qui devait quitter Toulon pour Alger.

Husseyin avait raconté à Sarmiento que le capitan-pacha avait refusé de la libérer, quel que fût le montant de la rançon probable.

Un envoyé d'Enguerrand de Mons avait proposé mille, puis deux mille ducats. En vain. Dragut avait répondu qu'il se promettait d'épouser Mathilde, ajoutant qu'il accorderait un sauf-conduit à Enguerrand si celui-ci souhaitait assister à la cérémonie qui se déroulerait à Alger, d'ici à quelques mois, après que Mathilde de Mons se fut convertie à l'islam.

Seigneur, quel châtiment Vous m'avez infligé !

C'était comme si, à l'orée de ma vie, Vous vouliez me soumettre à la plus dure épreuve, à la joute la plus incertaine avec le démon et le désespoir.

Comme si, avant de m'adouber parmi Vos chevaliers, Vous me demandiez d'affronter sans armure, à mains nues, un ennemi caparaçonné, visière baissée, lance acérée, maître de toutes les ruses, capable de tous les pièges.

— Prie pour elle, m'a dit Sarmiento.

Puis, avant de s'allonger près de moi, et alors que les rats, aussi nombreux que par jour de tempête dans la chiourme, commençaient comme chaque nuit leur infâme sarabande, courant sur nos corps et nos visages, mordillant nos oreilles, Sarmiento a ajouté :

— Nous sommes tous dans la main de Dieu. Il n'exige qu'une chose, la plus difficile : que nous gardions notre foi en Lui. Prie pour elle, prie pour nous !

10.

Seigneur, je me suis agenouillé et j'ai prié.

J'avais besoin de Votre présence.

Diego de Sarmiento s'était assoupi et je me sentais abandonné, impuissant, dans cette salle empuantie et bruyante de la forteresse de Toulon.

Elle était pareille à une chiourme. Elle me rappelait ce que j'avais vécu et que j'allais à nouveau connaître.

Je retrouvais ce remugle des corps harasssés, entassés, j'entendais leurs respirations rauques, leurs longs soupirs, les couinements et le trottinement des rats.

J'ai prié.

J'avais besoin de Votre aide, Seigneur, pour ne pas désespérer.

Mais je ne cessais d'imaginer ce que Mathilde de Mons allait subir, livrée à Dragut-le-Brûlé, le Damné, le Démoniaque. Il avait le pouvoir de l'humilier, de la violenter, de la corrompre, de la supplicier, de l'empaler, de l'écorcher vive.

J'ai cessé de prier.

Pourquoi, Seigneur, l'avoir livrée à ce renégat ?

Je me suis laissé emporter par la colère et le désir de tuer.

Enfin l'aube est venue.

Mes plaies avaient séché. Je pouvais marcher sans chanceler jusqu'à la porte que les gardiens venaient d'ouvrir.

Qu'ils m'enchaînent, qu'ils me conduisent sur les

quais ! J'imaginais que j'allais pouvoir m'enfuir, gagner la galère sur laquelle se trouvait Mathilde.

Les gardiens m'ont écarté d'une poussée.

J'ai vu passer devant moi la file des prisonniers, Sarmiento parmi eux. Son regard me répétait qu'il fallait vivre et donc agir avec prudence. Peu après, un janissaire est venu, a crié mon nom, et quand je me suis avancé il m'a montré la rue.

Nous sommes sortis de la forteresse.

Le soldat ne m'avait ni enchaîné ni battu. Il marchait près de moi, indifférent, sa longue pique sur l'épaule.

Je Vous ai alors remercié, Seigneur, pour ces couleurs retrouvées, l'ocre des façades, le bleu de la mer et du ciel.

Je vous ai rendu grâces pour mes jambes à nouveau agiles, mon pas assuré, mon corps qui avait recouvré ses forces.

À respirer ce vent froid qui me lavait la peau et l'âme, j'ai éprouvé une joie instinctive.

J'ai aperçu au bout de la ruelle les mâts des galères.

Un instant, j'ai songé à m'élancer, à tenter de m'enfuir. Mais il aurait suffi d'un seul cri de mon gardien pour que les infidèles qui nous entouraient se ruent sur moi.

Je ne voulais pas mourir sous leurs coups. J'étais curieux de savoir où l'on me conduisait.

J'ai été surpris quand le soldat m'a invité, d'un mouvement de sa hampe, à m'engager sur la passerelle de l'une des galères et qu'il s'est assis sur le rebord du quai, posant son arme sur ses cuisses, laissant sa tête tomber contre sa poitrine comme s'il espérait s'endormir.

Quand, parvenu sur le pont, j'ai entendu les marins parler français, je me suis arrêté. J'ai pensé que Dragut avait décidé de me libérer, et cette idée m'a enivré.

Libre !

J'ai empoigné un cordage pour ne pas tituber et j'ai repris lentement mes esprits.

Quel piège le capitan-pacha me tendait-il ? Voulait-il me corrompre ? Espérait-il me faire capituler ? que, par reconnaissance envers mon père, qui payait ma rançon, je ne le combatte plus, lui donne raison ?

Troublé, inquiet, incertain, je n'ai pas vu l'officier qui s'était avancé.

Étais-je Bernard de Thorenc ? a-t-il demandé.

Le comte Philippe de Polin, capitaine général de l'armée du Levant, m'attendait.

Je l'ai suivi jusqu'au château arrière de la galère.

J'ai vu la grimace de dégoût de Polin.

Il a reculé comme s'il avait craint que je ne le touche ou ne l'effleure.

— Vicomte Bernard de Thorenc, n'est-ce pas ? a-t-il dit tout en m'examinant.

J'ai incliné la tête cependant qu'il tournait autour de moi.

Il s'est arrêté à quelques pas et s'est mis à priser, plaçant sa tabatière d'argent juste sous son nez et enfonçant du bout des doigts les brins de tabac dans ses narines.

Ainsi faisaient officiers et soldats pour ne pas sentir les relents putrides de la chiourme.

Je portais sur moi ceux de la salle de la forteresse dans laquelle j'avais vécu plusieurs jours, couché parmi les immondices, frôlé par les rats, enveloppé de haillons. Je sentais contre ma peau la toile raidie de mes hardes souillées et déchirées. J'avais envie de me gratter. Il me semblait que la vermine grouillait dans ma barbe et mes cheveux ébouriffés.

— Voulez-vous... ? a commencé Philippe de Polin en me désignant un baquet rempli d'eau.

Il ne m'a pas même laissé répondre, demandant qu'on m'apporte des vêtements « dignes d'un chrétien », a-t-il cependant précisé tandis que je me déshabillais, que j'entrais dans cette eau fraîche et m'y accroupissais, observant le capitaine général qui, appuyé au château arrière, me regardait tout en m'expliquant que, mon père lui ayant demandé de me rencontrer, Dragut n'y avait fait aucun obstacle.

— Ce diable d'homme est un mystère, a-t-il ajouté. Je l'ai vu, lors du siège de Nice, jeter des nouveau-nés à des chiens enragés, et rien ni personne n'aurait pu l'empêcher d'agir ainsi, et puis il peut tout à coup redevenir un humain, avoir – mais oui ! – des comportements de gentilhomme. Retors, pervers sans doute, mais fin, habile, respectueux des usages...

La voix de Philippe de Polin était mélodieuse. En l'écoutant, j'avais l'impression qu'il déployait devant moi une pièce de dentelle qu'il faisait bouffer, y plongeant les mains. Les manches de sa chemise, qui couvraient ses poignets et le haut de ses paumes, étaient ajourées, et une corolle de dentelle lui entourait le cou. Son pourpoint bleu était parcouru de fils d'or, tout comme sa culotte blanche qui s'enfonçait dans de grandes bottes évasées au niveau des cuisses.

— Vous voici rebaptisé ! a-t-il dit après que je me fus vêtu.

Je n'ai pu m'empêcher de sourire tant j'avais en effet l'impression d'être à nouveau digne du nom d'homme, le corps récuré, donc l'âme plus claire et plus forte.

— Ce sont des barbares, a poursuivi Polin en me faisant entrer dans sa cabine, puis en m'invitant à m'asseoir en face de lui.

Il m'a tendu sa tabatière, mais j'ai refusé de l'imiter.

— Je sais ce que vous avez subi, a-t-il repris, poussant du bout du pouce les brins de tabac dans ses narines. Les chrétiens ne sont pas pour eux des prisonniers, mais des esclaves, des chiens.

Il s'est levé. Le plafond de la cabine était si bas qu'il était contraint de rester tête baissée, le corps penché en avant.

— Mes galères étaient, devant Nice, au milieu de la flotte de Dragut. J'ai vu comment ils ont pillé, brûlé la ville, massacré ses habitants, enlevé les femmes, mais le plus...

Il s'est interrompu, a fermé les yeux.

— Jamais je ne pourrai oublier les enfants...

Il a écarté les bras comme s'il avait dû accepter cette fatalité.

— Et ces tueries, ces supplices, ces saccages n'ont pas, le plus souvent, d'autre raison que le plaisir que ces infidèles éprouvent à les perpétrer.

— Ces barbares, ces démons... ! ai-je commencé.

J'ai répété ce que j'avais appris de Dragut-le-Brûlé, le Débauché, le Renégat.

J'ai évoqué le sort qu'il avait réservé à Mahtilde de

Mons et aux femmes captives que j'avais entrevues sur la place de Toulon.

Tout à coup, je me suis dressé. J'ai hurlé que lui, comte Philippe de Polin, comme mon père, le comte Louis de Thorenc, et mon frère Guillaume, et le roi Très Chrétien de France avaient passé un pacte avec ces démons, ces barbares, qu'ils les avaient aidés à piller, à détruire Nice, qu'ils leur avaient livré Toulon et leur avaient peut-être même permis, ce faisant, de s'emparer de Mathilde de Mons.

— Félons à votre Dieu, renégats ! ai-je conclu.

Philippe de Polin m'avait écouté, bras croisés, son visage exprimant le mépris.

— Votre père m'avait averti, a-t-il lâché alors que, tout à coup, la fatigue me terrassait et que je me laissais retomber sur le tabouret, me cachant le visage dans mes paumes. Lorsque vous avez refusé votre liberté qu'il venait de racheter à Dragut, il n'a pas été surpris par votre attitude. Dois-je vous le dire ? Il m'a même paru fier de votre choix. Mais désespéré, aussi, par votre aveuglement.

Polin s'est approché de moi.

— Croyez-vous qu'il ne sache pas, que notre roi François lui-même ignore qui ils sont ? Des Turcs, des infidèles, les bourreaux des chrétiens, des renégats. Nous savons cela, nous qui descendons de Clovis, le premier roi baptisé à Reims, nous qui sommes fils de Saint Louis et de Jeanne. Croyez-vous que je me sois rendu à Alger et Constantinople avec votre père et votre frère pour faire acte de soumission et d'allégeance, demander à me convertir à la religion d'Allah ? Mais, Bertrand de Thorenc, vous m'échauffez les oreilles et vous mériteriez que je vous fasse pendre à l'antenne de mon mât ! Nous sommes ici parce que, catholiques, nous appartenons aussi au royaume de France, que nous devons fidélité à notre roi Très Chrétien et que nous avons reçu de Dieu le devoir de défendre, de protéger notre royaume et ses sujets, et de ne laisser quiconque, fût-il le pape, rogner notre territoire et les pouvoirs de notre suzerain. Prier le Christ et la Sainte Vierge Marie, être respectueux de notre mère l'Église, je le fais, je le suis, mais si le pape devient César, s'il s'allie comme n'importe quel prince italien avec l'empereur Charles Quint ou avec Philippe II, régent d'Espagne, au nom de son père l'empereur, alors je dois sauver mon royaume et mon roi, et, s'il le faut, choisir de m'allier aux barbares, le temps qu'il faudra à Charles Quint et à son fils pour comprendre que le royaume de France ne se laisse pas dépecer ni dicter sa loi !

« Croyez-vous au demeurant que nous soyons les seuls à agir ainsi ? Votre père et moi avons croisé dans les palais de Soliman le Magnifique, à Constantinople, les ambassadeurs de Charles Quint et de la sérénissime république de Venise. Ouvrez les yeux, homme si jeune que vous n'avez pas encore appris à regarder le monde tel qu'il est ! Et ne condamnez pas votre père ni votre roi par ignorance et prétention. Je suis aussi fervent catholique que vous, mais que le pape reste l'évêque de Rome et ne cherche pas à gouverner le royaume de France ! Que Charles Quint ne se déguise pas en capucin pour mieux défendre ses intérêts ! Et vous, restez à bord de cette galère où aucun infidèle ne viendra vous chercher. Le capitan-pacha Dragut s'y est engagé. Il a touché sa rançon. Il respectera sa parole, non parce que c'est un homme loyal, mais parce qu'il y a intérêt. Ce renégat peut même un jour faire pénitence et revenir dans la foi du Christ. Mais oui, ainsi sont les hommes, et notre souverain pontife l'accueillera volontiers pourvu qu'il se confesse, qu'en signe de repentance il dépose à ses pieds quelques milliers de ducats, qu'il conduise dans tel ou tel port de la papauté de belles et grosses galéasses tout armées. Ne mêlez pas, homme jeune, votre foi et les affaires des royaumes. Il faut savoir être fidèle à Jésus-Christ et à son roi. Tout le reste n'est qu'accommodements, habileté politique.

Je suis sorti de la cabine et j'ai marché lentement jusqu'à la passerelle.

Philippe de Polin a crié que je perdais la raison, que le diable m'avait aveuglé, que j'étais félon à mon roi, à mon père, alors que le premier devoir chrétien était de respecter et d'honorer les pouvoirs légitimes. Or ceux du roi et du père l'étaient depuis l'origine des temps.

Je me suis engagé sur la passerelle. J'ai regardé les navires amarrés ou à l'ancre dans la rade. Peut-être la galère sur laquelle avait été embarquée Mathilde de Mons avait-elle déjà quitté Toulon pour Alger ?

J'ai vu le janissaire se redresser et regarder d'un air étonné Philippe de Polin qui continuait de m'interpeller, la voix de plus en plus aiguë, rageuse.

J'ai sauté sur le quai. Le janissaire est venu vers moi en tenant sa pique à deux mains.

11.

Seigneur, un grand vent venu de la mer faisait claquer les voiles des galères, le matin où a commencé pour moi le voyage en enfer.

Les poings liés, les chevilles entravées, j'avançais tête baissée au milieu d'autres captifs.

Quand nous sommes arrivés sur le port, que le vent nous a pris de face, nous repoussant vers les ruelles tant il était fort, nos gardiens ont commencé à nous frapper au hasard, cinglant nos nuques, nos épaules, nos cuisses, nos mollets, nous criant de nous diriger vers les galères à bord desquelles nous devions embarquer.

J'ai levé la tête. J'ai reconnu le vaisseau du comte Philippe de Polin. Lui-même était à la poupe en compagnie de ses officiers. À cet instant, j'ai eu la tentation de hurler, de l'appeler à l'aide. J'étais Bernard, fils du comte Louis de Thorenc, j'avais le droit d'être libre, puisque ma rançon de mille ducats avait été payée !

Peut-être ai-je ouvert la bouche, peut-être me suis-je arrêté.

J'ai reçu une volée de coups de bâton et les lanières des fouets m'ont lacéré les joues. Captifs et gardiens m'ont poussé en avant.

J'ai à nouveau baissé la tête, le visage en feu, ensanglanté.

J'ai franchi la passerelle d'une galère.

En nous enfonçant leurs bâtons, les hampes de leurs piques dans les flancs, les marins, les gardiens, les soldats nous ont précipités sur l'entrepont, au-dessus de la chiourme.

L'espace était si réduit que nous avons dû ramper sur les coudes et les genoux, nous recroqueviller les uns contre les autres, jambes repliées, têtes rentrées dans les épaules.

J'ai commencé à étouffer dans la chaleur moite et pestilentielle qui montait de la chiourme et de nos corps en sueur.

Un jeune homme blond, près de moi, s'est mis à geindre, puis à pleurer, se frappant de plus en plus violemment la tête contre la coque. J'ai tenté de le calmer, de le raisonner, de l'inviter à prier avec moi, mais il ne m'entendait plus, hurlant, se débattant, tentant de rejoindre le pont.

J'ai su qu'il allait mourir.

Un garde-chiourme s'est hissé jusqu'à nous et, lui tirant la tête en arrière par les cheveux, faisant ainsi gonfler sa gorge, y a enfoncé son poignard et le sang a jailli.

Nos vies ne valaient que la rançon qu'elles pouvaient procurer ou l'effort qu'elles étaient capables de fournir sur le banc d'une chiourme, ou bien encore la jouissance qu'elles donnaient quand on abusait d'elles ou quand on les suppliciait.

Nous n'étions rien de plus. Moins qu'un chien. Pas même un mouton.

J'ai prié, Seigneur, pour ne pas hurler, moi aussi, me débattre en vain ni me laisser ronger par le regret de n'avoir pas écouté Philippe de Polin.

Ce matin-là, alors que la chiourme commençait à

ramer, que s'abattaient les fouets sur le dos des galériens, j'ai mesuré, Seigneur, combien Vous nous laissiez libres de choisir notre destin.

Nous pouvions être Judas ou Vous aider à porter la Croix. Nos actes étaient comme les anneaux d'une chaîne, liés l'un à l'autre, et nous serions jugés au bout de notre vie.

Mais, Seigneur, je n'ai pu imaginer ce matin-là que mon voyage en enfer durerait sept années.

Peut-être, si j'avais su qu'il me faudrait pendant tant de saisons être humilié, frappé, déchu de mon honneur d'homme, aurais-je moi aussi hurlé, comme mon pauvre voisin dont le sang avait séché sur le bois et dont les rats commençaient à mordiller le cadavre. Les gardiens ne le jetteraient par-dessus bord que lorsque nous aurions quitté la rade de Toulon, gagné la haute mer, vogué vers Alger.

12.

J'ai d'abord entendu la canonnade, puis les détonations sèches des arquebuses.

J'ai imaginé que notre galère était attaquée par des navires espagnols. J'ai tenté de me redresser, d'échapper à l'engourdissement qui, depuis que nous avions quitté Toulon, m'avait enseveli.

Car j'avais d'abord choisi de me laisser engloutir, de n'être qu'un tas de chair que la houle poussait contre la coque. J'avais ainsi contenu la panique, les pensées noires, la terreur d'être dévoré par les rats, la crainte de périr étouffé dans ce réduit où nous étions entassés.

J'ai voulu ramper vers les quelques marches qui menaient au pont.

Les rats qui rongeaient le bois imprégné du sang du jeune captif égorgé, des vomissures, des déjections que nos corps avaient rejetées s'étaient enfuis.

Tout à coup, aux cris, aux roulements de tambour, aux sons aigus des flûtes, à la rumeur de la foule, j'ai compris que nous étions entrés dans le port d'Alger et que l'on saluait le retour des galères du capitan-pacha Dragut grosses de leur butin et des esclaves chrétiens dont elles étaient chargées.

J'ai repris ma place et les rats sont revenus.

J'ai écouté les cris de joie, les youyous stridents des femmes, les exclamations des marins et des soldats qui leur répondaient.

Puis ce fut le choc de la coque contre le quai, le piétinement de la foule bruyante et joyeuse qui se précipitait, scandant le nom de Dragut.

Nous étions silencieux, animaux soumis qui savent qu'ils ne peuvent échapper à leur sort.

Je me suis penché pour distinguer dans la pénombre le visage de Sarmiento. Il était séparé de moi par une dizaine de corps. J'ai deviné ses yeux qui cherchaient les miens.

Nous nous sommes longuement entre-regardés.

— Jamais, jamais ne m'abandonnera l'espoir de recouvrer la liberté ! a-t-il crié.

J'ai répété ces mots comme on prie, avec ferveur.

Puis les gardes-chiourme et les soldats nous ont tirés sur le pont, poussés sur les quais au milieu de la foule qui hurlait, riait, nous couvrait de crachats et nous menaçait, poing brandi, armes levées.

Nous nous serrions les uns contre les autres à l'instar d'un troupeau hagard. Nous trébuchions. Dès que certains tombaient, les soldats les rouaient de coups cependant que la foule trépignait.

J'ai prié pour rester debout, avancer.

J'ai marché tête levée, découvrant les minarets aux tuiles vernissées, les cubes blancs des maisons qui paraissaient encastrés les uns dans les autres, et, au-delà des remparts de brique rougeâtre, ces collines couvertes de jardins au centre desquels j'apercevais le dôme doré de vastes demeures.

Il me semblait que cette ville était la plus vaste, la plus populeuse que j'eusse jamais vue, plus étendue même que Marseille.

Je devinais, partant des quais, s'enfonçant entre les cubes blancs, tout un lacis de ruelles où la foule coulait comme un flot bariolé, ininterrompu.

Nos gardiens l'écartaient en décrivant de grands moulinets avec leurs piques. Nous nous sommes ainsi engagés dans le labyrinthe.

J'ai vu sur le pas des boutiques des chrétiens, sans doute des renégats, qui nous regardaient avec indifférence.

J'ai vu des juifs palabrant entre eux.

J'ai vu des esclaves noirs, parfois seulement vêtus d'un pagne et que des infidèles flagellaient comme s'il ne s'était point agi d'hommes, mais de bêtes de somme.

Partout des esclaves chrétiens s'affairaient, dressant

ici un mur, traînant là une charrette, plus loin, accroupis, pavant une ruelle.

Ils n'étaient ni enchaînés ni gardés. Ils nous lançaient des fruits, s'approchaient, évitant les coups des gardiens, nous interrogeant. Qui étions-nous ? D'où venions-nous ?

Ils parlaient espagnol, génois, rarement français, ou bien s'exprimaient dans une langue faite de toutes les autres, mais dont je comprenais le sens, saisissant les quelques mots de français, de vénitien ou d'espagnol mêlés aux vocables arabes.

J'ai su ainsi que nous nous dirigions vers le marché aux esclaves où nous allions être vendus aux enchères. Les femmes captives avaient été débarquées avant nous et leur vente avait déjà commencé.

Je me suis évertué à ne pas imaginer.

Nous arrivions sur une place carrée. Les terrasses des maisons dessinaient autour d'elle comme les grandes marches d'un escalier sur lequel s'agglutinait une foule qui criait et gesticulait.

J'ai vu les captives debout sur une estrade, au centre de la place, entourées par une mer furieuse, ces hommes qui tendaient les mains vers elles, qui sautaient pour mieux voir.

Certains d'entre eux étaient admis sur l'estrade. Ils s'approchaient des femmes, les dévisageaient, les obligeaient, posant les mains sur leurs hanches, à pivoter sur elles-mêmes. Ils les forçaient à ouvrir la bouche, y enfonçant leurs doigts. Ils soulevaient leurs cheveux.

Parfois, l'une de ces femmes poussait un cri, battant des bras, le corps plié, comme une possédée.

Des soldats s'approchaient, la giflaient, l'aspergeaient d'eau, cependant que la foule, sur la place et les terrasses, entrait en transes.

J'ai fermé les yeux.

Je ne voulais pas voir Mathilde de Mons ainsi exposée, examinée comme une femelle qu'on vend.

J'ai prié, Seigneur, pour que Votre châtiment foudroie ces hommes-là ! J'ai fait le serment de les combattre, de les vaincre, de les chasser des terres chrétiennes !

Sarmiento, moi et quelques autres avons été séparés du reste des captifs.

Cependant qu'on nous guidait hors de la place, je n'ai pu m'empêcher de me retourner, de regarder vers cette estrade, d'imaginer, les larmes me brouillant les yeux, que cette jeune femme autour de laquelle s'agglutinait la convoitise de tous ces hommes était Mathilde de Mons.

Malheur sur eux, Seigneur !

Nous avons marché vers les collines et bientôt découvert une grande bâtisse entourée de gardiens, le bagne où Dragut retenait les chrétiens qu'il ne mettait pas en vente, espérant obtenir pour eux de fortes rançons.

Dans ce bâtiment, peut-être une écurie, vivaient parfois depuis des années des captifs qui attendaient que leur famille, leurs amis, les ordres religieux auxquels ils appartenaient, eussent rassemblé les centaines ou les milliers d'écus à quoi était estimée leur liberté.

Ils nous ont entourés.

L'un d'eux, le visage amaigri cerné par un fin collier de barbe grisonnante, m'a pris le bras et m'a dévisagé, la tête penchée.

— Tu es jeune, a-t-il murmuré. Dragut ne te lâchera pas. Il aime ceux qui sont jeunes.

J'ai dégagé mon bras. Cet homme m'insultait : imaginait-il que je céderais à Dragut ? Qu'on m'écorche vif, plutôt !

Il a souri comme s'il avait lu dans mes pensées. Il s'est incliné, s'est présenté. Il se nommait Michele Spriano, marchand de Florence. Il avait été capturé alors qu'il se rendait sur une galère génoise de Pise à Barcelone.

Il m'a invité à m'asseoir près de lui, à partager les fruits qu'il achetait aux gardiens.

— Les hommes peuvent être bons ; rester des humains quelle que soit leur religion, a-t-il murmuré.

Il m'a empêché de lui répondre.

— Apprends à voir, a-t-il ajouté. Ici souviens-toi de Dante :

> *Per me si va nella citta dolente*
> *Per me si va nel eterno dolore*
> *Per me si va tra la perduta gente*
> *Lasciate ogni speranza voi ch'entrate.*

Avec moi vous entrez dans la ville de la souffrance
Avec moi vous entrez dans la douleur éternelle
Avec moi vous allez parmi les damnés
Laissez toute espérance, vous qui entrez ici.

J'ai repoussé les fruits qu'il me tendait.
J'ai dit, comme autrefois Sarmiento :

— *Speranza.*

Michele Spriano m'a étreint le poignet.

— Tu es de bonne graine, a-t-il murmuré.

13.

Seigneur, j'ai vécu enchaîné durant sept années.

Pourtant, mes poignets et mes chevilles n'ont pas été liés tous les jours. J'ai pu marcher, libre de mes gestes et de mes pas, seul dans les ruelles d'Alger.

Des renégats – faut-il que je me souvienne de Mocenigo le chirurgien, de Ramoin l'armurier, du Génois et du Provençal ? – m'ont ouvert les portes de leurs échoppes, puis de leur maison.

J'ai vu les patios ombragés, les femmes alanguies. J'ai deviné les coffres remplis de ducats.

Ils me confiaient qu'une religion vaut l'autre. Qu'ici, à Alger, on finissait par oublier quelle avait été celle de sa naissance. Juive, chrétienne, peu importait. Il suffisait de se convertir, et les musulmans n'y contraignaient personne, à la différence des catholiques qui persécutaient tous ceux, maures, juifs et maintenant huguenots, qui ne se pliaient pas à leurs règles. Les musulmans souhaitaient même que l'on restât de sa religion, et souvent y faisaient rentrer à coups de bâton ceux qui avaient fait mine de se convertir. C'est que le renégat devenu musulman cessait d'être un esclave et avait des droits égaux à ceux des plus anciens parmi les infidèles. Mocenigo, le Génois, qui avait fait le pèlerinage de

La Mecque, était respecté comme l'un des plus saints hommes d'Alger.

J'ai fui ces tentateurs.

Libre était mon pas, mais prisonnier, mais enchaîné mon cœur.

Je suis monté sur les remparts. J'ai contemplé cette ville aux cent mosquées, j'ai écouté les voix des muezzins qui s'entremêlaient, dessinaient de longues spirales aiguës.

J'ai pu m'approcher, au-delà des remparts, de la demeure de Dragut, en longer les murs, écarter les branches des lauriers et des orangers pour tenter d'apercevoir ce jardin où j'imaginais que Mathilde de Mons se promenait en compagnie des autres femmes du harem.

Michele Spriano m'avait rapporté que l'on murmurait partout dans Alger que Dragut ne recherchait plus les jeunes esclaves chrétiens, qu'il passait près des plus beaux d'entre eux sans même paraître les voir.

— Il t'aurait choisi, avait murmuré Spriano. Dieu t'a protégé.

Car on ne pouvait échapper aux griffes de Dragut.

Il venait au bagne en compagnie de ses janissaires. Les chrétiens devaient se tenir dos au mur, mains sur la tête. Le capitan-pacha s'arrêtait devant ceux qui l'attiraient, leur caressait la joue, les désignait aux janissaires qui les enchaînaient.

Il fallait que le jeune chrétien se plie aux désirs de Dragut ; s'il refusait ou montrait de la réticence, presque toujours il était livré aux bourreaux.

— J'ai eu peur pour toi, avait repris Spriano.

Mocenigo, le renégat génois, avait expliqué que, selon d'autres corsaires, ceux de la Taïfa des Raïs, cette corporation des plus notables d'entre eux, Dragut avait été envoûté par une chrétienne blonde, l'avait épousée, en avait fait la première femme de son harem, et lui, le chacal, l'hyène, était avec elle comme un mouton bêlant.

Mocenego aussi bien que Ramoin l'armurier m'avaient proposé de me conduire auprès d'El Cojo – le Boiteux –, un autre renégat, un autre capitan qui, si je l'avais séduit, aurait fait ma fortune. Ils avaient détaillé devant moi tout ce que j'aurais pu en obtenir. Des esclaves noirs pour me servir. Des soieries pour me vêtir. Des bijoux pour me parer. Et le droit de me convertir, de vivre ainsi en homme libre dans cette ville d'Alger.

Aussi belle que Naples ! ajoutait Mocenigo. Et la plus libre de mœurs derrière les murs et les tentures ! avait précisé Ramoin.

Il avait murmuré que je pouvais même, devenu le protégé d'El Cojo, organiser mon retour en pays chrétien si telle était ma folle volonté. Mais qu'y gagnerais-je ? Les reîtres, les lansquenets, les merce-naires, les inquisiteurs ne valaient guère mieux que les janissaires ou les bourreaux d'ici.

Je n'ai pas voulu écouter Mocenego ni Ramoin, ces renégats.

Mais ils avaient versé en moi le poison. Et, en dépit des avertissements que me prodiguaient Spriano et Sar-miento, je retournais rôder autour de la demeure de Dragut.

— S'ils te prennent, ils t'écorcheront ! Ils t'empa-leront ! me prévenait Spriano.

121

Il ne mentait pas.

« Citta dolente », avait-il répété à voix basse, citant Dante, quand, le lendemain de notre arrivée au bagne, les gardiens, à coups de bâton, nous avaient fait sortir de la bâtisse afin de nous assembler sur l'aire.

Elle était entourée de grands arbres derrière lesquels j'ai aperçu les étroites fenêtres d'une demeure dont la terrasse surplombait la cime des arbres.

Au centre de l'aire – comme sur la place carrée du marché aux esclaves – était dressée une estrade sur-montée d'une potence et de plusieurs pièces de bois.

— Ferme les yeux, m'a dit Spriano.

Je les ai gardés ouverts.

Chaque jour, durant ces sept années, un chrétien choisi le plus souvent parmi les plus humbles des esclaves, ceux dont la mort ne privait le capitan-pacha d'aucune rançon, a été supplicié sur cette aire en notre présence.

Et sur la terrasse de la maison ou derrière les étroites fenêtres, les infidèles assistaient au supplice.

J'ai vu ainsi un chrétien écorché lentement, sa peau découpée en longues lanières arrachées l'une après l'autre.

J'ai vu ainsi un chrétien battu jusqu'à ce que son corps ne soit plus qu'une bouillie de chair qu'on jetait aux chiens.

J'ai vu ainsi un chrétien pendu et un autre lapidé.

J'ai vu couper le nez, les oreilles, la langue, et ce n'était que le premier, le plus anodin des supplices.

J'ai vu enfoncer le pal.

En sept années j'ai entendu tout ce que la voix humaine peut exprimer de douleur.

Et j'ai appris à regarder l'insoutenable, à laisser macérer en moi, jour après jour, la haine pour Dragut, pour les infidèles, à jurer devant chaque corps supplicié que je les pourchasserais, que je ne trouverais la paix qu'après les avoir vaincus et avoir exterminé Dragut.

Il se tenait assis dans un grand fauteuil pourpre placé en face de la potence. Ses janissaires l'entouraient.

Il était impassible. Cependant, en ne le quittant pas des yeux, j'ai vu son visage se contracter de plaisir à chaque fois que le supplicié poussait un cri ou demandait grâce, c'est-à-dire implorait qu'on l'achève.

À ce moment Dragut faisait interrompre le supplice afin que le chrétien recouvre un peu de forces et que la souffrance à venir n'en soit que plus vive.

Il ne pouvait s'empêcher de sourire. En nous regardant, nous les esclaves, il jouissait de notre silence, de notre soumission, de notre effroi. Il se convainquait qu'il aurait pu être, s'il le décidait, le meurtrier du genre humain.

Et il n'ordonnait ces supplices quotidiens que pour mieux s'en persuader, choisissant ses victimes presque toujours au hasard.

L'un de nos gardiens, Azal, avait murmuré à Sarmiento, son visage exprimant le dégoût :

— Il fait le mal pour le plaisir de le faire, et parce que son penchant est à la cruauté.

Azal avait ajouté en baissant la tête :

— C'est un renégat. Il salit notre religion comme il a sali la vôtre. Mais c'est le capitan-pacha, il est le maître.

Lorsque Dragut quittait Alger pour mener la guerre de course à la tête de ses galères, on continuait de tuer et supplicier devant son fauteuil vide.

Ces jours-là, je quittais le bagne. Nos gardiens le toléraient : nous étions les « captifs de rançon » et n'avions aucun intérêt à prendre le risque de fuir puisqu'on nous rachèterait et que Dragut avait donné ordre qu'on ne nous tuât point.

Parfois l'un d'entre nous, impatient, ou bien sachant que personne ne verserait pour lui une rançon, tentait néanmoins de s'évader.

Aucun n'a réussi, me confiait Michele Spriano.

Les fugitifs étaient repris, pourchassés par les paysans, les bergers ou les pêcheurs.

La plupart ne réussissaient même pas à quitter Alger. Ils étaient trahis par les complices qui avaient juré de les aider et qu'ils avaient payés. Il s'agissait le plus souvent de renégats, de Maures que les Turcs méprisaient. Mais les uns et les autres, pour gagner quelques ducats, livraient les chrétiens qui s'étaient confiés à eux.

Malheur à ceux sur qui Dragut posait à nouveau sa patte !

Les supplices qui leur étaient infligés pouvaient durer tout le jour. L'un était condamné à deux mille coups de bâton. L'autre était enterré jusqu'aux épaules ; on plaçait autour de sa tête des morceaux de viande afin que les chacals, les hyènes ou même les chiens soient attirés et le dévorent.

Celui-là ne mourait qu'à l'aube et ses cris nous glaçaient d'effroi.

Je rentrais dans la bâtisse, tête baissée, accablé.

Je me recroquevillais, les yeux clos.

J'écrasais mes oreilles avec les poings.

J'avais envie de me fracasser la tête contre les murs.

Ne plus voir. Ne plus entendre. Ne plus penser. Ne plus espérer.

Lasciate ogni speranza voi ch'entrate.

Je me tournais, j'invectivais Sarmiento :

Speranza ?

Qu'il se demande ce que pensait de ce mot le chrétien, notre frère, dont le visage, la nuque, les épaules venaient d'être déchirés, dévorés par les chacals, les hyènes, les chiens. Avec leurs pattes, ceux-ci devaient maintenant gratter le sol pour déterrer le corps et n'en plus laisser, collés aux ossements, que quelques lambeaux de chair sur lesquels viendraient s'agglutiner des myriades de mouches avant que des fourmis grosses comme l'ongle ne s'y répandent à leur tour.

Speranza ?

« Laissez toute espérance, vous qui entrez ici ! »

Parfois Sarmiento venait à moi, me prenait par le col de la chemise, me secouait : n'avais-je plus confiance en Dieu ?

Il m'est arrivé, Seigneur, mais j'étais jeune encore, peu aguerri, de me laisser tomber contre la poitrine de Sarmiento et de sangloter. Alors il me parlait. Il me rassurait. Deux moines, qu'on appelait rédempteurs, le père Juan Gil et le père Verdini, étaient arrivés à Alger, chargés de payer les rançons des captifs de rachat. Ils transportaient avec eux plusieurs milliers de ducats.

J'ai tremblé. J'ai été tenté de crier de joie.

J'étais sûr que le père Verdini n'avait fait le voyage que pour moi. Il allait m'arracher à cet enfer plus profond, plus obscur chaque jour.

J'ai attendu sa visite avec impatience, expliquant à Sarmiento et à Spriano qu'une fois libre je collecterais en Italie, en Espagne, les sommes nécessaires à leur propre rachat. J'affréterais une frégate, avec un équipage sûr, pour enlever Mathilde de Mons. Et je tuerais Dragut.

Je me grisais de ces promesses sous lesquelles se dissimulaient mon égoïsme et mes renoncements, ma hâte de quitter Alger.

Puis le père Verdini est venu et nous sommes restés longtemps serrés l'un contre l'autre.

Il m'a paru vieilli avec sa barbe grise, son corps voûté, ses gestes lents, si démuni au milieu de ces esclaves chrétiens qui le pressaient de questions, le suppliaient de ne pas les oublier. Certains s'agenouillaient, lui baisaient les mains. Paierait-il pour eux ? Quand reviendrait-il ? Où était le père Juan Gil ?

Tout à coup, en me regardant, Verdini a dit :

— Je ne peux rien pour les sujets du roi de France. Le capitan-pacha Dragut ne veut pas accepter de rançon pour eux. Il tient à les garder ici, à Alger, peut-être même a-t-il l'intention de les emmener à Constantinople. J'espère, oui, j'espère l'y faire renoncer, mais il me faudra encore payer pour qu'il accepte...

Le père Verdini m'a pris aux épaules, m'a embrassé. J'ai vu ses larmes. Il a répété :

— Je ne peux rien, rien.

Le roi François Ier était mort. Le nouveau souverain,

126

Henri II, et sa femme, Catherine de Médicis, avaient rompu l'alliance avec la Sublime Porte et s'étaient au contraire rapprochés du roi d'Espagne. L'une des filles de la reine Catherine devait l'épouser. Le sultan, ulcéré par ce retournement, avait ordonné au capitan-pacha de garder en otages tous les gentilshommes français. Il éprouvait moins de ressentiment pour ses ennemis de toujours, les Espagnols, que pour ces Français tortueux qui ne savaient choisir, un jour prêts à bombarder une ville chrétienne avec la flotte turque, le lendemain, catholiques fervents, prêchant la croisade contre les infidèles...

J'ai tenu contre moi le père Verdini. Il me parla aussi de mon père, de mon frère et de ma sœur Isabelle qui – il s'était signé – avaient reçu au Castellaras de la Tour des huguenots comme, jadis, ils avaient accueilli des Turcs.

— Tu gravis pour eux le calvaire, mais Dieu te sauvera, m'a-t-il dit.

Sarmiento, lui, allait partir, sa rançon payée par le frère Juan Gil. Le roi d'Espagne avait lui-même versé les mille ducats que Dragut réclamait.

J'ai cru Sarmiento quand il a fait le serment de ne pas nous oublier.

Speranza !

Spriano et moi nous sommes assis épaule contre épaule à notre place dans le bagne.

Lentement, répétant les mots afin que j'en saisisse le sens, Spriano a commencé à réciter de longs passages de *La Divine Comédie*, s'arrêtant pour me confier qu'il imaginait que François Ier devait être enfoui dans l'une des dix fosses du huitième cercle de l'Enfer. Là se trouvaient les schismatiques ; là, Dante et Virgile avaient rencontré Mahomet et son gendre Ali, le corps fendu en deux par un démon qui mutilait et éventrait tous ceux que Dieu avait condamnés à souffrir dans cette fosse. Et leur supplice n'avait de cesse. Les damnés passaient et repassaient devant le démon qui les éventrait.

— François Ier comme Mahomet, avait répété Spriano.

Mais peut-être François Ier avait-il été placé quant à lui au cœur du royaume de Lucifer, dans le dernier cercle, aux côtés de Judas, de Brutus et de Cassius, les plus grands félons de tous les temps, ceux qui avaient trahi le Christ et César.

J'écoutais. La voix de Spriano me calmait. La poésie de Dante m'exaltait.

J'acceptais, Seigneur, de vivre l'enfer sur cette terre pour connaître le Paradis, la Joie et la Paix éternelle.

J'étais prêt au martyre pour être sauvé.

14.

Une nuit – mais c'étaient des mois, peut-être même plusieurs années après la visite du père Verdini et le départ de Sarmiento –, j'ai marché jusqu'au mur qui entourait les jardins et la demeure de Dragut, et je l'ai franchi.

Je savais que le capitan-pacha avait quitté Alger à la

tête de ses galères. Son fauteuil pourpre, en face de la potence, sur l'aire du bagne, restait vide, entouré de janissaires. Les bourreaux torturaient chaque jour, mais sans l'invention, la débauche de cruauté ni la perversité qu'ils déployaient lorsque leur chef assistait au supplice. Là, en son absence, ils semblaient accomplir leur tâche au plus vite, égorgeant d'un seul coup de lame, alors qu'ils avaient l'habitude, pour satisfaire Dragut, de taillader lentement le cou, de laisser la gorge longtemps ouverte pour que le sang s'écoule en même temps que les râles.

Et Dragut, lorsque la mort n'était survenue qu'après une suite interminable de souffrances, leur lançait des pièces d'or qui roulaient dans le sang répandu.

Le capitan-pacha avait donc pris la mer.

Mocenigo et Ramoin, les renégats, m'avaient rapporté que cette saison de course serait longue ; peut-être même empiéterait-elle sur l'hiver, Dragut s'abritant dans les baies, les rades, les golfes des îles Ioniennes et en surgissant entre deux tempêtes pour attaquer les navires vénitiens ou génois, fondre sur les comptoirs de la Sérénissime, ou bien, longeant les côtes, piller les villages d'un bout à l'autre de la Méditerranée.

Mocenigo et Ramoin pensaient que Dragut voulait, par des succès éclatants, ayant amassé un butin considérable et enlevé des milliers de chrétiens, obtenir du sultan d'être non seulement le maître d'Alger, mais celui de Tunis, peut-être même d'en recevoir le droit de s'approprier toutes les terres jusqu'au Presidio espagnol d'Oran.

Peut-être encore Dragut espérait-il que le sultan l'appellerait auprès de lui, à Constantinople, comme l'un des vizirs. La plupart de ces derniers étaient, comme Dragut, des renégats ou des fils de renégats, voire des enfants chrétiens enlevés dans les villages grecs, calabrais ou siciliens et devenus de fiers musulmans, serviteurs dévoués du sultan, architectes de la politique de la Sublime Porte.

En écoutant Mocenigo et Ramoin, j'ai eu l'impression que ma bouche se desséchait, que mes yeux se voilaient.

Chaque jour, depuis mon arrivée à Alger, je rêvais de franchir le mur de la demeure de Dragut afin d'apercevoir Mathilde de Mons, de la convaincre de me suivre. Et une partie de mes nuits se passait à échafauder des plans d'évasion.

Mais, si elle quittait Alger pour suivre Dragut à Constantinople, quel rêve me resterait-il ?

Je serais l'un de ces damnés plongés dans un marais glacé dont, dans le dernier cercle de l'Enfer, les larmes gèlent sitôt jaillies.

J'appartiendrais à « la gent perdue », livrée à Lucifer, enfouie au centre de la Terre.

Trop, Seigneur, pour mes fautes ! Trop !

J'ai décidé de franchir le mur.

J'en connaissais toutes les pierres.

Je l'avais longé plusieurs fois, des rochers du rivage, où il commençait, jusqu'à la colline où il serpentait.

Mais je n'avais jamais pu – ou osé – l'escalader.

Spriano m'avait supplié de ne rien tenter. Ma mort, si j'étais pris, serait plus atroce que celle de cet homme que l'on avait enterré jusqu'aux épaules. Est-ce que je me souvenais de ses cris ? De l'effroi qui nous avait tous saisis, plusieurs jours durant ?

J'avais écouté Spriano.

Puis, un jour, Dragut, passant parmi nous avec sa garde de janissaires, s'était arrêté devant moi et, penchant un peu la tête pour me jauger, avait murmuré :

— Bernard de Thorenc qui a oublié ce qu'est la chiourme...

Quand on m'a enchaîné à mon banc, sur la galère où l'on m'avait conduit, j'ai pensé que je ne reverrais jamais plus Mathilde de Mons, Spriano, Sarmiento, que mon corps, après avoir été brisé, serait jeté par-dessus bord.

Mais non, désormais je savais reprendre souffle entre deux mouvements de la rame. J'avais appris à vivre avec les hommes et les rats. Ma peau et mon âme s'étaient tannées.

J'ai donc survécu. Je suis rentré à Alger, la tête pleine des cris des femmes enlevées, des hommes massacrés dans les villages que Dragut avait attaqués, pillés, incendiés.

Il fallait que cet homme fût dévoré par Lucifer.

Ou qu'il subisse le sort du Prophète qu'il avait élu, ce Mahomet condamné en Enfer à avoir le corps sans cesse tranché par le mitan.

Avec moi Spriano a demandé à Dieu que ce châtiment lui soit réservé, puis nous avons remercié Notre-Seigneur et la Sainte Vierge d'avoir permis que nous nous retrouvions.

L'amitié, la prière, les vers de Dante m'ont permis, autant que le pain et l'eau, de vivre et d'espérer encore.

131

J'ai donc recommencé à longer le mur, à imaginer Mathilde de Mons enfermée dans le palais de Dragut dont je devinais, derrière les branches d'orangers, la blanche façade, la coupole dorée et les mosaïques bleues.

Parfois – je m'arrêtais alors, saisi par le doute – je mesurais que le temps – peut-être plusieurs années – avait passé et que Mathilde n'était plus la jeune fille que j'avais vue à Marseille, puis au Castellaras de la Tour, ou entraperçue sur cette place, à Toulon, les cheveux dénoués, si fière.

L'angoisse me saisissait. Peut-être, mis en face l'un de l'autre, serions-nous comme deux étrangers ayant tant vécu séparés qu'ils ne peuvent plus se comprendre ?

Mocenigo et Ramoin m'avaient raconté comment, après des années de captivité, et avant qu'ils ne se soient convertis à l'islam, l'un et l'autre s'étaient retrouvés en pays chrétien. Mais ils avaient été si surpris par des mœurs qu'ils avaient oubliées qu'ils avaient choisi de retourner parmi les infidèles dont ils se sentaient désormais plus proches. Et ils étaient ainsi devenus musulmans, des renégats.

Je ressassais ces propos et mes propres doutes. Je ne quittais plus le bagne en dépit des exhortations de Spriano qui tentait de me redonner espoir.

Il me parlait de Sarmiento qui avait dû regagner l'Espagne et commencé soit à réunir notre rançon, soit à rassembler un équipage pour armer une frégate qui viendrait rôder devant les côtes barbaresques et nous recueillir quand nous serions prêts à fuir.

Il faudrait profiter du départ de Dragut et de l'arrivée

d'un nouveau capitan-pacha moins averti et peut-être moins cruel.

Mais Mathilde de Mons, éloignée d'Alger, serait à jamais perdue.

Il fallait que je la voie, qu'elle fuie avec moi.

Je devais franchir ce mur.

15.

Je me hisse sur le faîte du mur et je regarde autour de moi.

La nuit, après l'orage de l'après-midi, est plus claire que le jour.

J'écarte les branches des orangers qui frôlent l'enceinte. Elles sont encore ployées, leurs feuilles chargées de pluie. Certaines sont même cassées, car le vent a soufflé fort.

J'avais espéré que l'averse et la rumeur de la tempête me protégeraient. Mais, au crépuscule, le temps a changé, l'horizon s'est éclairci et le ciel, au fur et à mesure que la nuit tombait, s'est peu à peu dégagé.

On doit me voir du palais de Dragut.

Je saute, entraînant des branches avec moi.

On doit m'entendre.

Je reste couché sur la terre meuble. Des gouttes de pluie glissent des feuilles sur mon visage.

Je commence à avancer, courbé, poussant de la poitrine et de l'avant-bras les branches les plus basses.

Ce n'est pas la forêt obscure – la *selva oscura* dont parle Dante – et je ne suis pas, comme le poète *in mezzo del camin di nostra vita*, au milieu du chemin de ma vie.

Mais, comme lui, j'entre dans l'un des cercles de l'Enfer.

Dieu seul, s'Il le veut, pourra me protéger.

J'aperçois maintenant les escaliers qui mènent à une terrasse. Elle longe la façade du palais, d'une blancheur de mort. Aucun reflet, pas même sur les mosaïques ou la coupole. C'est comme si toute la clarté de la nuit était absorbée.

Je m'approche encore, caché par les haies de lauriers qui dessinent un labyrinthe.

Tout à coup, je vois des silhouettes à quelques pas. Je devine les piques, les hauts turbans des janissaires. Ils longent la terrasse, disparaissent. Leurs voix s'éloignent.

Je bondis.

J'aperçois derrière la façade, au-delà d'une poterne cerclée de mosaïques, un patio au centre duquel la lueur lunaire joue avec le jet d'une fontaine.

Une femme est assise, figée dans la clarté, statue blanche enveloppée de voiles roses, les bras cerclés de bracelets dont les pierres scintillent, ses mèches longues retenues par un diadème.

Elle a le visage nu.

Elle se lève et avance. Ses cheveux sont blonds.

Une voix l'appelle. Elle comprend cette langue, l'arabe. Elle rit en levant le menton, ses cheveux tombent jusqu'à ses hanches comme une traîne.

Je vois se dessiner son profil sur le blanc terne du mur.

— Mathilde, Mathilde de Mons.

J'ai répété son nom en chuchotant.

Je suis sûr qu'elle a entendu. Son corps s'est raidi, cambré. Mais la voix de femme enjouée venue du palais l'appelle à nouveau. Mathilde s'est tournée vers le coin sombre où je suis tapi.

— Mathilde, Mathilde de Mons !

Elle recule d'un pas.

La voix l'interpelle.

Je distingue une silhouette de femme enveloppée de voiles qui s'avance dans le patio. Elle ressemble à une haute fleur que le vent balance.

Mathilde se tourne vers elle, rit, puis, comme si elle avait voulu que je distingue chaque mot, elle parle lentement avec les intonations si changeantes, aiguës puis graves, légères puis rauques, des femmes arabes.

Chaque son me déchire la poitrine comme si le bourreau m'arrachait des lambeaux de peau.

Et son rire, et le mouvement de son corps.

Mathilde a pris le bras de l'autre femme ; elles marchent dans le patio, leurs tempes appuyées l'une à l'autre, leurs cheveux mêlés. Elles rient par longues cascades. Leurs trilles m'emplissent la tête, y résonnent.

Qu'est-elle devenue, Mathilde de Mons ?

Elle s'assied à quelques pas de la haie qui me cache. Elle me fait ainsi face. Elle lève les bras, ajuste un voile léger sur son visage. Puis, avec les mêmes mouvements lents, elle cache ses cheveux.

L'autre femme, debout près du banc de marbre, l'imite puis claque des mains.

Des domestiques surgissent, disposent des corbeilles

de fruits, des cruches, des verres. Ils tournent autour des deux femmes comme des chiens serviles.

Elles les ignorent. Mathilde de Mons les renvoie même d'un geste méprisant de la main.

Ils disparaissent et les rires jaillissent à nouveau.

J'ai dans les oreilles les cris des chrétiens que, chaque matin, sur ordre de Dragut, devant son fauteuil pourpre, on supplicie.

Ici, c'est moi qu'on met à la torture.

J'ai la tentation de sortir de l'ombre, d'avancer jusqu'à Mathilde, de lui lancer son nom et ses origines au visage, puis de la tuer.

Mais je reste tapi cependant que passent à l'intérieur du palais des domestiques portant des chandeliers.

On entend d'autres rires de femmes.

Mathilde se lève. Elle fait quelques pas dans ma direction.

— Mathilde, Mathilde de Mons...

J'ai dû parler plus fort, car l'autre femme, sur le seuil du palais qu'elle s'apprêtait à franchir, s'est retournée, lançant quelques mots auxquels Mathilde répond en noyant ses mots dans un long rire.

Elle s'approche encore, scrute l'obscurité où j'ai gardé de bouger.

Est-ce qu'elle murmure : « Qui que tu sois, va-t'en ! » avant de s'élancer vers le palais, traversant le patio en courant, ses voiles roses voletant autour d'elle ?

Je ne sais plus.

16.

J'ai fui, oubliant toute prudence, courant sans me soucier d'être vu ou entendu entre les massifs de lauriers, sous les orangers, écartant leurs branches avec violence, cassant certaines d'entre elles, puis m'agrippant aux pierres du mur, m'y déchirant les paumes et les genoux.

C'était l'aube et, après cette nuit lumineuse, le ciel s'était assombri, le vent venu du sud était chaud et humide, et j'ai reçu en plein visage les gouttes épaisses, larges et tièdes de l'averse rageuse qui noyait Alger.

Peut-être la pluie m'a-t-elle sauvé. Les portes des remparts n'étaient pas gardées. Les ruelles étaient vides. L'eau y courait, boueuse comme celle d'un torrent en crue.

J'avançais sans penser à rien et ce n'est qu'au moment de retrouver ma place dans le bagne que j'ai compris que j'avais l'enfer en moi.

Je me suis recroquevillé comme si j'avais pu ainsi étouffer ce feu qui me dévorait la poitrine.

J'ai serré aussi fort que j'ai pu mes jambes entre mes bras. J'ai martelé mon front contre mes genoux.

Mais la brûlure s'est faite plus vive.

J'étais l'un de ces damnés dont la tombe est un éternel brasier.

Mes flammes, c'étaient les rires de ces femmes dont l'une était Mathilde de Mons, dans le patio du palais de Dragut. C'étaient les perles et les bijoux dont elle était parée. C'était la langue des infidèles qu'elle parlait.

C'étaient enfin ces mots que j'avais entendus, dont je me persuadais peu à peu qu'elle ne les avait pas prononcés mais qui pourtant me tenaillaient comme une de ces pinces chauffées à blanc avec lesquelles le bourreau, devant le fauteuil pourpre de Dragut, arrachait les chairs des suppliciés, nos martyrs.

Et Mathilde riait dans le palais de ce renégat. Elle était même la première des femmes de son harem.

Je me suis tourné vers Michele Spriano. J'ai serré les poings sur ma poitrine et l'en ai frappée.

J'ai dit :

— C'est une truie ! une traîtresse ! une renégate ! une putain !

Et les coups que je me portais étaient si forts qu'il me semblait que tout mon corps en résonnait.

Spriano m'a enserré les poignets, les a immobilisés. Je lui ai alors raconté ce que j'avais vu.

Il a baissé la tête et s'est mis à son tour à parler.

Mocenigo et Ramoin, les renégats, lui avaient confié depuis plusieurs mois que la jeune chrétienne blonde, la captive de noble famille française s'était convertie à l'islam et qu'elle régnait sur l'esprit de Dragut.

J'ai bousculé Spriano, l'ai injurié.

Pourquoi ne m'avait-il pas averti ? Pourquoi m'avait-il laissé, comme un aveugle, marcher vers ce puits noir, ce centre de l'enfer où j'étais tombé, dont le feu me dévorait la poitrine.

Il m'a pris aux épaules et m'a secoué avec une force, une colère dont je ne le croyais pas capable et qui me calmèrent.

L'aurais-je cru s'il m'avait dit cela ? a-t-il répondu.

Il avait essayé de me convaincre de renoncer à rencontrer Mathilde. L'avais-je entendu ?

J'ai confessé que j'aurais sans doute rejeté comme des calomnies les propos de Mocenigo et de Ramoin.

Mais, à l'instant où je disais cela, je me persuadais, malgré ce que j'avais vu et entendu, que la femme du patio n'était peut-être que l'une quelconque des épouses de Dragut qui ressemblait à Mathilde de Mons.

J'ai guetté l'approbation de Michele Spriano, mais il a secoué la tête. Je devais, a-t-il dit, en finir avec ces illusions.

Mathilde de Mons avait choisi, et elle seule aurait pu expliquer les raisons pour lesquelles elle s'était ainsi soumise.

Mais il n'était pas difficile de les imaginer. Il suffisait de penser à cette jeune fille qui, tout à coup, changeait de monde, était livrée à la cruauté de Dragut-le-Brûlé sans que personne ne pût la secourir.

Car Dieu, avait ajouté Michele Spriano en baissant la voix, Dieu restait bien silencieux. Chacun devait trouver en soi les forces de résister.

— Elle était si jeune, a-t-il encore murmuré.

Je me suis indigné.

J'ai répété que Mathilde de Mons, si c'était bien d'elle qu'il s'agissait, était la plus dévoyée des femmes. Putain et sorcière, luxurieuse et renégate, elle méritait le bûcher !

Tout à coup, je n'ai pu retenir les sanglots qui montaient dans ma gorge. C'était tout ce que j'avais ressenti pour elle depuis le premier jour où je l'avais vue et jusqu'à cette dernière nuit, c'était tout l'espoir et tout le désespoir que j'avais éprouvés, tous les rêves qu'elle m'avait inspirés, mes consolations, qui se changeaient en larmes et en lamentations.

Spriano m'a serré contre lui.

J'ai répété que je la maudissais, qu'elle était indigne, que je la tuerais de mes mains et vengerais ainsi tous les chrétiens que Dragut-le-Cruel, l'époux qui la comblait, faisait supplicier.

Spriano a murmuré qu'il fallait écouter ceux que l'on accusait et jugeait, qu'ils avaient le droit, comme tout homme, à notre compassion et à notre pardon.

Il m'a exhorté à implorer la Sainte Vierge Marie pour celle qui s'était égarée.

Je l'ai repoussé.

Je n'ai pas voulu, Seigneur, m'agenouiller et prier pour Mathilde de Mons.

17.

Les jours ont passé et Dragut-le-Brûlé s'est de nouveau assis dans son fauteuil pourpre, face à la potence.

Je ne le quittais pas des yeux. Il levait à peine la main et les bourreaux commençaient aussitôt à tenailler les chairs, à arracher la langue, à crever les yeux, puis à enfoncer lentement le pal rougi. Le sang coulait le long des jambes du malheureux qui, suspendu à la potence, se contorsionnait cependant que Dragut-le-Cruel, d'un hochement de tête, manifestait sa satisfaction, puis, en

140

se levant, lançait une pièce d'or aux bourreaux avant de s'éloigner de sa démarche souple et balancée.

Je l'imaginais s'approchant de Mathilde de Mons. Il se glissait près d'elle, l'enlaçait de ses longs bras. Elle s'abandonnait à ce serpent. Elle prenait du plaisir à se livrer. Elle était celle par qui j'avais été chassé de mes rêves.

Elle avait succombé à la tentation et le feu brûlait dans ma poitrine.

Je portais l'enfer en moi.

Maudite soit-elle, l'épouse de Dragut, Mathilde la dévoyée, la perverse !

Que pouvais-je faire ?

Jour après jour, j'ai pensé à me précipiter sur Dragut, à devenir l'un de ces chiens enragés qui ne desserrent pas les mâchoires, encore accrochées à leur proie alors même qu'on les a tués.

Je me voyais, les dents enfoncés dans son cou, son sang me remplissant la bouche, ma haine enfin étanchée – et la mort simple et heureuse, donnée par plusieurs coups de pique, venant me délivrer de la vie, de ce bagne.

Mais, avant de parvenir jusqu'à Dragut, il m'aurait fallu pouvoir franchir les trois rangs de janissaires qui entouraient son fauteuil pourpre.

Et lorsqu'il s'avançait parmi nous, ses gardes formaient autour de lui une muraille de leurs corps.

Ils m'auraient arrêté sans me tuer et les bourreaux auraient inventé pour moi les supplices les plus lents. Vainement j'aurais attendu la mort.

Il me fallait renoncer.

Alors j'ai songé à fuir.

La haine ne pouvait me retenir à Alger, puisque je ne réussissais pas à l'assouvir. Il me fallait recouvrer la liberté afin de revenir, un jour, brûler ce nid de corsaires, ce lieu de perdition et de souffrances.

Je me souvenais que Charles Quint, des années auparavant, avait conquis Tunis et arraché au bagne plusieurs milliers d'esclaves chrétiens.

Je devais me mettre à son service ou à celui de Philippe II, son fils, roi des Espagnes. Nous chasserions des terres chrétiennes et de la Méditerranée les infidèles. Je trancherais le cou de Dragut-le-Brûlé.

Fuir, donc.

J'ai cherché des complices. Je me souviens de leurs noms : Campana, Pérez, Camoens, Montoya, Alvarro, Cayban.

Ce dernier était un renégat qui, en pleurant, avouait qu'il avait eu un moment de faiblesse, de lâcheté. Dragut-le-Cruel – et Cayban crachait à terre – l'avait menacé de livrer devant lui aux chiens son jeune frère, et il avait accepté que le capitan-pacha abuse de lui. Ayant commis le péché de sodomie, Dragut l'avait rejeté en lui donnant comme prix de ses services le droit de se convertir. Cayban était devenu musulman, libre. Il pouvait aller à sa guise en ville, parcourir le pays. Mais, disait-il, il voulait se racheter, retrouver la Catalogne, obtenir des chrétiens qu'il aidait les témoignages qui lui permettraient de rentrer dans le giron de la sainte Église, et d'obtenir le pardon.

Il était prêt à affronter un tribunal de l'Inquisition, encore fallait-il qu'on y témoignât en sa faveur. Pour obtenir notre appui, il nous guiderait vers Oran l'espagnole. Il connaissait tout au long de la route des lieux où nous pourrions nous abriter, grottes ou jardins, criques où parfois venaient relâcher des galères françaises ou ibériques sur lesquelles nous pourrions embarquer.

Il avait besoin, pour organiser notre fuite, de quelques ducats.

Nous avons rassemblé nos pauvres fortunes et Michele Spriano, qui refusait de se joindre à nous, persuadé que nous serions repris, a donné tout ce qu'il possédait. Nous nous sommes embrassés et, par une nuit aussi claire que celle durant laquelle j'avais franchi le mur entourant le jardin et le palais de Dragut, nous sommes partis.

Au matin du septième jour, Cayban, qui nous avait guidés jusqu'à une grotte située à mi-hauteur d'une falaise surplombant la mer, a disparu.

Il avait emporté la bourse dans laquelle je gardais les ducats que Michele Spriano m'avait donnés.

J'ai réveillé mes compagnons, mais, avant même que nous ayons pu décider de la conduite à tenir, des janissaires ont envahi la grotte, nous poussant de leurs piques contre les parois, nous frappant, puis nous enchaînant.

Cayban nous attendait au-dehors, assis sur un rocher, et il a ri en nous voyant passer, liés les uns aux autres.

Que Dieu lui réserve en enfer le sort des sodomites !

Nous avons couru jusqu'à Alger. Les janissaires allaient au trot de leurs petits chevaux pommelés auxquels ils nous avaient attachés, ne s'arrêtant pas quand nous trébuchions, la chute de l'un d'entre nous entraînant celle de tous les autres.

Au deuxième matin, Campana est tombé et ne s'est pas relevé. Nous avons dû tirer son corps qui se déchirait sur les pierres du chemin.

Le soir seulement les janissaires ont détaché son cadavre, et en dépit de leurs coups nous l'avons enseveli sous des pierres.

Le lendemain, ils nous ont forcés à porter de ces mêmes pierres tout en courant et ils s'esclaffaient de nous voir claudiquer, nous agenouiller.

Au troisième jour, Camoens est mort à son tour.

Sans doute ont-ils craint de se présenter devant Dragut sans aucun captif debout. Dès lors ils ont ralenti le pas et nous ont laissés nous délester de nos pierres.

J'ai pensé qu'il eût mieux valu mourir sur le chemin que sur la potence.

On nous a fait agenouiller devant Dragut.

Perez a été le premier livré aux bourreaux.

Il est mort sans un cri : de son corps dont il ne restait plus que le tronc et la tête, les membres avaient été tranchés lentement comme on scie les branches d'un arbre.

Puis Montoya a été conduit au supplice. J'ai fermé les yeux lorsque les bourreaux ont approché des siens les pointes rougies de leurs coutelas.

Montoya a hurlé ; ce n'était plus le cri de l'homme qu'il avait été, mais le hurlement d'une bête qu'on écorche vivante.

J'attendais mon tour. On était à la fin du jour.

Dragut s'est approché de moi, toujours à genoux, les mains liées dans le dos.

— Toi, Thorenc..., a-t-il dit.

Avançant les lèvres, il a eu une expression dédaigneuse.

— On me supplie de te laisser en vie.

Il a ri.

— Est-ce que je dois obéir à une épouse ?

Il s'est penché.

— Ou bien la punir, la tuer pour s'être souciée de ton sort, avoir sollicité ta grâce ?

Il a croisé les bras.

— Si je la tue, si je la punis, c'est moi qui souffre. Si je te laisse en vie, elle sera plus douce encore. Tu comprends, j'hésite entre deux tentations...

Il a regardé le ciel qui s'obscurcissait.

— Je nous laisse une nuit encore, à toi, à moi... et à elle. Si...

Il s'est à nouveau approché.

— Tu n'imagines pas ce que peut une femme comme elle. Elle fait de moi un roi.

Tout à coup, d'un violent coup de pied dans la poitrine, il m'a renversé avant de s'éloigner.

J'ai attendu plusieurs jours, dans une sorte d'hébétude, la décision de Dragut-le-Brûlé.

Au matin de la première nuit, j'étais sûr que les bourreaux allaient venir me saisir par les bras et les jambes et me jeter aux pieds de Dragut comme un animal qu'on livre au boucher.

Mais les bourreaux ne s'étaient pas montrés.

145

Ils s'étaient emparés d'un homme déjà vieux dont sans doute plus personne ne voulait verser la rançon et qui n'était plus capable de ramer dans une chiourme.

On l'avait tué vite fait, sans que Dragut manifestât le moindre intérêt pour cette pendaison qui n'avait été précédée que de la mutilation du nez et des oreilles – autant dire rien, presque les marques d'une attention bienveillante.

Puis les nuits s'étaient succédé sans jamais qu'à l'aube on vînt me conduire à la potence.

Chaque soir, Michele Spriano s'agenouillait près de moi.

— Il faut prier, disait-il.

Il ajoutait, mais d'une voix si faible que je devinais ses propos plus que je ne les entendais :

— Implorons le pardon pour celle qui a risqué sa vie en demandant ta grâce.

Je me suis obstiné, Seigneur, je n'ai jamais prié pour Mathilde de Mons.

Je n'avais rien sollicité d'elle. Elle voulait me sauver la vie pour se racheter. Et j'avais honte de ce marché dont j'étais pourtant le bénéficiaire.

Car, un matin, j'ai découvert que le fauteuil pourpre était vide. Aucun janissaire ne le gardait. Et le bruit s'est répandu que Dragut-le-Cruel, Dragut-le-Débauché avait quitté Alger en compagnie de ses épouses et de ses trésors pour gagner Constantinople où il avait été désigné vizir du sultan.

Il m'avait donc épargné.

Mais je devais la vie au plaisir que Mathilde de Mons donnait à Dragut-le-Débauché, à la passion luxurieuse qu'elle lui inspirait.

Je me sentais boueux, puant, coupable.

J'avais entraîné dans ma fuite quatre hommes qui avaient succombé alors que je leur survivais.

Quel était le dessein de Dieu ? Quelles voies mystérieuses empruntait la Justice ?

Je me suis interrogé, Seigneur, en proie à un grand trouble.

Je Vous ai supplié afin que Vous m'éclairiez, que Vous m'indiquiez le chemin.

Vous êtes resté silencieux.

J'ai pensé que Vous aviez préservé ma vie pour que je la misse tout entière à Votre service.

J'ai juré sur cette vie sauvée d'extirper des âmes la foi des infidèles et de châtier ceux qui la servaient, la protégeaient ou s'y soumettaient.

18.

Ce serment que j'avais fait de pourchasser les sectateurs d'Allah n'était, selon Michele Spriano, que le fruit empoisonné de mon désir de vengeance.

Les infidèles m'avaient ravi Mathilde de Mons, disait-il, et je les poursuivrais de ma haine.

À l'entendre, je menais une guerre personnelle et non, comme je le prétendais, le combat de la sainte Église.

Le chrétien, répétait-il, devait s'en remettre au jugement de Dieu.

Spriano m'irritait.

Nous marchions côte à côte dans les ruelles d'Alger.

Depuis le départ de Dragut, le nouveau capitan-pacha, Aga Mansour, avait autorisé les captifs de rançon, à quitter librement le bagne quand ils le souhaitaient. Nous devions simplement rester à l'intérieur des remparts. Le châtiment serait impitoyable pour ceux qui tenteraient de fuir.

J'y pensais encore.

Mais Mansour nous avait annoncé la venue prochaine des moines rédempteurs, les pères Verdini et Juan Gil. Ils procéderaient au rachat de plusieurs d'entre nous. Il était sage de les attendre.

Nous marchions donc en devisant, pour que les heures passent.

Nous nous asseyions sur l'une des jetées du port. Les esclaves noirs et les esclaves chrétiens du sultan y déchargeaient les navires.

Souvent, une galère accostait sous les vivats de la foule. Et je souffrais de voir tant de chrétiens enchaînés se rassembler sur le pont, être poussés sur le quai comme je l'avais été.

Je me tournais vers Spriano : pouvions-nous laisser faire cela ?

Je m'emportais, lui rappelais les supplices que Dragut-le-Cruel ordonnait. Cet homme était un serpent dont il fallait trancher la tête.

Et quel sort réserver à Cayban, ce Judas qui nous avait vendus à Dragut ? La mort ! J'étais prêt à la donner.

— Des hommes pourris, murmurait Spriano.

Mais il affirmait qu'ils auraient été tout aussi nuisibles s'ils avaient conservé leur foi. Que l'homme était une créature de Dieu, même s'il avait versé dans l'erreur. Que seuls ceux que le démon habitait, qui s'étaient mis au service du Mal, méritaient qu'on les châtiât. Dragut et Cayban étaient de ceux-là. Mais le capitan-pacha Aga Mansour, et même Mocenigo ou Ramoin, et aussi bien – il baissait la voix – Mathilde de Mons pouvaient être sauvés.

Le Mal en eux n'avait pas étouffé le Bien.

J'écoutais Spriano mais je refusais de l'entendre.

Il était plus âgé que moi. Il avait vécu dans les comptoirs vénitiens des îles Ioniennes, hébergeant souvent dans sa maison des marchands turcs, discutant âprement avec eux du prix des épices ou de la soie.

— Hommes comme nous, disait-il.

Je lui rappelais le marché aux esclaves où déjà les chrétiens débarqués avaient dû monter sur l'estrade au milieu de la foule qui attendait, impatiente, qu'on vendît enfin les femmes captives.

J'entraînais Michele Spriano. Je ne pouvais assister à ce spectacle, à notre humiliation.

Dieu nous avait voulus libres, non esclaves des infidèles.

Si ma vindicte était personnelle, la guerre, elle, était celle de la sainte Église contre l'islam. Il fallait combattre pour le triomphe de la Juste Foi, pour notre Dieu.

149

C'étaient eux ou nous.

Le Mal ou le Bien.

— Chaque homme, disait Spriano, livre cette bataille en lui-même.

Je répondais que, selon son maître Dante, Mahomet était en enfer, le corps fendu par le milieu.

Spriano souriait. Il était heureux de m'avoir fait connaître Dante, sa *Divine Comédie*.

Un jour, la pénombre tombait déjà alors que nous marchions dans une ruelle sombre, nous dirigeant vers le bagne, quand j'ai reconnu Cayban. Il poussait devant lui un âne chargé de sacs.

Il a donné un coup de fouet sur l'échine de l'animal qui a pris le trot, et s'est mis à courir derrière lui.

Je l'ai agrippé par les épaules. Il a hurlé. Je l'ai bâillonné, poussé sous une poterne.

Spriano m'a rejoint.

— Laisse-le ! a-t-il murmuré.

Cayban se débattait, répétant qu'il pouvait nous venir en aide : un navire français devait arriver à Alger ; il serait facile de se glisser à son bord. Il suffisait de payer le capitaine, venu de La Rochelle, un dénommé Robert de Buisson avec qui, plusieurs fois déjà, il avait traité de ces sortes d'affaires. Il exigeait cinq cents ducats par chrétien qu'il aidait à fuir. Cayban était prêt à nous les donner.

— Mille ducats pour vous deux, ressassait-il.

Je lui ai serré la gorge et ai demandé à Spriano de le fouiller.

Spriano a reconnu la bourse qu'il m'avait lui-même remise et que Cayban m'avait soustraite.

— Cet homme-là est le Mal, ai-je dit. Dieu nous le livre pour que nous le châtiions.

J'ai soutenu le regard de Spriano.

— Laisse-le, a-t-il de nouveau murmuré.

— Il est Judas. Il nous dénoncera !

Spriano a baissé la tête.

Qu'il est facile, Seigneur, de tuer un homme !

19.

J'avais rompu le fil d'une vie.

Y a-t-il plus grand blasphème ?

Michele Spriano, à genoux, implorait Votre miséricorde pour cet acte sacrilège.

Je priai, moi, pour Vous remercier d'avoir placé sur notre route ce Judas par la faute duquel quatre de mes compagnons étaient morts dans des souffrances infernales, les uns traînés comme des charognes, les autres martyrisés jusqu'à ce que leurs corps ne fussent plus qu'une seule plaie.

Et Spriano voulait que je desserre mes mains du cou de Cayban ? que je le laisse courir chez les janissaires et révéler que nous lui avions demandé de nous aider à fuir ?

Il m'a semblé, Seigneur, que telle n'était pas Votre volonté. Et j'ai osé penser Vous être fidèle en perpétrant ce sacrilège.

Mes doigts n'ont pas tremblé.

J'étais celui par qui passe la Justice.

Et j'étais sûr que ma rencontre avec Cayban, la confidence qu'il m'avait faite, la bourse remplie de plus de mille ducats que nous avions trouvée sur lui ne devaient rien au hasard.

Vous êtes le grand ordonnateur de toute chose, Seigneur !

Nous avons abandonné dans la pénombre de la poterne le corps sans vie de Cayban, recroquevillé.

Quand nous avons regagné la ruelle, l'âne chargé de sacs raclait les pavés de ses sabots. Il était revenu et attendait son maître. Nous l'avons poussé sous la poterne où nous l'avons attaché.

Celui qui trouverait le corps de Cayban serait tenté de l'enterrer sans mot dire afin de s'emparer de la bête et de son chargement.

J'ai eu l'impression que Dieu, après m'avoir soumis à tant d'épreuves, ordonnait le monde autour de moi et me guidait.

Il ne me laissait pas le temps de me repentir.

J'essayai de convaincre Spriano de tenter de fuir avec moi en achetant la bienveillance de ce capitaine français dont Cayban nous avait donné le nom.

Il hésitait. Il ne voulait pas profiter de cet assassinat duquel pourtant il se sentait complice, puisqu'il ne l'avait pas empêché.

Je le tirais par le bras, le contraignais à descendre avec moi, dès l'aube, vers le port.

Jamais je n'avais éprouvé un tel sentiment de confiance.

J'étais sûr qu'une étape de ma vie s'achevait. Ce qui était lié à mon enfance au Castellaras de la Tour s'éloignait de moi. Mathilde de Mons vivait à Constantinople, renégate parée par un vizir débauché et cruel. Moi, j'allais m'enfuir. Rien ne pourrait m'en empêcher. En étranglant Cayban, il me semblait que j'avais tué tous les traîtres.

Par la mort donnée, je m'étais fait homme libre.

— Blasphème, blasphème ! répétait Michele Spriano. Hérésie, sacrilège !

Mais il me suivait jusqu'à la jetée.

Un matin, nous avons vu se détacher sur l'horizon des voiles rondes.

Aucune galère, aucune frégate barbaresque ni même espagnole ou vénitienne n'en hissait de semblables.

C'était le Français.

Nous avons attendu qu'il ait lancé et noué ses amarres, puis que les Turcs qui étaient montés à son bord l'aient quitté.

Quand les esclaves noirs et ces pauvres chrétiens pour qui personne ne verserait de rançon ont commencé à décharger de grands ballots de toile, si lourds que la passerelle s'incurvait sous leur poids, nous nous sommes approchés en nous glissant dans la file des portefaix.

Parvenu sur le pont, j'ai vu un homme debout, jambes écartées, main serrant la garde de la longue épée qu'il portait au côté. Il nous a suivis des yeux sans paraître surpris quand nous nous sommes dirigés vers le château arrière, veillant à marcher courbés, nous dissimulant derrière les voiles repliées, descendant les quelques marches conduisant à l'entrepont.

Il allait venir nous y rejoindre. Il fallait attendre la nuit.

Son pas, dans le silence de l'obscurité, a martelé le pont. Puis il y a eu, en haut des marches, sa silhouette et la lueur d'une lanterne, une voix qui nous intimait l'ordre de nous approcher. La main que serrait toujours la garde de l'épée. Et les questions qui se succédaient.

J'ai répondu. Spriano a tendu la bourse. Le capitaine l'a soupesée, ouverte, en éclairant de sa lanterne son contenu, puis en y plongeant les doigts et en faisant tinter les ducats.

— Je suis Robert de Buisson, corsaire de La Rochelle, huguenot, mes seigneurs, a-t-il dit.

Il s'est approché.

Nous sentions les papistes, a-t-il ajouté en levant sa lanterne et en nous dévisageant.

Il s'est assis, nous a invités à l'imiter, a posé la lanterne entre ses cuisses, puis a marmonné :

— Mais, ici, nous sommes d'abord chrétiens.

Il appareillait le lendemain. Il allait longer les côtes barbaresques, puis celles d'Espagne. Il n'attaquerait que les navires espagnols et génois, les meilleures prises, leurs coques toujours pleines de pièces de drap, d'épices et d'armes.

Il pouvait nous débarquer sur la côte espagnole ou bien, si nous combattions avec lui, à La Rochelle. Il comptait franchir le détroit de Gibraltar dans quelques semaines.

Tout à coup, il a ri.

— À La Rochelle, il vous faudra choisir : huguenots

ou catholiques. Selon les humeurs du temps, on dresse des bûchers pour les uns ou pour les autres. Si les bourreaux ne valent pas ceux des infidèles, ils savent allumer un feu.

J'ai dit :

— L'Espagne.

Robert de Buisson a secoué la bourse et lancé en se levant :

— Va pour l'Espagne.

TROISIÈME PARTIE

20.

Libre !

Je prie, agenouillé sur le sable d'Espagne, là où les vagues viennent mourir.

Je remplis mes paumes de cette eau bruissante, plonge mon visage dans la vasque de mes doigts.

J'aime le goût salé de la mer. C'est l'âpre saveur de la liberté.

Merci, Seigneur !

Michele Spriano s'agenouille près de moi, puis se redresse presque aussitôt. Il traverse la plage, écarte les roseaux qui couronnent les dunes, grimpe sur les rochers. Sa silhouette se détache sur le ciel encore sombre de l'aube. Il fait de grands gestes, m'invite à le rejoindre.

Je ne bouge pas.

Je veux que l'instant où je recouvre la liberté sur une terre chrétienne se prolonge.

Je suis comme Dante lorsqu'il aborde le rivage du Paradis.

Le soleil qui s'élève au-dessus des collines entourant la baie m'éblouit.

Je ne vois plus Michele Spriano.

Je me retourne.

La chaloupe qui nous a conduits à terre a déjà rejoint

le navire. Les marins s'affairent. Dans le silence de l'aube à peine effrangé par le ressac, j'entends la voix de Robert de Buisson qui donne l'ordre de hisser les voiles.

Elles claquent, puis se gonflent. Le navire met cap au large.

Buisson nous avait avertis qu'il ne s'attarderait pas le long de cette côte andalouse. De la pointe de Palos à Málaga, elle était infestée par les corsaires de Tétouan. Ils hantaient les criques et les golfes, se tenaient à l'affût derrière les caps. Ils attaquaient tous les navires autres que barbaresques et bénéficiaient de la complicité des Maures qui peuplaient l'ancien royaume arabe de Grenade et de Cordoue.

Les Espagnols, avait ricané Robert de Buisson avec une moue de mépris, imaginaient avoir converti les Maures !

— Les papistes prennent leurs rêves pour la réalité. Ils croient que le corps du Christ est dans un morceau de pain, et son sang dans un verre de vin ! Alors ils ont pensé que les Maures qui entraient dans les églises et y priaient étaient devenus de bons chrétiens !

Robert de Buisson s'était exclamé, en crachant sur le pont à nos pieds :

— Faux renégats, faux convertis ! Les Maures prient, mais en direction de La Mecque. Je n'ai encore jamais rencontré un musulman devenu vraiment chrétien !

Ces Maures, avait poursuivi Buisson, s'ils nous découvraient, s'empareraient de nous pour nous livrer aux Barbaresques. Nous étions de bonnes prises, des captifs de rançon qu'ils pourraient monnayer. Et si nous résistions ils nous trancheraient la gorge.

Il avait fait glisser son pouce en travers de son cou.

Mais les Espagnols ne seraient pas plus tendres. Ils exigeraient de savoir qui nous avait déposés sur leur côte. Ils se méfiaient des corsaires français.

— Ils me haïssent plus encore qu'ils ne détestent les Barbaresques. Je suis de La Rochelle. Ils ne savent rien de l'Océan, alors que le pays des Barbaresques est le jumeau du leur. Les Maures sont leurs voisins. C'est moi, l'étranger ! Que leur importe que je sois chrétien ? D'ailleurs, à leurs yeux, je suis hérétique !

Robert de Buisson m'avait saisi par l'épaule au moment où j'embarquais dans la chaloupe.

— Thorenc, vous êtes de bonne lignée franque. Papiste, mais votre père est au roi ! Qu'allez-vous faire en Espagne en compagnie d'un marchand florentin ? Un Italien est toujours un serpent : voyez la reine, cette Médicis ! Ça sue le venin par tous les pores. Et, pour les Espagnols, vous resterez un Français, quoi que vous leur disiez ! Ils ne vous égorgeront pas, mais vous étoufferont. Vous savez ce qu'est le garrot ? On vous brise la nuque en vous écrasant la gorge. Ils font ça lentement. Ou bien – il m'avait tapoté l'épaule – ils vous livreront à l'Inquisition, et le grand juge vous condamnera au bûcher ou aux galères comme huguenot ou renégat.

Il s'était penché vers moi.

— Thorenc, je vous le dis : je préfère un Turc à un Espagnol ! Venez donc avec moi à La Rochelle. C'est votre pays, le royaume de France !

Il m'avait retenu, serré contre lui.

— Votre royaume, Thorenc ! avait-il répété.

Je l'avais écarté et avais sauté dans la chaloupe.

— Mon royaume est ma foi ! avais-je répondu au moment où l'embarcation s'éloignait du navire. Je suis du pays qui fait la guerre aux infidèles, non de celui qui s'allie à eux.

— Louis de Thorenc, votre père..., avait crié Robert de Buisson.

J'ai pensé, sans osé répondre en ces termes à Robert de Buisson : « Je n'ai pas d'autre père que Dieu ! »

Puis j'ai regardé avancer vers moi la terre d'Espagne.

En voulant la fouler plus vite, j'ai trébuché et suis tombé sur le rivage, recouvert par l'écume blanche des vagues.

Je suis resté longtemps les bras en croix, la bouche dans le sable humide et froid.

Cette mer qui me recouvrait, c'était l'eau du baptême d'un homme à nouveau libre.

Je gravis la colline. Le soleil s'élève et, avec lui, renaît le bruissement entêtant des insectes.

Je m'arrête à chaque pas. J'écoute. Je me tourne vers l'horizon. Le navire de Robert de Buisson a déjà doublé le cap. J'aperçois seulement le haut de sa voile. La mer dans la baie est une étendue vide et bleue, elle mesure l'espace qui me sépare désormais de l'enfer.

Je suis libre sur une terre chrétienne !

Je retrouve Michele Spriano au sommet de la colline.

Tout à coup, j'entends, venant d'au-delà de cette forêt de chênes-lièges qui s'étend devant nous, le son des cloches qui, parfois, s'estompe ou se rapproche.

C'est mon cœur qui résonne. Chaque note est le battement de ma liberté. Je suis de retour chez moi. La cloche chasse la voix aiguë du muezzin.

Michele Spriano tend le bras.

Au loin, je devine le clocher dressé au-dessus des toits rouges.

Au diable les minarets et les terrasses blanches d'Alger !

Je dévale la pente de la colline, suivi par Spriano. Nous atteignons la forêt. Je cours plus que je ne marche vers cette église. Voilà sept années que je n'ai pu m'agenouiller devant un autel, dans Ta Maison, Seigneur !

Nous traversons des clairières, étangs verts dans la rousseur du sol. À quelques pas, j'aperçois un jeune berger assis contre un arbre. Il taille une branche, relève la tête, se dresse. Il crie, le visage déformé par l'effroi :

— Les Maures, les Maures sont au pays ! Aux armes !

Il détale entre les arbres malgré nos appels. Nous nous arrêtons. Nous nous regardons : couverts de poussière, nos tuniques, nos foulards, nos gilets, nos turbans sont ceux que nous avions revêtus pour nous glisser à bord du navire français. Ces hardes ont trompé le berger. Je les arrache comme une peau sale qui m'a si longtemps collé au corps que je l'ai oubliée ; il a fallu ce cri de terreur du berger pour que je la sente me défigurer, m'oppresser.

Brusquement, des cavaliers surgissent, nous entourent, nous poussent de leurs lances.

Je tente d'empoigner la hampe d'une de ces armes, et crie.

J'ai appris l'espagnol durant mes sept années d'enfer. Spriano le parle encore mieux que moi. Je me frappe la poitrine du poing.

— Chrétiens, esclaves des infidèles ! Captifs de

163

rançon, évadés des bagnes d'Alger, voilà ce que nous sommes !

Je répète sans fin ces mots. L'homme qui commande la petite troupe est aussi brun qu'un Maure. Ses yeux sont perçants comme ceux de Dragut. Il me frappe du plat de sa lance et s'exclame :

— Renégats, espions des Barbaresques ! dit-il, en me piquant la gorge de la pointe de sa lance.

Je crie encore :

— Nous sommes les compagnons de Diego de Sarmiento. Sarmiento !

Il écarte son arme.

Nous marchons vers le village. Dès que nous avons atteint les premières maisons, des paysans se rassemblent et nous font cortège. Les femmes nous maudissent, les hommes nous lancent des pierres.

Sur la place, devant l'église, un paysan accroche à la branche d'un des platanes une corde terminée par un nœud coulant.

Seigneur, voulez-Vous que nous mourions ici sur la terre chrétienne retrouvée ?

Un prêtre sort de l'église, repousse les villageois, nous dévisage. Râblé, la tête rasée, ses gestes sont vifs.

Je répète :

— Diego de Sarmiento, notre compagnon de chiourme et de bagne, était de Grenade. Le roi des Espagnes, Philippe, a payé sa rançon. Diego de Sarmiento : chrétien comme moi, comme nous !

Le prêtre nous entraîne à l'intérieur de l'église. Je ferme les yeux.

164

Cette fraîcheur, cette odeur d'encens... Ce murmure des femmes en prière...

J'entre dans le confessionnal. Le prêtre l'a exigé. Dans la pénombre, j'entends sa respiration rauque. J'appuie ma tête contre le bois.

Il me questionne. Et tout ce que j'ai cru emporté, lavé par le ressac et l'écume blanche, alors que j'étais recouvert par les vagues, revient, m'habite et m'obsède.

Je dis Dragut et Mathilde de Mons.

Je dis les suppliciés, les écorchés et les fendus, les tailladés et les dévorés.

Je dis Cayban.

Je dis mes mains autour du cou de ce renégat dont le corps glisse contre le mien et devient si vite aussi froid que la terre au crépuscule.

Le prêtre m'absout.

Il m'informe que l'oncle de Sarmiento, don García Luís de Cordoza, est capitaine général de Grenade. Et que le comte Diego de Sarmiento est auprès de Philippe II, régent d'Espagne :

— Mais Dieu seul sait où ! Notre régent parcourt le monde aux côtés de son père l'empereur.

Le père se signe.

Il nous fera accompagner à Grenade, chez don García.

Nous quittons l'église. Le soleil brûle la terre, la peau, les yeux.

Le prêtre bouscule et harangue les paysans qui sont restés rassemblés.

— Ce sont de bons chrétiens, dit-il en nous montrant. Ils reviennent de l'enfer. Priez pour eux qui ont vécu esclaves des infidèles, soumis à la loi de Lucifer !

Je regarde les visages des hommes qui nous entourent : Maures, Espagnols ? Faux convertis ou vrais chrétiens ?

Ils ont le teint mat. Ils ressemblent aux infidèles qui m'ont si souvent dévisagé sans compassion dans les ruelles de Toulon ou d'Alger.

La foi n'est-elle pour la plupart qu'un masque derrière lequel grimace la bête démoniaque ?

Ma joie d'être libre pour la première fois se voile.

J'ai peur de penser comme un mécréant, un hérétique, un païen.

Seigneur, ne peut-on quitter l'enfer qu'en quittant la vie ?

Et cette terre où nous passons notre vie charnelle est-elle seulement le royaume de la souffrance, l'empire de Lucifer ?

Mais si le Mal y règne, comment y défendre le Bien ?

Comment condamner ceux qui se soumettent à la loi du diable, si elle règne ici sans partage ?

Je marche tête baissée.

Je ne veux pas confier mes craintes et mes doutes à Michele Spriano, mais je sais que je vais devoir affronter de nouvelles tentations, de nouvelles épreuves.

Une terre même chrétienne ne saurait être le paradis.

21.

Seigneur, le jour de mes vingt-cinq ans, nous sommes entrés dans Grenade par la Puerta de Los Molinos.

J'ai entendu des voix aiguës, des rires et des chants.

Sur les berges de la rivière qui s'étirait entre les maisons ocre, les platanes et les collines, j'ai vu des femmes aux bras nus.

J'ai détourné la tête.

Le père Fernando, qui nous avait accompagnés depuis notre départ du village côtier de Veluz Málaga où nous avions passé notre première nuit de liberté, a saisi le bras de Michele Spriano et, de l'autre main, a montré la ville.

J'ai voulu oublier la présence des femmes et l'écouter.

Il parlait d'une voix exaltée.

Depuis des siècles, disait-il, Grenade, capitale du royaume des infidèles, avait été comme une plaie au flanc de l'Espagne. Personne n'avait pu vaincre les rois maures. Ils avaient cru posséder cette terre chrétienne jusqu'à la fin des temps.

Le père Fernando a tendu le bras, montré les collines, serré le poing.

— Campo de Los Martiros, Carmen de Los Martiros..., a-t-il dit.

Avec les os des martyrs chrétiens les Maures avaient construit leurs palais et leurs mosquées.

Il a fait quelques pas, nous invitant à le suivre, et j'ai découvert, au sommet d'une des collines, ces hautes murailles crénelées, ornées de mosaïques, ce fier et grand palais de l'Alhambra, la plus grande construction que j'eusse jamais vue.

Je suis resté interdit. Les infidèles n'étaient pas que des Barbaresques commandés par des renégats tel Dragut. C'étaient des rois bâtisseurs, puissants et dangereux.

— Ils se croyaient les maîtres, a ajouté le père Fernando. Les chrétiens, sous leur joug, se convertissaient pour ne pas être esclaves. Mais, un jour, le 2 janvier 1492, l'armée de Fernando et d'Isabel la Catolica a pénétré dans la ville par cette Puerta de Los Molinos, et le roi Boabdil, le Maure, s'est enfui. Et comme, apercevant au loin sa ville abandonnée, il s'est mis à pleurnicher – *el sospiro del Moro* –, sa mère lui a lancé, méprisante : « Ne pleure pas comme une femme ce que tu n'as pas su défendre comme un homme ! »

Le père Fernando s'est arrêté sur le pont qui enjambait le *río* Darro.

— Les femmes sont à nouveau chrétiennes, a-t-il murmuré.

Elles lavaient, essoraient, étiraient, étendaient de grands draps blancs sur les galets.

Certaines d'entre elles étaient accroupies et leurs corps se déhanchaient. Lorsqu'elles se redressaient, leur poitrine gonflait leur blouse. Bras levés, elles glissaient du bout des doigts les mèches de leurs cheveux sous leurs coiffes.

D'autres femmes portaient de grands baquets de linge sur leurs têtes et soulevaient de la main gauche leurs longues robes noires, puis elles entraient dans la rivière et traversaient à gué.

J'ai aperçu la toile des jupons, la peau blanche des bras, des mollets et des cuisses.

J'ai eu honte et me suis senti emporté, mon ventre et mes joues dévorés par une joie aussi brûlante qu'une promesse.

Je ne connaissais de la chair que les soupirs des sodomites dans la pénombre de la chiourme et du bagne, ou les cris des femmes écartelées par les infidèles, deux d'entre eux tenant leurs chevilles, deux autres leurs poignets et leurs épaules, le cinquième s'enfonçant entre leurs jambes.

J'avais craint d'être choisi par l'un de nos gardes-chiourme pour lui servir d'amuse-nuit avant qu'il ne me renvoie, souillé, à mon banc de rame, ou bien qu'il me livre aux marins de la galère.

Mais ma condition de captif de rançon, bien personnel de Dragut, m'avait protégé.

J'avais aimé Mathilde de Mons et souffert qu'elle me rejette et se livre à la luxure avec Dragut-le-Débauché. Mais je n'avais jamais osé la désirer.

Le désir n'était pour moi que la gêne que me laissaient certaines nuits quand je retrouvais, au matin, mes cuisses poisseuses et me souvenais ainsi, le rouge au front, de mes rêves.

Tout à coup, les bras et les jambes nues de ces femmes, leurs voix et leurs chants, leurs rires m'enflammaient.

La liberté, c'était cela : une foi, une femme.

C'est avec ce feu en moi que je suis entré dans le Presidio, le palais du capitaine général, don García Luís de Cordoza, *calle* de Los Molinos.

22.

J'ai haï ce vieil homme aux joues grises.

Il trônait dans la pénombre, au fond de la grand-salle du Presidio où nous sommes entrés, précédés par deux soldats aux uniformes sang et or.

À chaque pas ils frappaient de la hampe de leurs piques le parquet aux larges lattes croisées.

Des officiers, des prêtres, des femmes dont les blanches dentelles tranchaient sur leurs amples robes noires se tenaient sur les côtés de la salle, formant ainsi une allée bruissante jusqu'à l'estrade au centre de laquelle don García Luís de Cordoza était assis.

Les soldats se sont immobilisés à quelques pas de l'estrade.

J'ai vu le père Fernando et Michele Spriano se ployer. Je me suis borné à baisser la tête un court instant.

Lorsque je l'ai relevée, j'ai croisé le regard du capitaine général.

Ses yeux étaient enfouis dans les chairs fripées, blafardes, de son visage parcheminé.

Le père Fernando s'est mis à parler d'une voix humble, presque suppliante. Il soupirait, en appelait à la bonté de don García Luís Cordoza. Il semblait solliciter le pardon, la grâce du capitaine général comme si nous étions coupables de nous être enfuis, d'avoir été des captifs de rançon, d'avoir débarqué sur la côte andalouse, près du village de Veluz Málaga.

J'ai eu plusieurs fois la tentation de dire que j'avais imaginé qu'on nous accueillerait avec affection, qu'on nous fêterait comme deux chrétiens qui, durant des années, avaient refusé de céder aux infidèles. Mais dans cette salle du Presidio de Grenade les murmures étaient ceux du soupçon et de la moquerie.

— Ils ont été, poursuivait le père Fernando, compagnons de chiourme et de bagne de votre illustre neveu, le comte Diego de Sarmiento, que Dieu le protège et l'éclaire dans les lourdes charges qui sont les siennes auprès de Notre Sainte Majesté, le roi Philippe II...

D'un mouvement à peine esquissé de la main gauche, le capitaine général a interrompu le père Fernando. Ses doigts étaient noueux, crochus, déformés par la goutte ; on eût dit de courtes griffes rougies surgies de ses mains boursouflées.

— Un marchand toscan, a-t-il énoncé.

Son visage exprimait le dédain, mais il n'a pas eu un regard pour Michele Spriano.

— Un Français...

Sa voix était tout aussi méprisante. Il m'a fixé longuement d'un air de dégoût, les paupières à demi fermées, si bien qu'il me fallait imaginer son regard.

Je me suis souvenu de celui de Dragut-le-Brûlé, de Dragut-le-Cruel.

— Français ! a-t-il répété.

Il n'a pas posé de question mais a légèrement levé la tête, et, d'un petit coup de menton, suivi d'un autre, m'a ordonné de parler.

J'ai regardé autour de moi. J'ai deviné tous ces visages dont la pénombre effaçait les traits. Les flammes des grands chandeliers faisaient briller l'or, les rubis, les diamants des colliers et des bagues.

— Je suis Bernard de Thorenc, ai-je dit, vicomte,

171

captif de rançon depuis plus de sept ans, chrétien,
heureux, jusqu'à cet instant, d'avoir touché la terre
catholique d'Espagne. Je demande à prendre place dans
son armée, derrière son roi, pour combattre l'infidèle
où qu'il soit.

Je crois qu'en parlant j'ai martelé le parquet de mon
talon droit.

Le capitaine général s'est redressé, prenant appui sur
ses accoudoirs. Il a répété « vicomte Bernard de
Thorenc... » d'un ton si hostile que c'était comme s'il
me souffletait.

J'ai vu ses doigts se crisper sur les bras du fauteuil,
comme si ses ongles s'y incrustaient, et un sentiment
d'effroi – le même que celui qui m'avait envahi en face
de Dragut – m'a paralysé.

Puis tout mon être s'est révolté. Je me suis cambré.
Je n'avais pas plié le genou devant Dragut-le-Cruel ;
comment aurais-je pu céder devant ce vieillard aux
joues grises ?

Il a longuement parlé, Seigneur, et je n'oublierai
jamais l'humiliation subie, la honte et la colère qui
m'étouffaient.

Je n'étais pourtant pas surpris par les accusations qu'il
portait contre mon père. Ne l'avais-je pas moi-même
rejeté ? Cependant, j'avais l'impression, en écoutant don
García Luís de Cordoza, qu'il m'écorchait, que chacun
de ses mots m'arrachait un lambeau de chair, comme
si, ses mâchoires m'ayant agrippé, ses dents s'incrustaient dans mon corps, dans mon âme pantelante.

Il disait qu'il avait connu Louis de Thorenc – « le
comte, cracha-t-il avec mépris, votre père » – à Madrid,

à Milan, lorsqu'il s'agissait de négocier le montant de la rançon exigée par « notre grand empereur Charles Quint » pour libérer François Iᵉʳ, son prisonnier !

— Que ne les ai-je tués tous les deux, le roi félon et son âme damnée, le comte, ton père, Louis de Thorenc !

Il me tutoyait comme pour mieux me cingler au visage.

Il s'adressait aussi à l'assistance dont les murmures, les exclamations ponctuaient ses propos.

François Iᵉʳ et son fils Henri II, rois illégitimes puisqu'ils s'étaient opposés l'un et l'autre à l'empereur du Saint Empire romain. François, le père, complice de Soliman le Turc. Quant au comte Louis de Thorenc, après que son maître François eut recouvré la liberté, il s'en était allé jusqu'à Constantinople sceller l'alliance démoniaque avec le sultan contre l'empereur catholique, roi d'Espagne, Charles Quint, que Dieu le garde !

Et, maintenant, Henri II, le fils, l'époux de cette perverse Catherine, florentine, fille de marchands, payait et dressait les princes hérétiques allemands contre leur empereur. Il recrutait pour eux des soldats, payait leur solde. Et qui allait d'un prince à l'autre pour les séduire, les corrompre, les convaincre de partir en guerre contre leur souverain légitime, « notre Charles Quint » ? Qui ? Le comte Louis de Thorenc, son fils Guillaume, et ce capitaine général, Philippe de Polin, qui avait amarré ses galères françaises, flanc contre flanc, aux galères turques !

Voilà ce qu'était le comte Louis de Thorenc, âme damnée de souverains rebelles à leur Église, renégats à leur foi, prêts à toutes les félonies pour conserver, augmenter leur pouvoir, ennemis de l'Espagne, ennemis irréductibles de la juste et sacrée dignité impériale !

Il s'est penché vers moi.

— Et tu voudrais, toi, vicomte Bernard de Thorenc, prendre place dans notre armée, derrière notre roi ? Et tu voudrais que l'on te fasse confiance pour que tu plantes le poignard de la trahison dans le dos espagnol ?

Les soldats m'ont retenu au moment où je m'élançais vers les marches de l'estrade. Ils ont pesé sur mes épaules, m'ont forcé à m'agenouiller. Ils ont croisé sur ma nuque les hampes de leurs piques dont le bois m'a écrasé, m'obligeant à ployer l'échine.

J'ai deviné que Michele Spriano faisait un pas vers moi. J'ai senti sa main sur ma tête.

Il a dit que j'avais préféré le bagne et la chiourme des infidèles à la liberté que m'offraient mon père et ce Philippe de Polin.

— Don García Luís de Cordoza, illustre capitaine général de Grenade, Bernard de Thorenc a refusé que les alliés des infidèles paient sa rançon. Je l'ai vu chaque jour au bagne d'Alger. J'ai soigné les plaies que les bourreaux de Dragut lui ont infligées. Je sais ce qu'il a subi, le courage qu'il a montré. Il a tué un renégat pour conquérir sa liberté, capitaine général, il ne l'a pas rachetée ! Demandez à votre neveu, Diego de Sarmiento. Faites-lui savoir que ses compagnons de bagne, Michele Spriano et Bernard de Thorenc, sont à Grenade.

Don García a dû faire un geste, car les soldats ont ôté leurs hampes de ma nuque et je me suis redressé.

J'ai regardé le capitaine général. Il avait croisé les doigts sur sa poitrine, cachant ainsi le sceau qu'il portait accroché à un long collier fait de grands anneaux d'or.

— Qu'on les garde au Presidio, a-t-il dit.

Le père Fernando a balbutié quelques mots et les soldats nous ont entraînés hors de la grande salle sombre.

23.

Ils m'ont enfermé dans une petite pièce voûtée seulement éclairée par une meurtrière que deux épais barreaux en croix partageaient. Le vent froid y glissait sa lame et ses sifflements étaient si aigus qu'ils me faisaient frissonner.

Parfois s'y mêlaient des voix de femmes, lointaines et fugaces.

J'imaginais ces lavandières que j'avais aperçues sur les berges du *río* Darro, le jour de notre arrivée à Grenade. Mon esprit volait vers elles. J'oubliais la colère qui torturait mon âme depuis que les soldats m'avaient poussé dans ce réduit qui comportait pour tout mobilier une couche étroite et un tabouret scellé au sol, ainsi que deux écuelles.

J'écoutais ces chants, ces rires. Je m'agrippais aux barreaux. Je tentais de voir ces berges, ces femmes. Je me souvenais de leurs bras nus, du mouvement de leurs corps, de la peau blanche de leurs jambes.

Mais les collines qui dominaient Grenade bouchaient mon horizon.

J'apercevais seulement le sommet des murs de

l'Alhambra et le grand crucifix qui s'élevait sur le Monte Mauror, au milieu du Campo de Los Martires.

Je retombais dans ma fureur.

Seigneur, je me rebellais contre Vous !

N'avais-je tant souffert des infidèles que pour connaître une prison chrétienne ? Et que m'importait que l'Alhambra ne fût plus le palais des rois maures si les rats qui couraient sur mon visage, la nuit, dans la chiourme des galères de Dragut ou dans la citadelle de Toulon, menaient ici aussi leur sarabande autour de moi ?

Me faudrait-il attendre sept années encore pour qu'enfin la liberté me fût accordée ?

N'avais-je pas assez payé pour les trahisons de mon père et de mon frère ?

Fallait-il que je connaisse le désespoir ?

Je vous interrogeais, Seigneur, avec hargne, je le confesse.

Dans quel nouvel abîme infernal aviez-Vous décidé de me plonger ? À quelles épreuves encore alliez-Vous me soumettre ?

Ces questions, cette rage m'ont lacéré le cœur plusieurs jours.

Puis, un matin, la porte a été ouverte et une femme a fait son entrée.

J'ai d'abord vu les points bleus de ses yeux cerclés d'un blanc intense.

La peau de son visage osseux n'en paraissait que plus mate, si foncée, même, que j'ai aussitôt pensé qu'il s'agissait d'une Mauresque : peut-être l'une de ces converties de gré ou de force, sincères ou masquées, qui peuplaient l'ancien royaume musulman de Grenade et de Cordoue, l'Andalousie dont Robert de Buisson, le corsaire, m'avait dit qu'elle était toujours rétive, prête à égorger ces Espagnols qui croyaient l'avoir soumise.

Cette femme a repoussé la porte et s'est avancée.

J'ai reculé. Que voulait-elle ?

Une mantille noire couvrait ses cheveux de jais et ses épaules, les coins de la dentelle nouée entre ses seins.

Elle était élancée, le corps serré dans une ample robe de velours sombre. Le tissu avait des reflets violet et rouge, et était rehaussé sur la poitrine de broderies de fil d'or.

Elle a fait quelques pas dans le réduit, la tête levée vers la meurtrière.

Son port était altier, son expression pleine de dédain. Sous la dentelle blanche qui bouffait autour de son cou, j'ai remarqué un large collier d'argent dans lequel étaient sertis des émeraudes et des rubis.

J'ai pensé qu'elle ne pouvait être ni une servante ni une épouse. Elle était trop richement vêtue et trop libre de ses gestes.

Je l'ai imaginée couchée près de don García de Cordoza, tout comme Mathilde de Mons était allongée – Dieu savait où ! – près de Dragut.

Et mon corps et mon âme en furent tranchés d'un grand coup de hache.

Tout à coup, je me suis souvenu d'elle, de ce regard bleu.

Quand nous avions traversé la salle du Presidio, après que le capitaine général eut ordonné qu'on nous enfermât, je n'avais vu que des visages hostiles dont les yeux s'étaient plantés en moi comme des piques.

Ces hommes et ces femmes entre lesquels nous avancions, encadrés par les soldats, murmuraient leur mépris et leurs moqueries sur notre passage. Ils m'avaient même semblé que leur haie se resserrait, ne nous laissant qu'un étroit corridor, et qu'ils étaient sur le point de nous frapper.

Près de la porte à laquelle nous étions enfin parvenus, j'avais discerné cette femme qui se tenait à l'écart comme si personne n'avait voulu ou osé s'approcher d'elle.

Ses yeux bleus m'avaient dévisagé sans haine. J'avais même cru y déceler de la compréhension, de la compassion et même de la douleur.

Mais les soldats m'avaient poussé hors de la salle et je ne m'étais pas retourné.

Cependant, la première nuit, alors que je cherchais en vain le sommeil, rejetant d'un brusque mouvement des jambes les rats qui s'aventuraient sur ma couche, le souvenir de ces yeux avaient été seul capable de m'apaiser.

Ils étaient là à me fixer.

Elle a glissé les mains sous les volants de sa robe, se penchant un peu, laissant apparaître son long cou serré par le collier. Et j'ai eu la tentation de tendre le bras, de lui arracher ce que je pensais être le symbole de sa servitude.

Elle s'est approchée de moi. Il y avait bien de la douceur dans son regard. Elle a placé devant mon visage, comme pour se protéger de mes yeux, le livre relié de cuir fauve, aux lettres d'or incrustées, à demi effacées tant il avait été caressé, ouvert par les doigts de Michele Spriano.

C'était sa *Comédie*, sa *Divine*, le livre de son maître, Dante. Lui-même m'avait dit qu'il avait plusieurs fois mis sa vie en péril pour pouvoir le conserver et qu'il eût préféré mourir plutôt que d'en être séparé.

Ils avaient donc tué Michele Spriano.

J'ai eu l'impression qu'on m'assénait un coup sur la nuque.

Je n'ai pas saisi le livre. Je me suis agenouillé.

J'ai senti la main de la femme se poser sur mes cheveux. J'ai entendu sa voix, rauque, celle d'une Mauresque, en effet, dont les accents pouvaient tout à coup devenir aigus.

Ce livre était à moi, maintenant, disait-elle. Michele Spriano avait voulu qu'on me le remît au moment de son départ.

J'ai relevé la tête. Elle a retiré sa main, mais souriait.

Don García Luís de Cordoza avait rendu la liberté à Michele Spriano, qui avait quitté Grenade le matin même.

Il allait à Málaga et, de là, sitôt qu'il trouverait un navire, si un convoi de galères s'y rendait, il embarquerait pour Barcelone, puis Gênes ou Pise.

Michele avait souhaité que je conserve ce livre jusqu'au jour de nos retrouvailles ici-bas, ou bien au Purgatoire.

Elle avait continué de sourire.

Il n'imaginait pas, a-t-elle poursuivi, que vous vous retrouveriez au Paradis ou en Enfer.

Il m'a dit que vous aviez d'ailleurs déjà séjourné en Enfer.

De Barcelone, a-t-elle ajouté, le marchand toscan ferait parvenir un message au comte Diego de Sarmiento, car il n'était pas sûr que don García Luís de Cordoza l'avait fait.

Je me suis saisi du livre et l'ai serré contre ma poitrine.

La femme s'est assise sur le tabouret. La lumière tombait de la meurtrière, éclairait ses mains aux doigts fuselés, aux ongles nacrés.

— Je suis en prison comme toi, a-t-elle murmuré.

Elle a avancé les lèvres et je n'avais plus vu que cette bouche boudeuse.

— Mais – elle a montré les murs du réduit – il n'y a pour me retenir ni mur ni porte. Je peux sortir du Presidio à ma guise, monter jusqu'à l'Alhambra, longer le *río* Darro ; je peux choisir l'église où je vais prier...

Elle a ri.

— Je suis chrétienne, comme toi !

D'un mouvement rapide de la main gauche, elle a retiré sa mantille et passé les doigts entre ses mèches noires.

— Mon sang est maure, a-t-elle précisé. Ma lignée est noble, sache le. Je suis une Thagri.

Elle ne souriait plus mais s'est mise à parler de sa voix rauque, murmurant que tous les chrétiens ignoraient l'histoire des glorieux royaumes de Cordoue et de Grenade. Qu'ils regardent l'Alhambra ! Qu'ils mesurent la grandeur du royaume des Maures à la hauteur des murailles de ce palais ! Mais la force des Maures avait été défaite par une jeune esclave espagnole, Isabelle de Solis.

Elle s'était convertie à l'islam, elle était devenue Thouraiya, et avait rendu fou de passion – aveugle, aussi – le roi Mohamed. Alors était venu le temps infortuné des rois lâches, des rois pleureurs, de Boabdil...

Elle s'est levée.

— J'étais Aïcha. Mais j'ai reçu le baptême. Je porte le nom de celle que vous appelez Vierge Marie. Je m'appelle Lela Marien.

Elle a ouvert la porte.

— Je gouverne le cœur et le corps de don García Luís de Cordoza. C'est moi qui ai obtenu que Michele Spriano soit libéré.

Elle est revenue vers moi, m'a effleuré la joue du bout de ses ongles.

— Et toi, que veux-tu ?

24.

Seigneur, pardonnez-moi, mais j'ai offert mon corps et mon âme à celle à qui on avait donné comme nom de baptême Lela Marien.

Lorsque nous étions couchés côte à côte sous les voiles, dans la chambre située dans l'une des tours du Presidio, non loin de mon réduit de prisonnier, elle répétait souvent comme une incantation : « Lela Marien », puis me disait d'une voix fière et forte : « Marien, Marie... Je porte le nom de la Vierge Marie, la mère de Dieu ! »

Elle se redressait. Elle était nue.

181

J'avais été surpris, lorsque je l'avais découverte et caressée pour la première fois, par ses seins lourds, ses hanches larges. Serrée dans sa robe noire, je n'avais pas imaginé qu'elle pût être, en dessous, ce fruit pulpeux.

Elle s'asseyait, jambes croisées, ses cheveux noirs couvrant ses épaules en longues boucles. Souvent elle posait ses deux paumes sous ses seins comme si elle avait voulu les soutenir ou les palper.

Elle se penchait vers moi et son corps touchait le mien, mais, lorsque je voulais la saisir, elle se dérobait.

Car c'est elle qui me possédait. Elle qui m'initiait. Elle qui veillait à me raccompagner dans ma prison avant que don García Luís de Cordoza ne rentre de ses inspections.

Le capitaine général s'absentait parfois plusieurs jours pour se rendre à Cordoue et jusqu'à Carthagène ou Séville.

Lela Marien me rapportait que ses voyages l'épuisaient, mais que le roi et l'empereur exigeaient que l'on veillât sur l'Andalousie.

— Les Espagnols l'ont conquise, mais ils ont peur, murmurait Lela Marien.

Elle nouait ses mains derrière sa nuque et se balançait lentement d'avant en arrière.

Elle courbait et même pliait son corps, qui n'avait rien de gracile, sans aucun effort. Tout en restant assise, elle embrassait ma poitrine alors que j'étais allongé. La pointe de ses seins me frôlait. Puis elle s'éloignait et se renversait, les hanches et les jambes toujours immobiles, si bien que sa nuque effleurait le lit, ses seins se gonflaient, tendus, provocants.

— Tu es chrétien, mais tu n'es pas espagnol,

reprenait-elle en se redressant. Les Espagnols sont des porcs, des chiens, non parce qu'ils sont chrétiens, mais parce qu'ils sont espagnols.

Elle appuyait sa paume sur mes lèvres, les écrasait.

— Sois d'abord de ton pays, de ta famille, disait-elle. Les Espagnols n'aiment pas les gens du roi de France. Don García te hait. Il te gardera prisonnier, puis il te fera étrangler ou empoisonner parce que tu es du royaume de France et que je t'ai choisi. Il fait exécuter tous les hommes que je choisis. Moi, je lui donne trop de plaisir pour qu'il me tue.

Elle tendait et courbait son corps comme un arc, en équilibre sur la pointe de ses pieds et le bout de ses doigts, jambes légèrement écartées, et je devinais sa fente rouge aux lèvres presque noires.

— Je peux tout faire avec mon corps, disait-elle, un peu haletante. Il le sait. Il ne peut renoncer à moi. Il me voudrait son esclave, mais personne ne peut être mon maître.

Elle me fixait et c'était comme si son regard bleu et blanc me terrassait, m'enchaînait.

Elle murmurait :

— Les Espagnols ont peur. Don García Luís de Cordoza a peur de moi. Il sait que je n'oublie pas que je suis Aïcha, descendante des Thagri. Les miens ont possédé plus de terres et de palais, plus de moutons que les rois de Cordoue et de Grenade. Crois-tu que je puisse l'oublier parce que l'on m'a baptisée du nom de Lela Marien ? Je suis mauresque et tous, ici, nous le sommes restés. Un jour, Allah, si nous Lui sommes fidèles, Se souviendra que cette terre est nôtre, et Il nous la rendra. Et l'Alhambra et nos mosquées seront de nouveau à nous.

Elle posait sa paume sur ma poitrine

— Toi, tu n'es pas espagnol. Il faut que tu quittes Grenade avant que ce goret de capitaine général te fasse tuer.

Ses doigts ont voleté sur ma peau. J'ai frissonné. Elle s'est allongée contre moi.

— Tu te souviendras d'Aïcha, a-t-elle murmuré.

25.

Une nuit de mars, alors que les rats, comme pris de folie, couraient et sautaient d'un mur du réduit à l'autre, s'accrochant à mes bottes alors que j'essayais de les frapper – j'avais l'impression de soutenir un siège contre cette troupe grouillante qui montait à l'assaut de ma couche et m'eût submergé si j'avais cessé un instant de combattre –, Lela Marien a ouvert la porte.

La lumière blanche de la nuit ventée a envahi le réduit.

Les rats se sont immobilisés, formes noires serrées les unes contre les autres sur le sol.

Lela Marien a fait un pas et, tout à coup, la vermine en couinant a disparu, s'enfonçant entre les pierres des murs.

Je me suis levé.

— Il ne reviendra pas avant plusieurs semaines, a dit

Lela Marien en me prenant la main. Il faut partir dès cette nuit.

J'ai pris mes bottes. Énorme, un rat est sorti de l'une d'elles, me fixant de ses yeux rouges.

Il y a eu un sifflement, un coup sourd ; il gisait à présent, la tête tranchée.

J'ai vu le sabre recourbé que tenait Lela Marien.

Elle m'a entraîné hors du réduit.

Je n'ai oublié aucun moment, aucun mot de cette nuit-là.

Nous marchons côte à côte dans les corridors déserts du Presidio. On n'entend que le vent qui tourbillonne, balayant les cours, ployant les arbres des patios, s'engouffrant sous les porches. Il est si glacé, après avoir coulé le long des vallées du *río* Darro et du *río* Genil depuis les sierras enneigées, qu'il taillade les joues et les lèvres, écorche les mains.

Nous descendons quelques marches, avançons sous une voûte basse, guidés par un homme qui porte une torche. Des ailes me frôlent, des rats se faufilent et bondissent. Et tout à coup le ciel constellé, la rumeur d'une rivière.

Nous sommes sur la berge du *río* Genil. Je reconnais les arches du Puerte Verde que nous avons franchi lorsque nous sommes entrés dans Grenade en compagnie de Michele Spriano et du père Fernando. Je porte la main à ma poitrine pour m'assurer que *La Divine* n'a pas glissé, que le livre est resté entre ma chemise et ma peau.

Le vent est si fort que nous devons marcher courbés jusqu'aux chevaux que tient un autre homme.

— C'est Juan Mora, dit Lela Marien. Il ne te quittera que si tu le lui demandes.

Elle me tend une bourse. Le geste est si déterminé, sa voix si résolue que je l'accepte sans mot dire.

— Tu seras à Valladolid avant que don García ait regagné Grenade. Si Diego de Sarmiento est vraiment ton ami, le capitaine général ne pourra plus rien contre toi.

J'ai voulu enlacer Lela Marien. J'ai senti son hésitation. J'ai cru qu'elle allait s'abandonner.

Je l'ai appelée Aïcha et lui ai proposé de fuir avec moi. Nous quitterions l'Espagne. Nous gagnerions la France. Nous vivrions au Castellaras de la Tour. Nous oublierions le monde. Nous chevaucherions et chasserions sur nos terres, de Thorenc à Andon, de Cabris jusqu'aux falaises qui dominent la vallée de la Siagne.

Je me suis interrompu.

J'ai revu la Grande Forteresse de Mons.

J'ai pensé à Mathilde, à Dragut.

Aïcha m'a repoussé, me répétant qu'il me fallait partir aussitôt, traverser Grenade et remonter la vallée du *río* Darro afin d'être déjà sur la route de Linares quand le jour se lèverait.

— Juan Mora est un bon guide. Il sait tuer quand il faut, a-t-elle dit.

J'ai tenté de la prendre par les épaules. J'ai répété qu'il lui fallait quitter Grenade, l'Espagne, et venir avec moi.

Juan Mora était déjà en selle.

— Va ton chemin, a murmuré Aïcha. Si Allah le

186

veut, nos routes se croiseront à nouveau. Mais tu es chrétien...

Elle a ri.

— Moi aussi.

Elle m'a embrassé.

— Mais tu m'as appelée Aïcha. Tu sais donc qui je suis. Va !

Jusqu'à ces pages que je viens d'écrire et dans lesquelles j'ai voulu rester fidèle à ce que j'ai vécu, je n'ai plus jamais donné à Aïcha son nom de baptême.

Lela Marien n'était qu'un masque et un mensonge.

Dans mon souvenir, Aïcha est la Mauresque intrépide qui brandit un grand sabre courbe pour trancher la tête d'un rat ou d'un chrétien.

Mais, évoquant ainsi la combattante et la rebelle, l'ennemie, je devance le cours des événements et de ma vie...

Je galopais encore sur la route aux côtés de Juan Mora. Le vent était si vif, si hostile que j'étais couché sur l'encolure de mon cheval, agrippé à sa crinière. J'étais tenté de ralentir l'allure, de mettre pied à terre. Je rêvais d'ouvrir les mains au-dessus d'un feu. Mais Juan Mora, lorsque je lui avais crié que je désirais faire halte, m'avait lancé un regard méprisant et, d'un coup de talon, avait fait bondir son cheval. Je l'avais suivi.

Nous avons traversé les sierras et les fleuves, contournant les villes de Linares, de Ciudad Real et de Tolède. Nous couchions dans des grottes dont Juan Mora savait retrouver le chemin entre buissons et rochers. Nous dormions pelotonnés l'un contre l'autre.

Juan Mora rabattait le capuchon de sa houppelande sur son visage comme pour m'avertir qu'il ne répondrait à aucune de mes questions.

Les premières nuits, je lui avais parlé d'Aïcha, l'interrogeant sur cette famille de Thagri, si puissante, si riche et si noble. Comment leur descendante était-elle devenue cette Lela Marien, femme de plaisir d'un don García de Cordoza, vieillard aux joues grises ?

Les lèvres serrées, Juan Mora avait paru ne pas m'entendre. Pourtant, une expression de colère durcissait ses traits.

Je l'ai dévisagé. Des rides qui étaient peut-être des cicatrices traçaient de profonds sillons de ses tempes à sa bouche. Une courte barbe noire et drue affinait son visage.

Appartenait-il lui-même au clan des Thagri ?

Quand je l'eus vu plusieurs fois par jour sauter de cheval, s'éloigner de quelques pas du bord de la route, puis s'accroupir et s'incliner en direction du sud pour prier son Dieu, j'ai compris que son nom de Juan Mora était lui aussi un masque.

Et, une fois encore, je me suis souvenu des propos de Robert de Buisson. Peut-être tous les Maures d'Andalousie étaient-ils restés fidèles à leur foi ? Peut-être un jour ce feu qui couvait embraserait-il l'ancien royaume musulman ?

J'ai dit à Juan Mora alors que nous marchions au pas, gravissant sous une bourrasque de neige la sierra de Guadarrama :

— Tu aspires à chasser les Espagnols. Tu n'es pas chrétien. Tu te caches derrière ce nom jusqu'au jour où tu pourras les égorger.

Nous étions parvenus au sommet du col. Il a tendu le bras et j'ai aperçu à l'horizon, là où confluent les rivières Esgueva et Pisuerga, les murailles de Valladolid.

Le vent était tombé quand nous franchîmes les portes de la ville.

Une foule bruyante se pressait dans les rues pavées entre les façades ornées de statues et de mosaïques. Cavaliers et voitures se frayaient difficilement un passage parmi les étals des marchands.

Nous avons mis pied à terre, tenant nos chevaux par les rênes pour traverser les places.

Cette ville était opulente et fière. Là s'étaient mariés les rois conquérants et catholiques, Ferdinand et Isabelle. Là était mort Christophe Colomb qui avait dressé la croix du Christ sur les frontières du monde et converti les païens à notre foi.

Là vivait la noblesse de Castille.

J'ai marché plus lentement. J'avais le sentiment d'avoir atteint mon but. Ici commençait ma vraie vie. J'étais enfin libre de mes chaînes.

Je me suis signé devant la façade d'une église aux pierres ciselées dont j'appris plus tard qu'elle était Santa María la Antigua, construite là sur ordre de l'empereur bourguignon et germanique Charles Quint.

À quelques pas se dressait, ocre et austère, le Palacio Sarmiento, la demeure de Diego de Sarmiento, mon ancien compagnon de chiourme.

Et la joie m'a envahi. Alors que nous débarquions des galères sur les quais de Toulon, la ville livrée aux infidèles, il m'avait lancé le mot d'*esperanza*. Et j'étais là, libre. Dans la cité des Rois Catholiques qui avaient fait plier le genou aux infidèles. Ces rois dont, dans le bagne d'Alger, Sarmiento nous avait tant de fois raconté l'épopée, la Reconquista.

Au moment où je m'engouffrais sous le porche, Juan Mora s'est approché de moi. Il plissait les paupières, masquant ainsi son regard.

— Tu peux me renvoyer, a-t-il dit. Je t'ai guidé là où tu devais aller.

Il a tourné la tête, montré la rue, la foule, la ville.

— Que veux-tu, toi ? ai-je demandé.

Il est resté silencieux, les bras croisés.

— Tu peux partir ou rester, tu es un homme libre, ai-je repris.

Son visage s'est contracté. J'ai deviné de l'incompréhension et du mépris dans cette façon qu'il avait d'avancer les lèvres, creusant les rides autour de sa bouche.

J'étais le maître auquel Aïcha l'avait donné. C'était à moi de choisir. Vivre, je le savais depuis qu'à Toulon j'avais refusé d'être racheté par mon père, c'était décider.

J'ai posé la main sur l'épaule de Juan Mora.

— Tu es à moi, tu restes avec moi.

Il m'a fixé, puis a relevé un peu la tête.

— Autrefois, le nom de Valladolid était Belad-Oualid, a-t-il dit.

Il a répété, d'une voix plus forte et plus rauque :

— Belad-Oualid, Belad-Oualid...

190

26.

Diego de Sarmiento a ouvert les bras et nous nous sommes serrés l'un contre l'autre jusqu'à en perdre le souffle.

Puis nous nous sommes tus.

J'avais imaginé que nous évoquerions nos souffrances passées dans l'enfer des chiourmes et des bagnes d'Alger.

Je voulais lui parler de Mathilde de Mons et de Dragut, de Michele Spriano, et lui rappeler ce mot, *Esperanza*, qu'il m'avait lancé sur les quais de Toulon et que je n'avais jamais oublié.

Mais j'étais comme étouffé par ces souvenirs avec, dans la bouche, un goût douceâtre de sang et, devant les yeux, des images de mort.

Tant de corps martyrisés devant moi durant ces années !

J'ai regardé Sarmiento à la dérobée. Il se tenait penché en avant, les coudes sur les cuisses, immobile comme si lui aussi contemplait, fasciné, le temps écoulé.

Il émanait de lui une impression de force. Il était plus corpulent qu'autrefois. Son visage plus rond était pris dans une barbe crépue. Il serrait les poings.

J'ai tendu les mains au-dessus des flammes bleutées qui crépitaient dans la cheminée. Je lui ai confié que mes doigts avaient étranglé un renégat et que, souvent, le visage et le corps de cet homme venaient me hanter comme un remords, même si je ne regrettais pas de l'avoir tué.

191

Sarmiento s'est lentement tourné vers moi, puis a haussé les épaules.

Un renégat, a-t-il commencé, plus encore qu'un infidèle méritait à ses yeux le châtiment. Et le remords n'était qu'un piège du diable.

Il a élevé la voix et continué : celui qui combattait au nom du Christ avait le devoir de punir et de tuer ceux qui reniaient le baptême, commettaient des actes sacrilèges ou souillaient de leur présence les Lieux saints. Il ne fallait montrer aucune pitié pour les hérétiques ou les infidèles. Les uns refusaient la communion et la sainte messe, les autres maculaient le tombeau du Christ ou faisaient de nos cathédrales des mosquées.

Un chrétien pouvait-il accepter cela ?

Il avait souvent brandi les poings comme pour menacer des ennemis tapis dans la pénombre de la pièce éclairée seulement par ce feu qui me brûlait le visage mais laissait mes épaules et mon dos en proie au froid.

Il fallait, a-t-il repris, nettoyer les royaumes chrétiens, des terres de l'empire aux rives de la Méditerranée, de la vermine huguenote – protestante, calviniste, luthérienne, peu importait le nom dont elle se parait. Tous ces « mal-sentants de la foi » étaient les alliés des infidèles, et ceux-ci devaient être repoussés dans les grands déserts de l'extrémité du monde d'où ils avaient surgi, telles des nuées de sauterelles.

La Reconquista n'était pas achevée. Il fallait prendre Alger et Tunis, délivrer, comme Charles Quint l'avait fait des années auparavant, les esclaves chrétiens qui s'y trouvaient enchaînés, et agir de même à Constantinople et à Jérusalem.

Pour un catholique, c'était le seul devoir auquel se vouer.

Sarmiento s'est levé, la main posée sur le pommeau de son épée. Il a fait quelques pas qui résonnèrent dans la pièce aux murs de pierre.

Je l'ai suivi des yeux alors que l'obscurité enveloppait sa puissante silhouette noire.

Il est revenu vers moi.

— Bernard de Thorenc, a-t-il dit d'une voix solennelle, tu es au régent d'Espagne, notre Philippe. Tu es à son père, l'empereur du Saint Empire romain germanique, notre Charles Quint. Tu es à eux parce qu'ils sont les légitimes souverains catholiques, qu'ils sont les chevaliers de la Foi du Christ et qu'ils veulent rétablir d'un bout à l'autre du monde la Sainte Monarchie universelle.

J'étais ému. La conviction et l'énergie de Sarmiento m'entraînaient.

Oui, je voulais être l'un des soldats de cette croisade.

J'ai dit que j'avais fait serment de combattre les infidèles afin de libérer mes compagnons de chiourme et de bagne que j'avais vu supplicier par les bourreaux de Dragut-le-Cruel.

Et je voulais racheter ceux qu'il avait corrompus.

J'ai murmuré le nom de Mathilde de Mons.

J'ai ajouté que je voulais effacer la trahison de ceux des miens qui avaient servi les rois de France, alliés des infidèles.

Sarmiento a souri, méprisant.

— Les rois de France sont comme des voiles : c'est le vent le plus fort qui les tend et les gonfle.

Il m'a pris le bras et m'a guidé par les couloirs du Palacio.

Nous avons traversé de grandes salles aux murs desquelles étaient accrochés des crucifix, des armes et des tapisseries. Dans la pénombre, les meubles de bois noir ressemblaient à des rochers massifs. Je devinais de grands tableaux aux cadres dorés.

— Le comte Rodrigo de Cabezón, ambassadeur d'Espagne auprès du roi de France, nous écrit qu'Henri II se veut un bon catholique. Son épouse Catherine est nièce du pape. Elle navigue avec l'habileté d'un vieux marin. Elle voudrait marier l'une de ses filles à notre roi Philippe. Mais l'empereur a choisi pour Philippe la reine d'Angleterre, et, lorsque ce mariage sera conclu, la France, enserrée entre nos mâchoires, devra bien se soumettre.

Sarmiento s'est arrêté et m'a fait face.

— Sais-tu qui est ici auprès de moi ? Enguerrand de Mons, le frère de cette renégate. Il n'est pas le seul noble français à avoir choisi de servir le roi et l'empereur catholiques. S'ils veulent conserver leur trône, Henri II et Catherine doivent aller là où souffle le vent. Et nous sommes le vent !

Il m'a invité à le suivre, me racontant que, d'après le comte Rodrigo de Cabezón, Henri II, irrité par les conciliabules et les conspirations des « mal-sentants de la foi », s'était emporté : « Je jure que si je parviens à régler mes affaires extérieures, avait-il confié à l'ambassadeur, je ferai courir par les rues le sang et les têtes de cette infâme canaille luthérienne ! »

— Nous l'aiderons à régler ses affaires extérieures, a ajouté Diego de Sarmiento. Et même nous lui prêterons

194

quelques-uns de nos soldats et de nos inquisiteurs pour qu'il en finisse avec ses huguenots.

Le ton de sa voix était tranchant comme une lame affilée. Il me glaça lorsqu'il ajouta que, selon Cabezón, le comte Louis de Thorenc, son fils Guillaume et sa fille Isabelle avaient rejoint les rangs de ces nobles protestants qui, autour de l'amiral de Coligny, du prince de Condé, de bien d'autres, avaient rompu avec la foi catholique et se proclamaient réformés.

De son bras Sarmiento m'a enveloppé l'épaule.

Toutes les lignées, a-t-il ajouté, même les plus illustres, portaient sur leur tronc des branches pourries.

Il savait que don García Luís de Cordoza, son oncle, capitaine général de Grenade, protégeait une Mauresque, une rouée qui se prétendait catholique, mais qui était en fait une Thagri, de ces Maures qui n'avaient jamais accepté la Reconquista. Qui pouvait croire que cette femme était devenue bonne catholique ?

— Les convertis, les renégats ont des âmes de félons. Qui a trahi sa foi trahira de nouveau, a-t-il conclu. Mais don García est un corrompu que l'empereur protège en souvenir des guerres passées.

J'ai commencé d'apprendre ce jour-là ce qu'est le gouvernement des hommes.

Nous étions arrivés dans une pièce plus petite que les autres, aux murs couverts d'étagères sur lesquelles s'alignaient des livres.

L'un d'eux, posé sur un chevalet, était ouvert.

Cependant que Diego de Sarmiento le feuilletait, j'ai dit que Michele Spriano m'avait confié, avant de partir s'embarquer à Málaga, un exemplaire de *La Divine Comédie* auquel il tenait plus qu'à la vie.

Je l'ai extrait de ma chemise et l'ai tendu à Diego de Sarmiento.

— Michele Spriano..., a-t-il murmuré en prenant le livre.

Sa voix était si sourde que je Vous ai prié, fermant les yeux, que je Vous ai supplié, Seigneur, de protéger Michele.

Mais il était trop tard. Vous aviez jugé qu'il fallait qu'il souffre encore, mais pour le punir de quelles fautes ?

Sur le même ton monocorde, Diego de Sarmiento a raconté comment des corsaires barbaresques avaient attaqué trois galères espagnoles qui avaient quitté Barcelone pour Gênes.

Michele Spriano était à bord de celle qui avait été capturée par les infidèles.

Il y avait eu un long combat. L'un des marins qui avaient réussi à rejoindre les autres navires espagnols avait expliqué que le marchand italien avait été épargné par les Barbaresques et jeté comme un sac sur le pont de la galère musulmane. Il s'était pourtant battu aux côtés de l'équipage, mais était de bonne prise.

Je l'ai imaginé enchaîné dans le réduit au-dessus de la chiourme, parmi les rats, dans les odeurs d'excréments.

Seigneur, pourquoi ?

— Ils ne le tueront pas, puisqu'ils ne l'ont pas fait durant le combat, a dit Sarmiento. Ils fixeront sa rançon. Et nous la verserons aux moines rédempteurs afin que, dès leur prochain voyage à Alger, ils puissent le racheter.

— Toute cette souffrance..., ai-je murmuré. Protégez-le, Seigneur !

Sans doute Sarmiento n'a-t-il pas apprécié ma prière, le ton suppliant de ma voix.

— Dieu ne nous aide que si nous brandissons le glaive ! a-t-il lancé. Il n'entend pas les pleureuses. Il veut des chevaliers !

Sarmiento s'est rapproché du chevalet et a commencé à lire d'une voix forte :

— « Le soldat qui revêt son âme de la cuirasse de la foi comme il revêt son corps d'une cuirasse de fer est à la fois délivré de toute crainte et en parfaite sécurité ; car, à l'abri de sa double armure, il ne craint ni l'homme ni le diable. Loin de redouter la mort, il la désire ; que peut en effet craindre celui pour lequel, dans la vie ou dans la mort, le Christ est la vie et la mort est un gain ?... Les soldats du Christ font la guerre en toute bonne conscience... C'est pour le Christ qu'ils donnent la mort ou la reçoivent... S'il tue un malfaisant, il ne commet pas un homicide, mais un malicide ; il est le vengeur du Christ contre ceux qui font le mal et obtient le titre de défenseur des chrétiens. »

Sarmiento a relevé la tête.

— Voilà ce qu'écrit saint Bernard dans la charte des chevaliers du Temple, a-t-il ajouté. Saint Bernard dit : « Si ces chevaliers tuent, c'est pour le Christ ; s'ils meurent, le Christ est pour eux ! »

Sarmiento s'est avancé vers moi.

— Jamais la Terre n'a porté autant de malfaisants, a-t-il dit. Sois ce soldat du Christ, toi qui te nommes Bernard !

197

27.

J'ai vécu plusieurs années dans l'ombre de Sarmiento. Je l'ai admiré.

Je l'ai vu sauter dans une arène, armé seulement d'une courte dague, affronter un taureau qui piaffait et dont la bave inondait le mufle d'une mousse blanche.

Il s'est avancé vers lui, bras écartés, semblant offrir sa poitrine aux cornes de l'animal.

C'était dans la petite ville de Benavente. Toute la cour, toute la noblesse de Castille se pressait sur les gradins autour de Philippe le régent et de son fils don Carlos.

Sarmiento me chuchota que cet enfant de neuf ans, héritier du trône d'Espagne, petit-fils de Charles Quint, était une pauvre marionnette folle qui souvent se roulait sur le sol, désarticulée, hurlant, frappant sa grosse tête ridée comme celle d'un vieillard contre les pierres, et bavant comme un animal furieux dont il n'avait pas même la force, boiteux, bossu, idiot, si laid qu'on osait à peine le regarder – telle était la croix que portait notre régent, notre Philippe.

Nous avons quitté Valladolid pour regagner La Corogne où nous attendait une flotte de cent vingt-cinq navires.

Depuis des semaines, dans le Palacio de Valladolid, il n'était pas un noble de Castille ou d'Aragon qui n'in-triguât pour être de ce voyage, se rendre à Londres assister au mariage de Philippe et de la reine d'Angle-terre, Marie Tudor.

J'ai pu mesurer en l'occurrence le pouvoir du comte Diego de Sarmiento.

Dès le lendemain de mon arrivée à Valladolid, il m'avait dit que je devrais toujours marcher à ses côtés.

— Je n'ai ni fils ni frère, avait-il ajouté. Tu seras et l'un et l'autre.

Et j'avais commencé d'entrer à ses côtés dans les salons des Palacios de Valladolid, ceux de la Plaza Mayor, de la Plaza del Ochavo, de la Plaza del Fuento Dorado.

Les nobles étaient tous vêtus de noir, leur pourpoint rehaussé par des colliers d'or. Leurs têtes brunes semblaient juste posées sur les collerettes de dentelle blanche.

Ils s'inclinaient devant Sarmiento, le sollicitaient. Ils voulaient faire partie de ceux – quelques centaines – qui accompagneraient Philippe et embarqueraient avec lui sur l'un des cent vingt-cinq navires qui cinglaient vers l'Angleterre.

Sarmiento écoutait distraitement tout en regardant les femmes.

Souvent il se dirigeait vers l'une d'elles : ainsi Efrusia de Guzmán, ou cette jeune fille d'à peine treize ans, Anna de Mendoza della Cerda, la plus riche héritière d'Espagne, dont l'œil gauche était couvert d'un bandeau noir. Elle l'avait perdu au cours d'une leçon d'escrime ou d'un duel, mais le droit flamboyait et, lorsque son regard s'était arrêté sur moi, j'avais baissé la tête, troublé par son insolence, presque de l'impudeur.

Sarmiento, me prenant le bras, m'avait chuchoté de sa voix rauque :

— Anna Mendoza della Cerda est d'abord à Philippe, puis à moi, puis à Ruy Gomez auquel Philippe l'a promise, parce que Gomez a négocié à Londres le contrat de mariage avec cette reine vieille et grise, sans cheveux, sans sourcils, et qui doit sentir mauvais, cette Marie Tudor que notre Philippe va devoir mettre au lit. Dieu lui en donne la force ! Mais il l'a, il l'a...

J'entendais les murmures. Je surprenais les confidences de Ruy Gomez qui arrivait de Londres, si fier d'avoir accompli sa mission.

— La reine Marie, qui n'a jamais approché un mâle, craint que notre souverain ne soit trop impétueux. Elle a peur des taureaux espagnols ! À trente-sept ans, elle est sèche comme un arbre qui n'a jamais donné de fruits, un figuier qui n'a jamais reçu de pluie. Et, en même temps, elle a si soif...

On assurait que Charles Quint avait écrit à son fils pour lui demander de « montrer beaucoup d'amour et de joie à la reine ».

Il y avait des rires étouffés et on lisait de la malice dans les yeux de ceux qui décrivaient Marie Tudor et rapportaient les propos de l'Empereur. On se tournait vers doña Isabel Osorio, la maîtresse de Philippe, et on murmurait qu'elle serait peut-être du voyage, à moins qu'elle ne se retirât dans un couvent, comme tant d'autres des femmes que Philippe avaient honorées.

J'écoutais, je regardais, j'apprenais.

J'avais cru, Seigneur, que j'allais brandir le glaive contre Vos ennemis, à Votre service, et jour après jour je découvrais cet entrelacs d'intrigues, de jalousies, de corruption et de fornication qu'est le gouvernement des hommes.

Où étais-je ?

Je logeais dans l'une des tours du Palacio. Juan Mora dormait devant la porte de ma chambre, couché à même le sol, enveloppé dans sa houppelande.

Quelques jours seulement après notre arrivée à Valladolid, j'ai été réveillé un matin par des cris étouffés, un bruit de lutte. J'ai ouvert la porte. Sarmiento était debout, bras croisés. Les trois gardes qui ne le quittaient jamais et dont je n'osais même pas croiser le regard, tant il y avait de violence et de cruauté dans leurs yeux, maintenaient Juan Mora agenouillé et l'un d'eux avait plaqué la lame d'un poignard contre sa gorge.

— Il m'a guidé depuis Grenade, ai-je dit. J'ai confiance en lui.

— Qu'il parte aujourd'hui ou on lui tranchera la gorge ! Pas d'infidèle auprès de moi, auprès de toi ! a répliqué Sarmiento.

Juan Mora était d'une famille de Maures convertis, mais je savais bien qu'il continuait de prier son Dieu.

J'ai voulu lui remettre une partie des ducats que m'avait donnés Aïcha. Il n'a même pas daigné voir mon geste. Il a enfourché son cheval sans un mot, sans un regard dans ma direction.

Cet homme-là n'aurait de cesse qu'il ne nous ait tués : Sarmiento, moi, les chrétiens, quels qu'ils fussent. Le voyant s'éloigner dans les rues de Valladolid, traverser la Plaza Santa Maria Antigua, j'ai pensé qu'il devait répéter le nom de la ville à l'époque où y régnait un gouverneur musulman : Belad-Oualid.

Lorsque Juan Mora eut disparu, je me suis senti accablé et j'ai douté de Votre volonté, Seigneur.

Vouliez-Vous que les hommes s'entre-déchirent ? Fallait-il, pour faire triompher la vraie foi – la foi en Vous, Seigneur –, tuer tous ceux qui ne la partageaient pas ?

Je n'ai pas confié mes doutes à Diego de Sarmiento. Déjà je le craignais. D'une inclination de tête, d'un mot, d'un battement de paupières, il pouvait décider du sort d'un homme. Il se tournait vers les trois gardes qui nous suivaient, la main sur leur dague où sur le pommeau de leur épée ; il montrait un passant et les trois hommes se précipitaient. Jamais je n'ai vu aucune de leurs proies leur échapper.

Il s'agissait là d'un marchand, ailleurs d'un changeur juif ou d'un Maure. Parfois, Sarmiento exigeait seulement qu'on lui versât quelques milliers de ducats. Le régent Philippe avait besoin de centaines de coffres de pièces d'or pour financer la guerre que Charles Quint livrait aux princes luthériens et au roi de France Henri II qui les aidait, ou bien pour organiser ces fêtes qui marquaient la signature du contrat de mariage entre le régent d'Espagne et la reine d'Angleterre.

L'empereur avait en outre conseillé à son fils de se montrer généreux envers les Anglais, de leur distribuer des milliers de pièces d'or. Car rares étaient les hommes qu'on ne pouvait acheter.

Sarmiento collectait donc les ducats pour Charles Quint et Philippe. Il s'emparait des coffres remplis d'or et d'argent que les marchands ramenaient de leurs voyages au Nouveau Monde et dont ils avaient chargé les coques des galions.

Qui aurait osé résister ? Celui qui s'y risquait était jugé comme hérétique. Ne désobéissait-il pas à un souverain catholique ?

J'ai vu dresser un bûcher sur la Plaza del Ochavo. Autour de lui commençaient à tourner des moines en coule noire, les mains jointes, récitant des prières.

Puis des soldats ont traîné un homme jusqu'au pied du bûcher. Un prêtre lui a présenté un crucifix. Mais l'homme n'a pas même eu la force de redresser la tête.

La foule sur la place murmurait.

Lorsque l'homme a été attaché au pilori, au centre du bûcher, il a commencé à psalmodier, à crier, à hurler qu'il était bon chrétien, qu'il n'avait jamais commis d'acte sacrilège, que Dieu savait combien il L'aimait et Le vénérait.

Puis il a lancé plusieurs fois :

— Pitié pour moi ! Pitié pour mes enfants !

Sa voix a été étouffée par la fumée et les crépitements du feu ont recouvert ses derniers cris.

Seigneur, j'ai prié pour ce supplicié dans l'une des chapelles du Colegio de Santa Cruz.

Et je me souviens de ma terreur quand la folle idée, la pensée sacrilège m'a de nouveau envahi.

J'ai imaginé, Seigneur, que Vous étiez indifférent au sort des hommes, qu'après notre faute originelle Vous nous aviez voués au malheur.

La terre était enfer. Parfois, quelques instants seulement, purgatoire.

Dragut n'était pas plus cruel que Sarmiento ; Mathilde de Mons pas plus renégate qu'Aïcha Thagri.

Puis j'ai craint que Diego de Sarmiento n'eût revêtu l'armure d'un chevalier de la Croix que pour cacher qu'il était un soldat du diable.

J'ai enfoui au fond, au plus profond de moi ces hérésies et j'ai continué de marcher aux côtés de Sarmiento.

Lorsqu'un courtisan se présentait à lui, il se tournait vers moi, me donnait d'une voix méprisante le nom de ce noble castillan et ajoutait, penché vers l'homme :

— Voici Bernard de Thorenc, agissez avec lui en tout comme avec moi. Mieux qu'avec moi. Nous avons été assis côte à côte sur le banc de la chiourme barbaresque. Notre sang s'est mêlé. L'un vaut l'autre.

On me regardait avec déférence, mais je lisais dans les yeux l'éclat de la jalousie.

Les femmes s'approchaient mais je savais que, bien souvent, c'était Sarmiento qui leur demandait de me rejoindre. Il avait usé d'elles, il s'en était dépris. Il m'offrait comme un lot de consolation.

J'ai forniqué, Seigneur, avec l'avidité et la rage de mes vingt-sept ans.

Ce n'était autour de moi que jupes soulevées, jambes écartées, seins dénudés.

Toutes ces fornications, ces adultères, ces défloraisons de jeunes filles pubères s'accomplissaient dans la pénombre, derrière les portes closes, les rideaux et les voiles, parfois à même le sol.

L'on prétendait que le fils de Philippe, don Carlos,

qui n'avait pas dix ans, était déjà un taureau vigoureux qui effrayait les femmes, même les plus ambitieuses, prêtes à tous les sacrifices, par sa monstrueuse laideur et sa folie, serrant les cous, éructant, glapissant.

On disait que Juan Manuel de Portugal, neveu de Philippe, était mort à dix-sept ans d'avoir chaque jour, depuis déjà des années, chevauché femme sur femme jusqu'à épuisement du cavalier et des montures.

Où vivais-je ?

À Valladolid, en Espagne, à la cour du descendant des Rois Catholiques, ou bien à Sodome et Gomorrhe, dans les quartiers de la débauche ? Dans l'antichambre de l'enfer ?

Mais j'avais vingt-sept ans. La vie m'entraînait. Je la découvrais. Elle était si intense que rares étaient les moments où je pouvais me retirer du monde, oublier mes appétits ou le spectacle de ces hommes en noir et de ces femmes aux robes à volants qui se frôlaient avant d'aller s'étreindre dans leurs alcôves.

Ce monde me grisait.

Je me suis agenouillé devant Philippe qui venait de m'accorder, à la demande de Sarmiento, le privilège de l'accompagner en Angleterre, d'être l'un des nobles conviés à assister à son mariage avec Marie Tudor.

En m'approchant du souverain, j'avais découvert son visage aux yeux voilés, au lourd menton prognathe encore alourdi par une barbe courte. Elle entourait, avec la moustache, une bouche large dont la lèvre inférieure, grosse et boudeuse, exprimait de la morgue, presque du dégoût. Deux rides accentuaient cette expression. Les sourcils s'évasaient et se terminaient en deux fines lignes noires qui donnaient au visage une cruauté maîtrisée, aiguë et perverse.

Cet homme dont les traits m'inquiétaient était l'occupant légitime du trône, le fils de l'empereur du Saint Empire, le monarque que je devais et voulais servir.

J'ai embrassé la main qu'il me tendait comme s'il avait été un prince de l'Église.

Puis je me suis éloigné à reculons en me glissant près de Sarmiento.

Après quelques jours de fêtes, d'illuminations, de joutes et de spectacles qui firent de Valladolid un grand théâtre, nous partîmes pour La Corogne.

À la halte de Benavente, j'ai découvert don Carlos et je n'ai pu détacher mes yeux de cet enfant à la tête démesurée, marquée comme celle d'un vieillard.

Puis ont commencé à nouveau les fêtes, les jeux, les duels et les tournois, et, pour finir, cette course de taureaux dans les arènes. Ces monstres noirs se précipitaient, cornes baissées, sur les chevaux des picadors dont plusieurs déjà avaient été renversés et éventrés au milieu des cris de la foule.

Et j'ai vu alors don Carlos tomber sur le sol, aux pieds de Philippe, se mettre à trembler et à baver, les yeux révulsés.

Quatre hommes l'ont saisi par les bras et les jambes et emporté cependant qu'il se débattait, se cabrait, le corps tout à coup raidi.

Dans l'arène il ne restait plus qu'un seul taureau, une masse noire que n'osaient pas même approcher les cavaliers armés de leurs piques.

Alors Diego de Sarmiento a sauté dans l'arène, sa

courte dague à la main, et je l'ai vu s'avancer vers le taureau, bras levés et écartés.

L'animal s'est rué vers lui. Sarmiento l'a esquivé, puis s'est accroché aux cornes, collé à l'animal qui l'a traîné, tentant de se débarrasser de cet homme qui l'égorgeait.

C'est la bête qui a ployé les genoux cependant que le sang jaillissait, couvrant son assaillant.

J'ai admiré Sarmiento et l'ai craint plus que jamais.

28.

À Valladolid, je m'étais agenouillé devant le régent d'Espagne et avais baisé la main de celui que Sarmiento appelait déjà Sa Majesté Philippe II, roi des Espagnes.

Des nobles castillans, familiers de la cour de Charles Quint, avaient assuré, à leur arrivée de Bruxelles, que l'Empereur était las de régner ; la rumeur s'était répandue dans les Palacios de Valladolid : Charles Quint allait abdiquer et remettre la couronne d'Espagne à son fils.

J'avais plusieurs fois côtoyé Philippe II sur les gradins des arènes et dans les salles froides de son Palacio, ou lors de ces chasses aux sangliers et aux cerfs qu'il conduisait sur les rives de la Pisuerga ou dans la sierra de Terozos.

Mais je ne l'ai jamais vu aussi souvent ni d'aussi près que sur le pont de ce navire qui, après avoir quitté la rade de Bahia, à La Corogne, creusait de son étrave la longue houle océane en direction de l'Angleterre où l'attendait la reine Marie Tudor qu'il allait prendre pour épouse.

À chaque fois, j'ai été frappé par la lenteur de sa démarche et de ses gestes, et surtout par le voile d'ennui et de dédain qui semblait lui couvrir le visage. Son regard presque terne recelait quelque chose d'inquiétant et de dissimulé. Sa mâchoire cachée par la barbe m'a paru plus pesante, démesurée, tout comme la lèvre gourmande et pulpeuse, trop rouge pour la pâleur des joues.

Nous avions appareillé le 13 juillet 1554.

J'étais à la proue, écoutant les cris des gabiers, le grincement des cordages, des chaînes d'ancre qu'on relevait, des voiles qu'on hissait.

Tous ces bruits furent tout à coup enfouis sous le fracas de la canonnade qui saluait notre départ. Les salves étaient tirées par les pièces du fort de San Antón qui dressait ses grises murailles sur un îlot frangé d'écume, et du fort de San Diego qui lui faisait face, à l'extrémité d'un petit cap.

J'avais été choisi, avec quelques dizaines d'autres nobles espagnols, pour embarquer sur le navire de Sa Majesté. J'avais même perçu la jalousie du comte Rodrigo de Cabezón, ambassadeur d'Espagne auprès du roi de France, qui était du voyage.

Je l'avais rencontré sur les quais de la Pescadería, surveillant le chargement de ses coffres et de ses chevaux à bord d'un autre vaisseau.

Il m'avait toisé.

J'étais donc, avait-il dit, le fils de ce comte Louis de Thorenc, frère de Guillaume et d'Isabelle Thorenc, une portée de huguenots ennemis de l'empereur Charles et de l'Espagne.

— Savez-vous qu'ils sont en Angleterre pour dresser ce pays contre nous et contre sa reine ? J'espère que vous leur ferez entendre raison. J'imagine que Sa Majesté vous a chargé de cette tâche, sinon pourquoi vous aurait-elle choisi pour être auprès d'elle ? Ne décevez pas le roi ! Il est impitoyable avec ceux qui échouent. Mais vous, aurez-vous assez de foi pour livrer à nos inquisiteurs votre père et ses enfants ?

Durant les jours qui avaient précédé le départ, j'avais remâché ces questions, tenté parfois de renoncer au voyage. Certaines nuits, j'avais même imaginé m'enfuir, regagner Grenade, retrouver là-bas Aïcha Thagri et la convaincre de partir avec moi pour le Castellaras de la Tour.

Mais, comme s'il avait senti mon trouble, Diego de Sarmiento me rendait visite à toute heure du jour et de la nuit.

Il était dans un état d'exaltation que je ne lui avais jamais connu.

Il m'entraînait le long des ruelles de la ville encombrées par les voitures chargées des coffres des nobles, parcourues par les soldats qui s'apprêtaient à embarquer. Sur les quais se cabraient les chevaux qu'il fallait entraver avant de les charger dans des barques pour les transporter jusqu'aux navires ancrés dans la rade d'El Bahia ou dans celle d'El Orzan ; ils échappaient parfois aux palefreniers et s'enfuyaient vers la Pescadería.

— Songe, me disait Sarmiento, que cette ville a été un temps aux émirs de Cordoue ! Cette Corogne, au bord de l'Océan, entre les mains des infidèles ! Quel sacrilège et quelle humiliation ! Ils s'en souviennent et si nous ne les écrasons pas, un jour, alors que nous aurons depuis longtemps comparu devant le tribunal de Dieu, les descendants de ces émirs voudront la reprendre. Et ils trouveront des alliés ! Ce mariage entre notre roi Philippe et la reine d'Angleterre est un moyen d'étrangler le roi de France et de le contraindre à combattre avec nous. C'est aussi le moyen de réduire les hérétiques anglais. Quand Philippe II sera roi d'Angleterre, alors nous allumerons les bûchers !

Il se penchait vers moi, m'interrogeait : avais-je vu le comte Rodrigo de Cabezón ? m'avait-il parlé de ces espions français, des huguenots qui, en Angleterre, cherchaient à soulever la population et conspiraient contre la reine ?

— Je veux, me disait-il, que tu tranches la tête de ces serpents ! Quels qu'ils soient ! Es-tu prêt pour cette tâche ? Tu ne seras pas seul pour l'accomplir...

Il s'éloignait sans me fournir plus de précisions et ce n'est qu'à bord du navire, après que nous eûmes mis à la voile, que j'ai reconnu, se tenant à la poupe, non loin de Sarmiento et de Philippe II, Enguerrand de Mons et le père Verdini.

J'ai essayé de me détourner et de les fuir.

Je ne voulais pas retrouver les visages de mon passé ni connaître le rôle qui m'était échu.

Mais un navire est une prison et, dès le premier jour

de notre traversée, les gardes de Sarmiento m'ont conduit vers l'une des trois cabines situées sous le château arrière.

Le père Verdini et Enguerrand de Mons y étaient assis, de part et d'autre de Sarmiento, sur des coffres aux larges ferrures noires. Comme s'il avait craint que nous n'échangions des souvenirs, mon protecteur a dit aussitôt, d'une voix de commandement :

— Vous savez ce que Dieu et le roi attendent de vous !

Puis il nous a laissés.

Nous nous sommes entre-regardés.

Tant de temps entre nous, comme un fleuve trop large.

Le père Verdini n'était plus qu'un homme au corps rabougri mais aux gestes nerveux, dont la voix saccadée était toujours aussi aiguë.

Il s'est levé et avancé vers moi.

— Mon fils, a-t-il dit en se signant, puis en cherchant à m'embrasser.

Je me suis dérobé et il est resté les bras ouverts, désemparé, avant de se tourner vers Enguerrand de Mons.

Au moment où, malgré moi, à l'instar d'un sanglot qui envahit la poitrine, j'allais rappeler le souvenir de Mathilde de Mons, son frère a murmuré :

— Elle est morte.

Puis, en se redressant et en me fixant, il a ajouté d'une voix plus forte :

— Elle est comme morte pour moi.

Elle vivait donc et j'en ai été à la fois apaisé et heureux.

211

Je Vous ai remercié, Seigneur, de ne pas l'avoir châtiée, de lui donner encore le temps de vivre et d'obtenir peut-être Votre pardon.

— La faute est mienne, a dit le père Verdini en se martelant la poitrine de son poing fermé.

Il avait laissé s'accomplir la trahison de ceux dont il avait charge d'âme, expliqua-t-il. Et ces malfaisants avaient compromis les desseins de l'empereur et du roi.

Les Thorenc s'étaient dressés contre la sainte Église et s'obstinaient dans l'erreur et la trahison. Les prêtres et les moines anglais appelaient à l'aide contre ces malfaisants, ces « mal-sentants de la foi ».

— Il faut les empêcher de nuire encore, et c'est à nous qui les avons connus, qu'ils ont blessés au cœur de l'affection que nous leur portions, c'est à nous de les terrasser. Ils sont les fils du démon !

Il a parlé longtemps et j'ai compris que je serais l'appât qu'on leur tendrait.

Il me faudrait aller dans les rues de Londres, les poches remplies de ducats. Je rendrais visite à ceux dont on savait qu'ils étaient hostiles à ce qu'ils appelaient le « mariage espagnol ». Je dirais que je me repentais, que Dieu m'avait éclairé. Que je voulais retrouver mon père, mon frère et ma sœur afin de les aider. La lecture des Saintes Écritures m'avait ouvert les yeux. J'avais découvert que la cour d'Espagne était un lieu de corruption. Je voulais combattre les papistes, révéler que des troupes espagnoles – plus de dix mille hommes – s'apprêtaient à débarquer en Angleterre. Qu'une quinzaine de navires chargés de soldats avaient déjà quitté les Pays-Bas. Il me fallait retrouver mon père afin qu'il renseigne ses amis anglais sur les tortueuses intentions de Charles Quint et de Philippe. Qu'on me conduise donc à mon père, le comte Louis de Thorenc, et à ses enfants, Guillaume et Isabelle, dont je savais qu'ils étaient arrivés clandestinement à Londres.

— Ils voudront te rencontrer, a poursuivi le père Verdini. Nous les attendrons avec toi.

Il a regardé Enguerrand de Mons qui serait le bourreau. Lui, le prêtre, prierait pour les condamnés.

— Et moi, je suis Judas ? ai-je murmuré.

Le père Verdini s'est récrié. Lutter contre les malfaisants, c'était servir Dieu et non Le trahir. Eux, qui avaient conclu alliance avec les infidèles avant de devenir des hérétiques, étaient les seuls félons et devaient être châtiés.

Verdini s'est approché de moi : est-ce que j'avais oublié le bagne d'Alger ? les supplices infligés par Dragut-le-Cruel ? la mort des uns, la corruption des autres, l'humiliation de tous ? Voilà ce que les hérétiques et les traîtres avaient permis !

J'ai baissé la tête, pensé à Mathilde de Mons et à Michele Spriano.

Mais Dieu n'a pas voulu que je sois Judas.

J'ai fait mine, pourtant, d'accomplir ma mission.

Quand nous eûmes débarqué à Southampton, après cinq jours de traversée, j'ai chevauché par les ruelles de Londres.

On n'y aimait point les Espagnols, les papistes. Or, pour la foule, j'étais l'un d'eux. On m'insultait, on crachait dans ma direction. On tentait d'irriter mon cheval. Parfois, on me lançait des détritus au visage.

Le jour même où l'on célébrait les noces du roi Philippe et de la reine Marie Tudor dans la cathédrale de Winchester, on a tenté de me renverser. Des enfants s'étaient accrochés à mes bottes comme des rats. Et j'ai dû éperonner mon cheval, rejoindre un groupe de nobles espagnols qui regagnaient leurs hôtels.

Mais nous avons tous subi le même sort.

Ce peuple haïssait les étrangers au teint mat, élégants et fiers, qui paradaient dans leurs vêtements de velours noir et de satin blanc.

Les Espagnols avaient hâte de quitter cette ville, ce pays où la pluie ne cessait jamais, les contraignant à changer de vêtements plusieurs fois par jour, leurs chapeaux et leurs pourpoints imbibés d'une eau glacée qui ruisselait sur les pavés, et devenait, mêlée aux ordures et aux excréments, une boue noirâtre et glissante.

C'est dans cette boue qu'on m'a traîné.

Un matin, peu après que j'eus quitté l'hôtel, alors que la pluie tombait encore plus dru, les gouttes glissant dans mon cou, le feutre de mon chapeau collant à mon front et à mes joues, quelques hommes – et non plus cette fois des enfants ! – se sont précipités sur moi comme je passais sous un porche.

Il faisait si sombre que je n'ai pu distinguer leurs visages. Mais j'ai senti leurs mains m'agripper, leurs poings s'écraser sur mes lèvres pour m'interdire de crier. J'ai entendu leurs insultes : « Papiste ! Espagnol ! Inquisiteur ! » Deux d'entre eux se sont enfuis avec mon cheval et les autres, m'empoignant les jambes, m'ont tiré, ma tête heurtant les pavés, dans une sorte de corridor boueux entre deux maisons.

J'étais à demi assommé. Je ne savais plus où j'étais. Parfois, avec effroi, j'avais l'impression que l'on me traînait derechef sur les pavés des rues de Toulon et que cette foule dont j'entendais la rumeur était celle des infidèles.

On m'a bâillonné, bandé les yeux, ligoté, porté, jeté à même le sol. C'était un parquet. J'entendais crépiter un feu. On m'a débarrassé de mes liens et de mon bandeau.

Je suis resté quelques instants ébloui par les candélabres dont les flammes illuminaient la pièce. Ainsi elle m'est apparue dorée. Puis j'ai reconnu, assis côte à côte, mon père et mon frère. Et, debout près de moi, ma sœur qui me tendait la main pour m'aider à me relever.

Je me suis redressé seul, un peu chancelant, joyeux au fond de moi. C'étaient eux qui m'avaient pris et non moi qui les avait livrés.

Je préférais être cloué sur la croix plutôt que juge ordonnant le supplice.

— Te voici à Londres avec ces Espagnols ! a dit mon père.

Il s'est levé. Il m'a semblé aussi grand, aussi vigoureux, aussi menaçant qu'autrefois.

— Par Dieu, tu es toujours avec les ennemis de ton roi ! Et tu te mets au service d'un fornicateur, d'un incestueux qui épouse une vieille reine qui n'a ni cheveux ni sourcils et dont le nez mange toute la figure ! Elle pourrait être sa mère ! Tu crois que c'est Dieu qui veut cela ?

Mon frère Guillaume riait. Ma sœur se tenait un peu

215

à l'écart. Je les dévisageai. J'essayai de retrouver en eux des traits qui m'appartenaient. C'étaient eux, ma famille en ce monde. Et cependant je n'étais pas ému, aucun élan ne me poussait vers eux. Ma vie s'était si longtemps abreuvée à une autre source que même leurs voix me paraissaient étrangères.

— Si tu continues à te dresser contre le roi de France..., a repris mon père.

Je l'ai interrompu. Savait-il que Henri II avait confié à l'ambassadeur d'Espagne, Rodrigo de Cabezón, qu'il ferait un jour « courir par les rues le sang et les têtes de cette infâme canaille luthérienne » ?

— Vous en êtes, vous, de ces réformés ! Donc, ennemis de votre roi et de votre reine Catherine ! Moi, je suis de leur côté !

Ils se sont indignés, mon frère venant vers moi à grands pas, poing gauche brandi et menaçant, main droite sur le pommeau de son épée.

Isabelle s'est interposée, mais ses yeux, sa bouche boudeuse disaient, mieux que les mots, le mépris qu'elle nourrissait à mon endroit.

Mon père a juré, lancé des malédictions, dit que la prochaine fois que nous nous rencontrerions ce serait l'épée à la main, pour un duel au sang.

Qu'étais-je ? a-t-il poursuivi. Un fils ingrat qui avait refusé la rançon déjà versée à Dragut-le-Brûlé, ce tribut qui lui aurait rendu la liberté. Un fils félon qui avait insulté le capitaine général de l'armée du Levant, le comte Philippe de Polin, et qui, au lieu de servir son roi, d'aider son propre père, s'était acoquiné avec des Espagnols, des Toscans, des papistes dont le seul but était de réduire le royaume de France, d'humilier et de détrousser sa noblesse !

Mais je devais prendre garde. Même si le roi Henri II et sa Florentine de mère, Catherine, perdaient la raison et se laissaient ensorceler par les Espagnols et les papistes, le royaume ne les suivrait pas. Les Bourbons, les Condés, les Montmorency, les Coligny, les Thorenc valaient mieux que les Valois, les Guises ou les Médicis.

— Tu seras avec eux si la folie et la lâcheté les emportent, mais tu seras contre nous, et nous tirerons l'épée ! Nous verrons bien quelles têtes rouleront et quel sang coulera dans les rues. Nous ne nous laisserons pas égorger comme des moutons !

Mon père m'a tourné le dos.

— Va rapporter à tes maîtres ce que nous pensons.

Des hommes sont entrés, munis de cordes et de foulards. Ils ont voulu me ligoter. J'ai tenté de me débattre, mais ils m'ont roué de coups, puis m'ont bâillonné et bandé les yeux.

J'ai eu le temps d'apercevoir mon père qui, le visage fermé, regardait la scène.

On m'a porté et jeté sur les pavés. Il pleuvait encore à verse et je me suis retrouvé les lèvres dans la boue.

Des chiens et des rats sont venus me frôler, me flairer, me mordre. J'ai rué comme j'ai pu pour les chasser. Au bout de plusieurs heures, des soldats m'ont trouvé et ont arraché mes liens. Ils riaient de me voir, moi, le seigneur qu'ils imaginaient espagnol, souillé, les vêtements déchirés.

L'un d'eux m'a dit :

— Ce n'est pas un pays pour les Espagnols ! Rentrez

chez vous. Emportez la reine, nous en trouverons une autre...

Il a baissé la voix et a ajouté :

— Plus belle et moins papiste !

Quand il a vu mon visage et mon corps couverts d'ecchymoses, Diego de Sarmiento m'a juré qu'il me vengerait. Et j'ai su que ses gardes avaient parcouru les rues de Londres, forcé les portes des demeures, à la recherche de mes agresseurs et de mon père.

Mais le pays se dérobait.

Quand je sortais, même escorté, on me lançait des pierres. On se pressait autour des bûchers que dressaient certains évêques papistes, non pour voir brûler les hérétiques, mais pour tenter de les arracher aux flammes.

Sarmiento s'obstinait : il fallait combattre l'hérésie de ce pays en tuant ceux qui l'incarnaient, qu'ils fussent nobles, prêtres ou roturiers. Il s'emportait parce que Philippe II avait obéi à l'empereur qui recommandait la clémence.

Mais, dans ce royaume de la pluie et du brouillard, je sentais que, quoi que fît le roi, nous étions impuissants, et qu'il nous faudrait partir.

Même les femmes se refusaient à nous, au souverain, à Sarmiento. Et si quelques suivantes de la reine écoutèrent mes compliments, c'est parce que j'étais français, que c'était pour elles manière de manifester le dédain qu'elles éprouvaient pour les Espagnols.

Elles se moquaient même de leur souveraine qui prétendait porter un enfant de Philippe parce que son ventre gonflait ! Elles ricanaient. Marie Tudor, disaient-elles, n'était grosse que d'eau ou de tumeur, et non pas de vie. Il suffisait de regarder sa peau, ses cheveux clairsemés, pour savoir qu'elle n'était pas féconde, mais malsaine, stérile, et d'ailleurs Philippe la négligeait, se consolant avec de jeunes Flamandes qui, à l'abri dans les hôtels de Londres, attendaient son bon vouloir.

Enfin nous avons quitté Londres. Mais le vent à Douvres était contraire, comme si les éléments eux-mêmes se dressaient contre nous. Nous avons attendu durant cinq jours. J'avais l'impression – et le père Verdini, Enguerrand de Mons, les nobles espagnols et sans doute Philippe lui-même partageaient mon sentiment – que nous étions pris au piège.

Quand, enfin, le vent a tourné, que l'on a hissé les voiles, j'ai failli crier de joie.

Débarqués à Calais, nous avons chevauché jusqu'à Bruxelles, et le soir de notre arrivée nous avons fait bombance, la mousse de la bière couvrant nos lèvres et nos mains fourrageant dans le corsage des filles.

Je connaissais et j'avais côtoyé Sa Majesté Philippe. À Bruxelles, j'ai vu l'empereur Charles Quint.

Seigneur, c'était donc là l'homme qui régnait sur les royaumes d'ici et les terres du Nouveau Monde ?

Il attendait Philippe au bas des marches de son palais. Les doigts crochus, les mains déformées, le dos voûté, le cheveu blanc. La goutte le mettait au supplice et son visage était en permanence crispé par la douleur. Vêtu d'un austère habit noir, on eût dit que ce vieillard d'à peine cinquante-cinq ans portait le deuil de sa propre vigueur.

— La mort est en lui, a murmuré Sarmiento.

Philippe s'est agenouillé et lui a baisé les mains.

Le menton lourd, le corps disgracieux, il ressemblait à son père mais avait encore l'agilité de la jeunesse.

L'Empereur a pris appui sur son bras pour monter les marches.

C'était comme la rencontre entre le soleil qui décline et l'astre de la nuit qui se lève.

29.

J'ai prié pour les deux souverains, l'empereur et le roi, le père et le fils.

Mais Charles Quint n'était qu'un vieillard qui ne réussissait même pas à fermer la bouche, comme si sa mâchoire proéminente, trop lourde, avait tant englouti qu'elle ne pouvait plus que rester ouverte, pareille à celle d'un ogre puni d'avoir trop dévoré.

En ce 25 octobre 1555, jour de son abdication, Charles Quint, dès les premiers mots, s'est néanmoins défendu d'avoir été vorace.

Il fallait tendre l'oreille pour comprendre ce qu'il disait, empêché qu'il était, par cette bouche rétive, de moduler les sons. De la salive suintait à la commissure de ses lèvres. Il s'interrompait souvent, la tête penchée de côté, s'appuyant davantage, à cet instant-là, sur le bras de Philippe II. Puis il se redressait et reprenait.

— J'ai préservé ce qui m'appartenait de droit, dit-il. Mon règne n'aura été qu'une suite de combats entrepris non par une ambition désordonnée de commander à beaucoup de royaumes, mais pour vous défendre, vous et vos biens.

Il a longuement regardé la petite foule des députés des provinces des Pays-Bas, des chevaliers de la Toison d'or et des ambassadeurs rassemblés dans la grand-salle du château de Bruxelles.

La pénombre, malgré les candélabres, ensevelissait les visages. La lumière tombant des fenêtres était grisâtre. Il pleuvait depuis le matin ; rafales et averses scandaient les phrases en frappant les vitraux bleu, rouge et or.

Tout à coup, il y a eu un rayon de soleil qui est venu éclairer le groupe des ambassadeurs. Le père Verdini m'a dit que les représentants des royaumes, des duchés et des principautés, et naturellement, au premier rang, le nonce, ambassadeur de Sa Sainteté le pape Paul IV, étaient présents.

La lumière s'est faite plus vive et c'est avec stupeur, effroi et colère que j'ai reconnu, non loin du nonce, mon père et mon frère, envoyés de Henri II et de Catherine de Médicis.

Était-ce possible ?

Je me suis tourné vers le père Verdini qui se tenait près de moi, et, à la manière dont il a baissé les yeux, j'ai compris qu'il m'avait dissimulé ce qu'il savait. Et sans doute Diego de Sarmiento ou Enguerrand de Mons, qui se trouvaient à mes côtés dans cette salle, n'ignoraient-ils pas la présence de ce père et de ce frère qui m'avaient fait rouer de coups et que j'avais eu mission d'attirer à Londres dans un guet-apens.

Tout avait-il changé en l'espace de quelques semaines ?

Ils étaient huguenots, « mal-sentants de la foi », et c'était un roi de France qui prétendait faire rouler les

221

têtes des luthériens dans les rues qui les avait choisis comme ambassadeurs !

Et c'était un empereur qui n'avait eu de cesse que de combattre les hérétiques qui les accueillait !

Était-ce là la guerre franche que nous devions mener ?

Où étaient donc les chevaliers du Temple ? Avait-on oublié la charte de saint Bernard ?

Diego de Sarmiento m'a étreint le bras. Il comprenait mon indignation. Mais les relations entre souverains étaient aussi tortueuses qu'un labyrinthe. Et, d'ailleurs, Charles Quint n'était qu'un empereur trop perclus de douleurs pour exercer le pouvoir. Ses mains n'étaient plus capables de brandir le glaive. Il n'avait pu venir de sa demeure à ce palais que juché sur une mule, trop paralysé pour enfourcher un cheval !

Il était temps qu'il laisse le sceptre royal entre les mains de son fils.

J'ai dégagé mon bras. Il m'a semblé que mon père m'observait avec cette expression méprisante et pleine de fatuité qui était la sienne. Lui et mon frère me narguaient.

Et Charles Quint continuait de pérorer d'une voix traînante, la salive coulant sur son pourpoint, ses mains tremblantes ayant du mal à tenir le parchemin, jetant de fréquents regards à Philippe II.

— Prenez surtout garde de ne vous point laisser infecter par les sectes des pays voisins ! Extirpez-en bien vite les germes s'ils paraissent parmi vous, de peur que, s'étendant, ils ne bouleversent votre État de fond en comble et que vous ne tombiez dans les plus extrêmes calamités.

Il s'est interrompu, toussant, crachant, ployé par la fatigue.

— Et lui, notre empereur, qu'a-t-il fait ? a murmuré Sarmiento. Il n'a pas pu écraser la secte luthérienne ! Il a établi l'égalité entre les hérétiques et nous, entre l'erreur et la vérité. Ils sont libres de répandre leurs sacrilèges et leurs mensonges. Et les princes qui se sont emparés des biens de la sainte Église les conservent ! Alors il peut bien accueillir le comte Louis de Thorenc, huguenot, comme ambassadeur de Henri II et de Catherine de Médicis ! Bel attelage ! La couardise mariée à la sorcellerie !

Il m'a de nouveau empoigné le bras et a ajouté :

— Nous changerons tout cela. Nous commencerons ici, puis nous nettoierons les Pays-Bas et nous trancherons la tête de ces princes calvinistes qui pérorent. Regarde-les, Bernard !

Il a désigné sur l'estrade, à la gauche de Charles Quint, le prince Guillaume d'Orange, puis, dans les premiers rangs, d'autres seigneurs flamands, le comte d'Egmont, le comte de Hornes, tout aussi hérétiques. Ceux-là, un jour, il faudrait les châtier, les faire rentrer sous terre et les repousser dans l'enfer d'où ils étaient issus !

Je me suis écarté autant que j'ai pu de Sarmiento. Il logeait avec moi dans le palais d'Arenberg qui appartenait à ce comte d'Egmont auquel il venait de promettre l'enfer !

J'étais accablé. Il me semblait qu'avancer le long du

chemin de la vie, c'était s'enfoncer chaque jour davantage dans cet abîme enténébré qu'est l'âme cachée des hommes.

Je n'étais pourtant pas innocent ! Depuis que j'étais arrivé à Bruxelles, qu'avais-je fait, sinon forniquer, jouir, me remplir la panse de bière, de gibier et de poisson ? Et je m'étais senti quitte avec Vous, Seigneur, en me rendant chaque matin à Notre-Dame du Sablon, à quelques pas du palais d'Arenberg. J'avais prié pour les deux souverains et pour Michele Spriano dont je n'oubliais pas qu'il vivait, lui, sur cette terre, l'enfer.

Mais qui se souciait encore de payer sa rançon ?

Le père Verdini m'avait expliqué qu'il avait tout tenté pour obtenir des proches du roi les mille ducats que réclamait le capitan-pacha d'Alger pour ce rachat.

Mais les caisses de l'Espagne étaient vides ! Il avait fallu verser des centaines de milliers de ducats à Charles Quint pour lui permettre de mener sa guerre contre le roi de France. Dépenses vaines, puisque l'ambassadeur du roi Henri II n'était autre que le comte Louis de Thorenc et qu'on allait signer une trêve ici, à Bruxelles, au château de Vaucelles, entre le roi de France et l'empereur. Et nous étions invités à la célébrer dans cette même grand-salle du château !

Il avait fallu aussi armer les cent vingt-cinq navires pour les épousailles en Angleterre, les remplir de cadeaux et de coffres débordant de pièces d'or pour acheter les Anglais.

— Et ils nous ont couverts d'immondices et d'insultes ! avais-je murmuré.

Le père Verdini s'était contenté de me dire qu'il ne

renonçait pas, que d'autres moines rédempteurs étaient en partance pour Alger. Puis il s'était signé.

— Que Dieu veille sur Michele Spriano, et sur toi, mon fils !

Je ne sais, Seigneur, si Vous avez prêté attention à ma vie durant toutes ces années que j'ai passées dans les Pays-Bas espagnols.

J'allais sur mes trente ans. Je courais d'une alcôve à l'autre ; j'achevais mes nuits, ivre, la mousse de la bière maculant mes lèvres, la fatigue de la fornication me creusant les joues.

Peut-être m'avez-Vous pardonné ?

Je le saurai bientôt, quand je comparaîtrai devant Vous.

J'imagine, lisant et relisant *La Divine Comédie*, ce que pourrait être mon sort, sans cesse dévoré en Enfer, et sans cesse humilié et torturé au Purgatoire.

Ma seule excuse était dans le désarroi qui m'étreignait presque chaque jour.

J'apprenais que le pape Paul IV, Votre évêque de Rome, avait excommunié l'empereur Charles Quint et le roi Philippe II, et qu'il avait conclu une alliance avec le roi de France !

Mes deux souverains se voyaient privés de toutes leurs dignités. Et le culte divin était même proscrit en Espagne !

Où était la vérité en ce monde ?

Fallait-il que j'accepte l'avis des théologiens espagnols qui, réunis, autorisaient le roi à employer la force contre le successeur de Pierre ?

Déjà se mettaient en route les fantassins et les cavaliers du duc d'Albe, le plus impitoyable chevalier de guerre de Philippe II, lequel écrivait à Paul IV : « Vous êtes le loup dévorant du bercail du Christ... J'implore l'aide de Dieu contre Votre Sainteté et je jure au nom du roi mon maître, et par le sang qui coule dans mes veines, que Rome tremblera sous le poids de mon glaive ! »

J'interrogeais Diego de Sarmiento. Il écartait mes inquiétudes d'un geste agacé de la main.

Chacun savait, disait-il, que Paul IV était un ennemi de Charles Quint. Il persécutait donc les princes italiens alliés de l'empereur. L'ambassadeur d'Espagne l'avait averti : « Si les furies de Sa Sainteté ne cessent point, si elles sont poussées plus avant, nous serons déchargés des inconvénients et dommages qui pourront s'ensuivre. »

On pouvait reprocher à l'empereur – et Sarmiento le faisait – d'avoir ménagé les protestants d'Allemagne, mais fallait-il pour cela l'excommunier, lui qui, avec Philippe II, était le bras armé de la foi ? La politique, concluait Sarmiento, relève du jugement des hommes, non de celui des prêtres.

Comment, avec de tels propos qui contredisaient ceux que m'avait tenus auparavant Sarmiento, n'aurais-je pas cherché à oublier, à poser ma tête contre les seins, à la glisser entre les cuisses grasses des Flamandes ?

Je ne voulais pas me souvenir de ce que le père Verdini me chuchotait, à savoir que Charles Quint, en 1527, l'année de ma naissance, avait laissé ses lansquenets mettre Rome à sac, tandis que les troupes du duc d'Albe fondaient sur la Ville éternelle en pillant et brûlant les villages et en violant les femmes.

Je n'ai pas forcé l'Italienne Mariana Massi, que je retrouvais dans ma chambre du palais d'Arenberg. Jeune et brune, sa peau mate me rappelait celle d'Aïcha Thagri. Je la payais en déposant entre ses petits seins trois pièces d'or.

J'oubliais, le temps de l'étreinte, que ma vie se dissipait.

Mais, en se rhabillant, elle parlait alors que j'aurais tant voulu qu'elle se taise !

Elle avait connu, disait-elle, dans une maison de prostitution d'Anvers, une femme, une ancienne lavandière qui menait grand train, se donnant pour le plaisir plus que pour le gain, car elle ne manquait pas d'argent. Elle prétendait qu'autrefois, quand sa taille était fine, elle avait eu pour amant un homme puissant qui, depuis lors, lui versait une rente annuelle de deux cents florins. Il fallait seulement qu'elle oublie le fils qui était né de leur rencontre.

Mariana Massi se penchait vers moi, appuyait ses deux mains sur mes épaules, me forçait à m'allonger, me chevauchait en soulevant sa jupe.

Cet homme puissant, me chuchotait-elle en me mordillant l'oreille, n'était autre que l'empereur Charles Quint. Et son bâtard, il le faisait élever en Espagne.

Je la repoussais.

Je ne voulais pas la croire.

Mais Sarmiento se moquait de mon étonnement, de ma naïveté. Quel homme ne laissait pas de bâtards derrière lui ? Et Charles Quint, tout empereur qu'il fût, portant le deuil de son épouse, avait aimé les femmes, et pourquoi pas cette fille dont Mariana m'avait donné le nom : Barbe Plumberger ?

Puis Sarmiento, d'un geste vif, sortait sa dague et en posait la pointe contre ma gorge.

— On t'égorgera, et cette bavarde aussi, si tu révèles ce secret avant que l'empereur ait décidé de le lever ! Oublie ce que tu ne devais pas apprendre !

Je n'ai plus eu l'occasion d'interroger Mariana Massi. Elle a disparu, peut-être reléguée dans un couvent ou embarquée sur un navire à destination du Nouveau Monde, ou jetée, une pierre ancrée à son cou, dans la Senne, cette rivière qui traverse la ville basse.

Je me suis tu, n'osant poser d'autres questions à Diego de Sarmiento.

Mais, dans la grande-salle du château de Bruxelles, écoutant la voix chevrotante de l'empereur, je n'ai cessé de repenser à ce bâtard, à ces femmes, à cette vie cachée d'un homme qui disait :

— J'ai exécuté tout ce que Dieu a permis, car les événements dépendent de la volonté de Dieu. Nous autres hommes agissons selon notre pouvoir, nos forces, notre esprit, et Dieu donne la victoire et permet la défaite. J'ai fait constamment ce que j'ai pu et Dieu m'a aidé. Je lui rends des grâces infinies de m'avoir secouru dans mes plus grandes traversées et dans tous mes dangers. Aujourd'hui, je me sens si fatigué que je ne saurais vous être d'aucun secours, comme vous le voyez vous-mêmes. Dans l'état d'accablement et de faiblesse où je me trouve, j'aurais un grand et rigoureux compte à rendre à Dieu et aux hommes si je ne déposais l'autorité, ainsi que je l'ai résolu, puisque mon fils, le roi Philippe, est en âge suffisant pour pouvoir vous gouverner et qu'il sera, comme je l'espère, un bon prince pour tous mes sujets bien-aimés...

Si Dante Alighieri, revenu, visitait à nouveau l'Enfer, le Purgatoire et le Paradis, où rencontrerait-il l'empereur Charles et le roi Philippe ?

Cette interrogation m'a hanté plusieurs jours durant.

Paul IV avait renouvelé son excommunication des deux souverains, maudissant ce duc d'Albe et tous les Espagnols qui n'étaient, disait-il, « qu'une engeance de juifs et de Maures ».

Mais le pape devait s'incliner, puisque son allié, le roi de France, avait envoyé son ambassadeur à Bruxelles et qu'il se retrouvait ainsi seul face aux fantassins et aux cavaliers du duc.

Et moi, dans cette grand-salle du château, quelques semaines plus tard, voici que j'apercevais mon père et mon frère accompagnés de quelques nobles français, et d'un bouffon !

J'ai reculé et me suis tenu dans l'ombre.

Les murs de la salle étaient recouverts par de grandes tapisseries des Flandres qui rappelaient la défaite de François Ier à Pavie, sa captivité à Madrid, toutes les humiliations subies par le roi de France. Et à la manière dont mon père marchait, raide, frappant du talon le parquet, la main sur le pommeau de son épée, je mesurais son humiliation et sa rage.

Le roi Philippe II et tous les nobles présents se sont dirigés en compagnie de mon père vers la chapelle. Je les y ai suivis. Tout à coup, au moment où Philippe II s'approchait de l'autel pour jurer sur les Évangiles qu'il respecterait le traité conclu avec les rois de France, j'ai entendu crier : « Largesse ! largesse ! » et j'ai vu le bouffon lancer, comme on sème, des pièces d'or dans la chapelle, parmi l'assistance.

Et après un instant d'hésitation tous ces nobles seigneurs et leurs femmes se sont précipités en se bousculant pour ramasser les écus. L'honneur français était vengé !

Le rire de mon père a alors retenti, dominant les éclats de voix.

Qui se souciait de Vous, Seigneur, dans cette chapelle ?

30.

Je n'ai plus jamais entendu le rire de mon père qui m'avait si souvent choqué, comme une obscénité.

Je ne l'ai plus jamais vu marcher de son pas altier, la nuque droite, sa main serrant le pommeau de son épée, avec cette superbe qui me mettait hors de moi tant elle paraissait masquer une âme veule, prête à toutes les félonies.

Je n'ai plus jamais croisé son regard étincelant de colère ou de mépris, qui m'avait tant de fois humilié.

Et puis j'ai découvert parmi les hautes herbes, sur la berge d'un ruisseau, dans la plaine de Saint-Quentin, son corps étendu, à demi nu, mort.

Et j'ai pleuré, et j'ai prié.

J'avais depuis longtemps déjà quitté la tente royale où Sarmiento, Philippe II, son conseiller Ruy Gomez et le duc Emmanuel Philibert de Savoie ripaillaient, levant leurs verres à la victoire.

Enguerrand de Mons avait tenté de me retenir, mais je m'étais dégagé d'un geste brusque.

J'avais vu, lorsque nous avions chargé les gentils-hommes français, trop d'entre eux s'abattre, encerclés par les fantassins allemands, anglais, espagnols et fla-mands, taillés en pièces par nos coups de glaive et nos lances.

C'était ma première bataille. Je m'y étais jeté avec désespoir. Je ne voulais point comprendre ces alliances qui se retournaient, ces traités que l'on avait juré sur les Évangiles de respecter et dont, brusquement, on ne gardait plus souvenir.

Je savais aussi que mon père et mon frère, après avoir quitté Bruxelles, avaient rejoint les troupes royales à Saint-Quentin. Qu'aurais-je fait si j'avais vu au bout de ma lance la poitrine de mon père ou celle de mon frère ?

J'avais demandé à Sarmiento qu'il m'autorisât à accompagner l'empereur Charles Quint qui partait pour l'Espagne où il allait se retirer au monastère de Yuste, en Estrémadure, afin d'attendre la mort dans la prière et le recueillement.

Peut-être était-ce ce qui me convenait aussi : m'éloigner de ce monde qui chaque jour me paraissait plus obscur.

Comment aurais-je pu y trouver ma route ?

C'était le pape qui s'emportait contre Philippe II, « ce membre pourri de la chrétienté, cette petite vermine » !

C'était Philippe qui rompait avec Henri II et demandait à son épouse, Marie Tudor, de lui faire parvenir quatorze mille fantassins pour étriller l'armée du roi de France !

Où était la frontière entre l'hérésie et la vraie foi ?

Qui se trouvait du côté de la sainte Église ?

Et qui était du parti du Christ ?

Au gré des circonstances, chacun changeait de camp et d'alliés.

Alors, pourquoi ne pas rester agenouillé dans une cellule de moine ? Pourquoi ne pas consacrer ses forces à la prière et à la charité ? Être humble. Accomplir les tâches du paysan ? On disait qu'en Estrémadure l'ordre monastique de saint Jérôme, dont dépendait le monastère de Yuste, cultivait cinquante mille oliviers, élevait des milliers de têtes de bétail.

N'avais-je pas compris sur les galères de Dragut, puis à Toulon, à Alger, à Valladolid, à Londres, à Bruxelles, ce qu'était la vie des hommes, même les plus pieux, les plus valeureux ?

Mais Sarmiento refusa de m'entendre et le père Verdini, d'une voix hésitante, murmura que j'étais bien trop amoureux de la chair pour choisir l'habit de moine.

J'ai donc revêtu l'armure, rejoint l'armée, et nous avons chevauché jusqu'à Saint-Quentin.

J'ai vu les villages pillés et brûlés par ces hommes dont la peau ressemblait à du cuir tanné. Ils massacraient les hommes. Ils étripaient les femmes et les enfants.

Et sous la tente royale nous célébrions notre victoire !

Et Sarmiento disait que je m'étais battu comme un chevalier du Temple, maniant le glaive et la lance, ouvrant dans les rangs ennemis un sillon sanglant.

Il ne mentait pas.

Je m'étais battu comme un homme ivre. Mais j'étais dégrisé et je voulais sortir de cette tente où je voyais Philippe II poser sa main sur la cuisse d'Anna de Mendoza della Cerda, l'épouse borgne de Ruy Gomez, son conseiller, et, tout en la lutinant, dire qu'il faisait don à Gomez de la principauté italienne d'Eboli. Et il baisait la main de la jeune femme en l'appelant princesse d'Eboli !

Anna de Mendoza della Cerda roucoulait, penchée vers le souverain.

J'ai pensé à ce que j'avais vu au cours de cette bataille.

Non point d'abord aux chevaliers, aux fantassins tombés en luttant les uns contre les autres, mais à ces milliers de corps dépecés, mutilés, éventrés qui gisaient dans leurs maisons saccagées, vieux hommes et jeunes femmes livrés à ces bêtes casquées.

Et tant d'autres les rejoindraient quand la ville de Saint-Quentin serait conquise, pillée, dévastée, ses habitants abandonnés à la sauvagerie de la soldatesque.

C'était la règle.

Mais alors, où était le Bien, où était le Mal ? Nos lansquenets chrétiens, en quoi valaient-ils mieux que les janissaires musulmans ?

J'ai eu l'impression, en me levant et en quittant la tente royale, de vaciller comme si j'avais bu jusqu'à la déraison.

J'ai d'abord chevauché au pas parmi les blés. La campagne paraissait paisible, étouffée sous la brume de chaleur de ce 27 août 1557.

La bataille s'était déroulée au loin, là où s'élevaient les fumées des incendies. Les villages autour de Saint-Quentin brûlaient et la ville, à en juger par les couleurs roux et jaune des fumées, ne devait plus être qu'un brasier.

Au fur et à mesure que j'avançais, l'odeur de mort m'enveloppait.

Mon cheval s'est cabré. Les cadavres étaient devant lui, entrelacés. La plupart étaient ceux des gentils-hommes français que les détrousseurs avaient déjà dépouillés de leurs armes et de leurs armures, de leurs bagues et colliers, et même de leurs vêtements.

J'ai sauté à terre et j'ai continué, tirant mon cheval par la bride.

Je m'arrêtais à chaque corps.

Je ne me disais pas : « Tu cherches ton père et ton frère. » Je croyais seulement être curieux de la mort, du rictus de ces hommes saisis en plein élan et qui n'étaient plus que des chairs déchirées, recroquevillées dans des postures souvent grotesques.

Je suis allé vers le ruisseau dont j'entendais le chant.

C'est sur la berge, au milieu de hautes herbes foulées, cassées, que j'ai reconnu mon père. J'ai alors su que c'était lui que je cherchais.

Peut-être avait-il été achevé d'un coup de lame à la gorge alors qu'un homme de son rang eût dû être fait prisonnier afin d'être échangé contre rançon.

Dragut le renégat m'avait épargné.

Mais mon père s'était défendu avec rage et son adversaire, après l'avoir blessé – une balle lui avait arraché l'épaule gauche –, avait frappé avec fureur, pour tuer.

À moins que les ordres n'eussent été donnés d'abattre le comte Louis de Thorenc, quelles que fussent les circonstances. Pas de pitié ni de considération pour les « adversaires résolus et dangereux », et mon père en était.

Diego de Sarmiento était homme à penser ainsi et à avoir chargé de cette mission quelques-uns de ses fidèles.

Je me suis agenouillé. J'ai prié. Honteux de mon émotion, j'ai sangloté. Et me souvenir de toutes les accusations que j'avais portées contre mon père et que j'estimais encore légitimes, n'a point tari mes larmes.

Je l'ai pris dans mes bras, son sang maculant mes mains et ma poitrine. Je l'ai déposé en travers de ma selle et suis retourné vers la tente royale.

Il n'y avait plus sous le dais que quelques ripailleurs dont Diego de Sarmiento et Enguerrand de Mons.

Je suis entré sous la tente en portant le corps de mon père.

Ils ont cessé de rire et de boire.

Sarmiento s'est levé, m'a entouré les épaules.

— Un père est un père, a-t-il dit.

Peut-être, s'il m'avait défié, aurais-je pris mon épée et me serais-je jeté sur lui pour mourir ou le tuer.

Peut-être l'a-t-il senti, puisqu'il a lancé des ordres pour que l'on donnât au comte Louis de Thorenc une sépulture digne de son rang et de son courage.

— Même s'il a été dans l'erreur, c'est un chrétien, a-t-il ajouté.

J'ai suivi les hommes qui avaient placé mon père dans un cercueil de bois encore vert.

Et j'ai attendu que la terre l'ait enseveli pour m'éloigner.

Seigneur, que Vous nous avez fait la vie rude !
Seigneur, comme Vous nous punissez d'avoir fauté !

31.

Le souvenir de mon père m'a longtemps hanté.

Chaque nuit, je l'ai porté, sanglant, jusqu'à sa sépulture. Je l'y couchais, mais aucune pelletée de terre ne pouvait l'ensevelir.

Je le retrouvais assis près de moi dans cette chambre au plafond haut et aux rideaux jaune et noir du château d'Arenberg.

Je voulais m'enfuir. Il s'agrippait à mon bras. Il m'interrogeait d'une voix étonnée et souffrante. Pourquoi l'avais-je trahi ? me demandait-il. Pourquoi avais-je rejoint le camp de ses ennemis ? Pourquoi m'étais-je ligué avec ceux qui l'avaient tué ? Étais-je sûr qu'ils fussent du parti de Dieu ? Et ce parti existait-il sur terre, ou bien chaque homme, qu'il fût huguenot ou papiste, ou bien même infidèle, devait-il le choisir à chaque instant, cherchant en lui-même ce qui plaisait à Dieu ou à diable ?

Je priais. C'était à moi de l'accuser, lui qui avait trahi notre Église !

Il me regardait tristement. Je ne me souvenais pas de lui avoir jamais vu une telle expression.

Il se levait, s'éloignait, me lançait : « Es-tu sûr que ce soit moi ? »

Je me réveillais.

Je marchais dans la chambre, le corps couvert de sueur.

J'entendais les éclats de voix, le tintement des verres, les rires en provenance des grandes salles du château.

Sarmiento fêtait la signature du traité du Cateau-Cambrésis entre la France et l'Espagne, dont il avait été l'un des négociateurs.

Avec une joie qui m'avait blessé, il m'avait dit que Guillaume de Thorenc, mon frère, qui représentait le roi de France, faisait grise mine, isolé des autres ambassadeurs français, seul huguenot présent, comprenant que c'en était fini de la tolérance de Henri II pour les « mal-sentants de la foi ».

D'ailleurs, ce dernier avait commencé à nettoyer sa capitale. On avait brûlé des huguenots place Maubert, on les avait pourchassés dans ces rues de la Montagne-Sainte-Geneviève où ils avaient l'habitude de se réunir, l'épée au côté, comme s'ils étaient les maîtres.

— C'est l'Espagne qui devient maîtresse, avait conclu Diego de Sarmiento.

Un nouveau règne commençait.

Charles Quint était mort à Yuste et j'avais assisté, le 30 décembre 1558, à la messe mortuaire célébrée quelques jours plus tard à Bruxelles en l'église Sainte-Gudule.

Je m'étais agenouillé dans la grande nef aux côtés de ces milliers de moines et de prêtres venus prier pour le pieux empereur. Mais j'avais prié pour mon père, la tête appuyée contre l'un de ces immenses piliers ronds, certains étayés de contreforts, qui par dizaines se dressent dans la nef et le chœur.

J'avais entendu la voix de Guillaume d'Orange crier, en frappant de son glaive le cercueil vide :

— Il est mort ! Il restera mort. Il est mort et un autre s'est levé à sa place, plus grand qu'il n'était !

Philippe II était alors apparu et les chants avaient succédé aux prières.

Le vif chassait le mort.

Et quelques semaines plus tard c'était Marie Tudor, la trop vieille épouse, la laide reine d'Angleterre, la catholique, qui trépassait.

Qui pouvait croire au deuil de Philippe II ? Il allait d'une femme à l'autre et cherchait une épouse pour remplacer Marie Tudor. Il songeait à Élisabeth d'Angleterre, laquelle se dérobait. Puis, pourquoi pas, à l'une des filles de Henri II et de Catherine de Médicis, Élisabeth de France, une pucelle de treize ans alors que lui-même était âgé de trente-deux...

Sarmiento s'étonnait que je m'abstinsse de participer aux banquets et aux fêtes.

Ne devions-nous pas célébrer la grande victoire du

souverain catholique, Philippe II, qui ralliait à lui le roi de France ?

Et l'on allait enfin jeter les huguenots au bûcher, et quand cette tâche serait parachevée on repartirait en croisade contre les infidèles !

Était-ce la mort de mon père qui me rendait ainsi morose, incapable de festoyer, de célébrer la grandeur espagnole, alors qu'on commençait à oublier d'où je venais, que la fidélité au roi comptait davantage que l'origine ?

Je me retirais dans ma chambre, tentais de m'enfermer dans la prière, de retrouver des certitudes.

Mais le vicaire du Christ, le pape, n'avait-il pas excommunié un temps Philippe II et Charles Quint ? Comment les suivre aveuglément, dès lors ?

Tout était mouvant dans la vie des hommes. Il fallait avancer pas après pas pour ne pas être englouti dans l'erreur.

Peut-être l'avais-je été en rompant le lien originel avec les miens ?

Je m'allongeais, fermais les yeux.

Et marchais vers la fosse où mon père ne se laissait toujours pas ensevelir.

32.

J'ai cru quitter la saison des morts lorsque, le vendredi 30 juin 1559, j'ai reconnu sur l'une des tribunes dressées dans la grand-rue Saint-Antoine cette jeune fille dont les cheveux blonds étaient noués en tresses comme l'avaient jadis été ceux de Mathilde de Mons. Sa robe bleu ciel rendait plus éclatant encore l'or de ses mèches.

Elle s'appelait Anne de Buisson et je l'avais rencontrée il y avait une dizaine de jours, à mon arrivée à Paris.

J'accompagnais le duc d'Albe, le prince Guillaume d'Orange, le comte d'Egmont et le comte Diego de Sarmiento, venus pour épousailles par procuration, avec Élisabeth de Valois qu'on commençait à appeler Isabelle de la Paix, puisque son mariage avec Philippe II devait sceller l'entente entre l'Espagne et la France.

Sarmiento avait insisté pour que je me joignisse aux seigneurs espagnols et flamands. Il fallait, avait-il dit, que le roi Henri II et la reine Catherine fussent informés que de nombreux nobles français appuyaient leur politique d'alliance avec l'Espagne. Et les adversaires du traité du Cateau-Cambrésis, ces huguenots têtus comme l'amiral de Coligny ou Guillaume de Thorenc, qui pensaient que le roi de France avait capitulé devant l'Espagne, devaient comprendre qu'ils étaient désormais impuissants.

Je n'avais pas eu cette impression en découvrant Paris.

Robert de Buisson, le corsaire huguenot qui nous avait conduits, Michele Spriano et moi, d'Alger aux côtes espagnoles, était venu me rendre visite au palais royal des Tournelles où l'on nous avait accueillis.

Il m'avait convié à le suivre dans la demeure de Coligny, l'hôtel de Ponthieu, au coin de la rue de l'Arbre-Sec et de la rue de Bétisy, afin d'y rencontrer quelques-uns de ces nobles protestants qui honoraient en moi le fils cadet du comte Louis de Thorenc et le frère de Guillaume.

J'avais d'abord refusé, puis, peut-être en souvenir de mon père, comme pour me faire pardonner, j'avais accompagné Robert de Buisson et découvert une foule de gentilshommes fiers, pleins de faconde et d'assurance, sûrs de leur foi, résolus à empêcher que le roi et la reine ne suivissent comme des valets le souverain d'Espagne.

Ils maugréaient contre ce traité qui abandonnait à l'Espagne la Savoie et l'Italie, qui effaçait des années de politique royale, à commencer par celle de François Ier.

Ils regrettaient le mariage d'Élisabeth de Valois avec ce monarque licencieux dont on connaissait les frasques et auquel on allait livrer une pucelle royale d'à peine treize ans.

Ils assisteraient pourtant aux cérémonies, et même à la messe à Notre-Dame, et naturellement aux tournois et aux fêtes qui devaient se dérouler jusqu'à la fin du mois de juin.

On avait déjà dépavé la grand-rue Saint-Antoine, élevé les lices, dressé les tribunes. On savait que le roi aimait à combattre sous l'armure, à briser des lames.

C'est alors que Robert de Buisson avait raconté que sa plus jeune sœur, Anne, servait parmi les dames de la reine Catherine, laquelle aimait à s'entourer des plus belles jeunes femmes du royaume.

Anne de Buisson avait rapporté que la souveraine craignait pour la vie de son époux ; elle avait fait plusieurs cauchemars et y avait vu Henri la tête ensanglantée.

241

Puis elle avait lu les prophéties d'un mage de Salon-de-Provence, Nostradamus, médecin astrologue du roi. Or, dans ses prophéties, celui-ci avait écrit quelques vers qui pouvaient faire craindre pour la vie du roi :

> *En champ bellique par singulier duelle*
> *Dans cage d'or les yeux lui crèvera*
> *Puis mourir mort cruelle,*

et d'autres astrologues avaient eux aussi conseillé au monarque de ne point participer aux tournois, car ils voyaient son visage couvert de sang, ses yeux crevés.

Les nobles huguenots s'étaient indignés. L'Italienne, la Médicis, préparait peut-être l'assassinat du roi pour mieux servir la cause de Philippe II. Et celui-ci, comment n'aurait-il pas cherché à tuer un souverain de France qui n'aurait pour héritier que des fils malingres et laisserait en fait le pouvoir à l'Italienne, l'empoisonneuse, la sorcière ?

Ces soupçons, cette haine, ces prédictions m'avaient glacé.

J'avais aperçu mon frère Guillaume, mais il m'avait paru à la fois méprisant et menaçant.

J'avais quitté l'hôtel de Ponthieu, raccompagné par Robert de Buisson.

Au moment où nous nous engagions dans la rue de l'Arbre-Sec, j'avais vu descendre d'une voiture arrêtée à quelques pas une jeune femme portant une cape noire sur laquelle venait se répandre, comme des fils d'or, ses longues mèches blondes.

La vivacité avec laquelle elle avait sauté sur le pavé,

soulevant un peu sa robe, la manière dont elle s'était élancée vers nous, semblant à peine prendre appui sur le sol, m'avaient enchanté au point que je m'étais immobilisé.

Elle m'avait regardé tout en s'adressant à Robert de Buisson, lui annonçant que Sa Majesté la reine l'avait conviée à assister dans la tribune royale aux tournois qui se dérouleraient grand-rue Saint-Antoine, et auxquels le roi participerait malgré – elle avait baissé la voix – les craintes de son épouse et des astrologues.

Je l'écoutais. La regardais. Elle avait les traits fermes et réguliers, le nez droit, le front un peu bombé, et la manière dont elle me fixait faisait naître en moi un de ces enthousiasmes empreints de ferveur dont j'avais oublié à quel point ils peuvent faire paraître la vie légère.

Tous les jours suivants, je l'ai cherchée, indifférent à la morgue avec laquelle mon propre frère me saluait, m'interpellait, m'accusant d'être au roi d'Espagne, d'avoir oublié ma famille et mon royaume.

Je l'entendais à peine, comme si le monde, la vie s'étaient réduits pour moi à ma quête d'Anne de Buisson.

Enfin, le vendredi 30 juin, je l'ai vue assise non loin de la reine Catherine et, avant de me glisser vers elle, je l'ai observée.

Peut-être l'a-t-elle senti, car son immobilité me parut forcée, comme si elle s'obligeait à ne pas tourner la tête vers moi.

Mais j'aimais son profil de jeune fille.

Son frère m'avait confié qu'elle avait à peine quinze ans.

243

J'en avais trente-deux, comme Philippe II.

Et elle était sans doute huguenote. Mais, au moment où je m'avançais vers elle, je l'avais complètement oublié.

Je me suis assis à ses pieds. J'ai levé les yeux vers elle.

— Le roi va entrer en lice, m'a-t-elle dit sans me regarder.

Sa voix m'a paru enrouée par l'émotion.

J'ai entendu le battement sourd des sabots des chevaux se précipitant l'un contre l'autre.

Je n'avais d'yeux que pour le visage d'Anne de Buisson. Elle se mordillait les lèvres, les joues tout à coup creusées.

Il y eut un choc, des cris.

Anne de Buisson s'est levée, a écarté les bras, puis s'est laissée tomber en avant. Je l'ai saisie et j'ai pensé que la saison des morts continuait, que je serrais contre moi un autre corps sans vie, comme l'avait été celui de mon père. Mais Anne était légère, pantelante.

Autour de nous, d'autres femmes s'étaient dressées, puis avaient chancelé, évanouies.

J'ai vu le roi vaciller, son cheval heurtant la lice.

On se précipita. On retira son casque, et le sang jaillit.

Un morceau de lance, comme un épieu acéré, lui avait percé le front au-dessus du sourcil droit ; une autre partie de la lance brisée lui avait crevé l'œil gauche.

Avec grande souffrance pour le roi, j'ai su qu'on avait extrait cinq éclats de sa tête.

Les chirurgiens – Philippe II avait envoyé de Bruxelles son médecin personnel, André Vesale, et

Ambroise Paré avait été appelé au chevet de Henri II
– avaient fait décapiter plusieurs condamnés pour tenter
de comprendre, en ouvrant leurs têtes, comment ils
pourraient soigner le blessé royal.

Mais le monarque mourut.

Et moi je conduisis Anne de Buisson jusqu'à l'hôtel
de Ponthieu où les gentilshommes huguenots parlaient
de crime espagnol ou bien de châtiment de Dieu.

Comment aurais-je pu croire à la paix ?

J'ai quitté Paris pour l'Espagne en emportant le souvenir d'Anne, cette jeune fille aux tresses blondes, en
robe bleu ciel.

QUATRIÈME PARTIE

33.

Je me suis terré plusieurs jours dans le Palacio Sarmiento.

L'intendant Luís Rodriguez m'avait caché dans un réduit proche de ma chambre. Des coffres remplis de linge s'y entassaient et j'avais aménagé entre deux d'entre eux une cavité où je me pelotonnais dès que j'entendais des pas.

Lorsqu'ils s'éloignaient, j'escaladais les coffres et m'installais au sommet de leur amoncellement, non loin de la lucarne. Je lisais, ne me lassant pas de suivre Dante et Virgile dans leur visite de l'Enfer.

Je n'entrais que rarement au Purgatoire, et jamais au Paradis.

Il me semblait que j'étais destiné, comme chaque homme, à l'Enfer. Et il commençait ici, sur notre terre, sitôt que nous avions poussé le premier cri.

Je me souvenais de ces corps nouveau-nés éventrés, mutilés, fracassés, que j'avais découverts dans les villages pillés par les infidèles, et dans ceux saccagés par les troupes chrétiennes de Philippe II lorsqu'elles avaient sillonné la campagne de Saint-Quentin.

Ce que j'avais vu, tout au long de mon voyage entre Paris et Valladolid, m'avait encore persuadé que le châtiment de Dieu ne cesserait jamais. Il avait voué les hommes à s'entre-dévorer du premier au dernier jour de leur vie.

Et l'élan d'amour, ce souvenir du jardin d'Éden, avait tôt fait de se briser, n'était peut-être même que le moyen de nous condamner au regret, de nous faire souffrir davantage, nos bras ouverts n'enlaçant tout à coup que l'absence, notre regard un instant comblé s'affolant de ne plus rencontrer que le vide.

Et chaque jour qui m'avait éloigné de Paris m'avait fait davantage souffrir au souvenir d'Anne de Buisson.

J'avais voyagé seul.

Ne comprenant pas que je choisisse de rentrer en Espagne en traversant le royaume de France au lieu de regagner Bruxelles avec les seigneurs espagnols et flamands, d'y retrouver Philippe II avec lequel on prendrait la mer pour rejoindre La Corogne, Sarmiento m'avait proposé une escorte de cavaliers. Mais j'avais choisi ma route comme on lance un défi, comme on joue sa vie aux dés.

C'était une sorte de retraite, le choix de la solitude pendant plusieurs semaines. Également une façon d'offrir ma vie à ceux qui voudraient la prendre. Une manière de savoir si Dieu voulait m'accorder de souffrir encore ici-bas ou bien de me plonger déjà dans les tourments de l'enfer.

Lorsqu'il l'avait compris, Sarmiento avait cessé de tenter de me raisonner, et m'avait serré contre lui.

— Tu dois ta vie à Dieu, m'avait-il dit. Ne l'abandonne pas au premier venu.

J'ai découvert ainsi le royaume de France. J'ai rêvé le long de ses rivières bordées de peupliers. J'ai longé ses champs de blé. J'ai vu l'opulence de cette campagne aux mille villages.

Me souvenant de l'aridité du pays barbaresque et de l'austère rudesse des sierras et des campagnes d'Espagne, j'ai pensé que ce pays avait été le préféré de Dieu. Il lui avait offert la fertilité et la douceur, les cieux cléments et les fleuves paisibles.

Puis, au fur et à mesure que j'avançais, traversant les villages, marchant au pas lent de mon cheval vers le sud, j'ai compris que cette richesse que Dieu avait donnée aux hommes de France était aussi un moyen de les juger, de savoir s'ils Lui seraient reconnaissants de Sa générosité ou bien s'ils dilapideraient le trésor qu'Il leur avait confié.

Or ils le détruisaient.

J'ai vu des champs de blé incendiés, des villages brûlés, mais ce n'était là que spectacle de guerre. Le pire était qu'il semblait que chaque homme de France était l'ennemi de l'autre.

On s'accusait d'avoir voulu la mort du roi.

On dénonçait parmi ses voisins les alliés des Espagnols, ou bien ceux qui avaient attiré la vengeance de Dieu sur le royaume.

On disait que l'héritier du roi, François II, n'était qu'un enfant de quinze ans mal portant. Et que l'Italienne, Catherine de Médicis, la reine sorcière, allait régner à sa place ; que s'il lui résistait elle l'empoisonnerait.

J'ai affronté cette haine dans le premier village traversé, quand on a tenté de me barrer la route, de me jeter à terre en criant que j'étais un huguenot, que j'appartenais à la secte qui avait attiré le malheur sur le royaume et provoqué la mort du souverain, ou qui l'avait assassiné parce que Henri II avait fait dresser des bûchers en plein Paris contre les hérétiques. Eux voulaient faire de même avec moi, me lançant des pierres, harangués par un prêtre qui les incitait à se saisir de ma personne. J'ai donné des coups de plat d'épée, j'ai éperonné mon cheval, renversé du poitrail quelques-uns de ces paysans.

Je n'ai été rassuré que dans la campagne vide d'hommes, sur la route déserte.

Fallait-il que les humains désertent la terre pour qu'elle soit pacifiée ?

Dans un autre village, plus au sud – Rouviac –, on m'a accusé avec la même rage d'être espagnol, et quand j'ai, en répondant, montré que j'étais né dans le royaume, on m'a soupçonné d'être l'un de ces papistes, spadassin de la sorcière Catherine et espion de Philippe II, le fornicateur.

On m'a entouré. On tenait mon cheval. On me menaçait de fourches et de gourdins.

J'ai pris le corps de mon père comme bouclier : j'ai dit que j'étais Bernard de Thorenc, fils du comte Louis de Thorenc, un huguenot tombé dans la bataille de Saint-Quentin en luttant contre les Espagnols.

On m'a acclamé, conduit jusqu'au château voisin où le comte de Maupertuis m'a accueilli, m'assurant de son indéfectible foi réformée, me montrant les livres de Calvin.

Il fallait, m'a-t-il dit, s'emparer du jeune roi pour l'arracher aux intrigues des ducs de Guise, ces étrangers venus de Lorraine, une terre d'empire.

Il fallait extirper de ce royaume tous ceux qui étaient prêts à le livrer au roi d'Espagne comme ils venaient de lui vendre leur fille, cette pauvre pucelle de treize ans, Élisabeth de Valois, qui allait souffrir mille morts entre les pattes de ce barbon dont la rumeur assurait qu'il était si étrangement membré que c'était supplice, pour les femmes, que de se soumettre à lui.

Après avoir quitté le comte de Maupertuis, j'ai continué ma route en évitant les villes et les villages sur les places desquels papistes ou huguenots, les uns et les autres bons et vrais chrétiens, dressaient des bûchers.

Je suis arrivé de nuit dans la campagne de Valladolid, surpris de dépasser, sur les routes qui conduisaient à la ville, des cortèges de paysans précédés de moines et de prêtres qui priaient et chantaient des psaumes.

Ils portaient de grands crucifix et des cierges ; dans la campagne, on voyait ainsi se dessiner de longues traînées de feu qui s'approchaient de la ville.

J'ai senti les regards soupçonneux peser sur moi et j'ai pris le galop.

Les ruelles de la ville étaient pleines d'une foule de moines, de prêtres et de paysans. Les enfants dormaient, accrochés au cou de leurs mères. Plaza Santa Maria, on avait dressé une grande estrade et des crucifix. Plus loin, j'ai deviné dans l'obscurité des amoncellements de fagots d'où pointaient les piloris.

Plus j'avançais dans la ville, plus j'avais l'impression

d'être enveloppé d'une rumeur hostile comme celle d'un essaim qui bourdonne.

J'ai eu la certitude qu'on allait se précipiter sur moi, me percer de centaines de dards.

Ma peau en frissonnait déjà.

J'ai enfin atteint le Palacio Sarmiento et l'intendant Luís Rodriguez m'a ouvert, les yeux effarés en me voyant, m'entraînant aussitôt à l'intérieur, me poussant dans les couloirs vers la tour où je logeais, puis ouvrant la porte de ce réduit, me chuchotant que je ne devais me montrer à personne, à aucun domestique, car le grand inquisiteur avait des espions dans chaque maison.

Luís Rodriguez reviendrait dès qu'il le pourrait, quand tous les domestiques seraient partis écouter le jugement, assister au supplice des condamnés.

— Ils veulent les voir brûler, ces malheureux qui ont déjà plusieurs fois parcouru toute la ville en robe de laine jaune. Ils savent ce qui les attend : sur les robes, il y a des dessins de flammes et de diables. Certains condamnés ont déjà les membres brisés par la torture. Mais c'est à l'aube qu'ils vont griller, et personne ne veut manquer le spectacle.

J'ai entendu le piétinement de la foule, puis les prières, les cris, et des sanglots mêlés à des chants. Luís Rodriguez s'est glissé dans le réduit et s'est assis en face de moi.

Il a parlé d'une voix étouffée par la peur.

Francisco Valdés, l'archevêque de Séville, a-t-il commencé, était aussi l'inquisiteur général. Il avait décidé de purifier Valladolid où il vivait, sûr que la ville était devenue un foyer d'hérésie.

Luís Rodriguez a levé le bras, secoué la tête. Qui pouvait imaginer cela ? L'archevêque avait sûrement d'autres buts.

Des milliers d'inquisiteurs s'étaient installés là, parcourant les rues, interrogeant tous les habitants, examinant les bibliothèques du collège de Santa Cruz et celle de l'université. Ils brûlaient les livres par centaines.

Personne n'échappait à leurs soupçons. Même les évêques étaient poursuivis.

Luís Rodriguez a encore baissé la voix.

L'archevêque de Tolède, primat d'Espagne, Bartholomé de Carazza, avait été mis en accusation pour avoir prononcé – un moine l'avait rapporté – au chevet de Charles Quint, en présentant à l'empereur un crucifix, une phrase jugée hérétique : « Il n'y a plus de péchés, tout est absous ! »

Luís Rodriguez s'était signé, puis m'avait mis en garde.

Les étrangers, les soldats qui avaient combattu en terre d'islam ou dans ces contrées d'hérésie avaient été arrêtés. Les anciens captifs des infidèles avaient tous été recherchés, puis emprisonnés.

La régente d'Espagne, Juana, sœur de Philippe II, avait abandonné toute autorité entre les mains de l'inquisiteur général, un homme avide d'argent et de pouvoir.

Luís Rodriguez s'est mis tout à coup à trembler, regardant autour de lui, puis me fixant avec des yeux anxieux.

Il devait se reprocher de s'être laissé aller à ces confidences, de m'avoir caché. Il a commencé à se lamenter, en secouant la tête, les lèvres tremblantes. Il se maudissait de m'avoir ouvert la porte. À quel démon avait-il cédé ? On avait dû le voir. Ils avaient des espions dans chaque rue, dans chaque maison. On l'avait sans doute déjà dénoncé.

Il se tordait les mains, se mordillait les lèvres.

J'avais devant moi un homme saisi par la peur.

Il levait la tête vers la lucarne tout en chuchotant :

— Vous les entendez ? Ils sont des centaines de condamnés. Ils forment une longue procession. Ils sont pieds nus. Tous ont revêtu la robe jaune couverte de diables et de flammes. On les conduit au bûcher. Personne ne les a défendus. Je suis plus coupable qu'eux. Moi, ils me tortureront. Ils me briseront les genoux, m'arracheront la langue.

J'ai senti qu'il était capable, poussé par l'effroi, de se présenter devant les inquisiteurs, de se dénoncer et de me livrer afin d'en finir avec l'angoisse qui l'inondait de sueur.

Dieu, vouliez-Vous que les hommes, en Votre nom, soient ainsi avilis ?

J'ai pris Luís Rodriguez par les épaules et ai tenté de l'arracher à cette panique qui l'aveuglait.

Je lui ai répété que, sous la torture et dans les flammes, je nierais qu'il m'avait accueilli et aidé.

J'en ai fait serment devant Dieu.

Peu à peu, il s'est calmé, me promettant même de me porter chaque jour une cruche d'eau, du pain et des fruits. Mais je ne devais pas sortir du réduit avant le retour du comte Diego de Sarmiento. Lui seul avait assez de courage, était assez proche du roi, pour nous protéger.

Il m'a regardé.

— Serment devant Dieu ? a-t-il demandé en me fixant.

J'ai répété.

— Devant Dieu !

Il a paru calmé, s'est signé. Puis il est parti, voûté, comme un homme qui reste accablé.

Je me suis agenouillé et j'ai prié.

Seigneur, comment savoir si ceux qui Vous invoquent, qui prétendent agir pour Vous défendre, qui gouvernent les hommes en se servant de leur peur, de leur lâcheté, de leur jalousie, ne sont pas des diables masqués, même s'ils ont revêtu les habits de Votre Église ?

Car faire souffrir en Votre nom, est-ce Vous servir ou Vous trahir ?

J'entendais les chants, les tambourins et les crécelles.

J'imaginais cette procession jaune de condamnés au bûcher.

Je voyais les cierges, les statues de la Vierge portées sur les épaules des pénitents.

Je n'ai plus voulu entendre.

J'ai rampé jusqu'à la cavité obscure et m'y suis blotti.

34.

J'ai pu à nouveau marcher dans les rues de Valladolid sans crainte d'être arrêté.

Diego de Sarmiento, rentré de Bruxelles avec le roi, m'avait assuré que j'étais sous la protection de la cour. Le grand inquisiteur était un homme prudent qui jamais n'oserait défier le souverain.

Mais je voyais Francesco Valdés agenouillé aux côtés de Philippe II, au premier rang dans le chœur de Santa Maria la Antiga. Et ils quittaient ensemble l'église en marchant du même pas, le roi s'appuyant sur le bras de l'inquisiteur général, lui chuchotant quelques mots, et Valdés inclinait la tête, souriait. Il me semblait que son visage émacié était celui d'un carnassier.

Je ne me débarrassais pas de la peur.

Peu après le retour de Sarmiento, Luís Rodriguez m'a confié à voix basse qu'il allait quitter Valladolid.

Par des moines proches de Valdés, il avait appris que le grand inquisiteur n'avait jamais ignoré ma présence au Palacio Sarmiento. On m'avait suivi dès mon entrée dans la ville. On savait donc qui m'avait accueilli et caché au Palacio Sarmiento. Un jour, dans quelques mois ou quelques années, Luís Rodriguez craignait d'être arrêté, traduit devant le tribunal de l'Inquisition. On lui rappellerait comment il avait hébergé un étranger, un Français, ancien captif des infidèles, peut-être un renégat, un espion du roi de France et du sultan.

— Ils savent tout. Ils connaissent la vie des gens

depuis leur naissance, a ajouté Rodriguez. Ils me condamneront quand ils jugeront le moment venu. Ils me proscriront ou m'enfermeront pour le restant de mes jours, ou bien ils me tortureront puis me brûleront sur la Plaza San Pablo. Ils choisiront ce qui sera le plus utile pour eux.

Il a serré les poings tout en les élevant devant son visage.

— Je suis entre leurs mains, a-t-il dit. Qu'est-ce que je suis pour eux ? Ils m'écraseront quand ils le voudront.

Je ne lui ai pas répondu.

J'avais le sentiment, moi aussi, d'être épié.

Lorsque je quittais le Palacio Sarmiento pour me rendre Plaza San Pablo, au Palacio Real, afin d'y retrouver Sarmiento, je voyais des silhouettes se détacher de la façade et me suivre, à quelques pas, sans même chercher à se dissimuler.

Je les retrouvais à la sortie du Palacio Real. Elles entraient derrière moi au Colegio Santa Cruz ou au Colegio San Gregorio, me suivant dans les bibliothèques. J'étais sûr qu'elles relevaient les titres des livres que je consultais.

Un jour, on m'accuserait peut-être d'avoir lu saint Augustin.

Je rapportais ces faits à Sarmiento. Il les écoutait distraitement. Il m'interrompait, me parlait sans cesse de l'arrivée prochaine de la jeune reine française que Philippe II n'avait pas encore rencontrée.

Élisabeth de Valois s'était mise en route avec ses suivantes, sa mère Catherine, des chevaliers français, mais, dès qu'elle franchirait le col de Roncevaux, elle serait sous la garde des seigneurs espagnols. Elle ne serait plus la fille du roi de France, mais la reine d'Espagne. Et le cardinal Mendoza lui réciterait le psaume 45 : « Écoute, ma fille. Regarde et prête-moi l'oreille. Oublie ton peuple et la demeure de ton père : alors le roi convoitera ta beauté. »

Sarmiento ajoutait :

— Le roi est impatient. Mais Élisabeth n'est pas encore femme. Il ne peut la forcer.

Il riait :

— Le taureau espagnol va devoir attendre ! Mais il s'ébroue ailleurs...

J'avais vu le souverain avec Efrazia de Guzmán.

Je l'avais vu faire sa cour à Anna de Mendoza della Cerda, princesse d'Eboli, revenue avec lui des Pays-Bas où son mari Ruy Gomez était resté sur ordre du souverain. Et l'on jasait sur les amours de Philippe et de la jeune princesse borgne au bandeau noir.

— Bientôt on ne comptera plus les bâtards d'Espagne ! avait ricané Sarmiento. Le fils va faire mieux que le père, le roi que l'empereur !

Sarmiento m'avait conté qu'avant sa mort Charles Quint avait souhaité rencontrer ce fils qu'il avait eu d'une Flamande. Une putain italienne m'en avait naguère parlé, est-ce que je me souvenais ?

Sarmiento m'avait défié du regard comme s'il voulait me montrer par là qu'il n'ignorait rien du sort final de Mariana Massi.

— Philippe II a reconnu son frère, avait poursuivi

Sarmiento après un instant de silence. Il va présenter don Juan à la cour.

J'ai imaginé les courtisans s'inclinant pour saluer ce fils d'un empereur et d'une lavandière flamande aux mœurs dissolues.

Et l'on ferait mine de ne pas comprendre pourquoi Efrazia Guzmán, dont la taille avait forci, épousait un prince italien que le roi honorait et récompensait d'une pension.

Était-ce donc cela, l'Espagne du Roi Catholique ? Celle du mensonge, de la débauche et de l'Inquisition ?

Sarmiento m'a pris le bras.

J'avais tort de m'inquiéter, m'a-t-il dit.

— Le grand inquisiteur est un archevêque qui aime l'or et le pouvoir. Il ne se dressera jamais contre le roi. Il a arraché à la régente Juana tout ce qu'il a pu. Maintenant, il sait qu'il doit se tenir coi. Il digère comme un fauve qui a englouti trop vite ses proies. Il ne ressortira ses griffes que si Philippe II lui en donne l'ordre.

Je devais comprendre que l'Inquisition était une arme contre les hérétiques, donc contre les infidèles. Ceux qui se dressaient contre elle servaient les ennemis de la foi. Il fallait seulement que les inquisiteurs n'oublient pas qu'ils n'étaient pas seulement des serviteurs de l'Église, mais aussi de la couronne d'Espagne.

— Francesco Valdés le sait.

C'était pour cela que, d'après Sarmiento, je n'avais rien à redouter.

Mais, lorsque je traversais la Plaza San Pablo, je distinguais encore sur le sol de grands cercles noirs. Ils

261

rappelaient qu'ici et là on avait entassé des fagots de branchages secs et placé au centre de ces bûchers des hommes et des femmes revêtus de la robe de laine jaune sur laquelle avaient été cousues des langues de tissu rouge représentant des flammes et des têtes de diable.

Entre les pavés, malgré le vent et la pluie, subsistaient des cendres grises, poussière d'homme et de bois.

J'ai voulu quitter les murs de cette ville d'où suintaient la peur et le sang.

J'ai voulu m'éloigner de cette cour d'Espagne où régnaient l'hypocrisie et le mensonge.

J'ai voulu retrouver la foi jaillissante des combattants du Christ tels que saint Bernard les avait décrits dans la charte des chevaliers du Temple.

J'ai voulu affronter les infidèles et non pas être mêlé à ces courtisans qui ne cessaient de forniquer, ripailler, se jalouser.

Pour fuir la ville, j'ai accepté de faire partie des seigneurs espagnols qui s'en allaient accueillir à Roncevaux Élisabeth de Valois et ses suivantes.

Des bourrasques de vent et de neige balayaient le col.

J'entendais les rires de ces jeunes filles, et, parmi elles, j'ai aperçu Anne de Buisson, ses cheveux blonds s'échappant d'un capuchon bordé de fourrure argentée.

J'ai marché vers elle, devinant qu'elle m'avait reconnu.

J'ai saisi ses mains gantées. J'ai senti sous le cuir ses doigts frêles.

Je lui ai murmuré :

— Ne restez pas. Retournez en France. Ici ils ne pardonnent pas. Votre frère est huguenot. Ils le sauront, ou le savent déjà. Ils vous surveilleront. Ils vous éloigneront de la reine et vous condamneront. Partez, partez !

Je lui ai serré les mains autant que j'ai pu, mais elle les a retirées d'un mouvement brusque, laissant ainsi l'un de ses gants entre mes doigts.

Elle m'a tourné le dos et je l'ai vue chuchoter quelques mots à la reine. Puis, dans le vent et la neige, le cardinal Mendoza a récité les quelques phrases du psaume 45 dont je n'avais pas mesuré la violence et la cruauté : « Oublie ton peuple et la demeure de ton père : alors le roi convoitera ta beauté. »

Elle était belle, Élisabeth de Valois, l'innocence et la franchise riaient sur son visage.

J'ai pensé à la mâchoire lourde de Philippe II, à ce corps de roi jouisseur qui allait écraser celui de cette jeune fille. À ce taureau noir déchirant cette chair si blanche qu'elle en paraissait transparente, laissant voir de fines veines bleutées.

J'ai souvent vu la reine, et, autour d'elle, ses suivantes, toutes insouciantes et joyeuses, illuminant de leur jeune gaieté les salles glacées de l'Alcazar de Tolède qui se dressait comme un massif de pierre au-dessus des eaux noires de la boucle du Tage.

Sarmiento me guidait dans ces salles, parmi les courtisans, les conseillers, les femmes dont le visage exprimait la gravité et les yeux l'envie, la jalousie, l'avidité.

Sarmiento me montrait don Carlos, le fils difforme de Philippe II, qui s'en allait, sa grosse tête bosselée penchée de côté, rôdailler autour des femmes.

Puis il me désignait un jeune homme aux traits fins

dont la beauté contrastait avec la laideur de don Carlos. C'était don Juan, le bâtard de Charles Quint. Près d'eux se tenait Alexandre Farnèse, le fils de Marguerite de Parme, autre bâtarde de Charles Quint.

Je cherchais Anne de Buisson, mais j'appris – aussitôt j'avais été comme emporté par un souffle de gaieté – qu'elle avait regagné la France où réformés et papistes avaient commencé à se livrer une véritable guerre et où il fallait, disait Sarmiento, exterminer les huguenots, en finir avec leur secte. Lui-même insistait auprès de Philippe II pour qu'une armée espagnole fût envoyée soutenir les catholiques.

Le nouveau roi de France, Charles IX, n'était encore qu'un enfant, et la reine mère, Catherine, qui s'était instituée régente, était une femme à qui personne ne pouvait se fier, décidée un jour à conduire une croisade impitoyable, le lendemain cherchant un accord avec les « mal-sentants de la foi ».

— Elle songe avant toute chose à sauvegarder le trône de son fils. Nous autres Espagnols pensons d'abord à l'Église du Christ.

Je doutais, Seigneur.

J'écoutais les rumeurs, devinais les intrigues qui pourrissaient la cour d'Espagne.

On assurait que Philippe II ne se souciait plus de combattre les infidèles, mais, comme un rapace couché sur sa proie, de garder ce qu'il possédait, oubliant ces milliers de chrétiens que Turcs et Barbaresques avaient réduits en esclavage.

Qui libérerait Michele Spriano ?

L'or et l'argent nécessaires pour armer des galères,

payer la solde des troupes, acquitter les rançons, le roi les employait à construire un monastère et un immense palais à Escurial, non loin de la petite ville qu'il avait choisie pour capitale, Madrid.

Au lieu d'établir des plans de bataille contre les Turcs, il examinait chaque jour l'avancée des travaux de son palais de l'Escurial. Et, lorsqu'il rentrait à Tolède, il ne pensait plus qu'aux femmes.

On disait qu'il n'avait pas encore honoré la reine, trop jeune, mais, chaque soir, telle ou telle de ces nobles et fières Espagnoles, ou bien une simple fille rejoignait sa couche.

Sarmiento riait, avouait qu'il héritait de ces maîtresses d'une nuit, et je devinais qu'il utilisait, pour accroître son influence, cette complicité qui le faisait parfois coucher comme un chien fidèle au pied du lit du roi.

Sarmiento se moquait de moi, s'étonnait : j'avais bien changé, depuis les Pays-Bas ! disait-il.

— Tu vis comme un moine, mais sans la bure.

Il proposait de me ménager des rencontres avec ces femmes qui s'offraient et que quelques ducats suffisaient à satisfaire. Il me rappelait que, durant sa captivité en Espagne, François Ier avait acheté une jeune esclave noire qui venait le retrouver chaque matin.

— Tu n'es pas espagnol, mais es-tu français ? me demandait Sarmiento. Nous aimons chacun à notre manière trousser les filles. Mais toi ?

Il s'éloignait un peu, me dévisageait. Est-ce que je craignais la vérole ? Il écartait la menace d'un haussement d'épaules. Qui n'avait pas, dans ses ancêtres, un vérolé ? On vous léguait la maladie, eussiez-vous vécu dans l'abstinence.

Il baissait la voix, murmurait que l'on craignait que la reine Élisabeth de Valois, toute pucelle qu'elle fût encore, n'en fût atteinte. Sa vieille Italienne de mère, Catherine de Médicis, le craignait et faisait donner à sa fille des bains de blancs d'œufs pour que la peau de la vierge restât lisse. Catherine craignait que Philipe II, averti du risque, ne touchât pas à son épouse et ne la répudiât.

Je ne voulais plus écouter. J'étouffais.

J'insistais auprès de Sarmiento pour qu'il favorisât mon départ d'Espagne, mon enrôlement parmi ces chevaliers de Malte si peu nombreux qui affrontaient les infidèles. Eux étaient les héritiers des chevaliers du Temple ! Enguerrand de Mons les avait déjà rejoints.

Je m'impatientais.

On apprenait que les galères de Dragut avaient, devant Djerba, détruit une flotte espagnole et fait prisonniers des centaines de chrétiens.

Désormais, les Turcs et les Barbaresques imposaient leur loi d'une extrémité à l'autre de la Méditerranée.

Je voulais les combattre comme on se purifie.

35.

Un matin, enfin, j'ai revêtu mon armure et me suis agenouillé parmi les chevaliers.

C'était l'aube.

Comme on retire lentement un voile, le ciel déjà apparaissait bleuté, mais la mer était encore recouverte par la nuit. Elle respirait, paisible, au pied des murailles du fort.

Tout à coup, étouffant le bruit régulier du ressac, j'ai entendu battre les tambours des infidèles.

Ce roulement sourd auquel se mêlaient l'aigre sifflement des flûtes et le frottement aigu des crécelles nous a enveloppés.

Il faisait froid. J'ai frissonné et regardé autour de moi.

Dans la pénombre, j'ai deviné la foule des chevaliers agenouillés ou debout sur les remparts. Ils formaient une masse plus sombre que la lumière grise commençait d'effleurer. Leurs casques et leurs piques, les étendards et les bannières que le vent, qu'à Malte on appelle *magistrale*, faisait claquer se découpaient sur l'horizon.

J'ai reconnu ou plutôt deviné, agenouillé près de moi, le front posé contre la garde de son glaive, Enguerrand de Mons.

Je l'ai imité. J'ai fermé les yeux au moment où s'élevait la voix du Grand Maître de l'ordre de Malte, Jean de La Valette :

— Chevaliers, mes frères en Dieu, jurons devant Notre-Seigneur de défendre chaque pierre de notre île, qu'elle devienne l'enfer des infidèles, qu'ici commence la grande bataille et se célèbre la première victoire qui nous conduira jusqu'au tombeau du Christ !

Les voix des chevaliers et des soldats, auxquelles j'ai mêlé la mienne, ont clamé leur résolution et leur foi.

J'ai rouvert les yeux.

Les deux rades que séparait l'isthme de Saint-Elme, à l'extrémité duquel était bâti le fort, grouillaient des galères turques et barbaresques de Dragut et de Mustapha. La terre ferme disparaissait sous les uniformes rouge, vert et jaune des fantassins turcs, des janissaires au haut turban. Les cavaliers caracolaient à côté des soldats en marche, portant piques et arquebuses.

Ils étaient près de quarante mille à avoir débarqué à l'autre bout de l'île et à l'avoir parcourue, laissant partout des traînées de sang.

Et maintenant, comme une vague énorme, invincible, ils approchaient des murailles du fort Saint-Elme où nous étions quelques centaines à écouter battre leurs pas et leurs tambours.

Brusquement, alors que le ciel était entièrement bleu, dégagé de tous les voiles sombres de la nuit, les flancs de chaque galère – elles étaient des dizaines, formant une longue ligne, fermant les baies – se sont couronnés de gros bourgeons blancs. Et, en même temps que j'entendais les détonations des canons des navires, je vis les pierres des remparts se briser sous le choc des boulets. Certains étaient chargés de poudre et explosaient, d'autres étaient rougis au feu et leurs éclats étaient comme des coups de hache.

Nous nous sommes glissés sous les voûtes du fort, ne

laissant sur place que des guetteurs, et j'ai serré à pleine main la garde de mon glaive, cette croix que j'allais lever, abattre, frappant d'estoc et de taille les infidèles, perçant leur corps, fendant leur front, tranchant leurs membres.

Seigneur, donnez-moi la force !

Seigneur, mon sang, ma vie sont à Vous !

Seigneur, je suis Votre chevalier. Je suis venu pour Vous servir et vaincre Vos ennemis !

Pour parvenir jusqu'à Malte que les flottes de Dragut et de Mustapha avaient commencé d'assiéger, le voyage avait été long. Plusieurs jours dans les bourrasques pour aller de Tolède jusqu'à Valence. Et il m'avait fallu attendre qu'un navire voulût bien m'embarquer pour rejoindre Barcelone.

Nous avions navigué à quelques encablures de la côte, nous cachant le jour au fond des criques, tant le capitaine et les marchands qui étaient du voyage craignaient les corsaires barbaresques.

— Ils sont les maîtres de la mer, avait dit en soupirant le premier, un homme fort qui allait et venait sur le pont au milieu des tonneaux et des ballots de peaux de mouton et de bœuf.

Il gardait les mains enfoncées dans une large ceinture de tissu rouge.

Ses propos renforçaient ma détermination : il fallait chasser les Barbaresques et les Turcs de cette mer romaine, *Mare Nostrum*, celle que l'empereur Constantin, lorsqu'il avait voué l'empire à la religion du Christ, avait faite chrétienne. Il fallait la reconquérir, repousser loin des côtes les musulmans, se souvenir de

269

la devise de Constantin, de sa vision d'un crucifix sur lequel flamboyaient les mots : *Tu hoc signo vinces* (« Par ce signe tu vaincras »).

Le capitaine et les marchands qui m'entouraient m'écoutaient en silence, puis me regardaient avec commisération.

L'un d'eux, un Vénitien, Ciampini, me dit le deuxième jour, alors que nous avions jeté l'ancre près de la côte, que ce n'était pas de bataille dont lui et ses pareils – et même les royaumes, et naturellement la république de Venise – avaient besoin, mais de traités de paix de manière à pouvoir vendre tissus et armes, acheter épices et soieries sans craindre de se faire tuer et voler par les corsaires, ces brigands des mers. À cet égard, les chrétiens ne valaient pas mieux que les infidèles : tous détrousseurs et pillards ! La croix ou le croissant, le Christ ou le Prophète n'étaient que les masques de leurs rapines.

J'avais refusé de l'entendre plus longtemps. Je voulais garder ma résolution aussi pure qu'une eau de source.

Déjà, au moment où je quittais Tolède, Diego de Sarmiento avait tenté de me retenir. Philippe II regrettait mon départ pour Malte. Il le tolérait parce que j'étais français, mais il m'en garderait rigueur et lui avait fait comprendre qu'un renoncement de ma part m'eût valu quelques privilèges.

— Si tu ne changes pas d'avis, enfuis-toi vite, avait murmuré mon protecteur. On peut te retenir. Si les juges de l'Inquisition décident de te briser les genoux ou de t'enfermer sous bonne garde dans un couvent, tu ne seras pas à Malte avant longtemps.

Mon départ de Tolède avait donc ressemblé à une fuite. Mais ce n'est qu'à mon arrivée à destination que j'ai compris les raisons des réticences de Philippe II à me voir gagner l'île.

Sur les quais du port, attendant d'embarquer sur l'une des dernières galères de l'ordre de Malte qui s'apprêtaient à franchir le blocus des flottes turques et barbaresques, j'avais retrouvé Enguerrand de Mons.

Il avait été chargé par le Grand Maître de l'ordre d'inciter, en France et en Allemagne, les chevaliers à venir se joindre aux défenseurs de l'île, si peu nombreux par rapport aux dizaines de milliers d'infidèles qui avaient déjà débarqué et aux milliers d'autres qui se trouvaient encore à bord des galères musulmanes.

Enguerrand de Mons avait plaidé, harangué, expliqué qu'après avoir perdu Rhodes en 1523 la chrétienté ne pouvait abandonner Malte, ce verrou qui commandait l'accès à tout le sud de la Méditerranée, l'« île du miel » que Charles Quint avait donné à l'ordre en 1530 pour qu'il en fasse l'avant-poste maritime de l'Occident chrétien.

Si Malte tombait, alors la Sicile, puis Naples, et pourquoi pas Rome et Venise seraient menacées. Et plus personne ne pourrait défendre Chypre, oubliée au fin fond de la Méditerranée, impossible à ravitailler et à défendre dès lors que les galères musulmanes contrôleraient la mer.

Mais Enguerrand de Mons avait rencontré peu d'échos. On soupçonnait l'ordre de Malte d'être le bras armé de la papauté. Et Philippe II regrettait que Charles Quint eût fait don de l'île à l'ordre.

— Nous sommes seuls, avait murmuré Enguerrand. Quelques chevaliers comme vous – il avait montré une dizaine d'hommes qui patientaient sur le quai – ont répondu à mon appel. Philippe II est un roi tortueux. Une victoire des Turcs, notre écrasement et notre dispersion ne lui déplairaient pas. Mieux : il l'escompte, il l'espère. Il sera ainsi débarrassé de l'ordre, le pape sera affaibli et dépendra donc davantage du bon vouloir de l'Espagne. Et un jour Philippe espère pouvoir reconquérir Malte à son profit, reprendre ainsi ce que Charles Quint avait donné.

Enguerrand de Mons s'était arrêté et m'avait fait face.

— Mais, vous et moi, nous devons vaincre Dragut, n'est-ce pas ?

La galère a attendu la nuit pour se glisser entre les vaisseaux musulmans. Quand nous nous en sommes rapprochés, quelques-uns de nos rameurs se sont mis à crier, et leurs voix ont résonné entre les hautes falaises de l'île, couraient au ras des flots vers leurs frères.

Nos gardes-chiourme ont égorgé ces rameurs, et les autres se sont tus.

Sur les ponts des galères de Dragut et Mustapha, on brandissait des torches, on tentait d'éclairer la baie. Des navires nous ont pourchassés, mais nous avons réussi à nous mettre à l'abri sous les murailles du château Saint-Elme. Et les forts de Saint-Michel et Saint-Ange, situés de part et d'autre des baies, ont commencé à tirer sur les navires qui nous poursuivaient.

Enfin j'ai pu sauter à terre, découvrir l'île, ces villes, ces tours de guet qui dominaient les arbousiers, les cyprès, les figuiers et les citronniers. Les vents – d'abord le *magistrale*, puis le *gregale*, le *rhamsin*, le *scirocco* – couchaient avec plus ou moins de violence les blés, secouaient les vignes, portaient les voix des guetteurs d'une colline à l'autre.

Les troupes de janissaires placées sous le commandement du général Mustapha marchaient sur la capitale, Mdina, située au centre de l'île, puis elles se dirigeraient vers les deux baies jumelles et les forts de Saint-Michel et Saint-Ange. Mais, ajoutait Enguerrand de Mons, le bras tendu, c'était à Saint-Elme et dans la ville de Bourg, qu'il protégeait, que se déciderait le sort de l'île, car le fort était la clé de voûte de la défense des baies et l'on pouvait, par des souterrains, rejoindre Mdina et les tours qui, à l'intérieur du pays, défendaient les petites villes.

Il fallait se dépêcher d'atteindre le fort car les soldats de Mustapha pourraient facilement couper l'isthme de Saint-Elme et encercler et le fort et Bourg.

— Nous serions alors comme une île dans l'île, avait dit Enguerrand de Mons tandis que nous marchions, que nous entendions les explosions qui se succédaient et voyions les boulets ébrécher les remparts.

Ce matin, les boulets ont commencé à tomber et nous nous serrons les uns contre les autres sous les voûtes du fort.

J'ai la bouche sèche. Nous manquons d'eau, d'autant plus que le *rhamsin* s'est levé et qu'il est chaud, chargé du sable du désert qui pique et brûle le visage, reste collé aux lèvres, s'infiltre dans la bouche.

Tout à coup, les explosions cessent et nous entendons les tambours, les flûtes, les crécelles et les cris. Les janissaires doivent poser leurs échelles contre les remparts.

Je me précipite, glaive levé. Les flèches sifflent. Des chevaliers tombent et une détonation ébranle le sol. Les musulmans ont dû creuser une sape sous le fort et la bourrer de poudre. Des pans de mur s'effondrent. J'entends les cris des hommes ensevelis.

Mais le combat ne laisse le temps ni de pleurer ni d'hésiter.

Je m'élance, glaive levé ! Et fends les corps, et tue, tue !

Les janissaires s'accrochent aux pierres des remparts. Je leur tranche les doigts et les bras, repousse les échelles. J'égorge celui qui me fait face et me vise avec son arquebuse.

La pointe de la pique d'un autre glisse sur ma cuirasse.

Bientôt, au bas des remparts, sur les rochers, là où les galères turques ont débarqué des soldats, il n'y a plus qu'un entassement de corps que le ressac recouvre, tire, roule et balance dans une mer devenue rouge.

Et de l'autre côté du fort c'est le même entassement de cadavres d'hommes et de chevaux.

Enguerrand de Mons court sur les remparts, crie des ordres. Des hommes d'armes approchent des torches à la base de tubes courts que je sais bourrés de poudre, de tissus imbibés d'huile, de poix. Des flammes jaillissent au-dessus des remparts, s'élargissent, embrasent les buissons, enveloppent cavaliers et fantassins turcs dont les amples vêtements se consument en quelques instants.

Les corps se recroquevillent. Les flammes deviennent rougeâtres.

Les cris couvrent le roulement des tambours.

Je vois ce que Dante a vu de l'Enfer.

Je pense à Michele Spriano.

Pas de compassion, pas de pitié, pas de remords.

Je prends une torche, mets le feu à l'un des tubes, et je vois au bout des flammes des cavaliers dont les chevaux se cabrent, qui tentent de fuir mais que la mort ardente rejoint.

C'est un moment de répit dans l'assaut.

Je m'assieds, enlève mon casque. Enguerrand de Mons vient s'installer près de moi.

— Ils reviendront, dit-il. Mais il faut être plus obstinés qu'eux. S'il réussissent à atteindre les remparts, nous nous enfermerons dans les tours, et s'ils nous en chassent nous résisterons dans les ruines, puis nous défendrons chaque maison de Bourg : la ville est fortifiée. Après quoi nous nous battrons dans les souterrains et gagnerons Mdina.

Je baisse la tête. Je ressens la fatigue. Ma bouche est sèche.

Je voudrais lui parler de Mathilde de Mons. C'est lui qui dit :

— Peut-être avons-nous envoyé Dragut en enfer.

À l'instant où je vais répondre, les boulets rouges recommencent à tomber dans un fracas d'explosions.

Lorsque le silence se rétablit, nous sommes enveloppés de poussière, couverts de gravats. Tout à coup jaillissent les cris des janissaires, le roulement des tambours, l'éclat des trompettes, l'aigu des flûtes et des crécelles.

— Les voici, dit Enguerrand de Mons en se levant.

Je remets mon casque et prends mon glaive à deux mains.

Nous avons résisté plusieurs jours encore.

Mon corps tout entier, enfermé dans l'armure, n'était plus que souffrance ; j'avais les bras brisés à force d'avoir frappé.

La nuit, quelques hommes qui avaient réussi à traverser l'une des baies se faufilaient jusqu'à nous. Ils arrivaient de Messine où le gouverneur García de Toledo, au nom du roi d'Espagne, essayait de les retenir, empêchant la constitution d'une armée de volontaires.

Une de ces nuits, parmi la dizaine de ceux qui nous avaient rejoints après que leur bateau eut été pris en chasse par les galères barbaresques, j'ai reconnu Robert de Buisson et nous nous sommes étreints.

— Huguenot, a-t-il dit, mais chrétien !

Il a fait glisser son gantelet sur le fil du glaive qu'Enguerrand de Mons venait de lui remettre.

— Les Rois Très Catholiques vous laissent massacrer. Je n'aime pas ça. Je suis ici. Mais, demain, peut-être recommencerons-nous à nous étriper !

Il m'a entraîné sur ce qu'il restait du chemin de ronde.

Sa sœur Anne de Buisson avait regagné la France à l'occasion d'un voyage de la reine Élisabeth à Bayonne où elle devait rencontrer sa mère, Catherine de Médicis, et Charles IX.

— Elle a fui l'Espagne.

Il m'a serré l'épaule.

— Vous l'aviez avertie. Peut-être vous doit-elle la vie...

Cette nuit-là, laissant sur place les morts et les blessés, nous avons dû abandonner les remparts et les tours du fort Saint-Elme et nous nous sommes enfermés dans la ville de Bourg qui jouxte le fort. Nous avons tous prêté serment de ne plus reculer. S'ils pénétraient dans la ville, les infidèles ne trouveraient que nos cadavres.

À l'aube il y a eu des cris de rage et d'effroi.

Enguerrand de Mons, Robert de Buisson et d'autres chevaliers étaient sur la jetée du port et j'ai aperçu des planches que le ressac poussait vers le rivage avant de les en éloigner.

Je me suis avancé. J'ai hurlé.

Les corps des chevaliers et des soldats chrétiens prisonniers des infidèles avaient été fendus en croix à grands coups de lame, puis cloués sur des planches et jetés à la mer pour qu'ils viennent s'échouer sur la rive de Bourg que nous défendions encore.

Les infidèles voulaient, en nous terrifiant, nous faire abandonner le combat.

Enguerrand de Mons, Robert de Buisson, d'autres compagnons d'armes et de foi et moi sommes entrés dans l'eau et avons tiré à terre les corps de nos frères martyrisés et profanés.

Nous les avons décloués, réunissant leurs membres écartelés, rapprochant les chairs, enveloppant leurs corps dans nos bannières rouges à croix blanche. Puis, à genoux, nous avons juré de vaincre et de les venger.

Le Grand Maître Jean de La Valette nous a rassemblés autour de lui. Il fallait, a-t-il dit, infliger aux infidèles la « paie de Saint-Elme ».

Le Grand Maître s'est éloigné de quelques pas en compagnie de son conseil, puis Enguerrand de Mons est revenu vers moi.

— Je reconnais là l'œuvre de Dragut-le-Cruel, lui ai-je dit comme il passait à proximité.

Il ne m'a pas regardé, a sauté sur la jetée, criant que nous allions faire payer aux infidèles leur cruauté.

Des hommes d'armes ont conduit sur la grève ceux que nous avions capturés. Ils les ont contraints à s'agenouiller et ont commencé à les décapiter.

Le sang giclait. Les têtes roulaient sur les galets.

Les infidèles ne cherchaient pas à se débattre. Ils ne criaient pas. Ils n'imploraient pas grâce.

Les hommes d'armes ont jeté les têtes dans des sacs et sont remontés vers les remparts de la ville. Ils tiraient les sacs qui rebondissaient sur les galets puis les pavés, y laissant une traînée de sang.

Puis ils ont chargé nos canons avec ces boulets de chair.

Et j'ai vu les têtes voler vers le camp des infidèles.

Nous avons continué à nous battre, résistant sur les remparts de Bourg alors que montaient à l'assaut des milliers d'infidèles.

Ils semblaient ne pas voir le rideau de flammes que nous dressions devant eux. Elles les dévoraient. Mais d'autres surgissaient et quand certains parvenaient jusqu'aux remparts leurs yeux exorbités et leurs cris révélaient qu'ils avaient la tête remplie des rêves qu'alimente le haschich. Nous n'avions aucune peine à les tuer. Ils ne se défendaient pas, c'était comme s'ils avaient oublié que la mort les attendait au bout de nos glaives et de nos piques.

Mais leur nombre nous écrasait et leurs boulets creusaient dans nos rangs des sillons sanglants.

Une nuit, nous avons cru qu'ils avaient réussi à débarquer sur la jetée et la grève.

Nous nous sommes précipités et nous avons vu une foule de chevaliers portant la croix, sautant dans l'eau, marchant vers le rivage, glaive brandi.

C'était enfin le « grand secours » ! García de Toledo avait dû céder et laisser neuf mille hommes quitter Messine pour venir combattre à nos côtés, sauver Malte, la garder au Christ.

À l'aube ils ont attaqué les infidèles qui ont pris la fuite.

Nous étions vainqueurs.

Le temps des averses d'automne commençait.

Le *magistrale* soufflait, glacial.

Nous avons prié, agenouillés au milieu des ruines et des tombes.

J'ai levé la tête vers le ciel bas.

La pluie a lavé mon visage et noyé mes larmes.

36.

Je marche au sommet de ces hautes falaises que la mer sape à grands coups sourds.

Je m'approche de l'à-pic. Je scrute ces rochers, ces débris de promontoire que la mer ensevelit puis laisse réapparaître au gré de la houle, des bourrasques du *magistrale* qui souffle de l'ouest, humide et glacé.

Je veux voir si d'autres corps mutilés, déchiquetés, défigurés, gonflés, ont été rejetés par le ressac.

Car chaque jour, depuis que la tempête a commencé, les vagues déposent à nos pieds ces restes d'hommes.

Quelques-uns portent encore une botte, un ceinturon ; l'un d'eux avait même, comme incrusté dans la chair de son visage dont la mer et les requins avaient dévoré les traits, une partie de son casque.

Ceux-là, on peut savoir s'ils sont janissaires ou chevaliers.

Mais la plupart de ceux qui sont venus s'accrocher aux rochers, s'agripper aux galets de la grève, se recroqueviller dans les anfractuosités de la jetée, sont nus et rien ne permet de les reconnaître. Leur peau a peut-être été blanche ou mate, leurs cheveux ont peut-être été noirs ou blonds, mais la mer a effacé ce qui les opposait.

Comment savoir si ces morceaux d'hommes sont ceux de chrétiens ou d'infidèles ?

Je ne me lasse pas de les repérer, et, en dépit du vent, je me penche comme si je voulais être le premier à découvrir un nouveau corps.

Cela s'est produit plusieurs fois déjà et j'ai eu l'impression que ces cadavres me montraient le fond de l'abîme dans lequel venait se fracasser toute vie.

Celle d'un infidèle comme celle d'un chrétien, d'un catholique comme d'un hérétique.

Et cette pensée était un fer rouge plongé en moi, de ma tête à mon ventre, un épieu de feu qui me faisait douter de Vous, Seigneur.

Pourquoi cette cruauté entre les hommes, si l'infidèle et le chrétien n'étaient plus que ces baudruches lacérées avec lesquelles jouait la mer ?

J'aurais voulu, Seigneur, partager mon désespoir.

Mais à qui le confier ?

Je suis entré à plusieurs reprises dans l'église de Bourg que nous appelions désormais Sainte-Marie-de-la-Victoire. Je voulais m'agenouiller dans l'obscurité du confessionnal, devant un prêtre. Mais, à chaque fois que j'ai parcouru la nef, on y célébrait la messe pour un chevalier mort des suites de ses blessures. Son cercueil était placé devant l'autel. Le Grand Maître de l'ordre, avec sa chasuble rouge marquée de la croix blanche, était agenouillé, entouré des chevaliers de son conseil.

J'ai eu honte de mes doutes !

Les corps pouvaient se mêler dans la mort, chairs putréfiées, mais les âmes étaient pesées par Dieu selon leurs mérites et rien ne pouvait confondre celles-ci avec celles-là.

Je priais. Mes doutes s'effaçaient. La mer pouvait bien vomir des corps par morceaux, les âmes les avaient depuis longtemps quittés.

Je sortais de Sainte-Marie-de-la-Victoire apaisé.

Dans les ruelles de Bourg, les hommes s'affairaient à relever les murs des maisons que les boulets des canons de Mustapha et Dragut avaient fracassés. On bâtissait de nouveaux remparts. On reconstruisait le fort Saint-Elme presque entièrement détruit.

Souvent, en soulevant les blocs effondrés, on découvrait des corps eux aussi rongés.

Lorsque leur état ne permettait pas de les reconnaître, on les enterrait la nuit, loin des sépultures honorées, comme s'il s'était agi de pestiférés.

Sachant cela, j'étais à nouveau saisi par le désespoir.

J'ai souvent imploré Votre aide, Seigneur, en ces jours qui étaient pourtant ceux de notre victoire sur l'infidèle.

Mais je ne pouvais me confier qu'à Vous.

Car j'errais sur l'île, chevauchant d'une tour de guet à l'autre, seul.

Enguerrand de Mons avait le premier quitté Malte, chargé par le Grand Maître de l'ordre de le représenter auprès de la reine mère Catherine de Médicis et du roi Charles IX. Je l'avais accompagné jusqu'à la galère qui devait le conduire à Naples. Puis, par voie de terre, il regagnerait le royaume de France, séjournerait quelques jours dans la Forteresse de Mons avant de se diriger vers Paris où résidait la cour de France.

Alors qu'il avait déjà franchi la passerelle, il m'avait encore incité à l'accompagner. La guerre pour la foi en Christ allait, m'avait-il dit, se dérouler en France. C'est là que les hérétiques étaient les plus nombreux, qu'ils étaient protégés par les plus grands du royaume, par

Catherine de Médicis elle-même qui ne songeait qu'à préserver le pouvoir de ses fils.

— C'est une sorcière, une Médicis, une marchande ! répétait-il.

Il m'avait rapporté les propos colportés par l'ambassadeur de Venise qui avait fait escale à Malte. La reine mère était au cœur de tous les complots qui se faisaient et se défaisaient à la cour. Certains étaient dirigés contre les huguenots : les Condés, les Bourbons, les Coligny, les Thorenc — « votre frère, Bernard, votre sœur ». D'autres cherchaient à abattre les Guises. La reine espérait, en les opposant les uns aux autres, catholiques contre protestants, détruire tous ceux qui auraient pu contester le pouvoir royal.

— Elle vit entourée de mages et d'astrologues, d'empoisonneurs. Les uns lui préparent des mixtures, des onguents, des parfums mortels qu'elle verse et répand là où elle peut. Les autres dressent des horoscopes, construisent des miroirs qu'elle interroge, cherchant à y découvrir combien de fois tel ou tel de ses fils, Charles ou Henri, ou de leur rival, le prince de Navarre, y sera reflété. Et, selon le nombre, elle comptera les années de règne, elle évaluera la durée de vie, elle l'abrégera si elle peut.

Elle utilisait aussi les services d'un « envoûteur d'airain » qui confectionnait de petits automates représentant tel ou tel prince, tel ou tel de ses ennemis, et l'envoûteur fichait des aiguilles dans ces statuettes mobiles, en brisait les membres, en arrachait la tête, les écrasait. La reine Catherine guettait les effets de ces envoûtements sur le corps de ceux dont elle voulait la mort.

J'étais à la fois fasciné et effrayé. Je m'étonnais qu'il partît pour cette cour avec autant d'allant et songeât même à m'inviter à l'y accompagner.

— C'est un nœud de vipères ! avait-il dit. Mais c'est dans le royaume de France que se gagne ou se perd la guerre du Christ. Philippe II le sait, le Grand Maître de l'ordre le sait, le nouveau pape Pie V le sait. Il faut contraindre Catherine de Médicis et Charles IX à agir contre les huguenots. Je voudrais...

Il souhaitait que je tente de ramener à la vraie foi mon frère Guillaume et ma sœur Isabelle. Depuis la mort de notre père à Saint-Quentin, Guillaume était devenu l'un des huguenots les plus proches de l'amiral de Coligny, l'un des quelques nobles qui dirigeaient le parti protestant. Quant à Isabelle de Thorenc, elle était restée dans l'entourage de Catherine qui aimait la beauté, la grâce et l'esprit des jeunes femmes. On disait qu'elle rêvait de marier un jour Isabelle avec un noble catholique et jeter ainsi le trouble dans les rangs de la secte calviniste.

— La guerre civile a commencé et elle sera impitoyable.

Philippe II avait fourni à Catherine et à Charles IX des troupes qui avaient permis aux catholiques de l'emporter sur les protestants au cours des premières batailles.

Mais rien n'était gagné. Les huguenots se rassemblaient, saccageaient les églises, massacraient les moines, les prêtres, les fidèles là où ils le pouvaient, comme à Pamiers ou à Nîmes.

— Ils tuent les catholiques avec la même rage qu'ils décapitent les statues de saints et celles de la Vierge.

Je me souviens encore du ton de sa voix lorsqu'il
avait ajouté :
— Il faudra leur rendre la pareille.

J'ai refusé d'accompagner Enguerrand de Mons.
Peut-être, Seigneur, ai-je été couard. Mais je n'ai pas
eu le courage d'affronter les miens, mon frère Guillaume et ma sœur Isabelle. J'éprouvais un sentiment
d'effroi et de la répulsion à l'idée de me trouver plongé
dans ce « nid de vipères » – Enguerrand de Mons, l'avait
qualifié ainsi – qu'était la cour de France.
Il avait frappé du talon.
— Il faut écraser la tête de ces serpents ! avait-il dit.
Je ne m'en suis pas senti capable.
Autant je voulais continuer la guerre contre les infidèles, autant mon bras devenait lourd et se paralysait
lorsque j'envisageais de lever mon glaive contre les hérétiques.

Au lieu de m'opposer à lui, j'avais ainsi longuement
conversé, en chevauchant, avec Robert de Buisson.
Je l'avais convaincu de ne pas chercher querelle à
Enguerrand de Mons et j'avais fait de même avec ce
dernier.
Mais ils se défiaient du regard, se provoquaient. Ils
rêvaient d'en découdre en champ clos, et cela avait
commencé dès le lendemain de notre victoire, alors que
les voiles des navires de Dragut et de Mustapha se
détachaient encore sur l'horizon.
C'était folie, et je n'avais trouvé comme moyen de
les empêcher de s'entre-tuer que de les entraîner l'un
après l'autre loin de Bourg et du fort Saint-Elme.

Mais le royaume de France, la guerre qui s'y fomentait entre huguenots et catholiques les obsédaient.

Écoutant Robert de Buisson, j'avais parfois le sentiment d'entendre Enguerrand de Mons, mais c'était comme si son discours avait été inversé, à l'instar des figures de cartes à jouer.

Comme Enguerrand de Mons, Robert de Buisson s'en prenait à la reine mère, cette ensorceleuse, descendante d'une lignée de marchands qui avaient acheté leur noblesse avec le prix des draps qu'ils avaient vendus. Maintenant elle se vendait et bradait le royaume de France à Philippe II. Le roi de France allait moins compter qu'un seigneur d'Espagne ! Déjà les soldats de Philippe II avaient, à Dreux, massacré des Français huguenots, et permis la victoire des papistes. À Bayonne, le duc d'Albe avait rencontré Catherine, et l'on pouvait imaginer ce qu'ils avaient ourdi ensemble : le massacre de tous les protestants de France.

— Ils ont commencé à nous tuer, avait poursuivi Robert de Buisson, à incendier nos temples, à nous interdire de pratiquer notre foi. Qu'imaginent-ils : qu'ils vont pouvoir nous traiter comme ces gueux des Pays-Bas massacrés par les troupes du duc d'Albe ? Nous savons nous battre, et les mercenaires suisses du duc ne nous effraient pas. Et, s'il le faut – vous entendez, Bernard ? –, nous engagerons des lansquenets allemands qui valent mieux que ces Suisses. Nous ne nous laisserons pas égorger comme des moutons !

Robert de Buisson s'indignait, s'étonnait que je fusse le seul de la grande famille des Thorenc à ne pas avoir choisi le juste chemin. Qui m'avait à ce point aveuglé ? N'avais-je pas connu ce que devient un royaume quand il est livré aux papistes ? Je ne pouvais ignorer ce qu'é-taient les tribunaux de l'Inquisition.

— Leurs juges, leurs bourreaux ne valent pas mieux que ceux de Dragut-le-Cruel. Or le pape Pie V est l'ancien inquisiteur général. Pour cette seule raison, vous devriez rejoindre la religion réformée.

Il ne servait à rien de lui répondre, de lui remontrer que m'importait d'abord la victoire des chrétiens sur les infidèles et leurs alliés. Que c'était là la guerre du Christ et que les autres ne me paraissaient que querelles enve-nimées par les clercs et les princes à leur profit. Que je ne voulais donc pas m'y mêler, cherchant seulement à mettre mon glaive au service du Christ et de son Église, contre l'islam et sa volonté de dominer, d'exterminer la chrétienté.

J'ai seulement réussi à empêcher Robert de Buisson de défier Enguerrand de Mons, mais je n'ai été rassuré que lorsque celui-ci a quitté l'île, imité quelques jours plus tard par celui-là.

J'étais seul désormais.

Souvent, lors de mes chevauchées, alors que je lon-geais un champ de blé dévasté, des oiseaux paraissaient tout à coup jaillir des épis brisés, et, dans un grand battement noir, leurs cris aigus me perçant la tête, s'en-volaient, tournoyant au-dessus de moi qui m'avançais jusqu'à cette masse sombre que j'avais devinée à travers les épis.

C'était un cheval ou un homme mort. Ses yeux avaient été picorés par les volatiles ; son ventre, lacéré par des chiens. Sa chair noire était couverte de grosses mouches, et d'énormes vers gluants glissaient parmi les entrailles répandues.

Je restais longuement immobile à regarder cette transformation d'une vie en un grouillement d'autres vies aussi déterminées à vivre, à arracher leur parcelle de subsistance, à combattre l'une contre l'autre, s'il le fallait, que la vie qui gisait là, morte, l'avait été.

Je m'éloignais enfin, à nouveau tourmenté. Parfois, je m'agenouillais devant ce qui avait été un calvaire et qui n'était plus qu'une stèle renversée, une croix démembrée.

Car les troupes de Mustapha et de Dragut-le-Cruel avaient parcouru toute l'île, brisant crucifix et autels, égorgeant ou crucifiant les chrétiens qu'ils capturaient, qu'ils fussent chevaliers ou paysans. Les fossés qui bordaient les champs étaient souvent comblés par des corps mutilés.

Ma guerre devait être celle-là : contre ces infidèles impitoyables qui n'avaient jamais cessé de nous combattre.

En m'enfonçant dans les ruelles de Mdina, de Rabat ou de Melheila, je découvrais que l'île avait été, au cours des temps, recouverte par l'invasion arabe alors que saint Paul l'avait évangélisée, après que son navire eut fait naufrage contre un récif, à quelques encablures des côtes. Mais les Arabes l'avaient conquise et, durant près de deux siècles, ils l'avaient gardée agenouillée, soumise, et certains habitants s'étaient convertis à l'islam, jusqu'à ce qu'un comte normand, Roger de Hauteville, l'eût libérée.

Et nous, chrétiens, catholiques et huguenots, l'avions empêchée d'être à nouveau la proie des infidèles.

Au terme de mes chevauchées, rentrant à Bourg, j'étais fier de voir peu à peu sortir de terre une nouvelle

288

église qu'on appellerait Saint-Jean, pour honorer le Grand Maître de l'ordre, Jean de La Valette.

Il m'avait demandé de lui rendre visite au fort Saint-Elme dont on avait déjà achevé de reconstruire la partie des remparts dressés au-dessus de la mer.

Ce jour-là, le *magistrale* avait cessé de souffler. Dans la lumière limpide, les rochers et les pierres avaient pris une couleur dorée. Les oiseaux volaient haut dans un ciel lavé que reflétait l'eau lisse des baies. Je pensais à ces enluminures qui, au bord des pages, accompagnent le voyage de Dante et de Virgile de l'Enfer au Purgatoire et au Paradis.

Et je songeais à Michele Spriano qui n'était peut-être déjà plus qu'une chair meurtrie, enfouie, putréfiée.

La salle où se tenait le Grand Maître de l'ordre était plongée dans la pénombre, mais j'ai reconnu d'emblée la silhouette qui s'avançait vers moi, bras ouverts. Je me suis immobilisé. J'étais heureux, ému de revoir Diego de Sarmiento, débarqué sans doute de cette galère que j'avais vue amarrée à la jetée de Bourg. Une petite foule s'était attroupée autour de la passerelle, regardant des prisonniers infidèles porter jusqu'aux entrepôts des coffres, des ballots dont on m'avait dit qu'ils étaient les cadeaux que le roi d'Espagne offrait à l'ordre de Malte pour saluer la victoire contre l'armée et la flotte du sultan.

Sarmiento m'a serré contre lui. Il était chargé, m'a-t-il dit, de faire connaître au Grand Maître de l'ordre la satisfaction, la joie et la fierté de Sa Majesté le roi d'Espagne pour l'héroïsme dont avaient fait preuve ses chevaliers, et saluer leur victoire sur les infidèles.

Puis il s'était tourné vers Jean de La Valette, ajoutant

que Philippe II, en m'invitant à rejoindre l'île, avait voulu qu'on sache que l'Espagne participait à ce combat et ne ménagerait aucun effort pour aider Malte. Les présents et subsides que le roi avait tenu à faire parvenir à l'ordre marquaient son attachement à cette grande institution chrétienne.

Le Grand Maître avait souri. Son visage était celui d'un homme malade que ses blessures continuaient de faire souffrir et qui n'était plus dupe des mots.

— Je remercie Sa Majesté le roi, a-t-il murmuré. Même s'il vient après la bataille, son appui nous est précieux. Quant au comte Bernard de Thorenc, j'ignorais qu'il représentait Philippe II. Mais je n'en souligne qu'avec plus de force son mérite et je salue sa modestie et sa discrétion : à croire qu'il ignorait qu'il combattait au nom du roi d'Espagne !

J'ai baissé la tête comme si j'avais voulu que ces escarmouches et ces habiletés, ne me concernant pas, glissent au-dessus de moi. Mais je n'étais pas plus dupe des gestes de Philippe II que ne l'était le Grand Maître de l'ordre.

Le roi d'Espagne nous avait laissés seuls face à Dragut et à Mustapha. Mais, puisque nous les avions repoussés, il faisait sienne notre victoire. Et je devenais son porte-enseigne, moi qui avais dû fuir Tolède de crainte qu'il ne m'interdise de rejoindre Malte. Et Sarmiento, qui m'avait averti des risques que je courais en désobéissant au souverain, mentait avec l'assurance d'un ambassadeur de Venise.

Nous avons quitté ensemble le fort Saint-Elme et nous avons marché sur les remparts de Bourg, puis jusqu'à la galère espagnole amarrée à l'extrémité de la jetée.

Sarmiento me parla avec enthousiasme de ce palais de l'Escurial qui serait le plus vaste, le plus noble de tous les palais de toutes les nations du monde. Philippe II s'y était déjà installé, mais une partie de la cour vivait encore à Madrid.

Il me montra les falaises nues qui surplombaient les baies, les forts Saint-Michel, Saint-Ange, Saint-Elme, et la petite ville de Bourg. Il était temps, poursuivit-il, que je quitte cette extrémité perdue du monde, que je retrouve l'Espagne, Sa Majesté Philippe II qui avait besoin d'hommes de ma trempe.

Le roi ne pouvait compter sur son fils don Carlos, pauvre fou difforme, ni sur don Juan, son bâtard de frère, dont on craignait les ambitions. Ses conseillers, Ruy Gomez et d'autres, étaient des hommes d'écritoire. Le duc d'Albe rétablissait l'ordre aux Pays-Bas. Et les gueux huguenots, les nobles flamands étaient des rebelles farouches. Il faudrait longtemps au duc d'Albe pour les réduire. Il manquait donc au roi des hommes de ma trempe. Et Sarmiento s'était porté garant de ma fidélité.

Or, en Andalousie, autour de Grenade et sur toute la côte, les morisques s'armaient, recevaient les émissaires des Barbaresques et du sultan. Ce n'étaient encore que les premières flammèches d'une révolte, mais l'Espagne pouvait-elle accepter qu'on la défie, que la vermine se répande sur son corps et finisse par le saigner ?

J'ai pensé à Aïcha, à Juan Mora, à tous ces convertis masqués qui priaient Allah, se prosternant en direction du tombeau du Prophète.

N'avais-je pas répété que ma guerre était celle-là :

291

contre les infidèles qui ne renonçaient jamais – et seulement celle-là ?

Quelques jours plus tard, je quittais Malte pour l'Espagne sur la galère de Diego de Sarmiento.

37.

J'ai regretté d'avoir suivi Sarmiento en Espagne.

À peine avais-je fait quelques pas dans les grandes salles du palais de l'Escurial où Philippe II recevait sa cour, que j'ai eu l'impression d'avancer en enfer.

Ce n'étaient pourtant autour de moi que femmes et grands d'Espagne, soies, velours, colliers d'or et d'émeraude, bijoux et dentelles. Mais chaque regard, alors que je marchais vers le trône pour être présenté au roi, était comme la pointe acérée d'un poignard. On me lardait de coups. On m'écorchait vif. On voulait que j'arrive nu, sanglant, devant le monarque.

Philippe II m'a tendu la main alors que je m'inclinais.

J'ai vu ses yeux voilés, son teint d'homme de l'ombre dont on disait qu'il ne quittait son bureau que pour les alcôves. Et l'on murmurait que la pauvre reine Élisabeth de Valois souffrait des fondements, que ses suivantes françaises la baignaient plusieurs fois par jour dans du lait très chaud où l'on avait versé du safran, et qu'on l'obligeait aussi à engloutir heure après heure des compotes de prunes. Mais rien ne la calmait, elle avait le cul en feu, à hurler. Et que voulait-on que fît le roi d'une pareille épouse qui avait peut-être hérité de François Ier, son grand-père, la vérole ? Si le souverain se doutait de cela, il la répudierait !

Mais qui oserait le mettre en garde contre cette petite reine française, qu'il avait forcée et dont il était si épris ?

Voilà à quoi j'ai pensé pendant qu'il me tenait la main. Puis il a détourné la tête, contemplant la foule des courtisans chamarrés qui quêtaient l'un de ses regards, tout en me crucifiant de leur jalousie.

J'ai reculé, essayé de me glisser vers le fond de la salle, mais Diego de Sarmiento m'a retenu. Je devais rester avec lui au premier rang, parmi les grands d'Espagne, les conseillers du roi, leurs femmes qui étaient aussi le plus souvent les maîtresses du souverain.

Près de moi se tenait Anna Mendoza della Cerda, princesse d'Eboli, qui du bout des doigts m'effleurait la main comme par mégarde. Mais elle me perçait de son œil vivant, le visage barré par son bandeau de borgne, et plus tard Sarmiento, dans le petit palais que nous occupions à Madrid non loin de l'Alcazar, me reprocha d'avoir, au vu de tous, répondu aux avances de la princesse.

Je jouais avec le feu, me dit-il. Si Philippe II était averti de mon attitude, je pouvais être jeté dans une prison de l'Inquisition ou condamné à quatre ans de galère.

— Nous avons besoin de rameurs, s'est exclamé Sarmiento, et le roi a demandé aux tribunaux d'infliger une peine d'au moins quatre ans aux pécheurs, dont tu es !

Ne savais-je pas que la princesse d'Eboli, la borgne Anna Mendoza della Cerda, était à Philippe II, à son

293

mari, Ruy Gomez, conseiller du monarque, à lui, Sarmiento, et même, disait-on, au secrétaire de son mari, Antonio Pérez ?

J'ai craint pour ma vie.

J'avais oublié que la cour d'Espagne était un champ de bataille et que les combats qui s'y livraient étaient plus cruels que ceux auxquels j'avais été mêlé sur les remparts du fort Saint-Elme.

J'ai eu la nostalgie de ces jours où la mort s'était avancée, bannière déployée, battant tambour, accompagnée par les explosions de la canonnade. Puis elle avait laissé derrière elle ces cadavres que la mer roulait, déposait sur les rochers, ou bien ceux qui pourrissaient parmi les blés, dans les fossés.

Ici, dans le palais de l'Escurial, mais aussi bien à Madrid, à Tolède, à Ségovie, hommes et femmes disparaissaient et l'on ne revoyait jamais leurs corps. Aucune vague ne les rejetait sur ces dalles de marbre.

Mais on savait.

Sarmiento recueillait toutes les rumeurs. Il payait en ducats ou en bijoux les hommes et les femmes qui, grands seigneurs en titre ou d'apparence, ramassaient, comme des détrousseurs ou des commis aux immondices, toutes les informations et les déversaient chaque nuit devant Sarmiento. Il les triait, puis rapportait les plus inattendues ou les plus dangereuses – parce que les plus proches de la vérité – au roi.

— Il m'écoute, impassible, me chuchotait Sarmiento. Parfois, sa mâchoire est agitée d'un imperceptible tremblement. Puis il me renvoie sans m'avoir dit un mot, et souvent je me demande s'il m'a entendu, et même s'il sait que je lui ai parlé.

Je devinais qu'il regrettait de s'être confié à moi, qu'il ne me sentait pas lié à lui par ce pacte d'ambition et de complicité qui faisait de chaque courtisan ou conseiller un allié et un rival.

Entre eux, des coalitions et des conspirations se formaient puis se défaisaient au gré d'un geste, d'un regard, d'une décision du monarque.

Sarmiento m'avoua qu'en compagnie de Ruy Gomez et de trois autres grands seigneurs il avait pénétré avec le roi dans la chambre de son fils, l'infant don Carlos.

— Le roi avait revêtu son armure. Nous savions que don Carlos gardait ses armes à portée de main, sur son lit même. Il fallait les saisir, l'entraver.

Peut-être Sarmiento perçut-il la répulsion que j'éprouvai à la pensée de ces hommes masqués surgissant au milieu de la nuit, accompagnés de gardes, et se précipitant sur don Carlos endormi qui, réveillé, criait, se débattait, hurlait qu'il voulait mourir, qu'il n'était pas fou !

Mais Philippe II le soupçonnait de comploter contre lui, d'avoir cherché à fuir l'Espagne, peut-être pour prendre la tête des gueux des Pays-Bas et réussir ainsi enfin à obtenir la couronne que son père lui refusait.

Don Carlos avait sollicité l'aide de don Juan, frère bâtard de son père, et naturellement celui-ci, comme tous ceux auxquels l'infant s'était adressé, l'avait dénoncé au roi.

On l'avait donc emprisonné. Et Philippe II d'expliquer que don Carlos était fou, qu'il avait, une nuit, tué à coups de nerf de bœuf près de quarante chevaux, et qu'on l'avait retrouvé hagard, couvert de sang.

Une autre fois, il avait tenté de violer une domestique. Il était aussi, murmurait-on, tombé amoureux fou d'Élisabeth de Valois, l'épouse de son propre père.

Fou, en tout cas, de ne pas être seulement resté un fils discret et obéissant.

Sarmiento me rapporta avec de l'effroi dans la voix ce que Philippe II avait dit :

— J'ai préféré sacrifier à Dieu ma propre chair et mon sang, mettant le service du Seigneur et le Bien universel au-dessus de toute autre considération. D'anciennes et de nouvelles raisons m'ont obligé à agir ainsi, et elles sont si nombreuses et si graves que je ne puis les dire...

Qu'était devenu don Carlos ?

On ne revit jamais son corps ; seulement son cercueil, plus tard, quand on l'ensevelit à l'Escurial avec tout le faste réservé à un infant d'Espagne.

Qu'avait-il subi dans sa cellule plongée dans la pénombre ? Y avait-il été enchaîné ? L'avait-on torturé pour l'enfoncer dans sa folie ? L'avait-on exposé au froid, puis à la chaleur ? L'avait-on affamé pour le laisser quelques jours plus tard se gaver, et ainsi se condamner, ne lui offrant que la mort pour issue ?

Elle était là, tapie, sa grande faux dissimulée entre les tentures, mais elle frappait.

On apprenait que l'un des ambassadeurs du peuple des Pays-Bas à Madrid, le baron de Montigny, avait succombé à la maladie. Et Philippe II ordonnait des obsèques solennelles alors qu'on murmurait que Montigny avait été emprisonné et étranglé.

Depuis l'Escurial, Philippe II ordonnait que le duc d'Albe frappât sans hésiter ces gueux des Flandres qui se déclaraient calvinistes ou luthériens, qui incendiaient les couvents, brisaient les statues dans les églises, et prétendaient vouloir se gouverner.

Le duc d'Albe constitua un Conseil des troubles, devenu Conseil du sang, qui envoya à la mort ces nobles que j'avais connus : le comte d'Egmont, le comte de Hornes. On leur trancha la tête à la hache, place de l'Hôtel-de-Ville, à Bruxelles.

Le duc répandait partout la terreur, incendiait les villages, pendait ou passait au fil de l'épée tous ceux qui se rebellaient.

Je sentais que Sarmiento le jalousait.

— Le duc se trompe et nous trompe, disait-il, quand il écrit à Philippe II : « Ce peuple est devenu si souple qu'il se courbera avec la plus parfaite obéissance sous la main de Votre Majesté quand elle lui apportera l'indulgence et le pardon. » Ces gueux sont plus coriaces qu'il ne dit ! L'Angleterre les soutient, les huguenots français leur apportent de l'aide. L'amiral de Coligny veut leur envoyer des troupes. Et Catherine de Médicis laisse faire. Elle a promis d'expulser les prêcheurs huguenots du royaume de France, mais elle signe des accords avec eux ! On ne peut faire confiance ni à Catherine ni à Charles IX. Ils ne veulent pas reconnaître que, pour extirper l'hérésie, il faut s'allier avec l'Espagne et se soumettre à son roi.

Sarmiento s'emportait.

Les huguenots, les Coligny, les Condés, les Bourbons

avaient compris, eux, que leur religion prétendument réformée – une hérésie, une diablerie ! – ne l'emporterait que s'ils écartaient l'Espagne de la France. Ils voulaient empêcher Catherine de Médicis et Charles IX de respecter les promesses qu'ils avaient faites au duc d'Albe lorsqu'il s'étaient rencontrés à Bayonne.

Mais, depuis lors, la reine mère et le roi de France avaient oublié.

— Ils écoutent Coligny qui répète chaque jour qu'il faut que le souverain apporte son aide aux gueux des Flandres, que c'est la seule manière d'affaiblir l'Espagne, le royaume qui menace son pays ! Tout est mêlé : la religion et les ambitions. Mais celui qui veut défendre la juste religion doit suivre le roi d'Espagne. C'est lui que Dieu a choisi pour tenir le glaive de la vraie foi !

Pouvais-je oublier que Philippe II avait laissé l'ordre de Malte combattre seul les infidèles ? et qu'il ne nous avait célébrés qu'après notre victoire ?

Sarmiento était-il aveugle ou bien imaginait-il que je pusse être dupe de ses mensonges ?

Et pourtant, je ne lui ai pas répondu.

Où pouvais-je fuir ?

La mort rôdait autour de moi.

Elle suivait ces noires processions qui parcouraient les rues de Madrid, de Ségovie ou de Tolède.

Elle était dans les jugements de l'Inquisition qui ordonnait l'arrestation, comme hérétique, du cardinal prélat d'Espagne.

Elle était dans les flammes des bûchers dressés à Séville, à Tolède, à Barcelone.

Ils brûlaient des nobles soupçonnés d'hérésie luthérienne, des artisans français accusés d'avoir chanté des psaumes.

Et la mort était dans la réponse du roi lorsque, interpellé par un jeune noble condamné, il lui lança : « J'apporterais moi-même le bois pour brûler mon propre fils s'il était aussi coupable que vous ! »

La mort frappait sans relâche.

À la cour, la reine Élisabeth de Valois était emportée après une grossesse difficile.

— Le roi est triste, murmura Sarmiento. Je ne l'ai jamais vu ainsi. Sa mâchoire tremble. Sa peau est devenue plus grise encore, comme un tissu froissé et délavé. Il a écrit à Catherine de Médicis, la mère d'Élisabeth : « Rien n'a été épargné pour sauver sa vie et sa santé qui m'étaient plus chères que la mienne. Cependant, quand vient l'heure de Dieu, les remèdes humains n'ont guère de valeur, et je supplie en conséquence Votre Majesté de se consoler comme je le fais, considérant qu'elle est dans le royaume des cieux et ressent plus de pitié que d'envie pour ceux d'entre nous qui sont restés ici-bas. »

Je doutais de la sincérité du roi, mais j'avais peur de mes propres pensées comme si on avait pu les entendre. Et, quoi que j'eusse fait, on m'aurait condamné.

Il me semblait d'ailleurs que Sarmiento me soupçonnait.

Il me parlait avec rudesse, me répétait que la peine du roi était profonde. Le souverain s'était retiré durant plusieurs semaines dans un monastère proche de

Madrid, puis s'était enfermé à l'Escurial et Sarmiento était l'un des seuls conseillers à l'approcher.

— Il sortira de sa mélancolie, disait-il. Il a été choisi par Dieu pour être le défenseur de la foi. Il ne peut s'abandonner à des chagrins privés. Un souverain ne pleure que le malheur de son royaume et de ses peuples ou les atteintes à la religion.

J'écoutais Sarmiento. J'aspirais à m'éloigner de lui, de cette passion pour le roi qui l'habitait.

J'ai refusé une fois encore de me rendre en France pour y aider les catholiques qui affrontaient derechef les huguenots.

Je n'ai pas osé dire à Sarmiento que les uns et les autres étaient pour moi des chrétiens. Robert de Buisson, le huguenot de La Rochelle, avait combattu à Malte, à mes côtés, tout comme Enguerrand de Mons.

Je lui ai dit que j'avais regagné l'Espagne avec lui pour empêcher les morisques d'Andalousie de menacer le royaume catholique. Les infidèles étaient mes seuls ennemis ; ceux qui m'avaient humilié, battu, emprisonné et dont je connaissais la cruauté.

Je me souvenais de chaque chrétien que j'avais vu supplicier dans la chiourme des galères de Dragut-le-Cruel ou sur l'esplanade, devant le bagne d'Alger.

Et il ne se passait pas de jour, feuilletant *La Divine Comédie*, où je ne pensasse à Michele Spriano.

Cette guerre contre les infidèles qui n'avaient jamais renoncé à nous combattre et à nous opprimer, je voulais la faire.

— Elle vient, m'a dit laconiquement Sarmiento.

38.

La guerre est là.

Je la devine dans le regard de cet homme accroupi à l'entrée du pont étroit qui franchit le Guadalquivir.

Il ressemble à Juan Mora. Ses yeux brûlent dans son visage couturé à la peau presque noire. Il baisse la tête. J'imagine qu'il doit compter les chevaux de notre troupe ; dès que nous serons sur l'autre rive, il s'élancera vers la sierra del Anuar où se sont rassemblés les insurgés.

Ils ont des armes. Ils seraient des centaines.

Ils descendent de la sierra, sortent des forêts et des cavernes où ils se cachent, pour saccager les églises, brûler les couvents, égorger les moines et les prêtres, tuer les chrétiens, violer leurs femmes. Ils contraignent les convertis à retrouver l'islam. Ils tuent ceux qui s'y refusent et entraînent hommes, femmes, enfants vers leurs refuges.

La guerre est là.

Je la vois. Les cadavres sont allongés les uns près des autres, décapités, devant les maisons de ce village qui ne sont plus que poutres calcinées, murs détruits. Des hommes sont pendus aux arbres.

Ceux-là, ce sont les troupes du capitaine général de Grenade, don García Luís de Cordoza, qui les ont exécutés.

Une femme est debout, visage découvert, cheveux

défaits. Ses yeux hagards sont bleus. Mais peut-être est-ce le souvenir de ceux d'Aïcha qui s'impose à moi ?

Il ne me quitte pas. Dans chaque femme aperçue, il me semble reconnaître celle qui n'était plus pour moi cette Lela Marien, la convertie, la maîtresse qui disait gouverner le corps et l'esprit de don García Luís de Cordoza, mais Aïcha la Mauresque au sabre courbe qui avait permis mon évasion, l'héritière de la famille Thagri dont on disait que les descendants, tous convertis, cependant, avaient pris la tête de la révolte.

Ils voulaient, proclamaient-ils, reconstituer le grand royaume des Maures, de Cordoue à Grenade.

J'imaginais qu'Aïcha avait elle aussi gagné les forêts et les sierras, et qu'elle s'élançait à la tête des rebelles pour être celle par qui serait vengée l'humiliation subie par les rois maures, ceux que des esclaves chrétiens avaient trahis, livrés aux Rois Catholiques.

C'était maintenant à elle de trahir don García Luís de Cordoza et tous ces porcs, ces chiens d'Espagnols !

La guerre est là.

Je l'entends.

Je chevauche aux côtés de don Juan, le bâtard de Charles Quint auquel Philippe II a confié le commandement des troupes chargées d'écraser les infidèles et de noyer dans le sang cette révolte des morisques qu'attisent les Barbaresques et les Turcs.

Chaque nuit les corsaires de Tétouan et les galères turques débarquent des hommes sur les côtes andalouses, entre Almería et Málaga, non loin de la plage sur laquelle la chaloupe nous a naguère déposés, Michele Spriano et moi. Dans le noir, guidés par des paysans, ils gagnent les sierras qui entourent Grenade. Des crêtes, ils aperçoivent les murs ocre et crénelés, les mosaïques de l'Alhambra. C'est leur Grenade. Ils rêvent de la reconquérir.

Ils ont essayé de soulever la population maure de la ville. Mais ces convertis-là sont repus, gras, attachés au nouvel ordre. Ils ont refusé de se révolter. Ils se sont même rendus auprès de don García Luís de Cordoza, le capitaine général, et ont juré fidélité au roi d'Espagne et à la religion catholique. Et j'imagine Aïcha la Mauresque au sabre courbe les entendant, les méprisant, décidant le soir même de quitter le Presidio et son maître, d'arracher ce masque de Lela Marien qu'elle porte depuis son baptême, et rejoignant les insurgés dans la sierra del Anuar ou dans celle de Las Albujarras.

Et j'entends, alors que nous entrons dans un défilé de la sierra Nevada, une voie aiguë qui, du haut des falaises et des amoncellements de rochers qui nous surplombent, nous maudit. Je pense aux appels des muezzins qui me réveillaient dès l'aube, à Alger. J'imagine que c'est Juan Mora ou Aïcha qui a lancé ce cri.

Je fais prendre le galop afin d'échapper à cette voix, à ce piège. Et, derrière nous, dans un sourd fracas, j'entends les rochers qui se détachent, rebondissent sur les parois, s'écrasent sur le chemin.

La guerre est là.

Nous entrons dans Grenade en longeant le *río* Darro.

Je me souviens des bras nus des femmes et de leurs cuisses quand elles soulevaient leurs jupes pour traverser la rivière.

Tout à coup, des cris.

Des femmes encore, en haillons. Elles courent vers nous, bras levés, hurlant, disant qu'elles sont chrétiennes, que les Maures, ces faux convertis, ont tué leurs maris, leurs frères, leurs fils, qu'ils ont violé leurs filles, leurs sœurs, qu'il faut les égorger, les pendre, les brûler tous, donner la terre aux Espagnols dont le sang est pur.

— Nous sommes celles-là, les mères nées chrétiennes, qui enfantons des chrétiens ! Que le roi catholique nous protège et nous venge !

Je regarde don Juan.

Son visage d'homme de vingt ans, lisse, rose et joufflu, s'est crispé. Il croise mon regard.

Ces femmes nous guettaient. J'ai aperçu les soldats qui les poussaient vers nous. C'est don García Luís de Cordoza qui veut nous imposer sa manière de vaincre la révolte : la mort ou l'expulsion pour les morisques, qu'ils soient ou non convertis. Il n'y a plus de place en Espagne pour des sangs impurs, infectés par le Maure.

Dehors, les Maures, comme ont été chassés les juifs !

Le royaume catholique d'Espagne n'est la patrie que des Espagnols au sang pur, chrétiens depuis qu'il y a des peuples en Espagne !

Don Juan m'écoute.

Je l'ai vu tressaillir quand nous avons traversé ce village où les troupes du capitaine général avaient égorgé, décapité, pendu.

Je m'incline. J'ajoute que souvent, je le sais, il faut répondre à la mort par la mort.

Je murmure que le Christ, pourtant, jamais n'a prêché la mort.

Don Juan sourit.

— Le glaive n'est pas la croix, dit-il. Le chevalier passe d'abord. Sa lame tranche. Puis vient le moine. Nous ne sommes pas des moines...

Sa voix est claire comme son regard.

Il chevauche lentement au milieu des troupes rassemblées par don García de part et d'autre de la Puerta de Los Estandartes. Les soldats lèvent leurs piques et leurs bannières.

Don Juan se dresse sur ses étriers. Il a la beauté d'un chevalier de vitrail. Éperons d'or, bottes blanches, cuirasse moulant son jeune torse, le métal rehaussé de pierreries et d'incrustations d'or. Il porte un toquet de velours noir orné d'une longue plume d'autruche que retient une grosse émeraude. Partout des perles aux manches du pourpoint dont s'échappe des remous de dentelles. Et à son bras gauche flotte la longue écharpe cramoisie, signe de son commandement général.

Il se place près de don García Luís de Cordoza dont le regard m'a effleuré sans paraître me reconnaître. Le capitaine général se penche vers don Juan. Son visage est empourpré. Il porte casque et cuirasse, cuissardes noires. Près de lui se tiennent deux valets qui ont dû l'aider à se mettre en selle. Il est difforme, ses cuisses écrasent les flancs du cheval. Il faudra l'aider à mettre pied à terre. Un mot me vient tout à coup aux lèvres : « porc ».

C'était celui qu'utilisait à son sujet Aïcha la Mauresque au sabre courbe.

Le capitaine général lève le bras. Deux cents cavaliers s'ébranlent : les cent premiers en court manteau de velours cramoisi couvrant en partie leur cuirasse ; les cent autres, une djellaba posée sur leur armure, un turban enroulé autour de leur casque, presque l'uniforme des Maures de l'ancien royaume de Grenade, comme si on ne pouvait l'effacer alors même que Philippe a décidé que le port de leur costume traditionnel est interdit aux Maures. Et voici que ceux qui doivent extirper d'Andalousie le souvenir mauresque le revêtent au moment même où va s'engager la vraie guerre.

Elle est à feu et à sang, cette guerre.

On dit qu'une Mauresque aux cheveux dénoués la conduit, tranchant de son sabre courbe la gorge des chrétiens. Rien n'arrête son bras, ni les pleurs d'une mère ni les cris d'un enfant.

C'est Aïcha, c'est elle que je poursuis jusqu'au promontoire rocheux d'Inox qui domine la mer, près d'Almería.

Je regarde la côte qui s'étire de baies en caps et qui me rappelle cette aube où j'ai sauté de la chaloupe, tant j'avais hâte de prendre pied sur la terre libre et chrétienne d'Espagne.

Et Michele Spriano, mon compagnon d'évasion, dans quel enfer est-il encore retenu ? Peut-être rame-t-il à bord d'une de ces galères ottomanes qui s'approchent des côtes alors que nous montons à l'assaut du promontoire où se sont rassemblés plusieurs milliers de morisques.

Mais la Mauresque qui les incitait au combat a réussi à fuir avec des centaines de combattants.

Les autres sont là, qui tentent de résister.

J'entends le sifflement des lames qui s'abattent, les

cris étouffés des égorgés. Des milliers de femmes hurlent, serrant leurs enfants contre elles.

Avec le poitrail des chevaux et les hampes des lances on les pousse hors du promontoire, futures esclaves, enfants promis à la chiourme.

Nous quittons la côte.

Sur les crêtes des sierras des feux brûlent, annonçant notre marche. Et quand nous arrivons dans les villages chrétiens nous découvrons les corps mutilés des femmes et des enfants, les hommes empalés, leurs visages figés dans un hurlement de douleur, la peau griffée par la mort.

Tuer, tuer.

Je tue.

J'égorge.

Je fends les têtes d'un grand coup de glaive comme, il y a peu, sur les remparts du fort Saint-Elme.

Un cavalier nous rejoint, son pourpoint déchiré, tête nue, joues lacérées.

Il dit en comprimant sa poitrine à deux mains que les Maures sont entrés dans la ville d'Orgiba, qu'à leur tête se tient leur roi, l'ancien converti : Juan Mora.

Ils ont tué tous les chrétiens qui n'avaient pu fuir, déployé leurs bannières, brûlé églises et couvents, et les voix des muezzins ont retenti.

De toute la campagne et des sierras les Maures rebelles ont déferlé et rejoint la ville.

Tout le pays de la sierra Nevada, entre la côte et Grenade, est en révolte.

C'est la guerre sainte, contre nous qui sommes leurs infidèles.

Et c'est notre croisade !

Quel Dieu l'emportera, le Juste et le Vrai, ou celui du Prophète ? Le Christ ou Allah et Mahomet ?

Point de pitié. Point d'hésitation.

Massacre à Orgiba, à Galera.

Il faut tuer tous les Maures en âge de prendre les armes. Il faut tuer les femmes et les enfants, témoins de ce massacre, pour que le désir de vengeance un jour ne les conduise pas à se rebeller de nouveau. Il faut piller les greniers et les coffres. Et que les soldats se parent des bijoux et des colliers volés, brandissent les poignards et les sabres courbes.

Dans les rues de Galera le sang ruisselle, les têtes décapitées roulent, boulets de chair, comme au fort Saint-Elme !

Qu'on rase les murs, qu'on brûle tout ce qui peut être brisé, qu'on répande du sel sur cette terre où s'élevait la ville de Galera dont même le souvenir doit être effacé !

Et qu'on agisse de même dans le quartier de l'Albaicín, à Grenade. Qu'on incendie ces palais maures, ces maisons opulentes où vivaient les riches convertis.

Plus de conversions. Des exécutions ! Des déportations !

Qu'on expulse les survivants, qu'ils aillent comme esclaves en Castille ou bien qu'ils quittent l'Espagne et rejoignent les terres barbaresques.

Ils sont des milliers à avoir été chassés du quartier

d'Albaicín, à mourir sur les routes de Castille et d'Estrémadure ; des milliers d'autres, séparés de leurs femmes
et de leurs enfants, à tenter de s'embarquer pour fuir, à
mourir égorgés sur les plages.

Je suis las de tuer, de m'emparer de ces nids d'aigle
où s'accrochent des combattants.

Exténué, le dégoût m'emplit la bouche quand, la
bataille finie à Serón, puis dans la sierra de l'Alpujarras
et dans la vallée de l'Almenzova, je vois tous ces corps
massacrés.

Plus au nord, vers Guadix, nous mettons le feu aux
récoltes, nous abattons les arbres fruitiers, nous tuons
tous les hommes, y compris ceux qui ont cousu sur leur
épaule une croix rouge en signe de soumission.

C'est le sang maure qu'il faut faire couler, même si
celui qu'il irrigue se dit chrétien.

Quand je marche parmi les morts, je cherche Aïcha
la Mauresque au sabre courbe, celle par qui j'ai appris
ce qu'était la chair brûlante d'une femme, celle qui m'a
permis de fuir la prison chrétienne où le capitaine
général de Grenade m'avait enfermé.

Mais personne ne sait ce qu'est devenue cette femme
aux cheveux dénoués, Aïcha la combattante.

En revanche, j'ai vu Juan Mora.
Pour racheter leur vie, quelques Maures lui ont tendu
un piège, puis l'ont assassiné.

Ils sont rentrés dans Grenade avec son cadavre
attaché sur un mulet.

Ils l'ont déposé devant le Palacio del Audiencia. La
foule s'est rassemblée. Je me suis approché et j'ai

reconnu Juan Mora dont la tête ne tenait plus au tronc que par quelques lambeaux de chair.

La foule crie, exulte.

Don Juan lève le bras et l'on commence à dépecer la dépouille. On exhibe la tête. Elle sera exposée sous la voûte de la Puerta Real. Celui qui osera enlever la tête du traître sera puni de mort.

Les tambours battent.

Don Juan se penche vers moi.

— Guerre noire ! murmure-t-il.

39.

Seigneur, est-ce pour oublier le noir de cette guerre, couleur de deuil et de sang séché, que des jours et des nuits durant je me suis vautré dans la débauche ?

Après qu'on eut célébré notre victoire et accroché la tête de Juan Mora à la voûte de la Puerta Real, j'ai parcouru les rues du quartier de l'Albaicín, grisé par le silence qu'accompagnait seulement la rumeur des fontaines.

J'ai erré, rencontré parfois des groupes de soldats écrasés sous des sacs remplis du fruit de leur pillage.

Chassés de leurs demeures, séparés de leurs femmes et de leurs enfants, les riches Maures de l'Albaicín devaient, sur les chemins déjà enneigés des sierras, marcher vers le nord.

Je les avais vus se rassembler, s'étreindre avant de s'éloigner, parfois sous les coups, et longer cette muraille arabe qui, jadis, quand Grenade était la capitale de leur royaume, protégeait la ville et la splendeur souveraine de l'Alhambra.

Ils n'étaient plus que des esclaves que l'on poussait vers l'Estrémadure et la Castille. Et don Juan – j'entends encore sa voix un peu tremblante – avait dit, en suivant des yeux ces cortèges de la défaite, donc de l'humiliation et du dénuement :

— Je ne sais si l'on peut imaginer pire misère humaine que le départ de tant de gens dans une aussi grande confusion, parmi les pleurs de femmes et d'enfants, tous croulant sous le poids de leurs ballots et de leurs bagages... En vérité, Bernard de Thorenc, s'ils ont péché, ils le paient cher.

Je voulais chasser ces images et cette compassion de ma tête.

Des femmes sont arrivées de Tolède et de Valladolid, de Madrid et de Ségovie, parce que là où il y a des soldats sous les armes, la guerre, le sang noir répandu, la mort, l'homme a besoin de serrer contre lui la chair d'une femme pour se rappeler que la vie existe, qu'elle l'emporte encore, que tous les cris ne sont pas ceux de la douleur.

Par une nuit de février, alors que la neige tombait sur Grenade, j'ai vu descendre d'une voiture chargée de coffres une femme emmitouflée, un capuchon de fourrure dissimulant son visage, entrer dans le Palacio del Audiencia, et les rires, les éclats de voix envahir la nuit.

C'était Maria de Mendoza, une cousine d'Anna Mendoza de la Cerda, princesse d'Eboli, aussi belle que cette dernière, mais sans qu'un bandeau noir sur un œil éteint ajoute énigme et perversité à ses traits.

Dès lors, don Juan n'a plus quitté le Palacio.

On murmurait que cette Maria Mendoza était déjà grosse d'un bâtard du même don Juan et qu'elle s'apprêtait à se retirer dans un couvent après avoir donné naissance à l'enfant.

Mais, pour l'heure, le vent glacé qui descendait des sierras emportait les chansons du plaisir.

Je me suis donc rendu dans le quartier de l'Albaicín. J'ai croisé des soldats qui entouraient et lutinaient une femme échevelée, au regard perdu, sans doute dénichée dans l'une des demeures abandonnées.

Et j'ai envié ces hommes, Seigneur !

J'ai oublié les propos du père Verdini qui avait lui aussi rejoint Grenade en compagnie de don Juan dont il était devenu l'un des chapelains.

— Ne remettez pas à demain, Bernard, m'avait-il dit. Vous devez semer, si vous voulez récolter avant les orages qui accompagnent la fin de toutes les vies. Prenez femme, Bernard. C'est le devoir du chrétien. Et, jusqu'à ce jour, vivez et agissez avec un grand souci de votre pureté, car pécher contre la chasteté n'est pas seulement pécher contre Dieu, mais entraîne beaucoup de maux et fait tort aux affaires et au devoir.

Je ne voulais pas écouter ces conseils.

Dans ce quartier de l'Albaicín, le désir comme un vin âcre m'emplissait la bouche.

J'enviais ces soldats qui entraînaient cette pauvre femme.

J'avais le sentiment qu'ici se trouvait le territoire de prise, que les prêches ne devaient point s'y faire entendre.

Ici, c'était la loi du vainqueur qui devait s'imposer sans compassion.

D'un coup de talon j'ai forcé la porte de ces palais maures.

Je me suis avancé, la main sur la garde de mon épée.

J'ai traversé des patios, écouté le bruit des fontaines, pénétré dans des chambres et laissé ma main glisser le long des tentures de soie et de velours.

J'ai heurté des tables basses, renversé des porcelaines, fait tinter sur le sol des objets de métal sans distinguer s'il s'agissait de plats en cuivre repoussé ou de tasses et de théières encore pleines. Car j'avais l'impression que les propriétaires de ces palais s'étaient enfuis avant qu'on ne les en chasse : tout y était encore en place comme si le cours de leur vie, interrompu, allait reprendre.

J'ai parcouru les pièces, écartant les rideaux, repoussant les volets, faisant entrer la lumière.

Dans la plus reculée des chambres d'une de ces demeures, j'ai découvert, blottie derrière un grand paravent, une femme vêtue de soie bleue et qui serrait les genoux, jambes repliées, la tête posée sur les cuisses. J'ai pensé que le diable m'offrait un présent et que j'allais le saisir, dussé-je vivre le restant de mes jours en enfer.

Oui, Seigneur, j'ai senti en moi gronder ce torrent de violence et de désir.

Oui, Seigneur, j'ai été le carnassier qui découvre une proie. Je me suis approché de cette femme, encore une jeune fille, et l'ai saisie par les cheveux, la forçant à se redresser.

Et je me suis senti fort comme un taureau qui voit devant lui la lueur aveuglante de l'arène, qui se précipite et ne se soucie pas de l'épée qui se cache derrière la muleta.

J'ai été ce fauve furieux, ce porc qui grogne de plaisir en se roulant dans la fange.

Seigneur, je ne mérite pas Votre pardon.

Je me suis jeté sur cette femme comme aurait pu le faire Dragut-le-Débauché, Dragut-le-Cruel, ou l'un de ses soldats. Ou l'un des nôtres.

J'en avais tant vu, au cours de cette guerre noire, qui, sur le bord des chemins, dans les décombres des villages, ployaient les femmes, les troussaient, leurs avant-bras écrasant la gorge des malheureuses, et parfois deux ou trois d'entre eux, attendant leur tour, tenaient la femme écartelée.

Et nous – moi, moi compris, Seigneur ! – avons détourné le regard. Même le père Verdini, qui chevauchait aux côtés de don Juan, faisait mine de ne rien voir, les yeux baissés, récitant ses oraisons.

Je savais que sur les routes de l'exil où nous les avions poussés, sur ces chemins que la neige couvrait et que les bourrasques balayaient, les soldats de l'escorte, chaque soir, comme on sort une brebis du troupeau, choisissaient parmi les femmes celles qui chaufferaient leur nuit.

Et nous avions fait cette guerre noire en Votre nom, Seigneur !

Quand j'ai saisi la jeune femme par les cheveux, je

n'ai été qu'un de ces soudards ; je n'étais plus Votre chevalier, Seigneur, je ne valais pas mieux que le plus débauché, le plus cruel des infidèles.

Et cependant j'étais à Vous, Seigneur.

Et Vous m'avez laissé la bride sur le cou pour savoir de quoi j'étais capable, pour que plus tard – aujourd'hui que j'écris – je me souvienne de ma faute et sache que je n'aurais pas assez de ma vie pour me racheter.

J'ai été indifférent aux gémissements de cette femme que j'avais appelée Zora, car elle avait été incapable de me donner son nom, de répondre à mes questions.

Mais voulais-je qu'elle me parle ?

Elle serait redevenue une personne et j'ai désiré qu'elle ne soit qu'un corps contre lequel je me frottais.

Elle gémissait mais s'abandonnait.

Qui était-elle ? Domestique de cette famille de riches morisques, ou bien en faisait-elle partie et n'avait-elle pas pu fuir avec les siens ?

Je l'ai enfermée dans une des chambres. J'ai fait garder le palais par des soldats et ils m'ont trouvé des domestiques.

J'ai ainsi été le maître, et cela m'a grisé.

Je ne priais plus que du bout des lèvres, comme si je répétais avec indifférence ces mots qui avaient été Votre chair, Seigneur.

Et je Vous oubliais, chevauchant et chassant dans la sierra en compagnie de don Juan, puis revenant par les chemins qui conduisent à San Miguel El Alto, au sommet de la colline qui fait face à celle de l'Alhambra. De ce point de vue j'apercevais toute la ville et, à mes pieds, ce quartier de l'Albaicín où les églises étaient souvent d'anciennes mosquées.

Je suivais ensuite le *camino* de San Diego qui longe l'ancienne muraille arabe, et j'avais hâte de retrouver Zora dont je disposais à mon gré toute la nuit.

Les domestiques avaient préparé la table.

J'étais le maître.

J'ouvrais la porte de la chambre. Zora y était recroquevillée ; j'exigeais d'un geste qu'elle se pare. J'aimais, assis, la regarder se dénuder, puis se vêtir.

Je jouissais de sa gêne et de ses gémissements.

Une nuit, alors que je dormais près d'elle, mon instinct ou Votre protection, Seigneur, m'ont réveillé.

Zora était debout, un sabre courbe levé au-dessus de ma tête.

J'ai bondi sur le côté cependant qu'elle abattait la lame, crevant les coussins sur lesquels j'avais été couché.

Puis elle a reculé, les yeux hagards, et a tourné vers son ventre la pointe de la lame.

Je me suis précipité et l'ai désarmée cependant qu'elle se débattait, qu'elle hurlait, parlant enfin, clamant dans un espagnol que sa violence rendait saccadé et tranchant qu'elle voulait mourir, que je l'avais déshonorée, que j'étais un porc, qu'elle était baptisée, chrétienne, mais qu'elle avait honte d'avoir abandonné la religion de ses ancêtres pour celle de ces porcs qui avaient chassé les siens de leur demeure, pour celle d'un homme qui avec elle avait été pire qu'un chien.

C'était moi.

J'ai baissé la tête. J'ai eu la tentation de m'agenouiller devant elle et devant Vous, Seigneur, pour implorer son pardon et Votre grâce.

Je n'avais plus, en bouche, ce goût irritant et excitant d'un vin âcre, mais j'étouffais comme si j'avais eu du sable plein la gorge.

Du sable ou de la cendre.

Maintenant, Zora s'était laissée glisser le long du mur, accroupie sur le sol de marbre. Elle sanglotait, dodelinait de la tête. Il me semblait qu'elle priait.

Mais quel Dieu ?

Je me suis assis près d'elle, qui a reculé, et ce regard qu'elle m'a lancé, apeuré, m'a glacé. Il m'accusait et m'arrachait à cette fange dans laquelle je m'étais complu.

J'ai tenté de lui saisir la main.

Je n'ai pas osé lui dire mes regrets, ce mot si minuscule pour exprimer ce que je ressentais, rappeler ce que je lui avais imposé et le plaisir que j'avais pris d'elle.

J'étais prêt à la choisir pour épouse, lui ai-je dit.

Elle m'a fixé avec effroi et dégoût. Mépris, aussi.

J'ai murmuré que si elle restait seule dans ce palais, elle, fille de morisque, elle serait asservie, persécutée par des hommes sans doute plus brutaux que moi.

Elle a dit qu'elle voulait mourir.

J'ai réussi, Seigneur, à l'apaiser, et je me suis retiré de sa chambre, honteux de ce que j'avais vécu, restant devant sa porte à prier pour elle et pour moi.

Les jours suivants, j'ai veillé sur Zora qui gisait à même le sol, les jambes repliées sur la poitrine, les mains jointes, les yeux fixes.

Elle était comme un animal blessé qui se laisse mourir.

J'ai tenté de lui parler, mais elle a paru ne pas m'entendre.

J'ai prié, agenouillé près d'elle.

Je Vous ai supplié, Seigneur, pour que Vous ne laissiez pas la mort l'entraîner. Mais c'était aussi pour moi que je Vous demandais cette grâce. Comment aurais-je pu lui survivre ?

Une nuit, la tourmente m'a emporté.

J'ai revu toute ma vie : en quoi avais-je été meilleur que Dragut-le-Cruel, que Dragut-le-Brûlé, que Dragut-le-Débauché ?

J'avais été un infidèle à Votre foi, Seigneur.

J'avais été le pire des renégats, car je n'avais pas cédé à la peur, à la torture, aucun bourreau ne m'avait menacé d'être écorché vif, comme les Turcs le faisaient avec les esclaves chrétiens.

Comme peut-être ils l'avaient fait avec Michele Spriano.

J'avais laissé le démon, qui est en chacun de nous, devenir mon maître.

J'avais désiré et aimé le plaisir, et m'étais servi de Zora pour l'assouvir.

J'avais été un bourreau.

Je n'avais aucune excuse.

Alors j'ai sangloté toute la nuit sans pouvoir maîtriser les tremblements de mon corps.

Et je Vous ai supplié, Seigneur, pour que vous échangiez ma vie contre celle de Zora. Que Vous lui rendiez la paix en me précipitant en enfer. J'ai pleuré jusqu'à tomber d'épuisement, à l'aube. Et à m'endormir, peut-être seulement quelques brefs instants.

Quand j'ai rouvert les yeux, j'ai vu Zora assise, jambes croisées.

Elle me regardait.

Puis elle s'est levée et j'ai marché derrière elle jusqu'à ce couvent des Cordelières, Santa Isabel la Real, qui se trouve dans le quartier de l'Albaicín, non loin de la muraille arabe.

La supérieure nous a reçus et a accepté d'accueillir Zora.

Je l'ai vue s'éloigner, accompagnée par deux religieuses, marchant lentement sous les voûtes du cloître.

Au bout il y avait un mur crénelé et un bâtiment qui formait toute une aile du couvent. J'y ai vu disparaître Zora.

La supérieure m'a dit qu'il s'agissait là des restes d'un palais mauresque qui portait le nom de Dar al-Horra.

Elle m'a fixé, puis a murmuré que ces mots signifiaient : « la maison de la Chaste ».

Seigneur, la vie est un labyrinthe dont Vous seul connaissez les détours et l'issue.

40.

J'ai prié pour Zora dans la cathédrale de Grenade devant la statue de Santa María de la Incarnación.

J'étais agenouillé auprès de don Juan.

Il avait voulu, avant de quitter Grenade, communier dans cet édifice inachevé et dont le Sagrario, un bâtiment carré, couronné d'une coupole dorée, décoré de mosaïques, était l'ancienne Grande Mosquée de la ville maure.

La statue de Santa María de la Incarnación se trouvait à l'entrée du Sagrario. Le père Verdini nous avait conduits jusqu'à elle.

Je m'étais, la veille, confessé à lui. Il m'avait chuchoté que Dieu pouvait me racheter, que je devais prier jusqu'à faire de toute ma vie une longue, une éternelle oraison.

C'était lui qui avait pris la tête de la petite troupe des proches de don Juan.

Nous n'avions pu entrer par la Puerta Principal : des échafaudages, des tréteaux masquaient encore la façade de la cathédrale et les tours. Accroupis, des tailleurs de pierre dégrossissaient des blocs sur le parvis. On hissait des statues qui devaient prendre place dans les niches de la façade.

Le père Verdini nous avait fait longer le bas-côté de la nef. Au moment où nous arrivions devant une porte étroite, il s'était effacé et nous avait invités à pénétrer dans la cathédrale.

Au moment où je passais devant lui, il avait murmuré : « Puerta del Pardón. » Puis il avait traversé la nef en direction du Sagrario et il s'était agenouillé le premier devant la statue de Santa María de la Incarnación.

Cela aussi, après la Puerta del Pardón, m'a paru un signe.

J'ai donc prié pour Zora. Mais les noms se sont mêlés, et j'ai prié aussi pour Mathilde de Mons et Lela Marien qu'on appelait Aïcha, celle qui, pour moi, était la Mauresque au sabre courbe.

Zora avait brandi une arme semblable pour me tuer, et Vous m'aviez sauvé, Seigneur.

Mais Vous aviez laissé mourir Aïcha.

J'avais écouté le matin même la harangue pleine de fatuité de don García Luís de Cordoza. Le capitaine général de Grenade avait péroré devant don Juan dans la grande salle de réception du Palacio de l'Audiencia. Il avait déclaré que ses officiers, parmi les ruines d'un village de morisques conquis, puis détruit et brûlé, avaient découvert le corps d'Aïcha la rebelle, celle qu'il appelait la Perfide, la Renégate, la Possédée. Ils avaient profané sa dépouille conformément aux ordres précis du capitaine général – cela, je l'avais appris de la bouche d'un des soldats. Ils l'avaient d'abord dénudée, puis l'avaient empalée, lui coupant les seins, enfonçant une hampe de pique dans son sexe, et à la fin, après l'avoir promenée des jours durant dans tout le pays morisque, ils l'avaient dépecée, jetant son tronc et sa tête aux porcs, ses membres aux chiens errants.

Tel avait été le sort d'Aïcha, qui m'avait arraché à la prison chrétienne du capitaine général de Grenade.

Je me suis tourné vers don Juan. Il était penché, le front reposant sur ses mains croisées. Il priait, les yeux clos. Je voyais ses lèvres remuer. Son visage juvénile aux traits réguliers et fins exprimait la tristesse et même la souffrance.

Me souvenant de ce qu'il m'avait dit, j'ai imaginé qu'il était comme moi saisi par le remords.

Il avait vu ces corps de femmes et de vieillards massacrés, éventrés. Il avait entendu les cris des mères, ceux des enfants qu'on séparait des mères. Il avait longé comme moi les cortèges humiliés et désespérés des morisques qu'on chassait de leurs demeures.

Était-ce pour ces vaincus-là, ces martyrisés-là, infidèles mais hommes comme nous, qu'il priait ?

Ou bien demandait-il à Dieu de lui accorder la grâce, l'honneur de commander la flotte d'une Sainte Ligue que le pape Pie V voulait créer pour tenter d'arrêter l'avancée musulmane ?

Sur ordre du sultan Selim II qui avait succédé à Soliman, les flottes d'Ali Pacha et de Lala Mustapha s'étaient enfoncées comme une épée dans l'Adriatique, allant jusqu'à Raguse, croisant devant Venise, n'hésitant pas à débarquer des troupes, à saccager les villes et les comptoirs vénitiens.

Un jour de septembre, le 13, les espions turcs – qui d'autre l'aurait fait ? – avaient fait exploser un magasin de poudre à Venise. Le feu s'était aussitôt propagé à l'Arsenal, le cœur de la Sérénissime, détruisant les corderies, les galères, les forges et les fonderies, les canons. Le vent avait attisé l'incendie et d'autres réserves de poudre avaient sauté, faisant s'écrouler des tours, ravageant des centaines de maisons et quatre églises.

Il fallait réagir. Mais il était bien tard.

Chypre était assiégée par trois cents navires turcs et barbaresques et par cinquante mille soldats. La flotte rassemblée des galères vénitiennes, auxquelles s'étaient jointes des espagnoles et des génoises, n'avait pu desserrer le garrot qui étouffait l'île où ne résistait plus que la ville de Famagouste.

On ne pouvait laisser le sabre musulman fouailler ainsi la chrétienté.

Pie V avait envoyé dans tous les royaumes des cardinaux, des membres de la Chambre apostolique pour exhorter les souverains chrétiens à s'engager dans une croisade qui avait d'abord pour but, avant de reconquérir, de sauver, protéger, défendre la chrétienté.

Mais les souverains de France et du Portugal avaient refusé. Philippe II lui-même s'était montré réticent. Il se méfiait des Vénitiens, toujours prêts à négocier avec les Turcs s'ils y trouvaient leur avantage.

Or, que serait une Sainte Ligue limitée à la papauté, à Venise, à quelques princes italiens et à l'ordre de Malte ? Sans l'Espagne et sans Gênes, son alliée, aucune croisade n'était possible.

Il fallait convaincre Philippe II.

Des messagers étaient arrivés à Grenade, annonçant à don Juan que Pie V était prêt à lui confier le commandement de la flotte de la Sainte Ligue. Sa Sainteté escomptait qu'il convainque son demi-frère, Philippe II, d'accepter cette proposition. Alors la Reconquista commencerait et on pourrait pour la première fois faire reculer les Ottomans.

Mais Philippe II accepterait-il, ou bien craindrait-il la trop grande gloire qu'une victoire ferait rejaillir sur don Juan ?

Dans la cathédrale de Grenade, don Juan priait sans doute pour que Philippe II l'autorise à prendre ce commandement pour le bien de la chrétienté et de l'Espagne réunies.

Près de lui, j'ai continué de prier pour Zora, Mathilde et Aïcha. Mais je Vous ai supplié aussi, Seigneur, de faire que les vœux de Sa Sainteté et de don Juan soient exaucés.

Car je voulais retourner combattre l'infidèle, et ensevelir mes remords et mes souvenirs sous les cadavres ennemis.

Oh, Seigneur, je ne craignais pas la mort ! Mais peut-être est-ce péché que d'avoir pensé que ce serait une grâce que de comparaître devant Vous après être tombé dans la croisade contre les infidèles.

41.

Cette croisade de la Sainte Ligue dont je découvrais que la cour tout entière parlait, je voulais qu'elle soit pour moi comme un nouveau baptême.

J'avais la certitude que don Juan, auprès de qui j'avais chevauché de Grenade à Madrid, le désirait aussi.

— Si nous combattons comme des chevaliers, pour Dieu, la sainte Église et l'Espagne, si nous offrons nos vies, alors nous serons sauvés ! m'avait-il dit.

C'était en fin de journée. Nous avions galopé dans la chaleur accablante qui brûlait la Mancha. Une fois encore, nous avions vu des groupes de morisques que des soldats poussaient à coups de pique. Ces malheureux marchaient pieds nus et tachaient de sang le chemin.

Nous avions détourné le regard pour ne pas voir leurs corps meurtris, leurs visages exsangues. Heureusement, la poussière que soulevaient les sabots de nos chevaux avait masqué cette vision douloureuse.

— Il nous faut des batailles franches contre un ennemi aussi déterminé que nous le sommes, avait poursuivi don Juan. Ainsi nous mènerons une guerre juste et sainte.

Il voulait comme moi laver ses remords, ses fautes et ses péchés dans le sang des infidèles.

La victoire que nous remporterions serait notre rédemption.

À Madrid je retrouve Sarmiento. Il est au centre de toutes les intrigues, au cœur de toutes les fêtes.

Car on célèbre à présent le mariage de Philippe II avec Anne d'Autriche, une jeune fille d'à peine plus de vingt ans, blonde et grasse, le regard flou. Oubliée, Élisabeth de Valois, enterrée à l'Escurial ! Il fallait au monarque une nouvelle épouse capable d'enfanter un futur roi ; peu importe qu'elle soit de vingt-deux ans sa cadette et que ce futur époux soit son oncle.

Sarmiento me chuchote que Philippe II a consommé ce mariage avec une vigueur d'homme d'expérience et que sa blonde nièce, la soumise Anne, est déjà grosse.

Sarmiento ricane. Le souverain est attiré par la blondeur, la peau laiteuse d'Anne d'Autriche. Il l'honore chaque nuit, puis la quitte et s'en va trouver des plaisirs plus relevés chez Anna Mendoza della Cerda, princesse d'Eboli. Celle-ci partage sa couche avec un jeune secrétaire du roi, Antonio Pérez. Elle souhaiterait aussi connaître d'un peu plus près le tendre don

Juan dont on dit qu'il a fait merveille, à Grenade, avec Maria de Mendoza, cousine de la princesse borgne.

Sarmiento se frotte les mains. Il se voûte. Jamais je n'avais remarqué comme de son visage oblong, que prolonge une courte barbe, émane une expression inquiétante.

— Le bâtard d'empereur donne naissance à des bâtards, murmure-t-il. Et toi, toujours solitaire et vertueux comme un vieux moine ?

Il se penche vers moi, me dévisage avec insistance.

— Et cette fille que tu as placée au couvent des Cordelières ?

Il me donne une bourrade.

— Une jeune morisque ? Tu aimes le poivre vert !

Il devine mon désarroi et ma colère.

— J'ai retenu le bras des juges de l'Inquisition, murmure-t-il. Ils savent tout, mais ne peuvent pas tout. Je te protège, Bernard !

Je me tais, je m'incline.

C'est cela, la cour. J'en suis.

J'assiste aux courses de taureaux et aux tournois. Puis je m'agenouille dans l'église de Santa Maria de la Almudena où tous les grands d'Espagne communient.

On reçoit le cardinal Alessandrino, envoyé du pape, chargé d'obtenir enfin de Philippe II une réponse favorable aux demandes du souverain pontife. Près du cardinal se tient le général des jésuites, François Borgia.

On sort de l'église. On forme un long cortège qui va parcourir les rues de Madrid au milieu de l'enthousiasme populaire.

Les archers s'avancent, entourant la bannière blanche

de la papauté où sont brodées en fils d'or la tiare, les clés et la croix.

Puis viennent les porteurs des bannières de chaque royaume d'Espagne aux couleurs rouge, or et jaune.

Et passent les régiments de hallebardiers suisses et de lansquenets allemands.

Et voici le cardinal sur une mule blanche dont le pelage tranche avec le noir du destrier que chevauche don Juan.

Je m'inquiète. On acclame don Juan autant et peut-être même plus que le roi. Il est jeune, beau comme un héros, sa poitrine serrée dans une armure noire sertie de pierres précieuses et barrée d'une écharpe frangée d'or.

Je sais par Sarmiento que le monarque est toujours aux aguets. Il craint qu'un nouveau soleil ne naisse, qui brille tant que son propre éclat en paraisse terni.

— Ton don Juan, me dit-il, n'est qu'un bâtard. Jamais Philippe II n'acceptera qu'il s'élève non pas seulement au-dessus de lui, mais à sa hauteur ou à celle d'un héritier. Un bâtard reste un bâtard. Jamais il ne sera appelé Altesse ! Jamais roi.

Sarmiento fait la moue.

— Excellence, tout au plus...

Il me prend par le bras. Il faut qu'il me mette en garde, reprend-il. C'est le roi qui mène le jeu, et non pas don Juan. Je dois, insiste-t-il, rester à Madrid, paraître chez la princesse d'Eboli. C'est elle qui, avec son mari, Ruy Gomez, et le secrétaire du roi, Antonio Pérez – il murmure : « son amant, mais le roi l'ignore » –, fait et défait les destins.

Sarmiento m'assure qu'il comprend ma volonté de combattre les infidèles. Mais les Turcs ne sont qu'une des faces du diable. Il y a l'autre, les huguenots qu'en dépit de son engagement envers Philippe II le roi de France s'obstine à ménager et avec qui la reine mère, Catherine de Médicis, négocie et conclut des alliances.

Ceux-là représentent le plus grand danger pour l'Église, pour la chrétienté, pour l'Espagne. Ils veulent porter secours aux gueux des Pays-Bas, ces rebelles que combat le duc d'Albe, mais qui sont aussi coriaces que de la viande séchée aux feux de l'enfer.

C'est sur les rives de la Seine, de la Loire ou du Rhin, en France et dans les Flandres que se joue le sort de la chrétienté.

Sarmiento reçoit régulièrement des dépêches d'Enguerrand de Mons qui représente l'ordre de Malte auprès de Charles IX. Il s'est mis au service du roi d'Espagne, comme tout bon catholique doit le faire.

— Au service du roi et non de son bâtard de frère !

J'interroge Sarmiento : Philippe II rejoindra-t-il la Sainte Ligue ? répondra-t-il aux demandes du pape ? écoutera-t-il le cardinal Alessandrino et le général des jésuites ?

Qu'est-ce qu'être catholique, si ce n'est prêter main-forte au pape dans sa lutte contre les infidèles ?

— L'Espagne, oui, dit Sarmiento. Mais toi, Bernard de Thorenc, qui t'oblige à suivre don Juan sur ses galères ?

Nous suivons le cortège.

Don Juan s'est placé auprès du roi. Nous entrons dans l'Alcazar qui fait face à l'église Santa Maria de la Almudena.

Le cardinal Alessandrino descend de sa mule.

Il est entouré par les grands d'Espagne engoncés dans leurs habits de velours et portant leurs colliers d'or et d'argent.

L'un des archers brandit la bannière pontificale. Un autre élève un étendard en damas rouge aux images brodées de saint Pierre et saint Paul ainsi que d'une croix blanche.

Et j'entends François Borgia lancer d'une voix forte la devise inscrite sur l'étendard : *Tu hoc signo vinces !*

C'est ma réponse à Sarmiento : « Par ce signe tu vaincras. »

Je partirai avec don Juan et ceux des gentilshommes qui voudront le suivre.

Nous irons à Barcelone et embarquerons sur la galère la *Reale.*

Don Juan commandera la flotte de la Sainte Ligue.

Tu hoc signo vinces.

Je suivrai ce signe : la Croix ; il nous donnera la victoire et ma vie en sera rachetée.

CINQUIÈME PARTIE

42.

Dans les ports de Barcelone, Gênes, Naples et Messine, j'ai vu grandir la forêt de mâts et de rames au fur et à mesure que se rassemblait autour de la galère de la *Reale*, celle de don Juan, la flotte de la Sainte Ligue.

Ma main, mon corps, mon âme tremblent à me souvenir de ces mois, de ces jours, les plus vibrants de ma vie.

Ai-je dormi entre le moment où nous avons quitté Madrid, le 6 juin 1571, et celui où, le 17 septembre, je me suis encore trouvé aux côtés de don Juan, à bord d'une frégate, pour passer en revue, dans la rade de Messine, les trois cents galères de la Sainte Ligue ?

Jamais je n'avais entendu prier et chanter avec une telle ferveur.

Les bannières étaient hissées au sommet des mâts et c'était comme si d'un bout à l'autre de la rade une seule voix avait lu la même phrase : *Tu hoc signo vinces !*

On regardait le brigantin aux couleurs pontificales. On s'agenouillait et on priait, baissant la tête pour recevoir la bénédiction de Pie V, embarqué à bord du navire pour voir défiler devant lui la flotte de la croisade, celle qui allait arrêter le déferlement des musulmans.

On venait d'apprendre qu'après avoir pris Chypre

ceux-ci avaient saccagé Corfou et que leurs vaisseaux menaçaient tous les comptoirs chrétiens, qu'ils fussent génois, vénitiens ou espagnols.

Nous avons donc pris la mer, ce 17 septembre 1571, et jamais comme en ce jour-là je n'avais connu émotion et exaltation plus intenses.

Je m'étais élancé, le 6 juin, avec la petite troupe de cavaliers qui avaient quitté Madrid pour escorter don Juan.

La chaleur était déjà extrême, la poussière brûlante ; chacun de ses grains, comme un dard s'enfonçant dans la peau, piquait les yeux, séchait les lèvres.

En arrivant à Barcelone j'avais le corps brisé mais, tout à coup, ce fut la mer, le souffle frais, et la *Reale* entourée de fustes et de galiotes qui se pressaient contre elle comme font les chiots contre les flancs de leur mère.

Nous nous sommes tous immobilisés pour la regarder, haute sur l'eau, sa rambarde, ses châteaux avant et arrière, sa proue et sa poupe sculptées, le navire entier peint aux couleurs de don Juan, pourpre et or.

J'ai eu envie de me précipiter dans la vague, sans attendre, pour parvenir plus vite à bord de ce navire beau et fier comme un vaisseau de légende.

Brusquement, comme nous nous avancions sur les quais, ce furent des acclamations, cette foule qui se précipitait, qui, depuis les balcons, nous couvrait de fleurs, ces princes d'Italie qui venaient à notre rencontre, eux aussi encore empoussiérés par la longue route qu'ils venaient de parcourir pour rejoindre don Juan afin d'embarquer avec lui sur la *Reale*.

Le soir, comment aurais-je pu dormir alors que toute la ville dansait, que chacun d'entre nous était entouré par les dames et les jeunes filles de la noblesse, parées de robes de soie blanche ou cramoisie ?

Les premiers instants, entrant dans ces salles illuminées par d'innombrables candélabres, je me suis fait reproche d'oublier que j'étais là pour racheter mes péchés, sacrifier ma vie, payer pour ma conduite à l'égard de Zora, mais aussi d'Aïcha.

Je voulais la guerre contre l'infidèle comme une action de repentance afin d'obtenir le rachat de mes fautes.

Seigneur ! Il m'a suffi d'une danse, de la main d'une jeune femme saisissant la mienne, pour que je perde la mémoire et danse et me laisse entraîner dans une pièce plus sombre.

Nous étions les héros à venir, les nouveaux croisés.

Don Juan prêtait à chacun de nous un peu de sa beauté, de sa grâce, de son élégance et de sa jeunesse. Il portait un habit rouge et or serré à la taille, la dague au côté. Une écharpe rouge faisait encore paraître plus blonds ses cheveux. Quand il quittait les salons, il s'enveloppait d'un manteau de velours blanc brodé d'or.

J'ai vécu cela : une ivresse légère et joyeuse, sans remords, à Barcelone, Gênes, Naples puis Messine.

Là était le lieu de rassemblement de la flotte.

Don Juan m'a demandé d'embarquer sur la galère la *Marchesa* que commandait un vieux capitaine vénitien, Ruggero Veniero, dont les cheveux blancs tombaient jusqu'aux épaules.

Veniero se tenait appuyé à la rambarde du château

arrière. Il nous haranguait d'une voix juvénile, à peine éraillée, disant que jamais dans l'histoire du monde n'avait été rassemblée une telle flotte.

Il tendait le bras, montrait les trois cents navires, galères, galéasses, galiotes, frégates, fustes, brigantins, birèmes, trirèmes, naves mahones, toutes les tailles, toutes les formes, toutes les puissances, les galéasses avec leurs cent bouches à feu, les galiotes avec leurs vingt bancs de rameurs.

Il répétait :

— Nous sommes trente mille soldats et cinquante mille marins et rameurs.

Je me penchais.

Je regardais la chiourme. Je reconnaissais cette odeur d'excréments et de sueur mêlés.

On avait redoublé les chaînes qui entravaient les rameurs musulmans. Leurs mains étaient prises dans des gantelets de métal afin qu'ils pussent seulement tirer sur la rame.

On avait promis aux galériens chrétiens qu'ils obtiendraient la liberté s'ils combattaient aux côtés des soldats contre les infidèles. Et sur le pont, derrière les grands panneaux de bois dressés afin de protéger marins et soldats, s'entassaient des centaines d'armes blanches, haches, piques, poignards, glaives, épées et coutelas qu'on distribuerait au moment de la bataille quand tout chrétien, qu'il fût noble, soldat, voleur ou assassin, devrait prendre part au combat.

Et le pape Pie V avait fait savoir que les indulgences pour les fautes et les péchés commis seraient accordées à ceux qui se distingueraient dans la bataille.

Cette annonce avait été accueillie par des cris de joie,

des hurlements, aussi, comme si chacun de ces condamnés avait eu hâte d'empoigner une arme et de tuer pour être libéré, sauvé, racheté.

Sous l'exaltation et dans la prière, j'ai étouffé les doutes qu'à certains moments je sentais resurgir en moi.

Mais chaque instant, heureusement, apportait une nouvelle surprise, une bouffée d'ivresse.

Don Juan donna l'ordre que fussent sciés les éperons de fer qui prolongeaient les proues. Ils étaient redoutables au moment de l'abordage, crevant les coques des galères ennemies, déchirant les bois et les chairs, mais, surélevés, ils ralentissaient la marche et obligeaient surtout les canonniers à tirer plus haut, les empêchant de faire feu au ras de l'eau pour ne pas les heurter.

J'ai admiré la vigueur, l'intelligence, la ferveur de don Juan. Il passait tel Apollon, le torse serré dans son armure aux incrustations d'or, ou bien dans un pourpoint. Il attirait par sa jeunesse et sa beauté, suscitait respect et obéissance par son autorité.

On disait que Pie V avait au cours d'une messe, à Rome, interrompu la lecture des Écritures pour dire à deux reprises, d'une voix tremblante, comme s'il ne faisait que répéter ce que Dieu venait de lui souffler :

— Il y eut un homme envoyé de Dieu, qui s'appelait Jean.

Notre don Juan.

Il est venu à plusieurs reprises sur la *Marchesa*, interpellant durement Veniero, disant que la *Marchesa* était la seule des galères vénitiennes qui, ayant à son bord des soldats et des marins qui n'étaient pas citoyens de la Sérénissime, était digne de faire partie de cette flotte de la Sainte Ligue. Les autres étaient mal armées, manquaient de combattants et de rameurs.

— On ne se bat pas sans hommes ! s'écriait-il. Ces galères vénitiennes sont à la merci de la première canonnade, du premier abordage !

Veniero se cabrait, comme si chaque phrase prononcée durement était un coup de fouet. Mais il n'osait s'en prendre au frère du roi d'Espagne, aussi s'emportait-il contre le Génois Doria ou l'amiral des galères pontificales, Marcantonio Colonna.

J'écoutais, m'inquiétais de ces divisions, mais, comme pour mes remords ou mes doutes, je n'avais pas le temps de m'y attarder.

Je voyais Enguerrand de Mons franchir la passerelle en compagnie d'un homme maigre au regard perçant, un Vénitien nommé Vico Montanari. Tous deux arrivaient de Paris. Ils avaient choisi de participer à la croisade plutôt que de rester à l'abri dans cette cour de France où le roi Charles IX et la reine mère, Catherine de Médicis, se refusaient à donner un seul navire, un seul soldat pour la Sainte Ligue.

Enguerrand de Mons s'indignait : ce monarque qui se disait Très Chrétien préférait s'entendre avec les huguenots, avec cet amiral de Coligny qui recrutait une armée pour attaquer les troupes espagnoles des Pays-Bas, parce que ce qui les réunissait, huguenots et catholiques français, c'était la haine de l'Espagne et de l'empire !

Charles IX et Catherine de Médicis continuaient l'infernale politique de François Ier, l'allié de Soliman le Magnifique.

— Dieu sait combien nous avons souffert dans nos chairs ! concluait-il en me fixant.

Je n'avais pas oublié Mathilde de Mons, ni les chiourmes, ni les bagnes des Barbaresques, ni Dragut-le-Cruel dont on ne savait s'il avait été tué lors du siège de Malte ou s'il continuait, avec Ali Pacha et Lala Mustapha, de commander les flottes ottomanes et barbaresques.

J'imaginais qu'il avait survécu, tant, ces dernières semaines, les musulmans avaient montré de cruauté.

J'avais tremblé d'effroi et de colère en écoutant le récit que m'avait fait Michele Spriano de la conquête de Chypre.

Pourtant, ç'avait d'abord été la joie des retrouvailles sur ce quai de Messine, devant la passerelle de la *Marchesa*.

J'avais vu cet homme voûté aux cheveux gris qui s'avançait lentement comme s'il avait eu besoin de reprendre souffle à chaque pas.

Il était vêtu d'un pourpoint et d'un pantalon bouffant de velours noir. Aucune dentelle blanche, aucun tissu de couleur vive ne venait relever le noir du tissu, le gris de la peau et des cheveux.

Il m'avait paru troublé. Je ne réussissais pas à mettre un nom sur ce visage qui ne m'était pourtant pas inconnu.

J'avais imaginé un instant qu'il s'agissait de l'un de ces capucins qui allaient embarquer avec nous. Puis l'homme s'était redressé et avait murmuré quelques vers, ceux qui marquent l'entrée dans l'Enfer :

Per mè si va nella città dolente
Per mè si va nel eterno dolore
Per mè si va tra la perduta gente.

Je me suis mis à trembler ; les larmes ont envahi mes yeux et j'ai serré contre moi Michele Spriano.

Je pleurais de joie, je bénissais Dieu d'avoir protégé Michele que j'interrogeai avec avidité.

Il a commencé à parler lentement, sans me regarder, comme s'il évoquait pour lui-même ce qu'il avait vécu, ce bagne d'Alger que je connaissais si bien.

Il y avait occupé des fonctions presque officielles, servant d'intermédiaire et de traducteur entre marchands chrétiens et barbaresques.

Il s'était interrompu, avait hoché la tête.

— J'ai vu, j'ai entendu, avait-il repris. Je sais, maintenant.

Il avait baissé la voix.

— Je vais te blesser, avait-il murmuré. Surtout ici, alors que tu t'apprêtes à combattre.

Il avait haussé les épaules.

— Mais les choses sont ainsi. Dieu, la religion, l'Église ne sont pour la plupart des hommes que des masques. Derrière leurs Livres saints, qu'il s'agisse du Coran, de l'Ancien ou du Nouveau Testament, ils cachent leurs livres de comptes. Ce ne sont pas les grains d'un chapelet qu'ils égrènent, mais un boulier de marchand qu'ils manipulent. Les ducats, l'or, les intérêts, l'achat d'épices, la vente de draps, voilà ce pour quoi ils vivent.

Il avait posé la main sur mon épaule.

— J'ai traduit leurs propos. J'ai été au courant de tous leurs secrets. En même temps qu'ils prêchent la croisade, les Vénitiens négocient avec le sultan. Cette Sainte Ligue n'est qu'une forme de leur négociation. Et le grand vizir, Sokolly, est au mieux avec l'ambassadeur de Venise à Constantinople. Je le sais. Le reste – il avait montré les galères dans la rade –, c'est le grand théâtre. Mais, Bernard, ceux qui combattent au nom de Dieu ne sont que des cartes à jouer que d'autres, banquiers, marchands, princes et rois, jettent sur la table au gré de leurs intérêts et pour gagner leur grande partie, celle dont ils tirent leur gloire et leurs profits.

J'ai plaqué la main sur sa bouche, brutalement. Qu'il se taise !

Puis je l'ai pris contre moi.

— Tu es vivant, ai-je répété. Remercions Dieu ! Raconte-moi...

J'ai retiré ma main. Il avait les lèvres tremblantes.

— J'ai dit ce qu'un homme doit savoir. Que la plupart d'entre nous sommes voués à l'enfer. Ma *Divine*...

J'ai frappé ma poitrine pour lui montrer qu'elle était là, en moi, contre moi, sous mon pourpoint, que ce livre qui ne me quittait jamais était ma cuirasse.

Il a ri, et je l'ai enfin un instant retrouvé tel que je l'avais connu, puis il a repris son récit.

Après avoir connu tant de secrets liant chrétiens et musulmans, marchands de quelque religion qu'ils fussent, il avait compris qu'un jour on déciderait de sa mort, car c'était le seul moyen de lui faire garder le silence.

Il avait donc choisi de se perdre dans la foule des rameurs de la chiourme, réussissant à payer un Turc, qui en était resté tout étonné, pour être embarqué, abandonnant son sort privilégié de captif de rançon pour la dure loi de la chiourme.

Il avait été sur l'une des galères de la flotte de Lala Mustapha qui avait assiégé Chypre. Il savait que les deux chefs vénitiens, Astor Baglione et Marcantonio Bragadini, avaient été, l'un dépecé, l'autre écorché vif, sa peau remplie de paille, arborée comme un trophée au mât de la galère de Lala Mustapha, puis accrochée à la poterne de la prison des esclaves à Constantinople.

Il avait vu brûler villes et villages de l'île. Il avait entendu les cris de terreur des jeunes filles violées, embarquées de force.

Dans le port de Famagouste, la mer était devenue rouge. Les musulmans avaient été à ce point repus et ivres de cruauté qu'ils avaient perdu toute raison. Trois navires, sur lesquels ils avaient entassé des centaines de jeunes filles vouées à l'esclavage, avaient été incendiés, au mouillage, parce que des marins avaient laissé s'embraser les voiles et avaient tardé à lutter contre l'incendie.

— Ces cris, les cris des femmes que les flammes dévoraient..., avait répété Michele Spriano, les paumes plaquées sur les oreilles.

Et, brusquement, avait-il repris, alors que dans tout le port et la rade les Turcs s'affolaient, tentant d'éteindre l'incendie, des galères vénitiennes avaient attaqué les navires turcs, les prenant à l'abordage, coulant plusieurs d'entre eux. Avec quelques dizaines d'autres rameurs, Michele Spriano s'était libéré de ses chaînes et avait pu sauter à bord d'un navire chrétien.

— Et je suis ici, et je te retrouve..., avait-il murmuré.

Puis il avait secoué la tête.

— Mais je ne serai pas de cette bataille.

Il s'était voûté comme si tout son corps avait été écrasé de fatigue et de désespoir.

J'avais retiré de mon pourpoint sa *Divine* et lui avais tendu le livre.

Il avait d'abord refusé, mais j'avais montré la mer, les canons des galéasses, ces colonnes de soldats, d'arque-busiers et de piqueurs qui embarquaient, derrière leurs bannières marquées de la croix blanche, à bord des navires amarrés.

On disait que la flotte musulmane d'Ali Pacha s'était rassemblée dans le golfe de Patras, à Lépante, non loin du promontoire d'Actium, là même où, en 31 avant Jésus-Christ, l'empereur Octave avait vaincu les galères d'Antoine et Cléopâtre.

Qui pouvait assurer qu'il reviendrait vivant d'un affrontement qui allait décider du sort du monde ?

Michele Spriano m'a écouté, puis a pris le livre et m'a embrassé.

J'ai voulu oublier ce que Spriano m'avait dit. Avec les moines de la procession qui s'avançait sur le quai vers notre galère, j'ai chanté les psaumes et les cantiques. J'ai vu ces deux soldats espagnols et ces deux marins vénitiens qui portaient sur leurs épaules un crucifix qui devait être hissé au sommet de notre grand mât.

C'est au moment où ils franchissaient difficilement la

passerelle que j'ai pour la première fois vu Votre visage, Seigneur, sculpté dans le bois.

J'ai déjà dit, au début de ce récit de ma vie, ma surprise, ma déception et presque ma colère : vous aviez les yeux clos. Vos traits exprimaient la souffrance. Vous sembliez partager le désespoir de Michele Spriano.

Or j'avais besoin que Vous me donniez la force de ne pas douter, que, comme faisaient Ruggero Veniero ou don Juan, Vous exaltiez la volonté de vaincre, et donc de tuer, et donc de prendre le risque de soi-même mourir.

Je me suis agenouillé. Le jeune homme près de moi, qui m'imitait, m'a chuchoté qu'il avait sculpté Votre corps et Votre visage.

J'ai fait reproche à ce jeune Vénitien, Benvenuto Terraccini, de n'avoir pas su Vous représenter fort et glorieux, combattant, d'avoir préféré exprimer Votre faiblesse et Votre souffrance.

Sa main, m'a répondu Terraccini, avait été guidée par Vous.

Et Vico Montanari a murmuré que Votre compassion n'était pas soumission, mais partage de ce que nous allions endurer dans cette lutte où la mort sabrerait nos corps.

— Dieu nous voit, a-t-il ajouté. Il nous aime. Il sait que nous allons souffrir et que le sang de nombre d'entre nous rougira la mer.

Je n'ai compris cela que plus tard, après la bataille, quand j'ai vu tant de corps flotter, bras en croix, les chrétiens souvent face vers le ciel, les Turcs au contraire, comme s'ils n'osaient regarder le soleil, le visage tourné vers les profondeurs.

344

J'ai entendu la voix de Veniero qui, debout, arc-bouté à la rambarde du château arrière de la *Marchesa,* lançait, alors que nous larguions les amarres, après que les marins eurent fixé le crucifix à la cime du mât :

— En cette sainte journée, nous quittons la paix du port pour aller droit à l'ennemi. Avec la grâce de Dieu, nous allons châtier ces chiens d'infidèles ! Nous allons leur infliger une défaite telle qu'ils ne retrouveront jamais l'ardeur qu'ils ont eue jusqu'ici. Nous allons combattre pour sauver la chrétienté !

Il a écarté les bras et crié d'une voix vibrante :

— *Tu hoc signo vinces !*

« Par ce signe tu vaincras. »

43.

Je me tenais à la proue de la *Marchesa,* ce dimanche 7 octobre 1571, quand le soleil m'a ébloui.

Jusque-là, nous avions navigué sur une mer lisse et noire, serrés entre l'île d'Oxia et la côte grecque.

Le ciel bleuissait, échappant à la nuit, mais l'ombre restait prisonnière du chenal. Elle nous enveloppait, nous protégeait. Elle nous rassurait. De temps à autre, Veniero, debout sur le château arrière, s'adressait à nous, nous invitait à prier ou bien nous haranguait, sa voix amplifiée d'avoir rebondi entre les falaises de la côte et l'île.

Du poing il martelait la rambarde.

— Hommes de la chrétienté, lançait-il, nous devons,

ce jour choisi par le Seigneur, montrer notre puissance, châtier la rage et la méchanceté de ces chiens infidèles, de cette secte maudite ! Ayons la certitude de vaincre ! Prions le Dieu des armées qui régit et gouverne le monde ! Il est notre espérance et nous sommes Ses soldats ! Vive Jésus-Christ, Notre-Seigneur !

Nous répétions ces derniers mots.

Agenouillé près de moi, Vico Montanari murmurait que même si nous remportions la victoire nous n'en aurions jamais fini avec les infidèles.

— Nous sommes liés à eux comme le Bien l'est avec le Mal, à l'instar des corps des enfants monstres qui restent attachés l'un à l'autre.

Il se signait, appelait la protection de Dieu sur notre galère et sur nos vies, puis ajoutait :

— Notre avenir a la couleur du sang !

Je me suis rendu à la proue, me faufilant parmi les soldats casqués qui portaient l'armure et l'arquebuse. Ils somnolaient.

Nous glissions, poussés par une brise de terre, dans une douce pénombre. Les rames de la chiourme battaient à un rythme lent l'eau calme. Puis, tout à coup, cette lumière et ce vent qui me frappaient au visage... Enveloppé par les bruits, je me suis senti secoué car la mer, sitôt que nous eûmes doublé la pointe de Scropha, quitté le chenal et la protection des hauteurs de l'île et de la côte, s'était creusée de courtes vagues à la crête blanche.

Veniero hurlait, ordonnant de mettre bas les voiles, puisque nous étions désormais vent debout.

Il voulait aussi qu'on augmente la cadence des rameurs. Les gardes-chiourme commencèrent à faire claquer leurs fouets cependant que les rames s'enfonçaient bruyamment dans la mer houleuse.

Mais il y avait autre chose que ces bruits, que ces voix proches. Cela venait de l'horizon, porté par le vent...

Je me suis hissé sur le socle du canon de proue.

J'ai dû m'accrocher aux cordages, tant le vent soufflait fort. Comme le soleil était voilé par un mince voile blanc, j'ai vu devant moi la bouche béante du golfe de Patras et deviné, au loin, l'arsenal de Lépante.

D'un bord à l'autre du golfe, dessinant un croissant, j'ai distingué les galères d'Ali Pacha, voiles couleur sang, coques sombres. Elles étaient innombrables.

Au même moment, j'ai entendu ces chants, ces roulements de tambour, ces détonations, ces hurlements aussi qui allaient parfois jusqu'à l'éclat des trompettes et des cymbales.

C'était comme une vague immense s'amplifiant à chaque coup de rame qui nous rapprochait d'elle.

Il m'a semblé que je pouvais, dans la rumeur, séparer les voix les unes des autres, et j'ai imaginé chacun de ces hommes brandissant son sabre courbe, sa pique, son poignard, sa hache, son arquebuse. La rage et le désir de me tuer ou de faire à nouveau de moi un esclave l'habitait.

Il fallait que m'obsède le même désir de le tuer et de le vaincre.

C'était celui qui haïssait le plus qui l'emporterait.

J'ai levé la tête vers le christ aux yeux clos, ce christ d'amour et de compassion.

347

Il régnerait après que nous aurions tué et vaincu.

Jusque-là, il nous fallait le Dieu qui exige qu'on combatte et tue pour Lui.

J'ai brandi mon glaive.

J'ai vu Enguerrand de Mons, Vico Montanari, Benvenuto Terraccini et cet Espagnol avec qui j'avais échangé quelques propos, que je savais brûlé par la fièvre de la maladie mais qui avait voulu être sur le pont avec nous pour la bataille, Cervantès.

J'ai crié :

— Nous allons noyer ces chiens ! Vive Jésus-Christ ! Mort aux infidèles !

À cet instant, le vent a changé de direction. Il nous poussait maintenant vers la flotte d'Ali Pacha.

— Le vent nous aide ! a crié Ruggero Veniero.

— Dieu nous protège, Dieu nous guide !

Nous nous sommes tous agenouillés pour Vous remercier, Seigneur, de ce signe que Vous nous donniez.

Il y eut un coup de canon. C'était la *Reale* qui commençait le combat.

Ce que j'ai fait dans cette bataille, je l'ai déjà dit.

Mais, ce dimanche 7 octobre 1571, je ne puis m'en enorgueillir. Les actes que j'ai accomplis naissaient en moi sans que je les eusse voulus, médités.

Quand j'ai bondi sur le pont de la *Sultane*, la galère d'Ali Pacha où un janissaire venait de trancher d'un coup de hache la tête de notre christ après que notre mât eut été brisé, une force m'a poussé.

Je devais sauver cette tête de christ que le janissaire

brandissait comme l'annonce ou le symbole de la victoire des infidèles.

Rien n'aurait pu m'arrêter.

J'ai frappé de mon glaive tous ceux qui tentaient de m'empêcher d'avancer vers Toi, Seigneur, vers Ton pauvre visage souffrant.

Peut-être, si Tu avais les yeux clos, cette expression désespérée, était-ce parce que Tu savais qu'on allait trancher Ton corps à l'instar de celui de tant des nôtres.

Mais j'ai tué, frappé celui qui T'avait profané.

Et j'ai serré contre moi Ta tête coupée.

Je n'ai vu de la bataille que ce qui se trouvait au bout de mon glaive, de ma dague, puis de la hache que j'ai ramassée sur le pont de la *Sultane* et avec laquelle j'ai taillé à grands coups les corps des janissaires. J'ai brandi à la pointe d'une lance la tête d'Ali Pacha coupée au ras des épaules.

Mais la bataille a continué jusqu'au bout de la journée. Lorsque je tuais, j'entendais — et cela ne faisait qu'augmenter ma fureur, l'ivresse que dispense la fade odeur du sang — le son des trompettes, le roulement des tambours, le claquement des arquebuses et des cymbales, les grondements de la canonnade mêlés aux cris de haine et aux hurlements de souffrance.

Le feu m'a plusieurs fois encerclé. Il semblait naître dans le ciel avant d'embraser les voiles, les mâts, les coques et jusqu'aux corps des combattants. Pour échapper à cet enfer, les hommes se jetaient dans les vagues, mais la mer elle-même brûlait, l'huile et la poix s'y étant répandues, tombées du ciel où les canons les avaient projetées.

Quand le feu se fut éteint, la mer est apparue, rouge de sang, les corps souvent enchevêtrés tels que les combats et les flammes les avaient unis, agglutinés les uns aux autres.

Tout à coup il y a d'autres cris plus aigus, ceux des esclaves chrétiens qui, sur les galères musulmanes, ont brisé leurs chaînes et qui se précipitent sur leurs geôliers, vivants ou blessés, et les achèvent à coups de poing, de dents, avant de se répandre dans les coursives, de piller, saccager, bientôt rejoints par les rameurs chrétiens de nos galères, libérés pour avoir participé au combat.

La nuit tombe et je vois leurs silhouettes éclairées par les incendies dont le rougeoiement se confond avec les teintes du crépuscule.

De temps à autre, d'ultimes cris, des chants : *La victoire est à nous !*

On jette des amarres pour remorquer les galères turques conquises.

Je m'assieds sur le pont, contre le château arrière de la *Marchesa*. Miguel de Cervantès est blessé, il a le bras et la main gauches brisés. Vico Montanari a le corps griffé de mille coups, les vêtements lacérés. Le visage de Benvenuto Terraccini est couturé, le sang a séché sur ses plaies.

Plus loin, parmi les corps, celui d'Enguerrand de Mons que je reconnais à sa croix de chevalier de Malte. Ensanglanté, il est seulement blessé.

Quant à moi je n'ai que le corps rompu, les bras entaillés par les coups d'épée, le front fendu par la lame d'une hache et, ici et là, des éraflures.

Je tiens entre mes mains le visage du christ aux yeux clos.

Je le caresse comme s'il était l'un de ces combattants dont on craint, à les voir, qu'ils ne soient déjà morts.

Je le touche. Je prie, me rassure.

Il est vivant en moi.

44.

Dès la nuit tombée, le vent s'est mis à souffler en tempête et m'a dégrisé.

J'ai vomi comme après une beuverie.

Je me suis agrippé à la rambarde du château arrière pour ne pas être emporté par les vagues qui balayaient le pont, poussant les morts parmi les vivants, entraînant et noyant les blessés qui n'avaient plus assez de force pour s'accrocher à un cordage, à l'affût d'un canon, à un reste de mât.

J'ai serré contre moi la tête de christ aux yeux clos. Je l'ai glissée sous mon pourpoint déchiré, là où j'avais naguère porté *La Divine Comédie*. Et quand la coque a commencé à craquer, que la mer s'est engouffrée dans les brèches, j'ai pensé, Seigneur, que Vous vouliez nous précipiter en enfer, nous punir pour cette journée de crimes et de sauvageries que nous Vous avions pourtant dédiée, que nous avions proclamée Victoire sainte alors qu'elle avait fait couler tant de sang humain que la mer en était devenue rouge.

J'ai eu honte comme après une orgie durant laquelle on a oublié qui l'on était, homme, et frère des hommes.

C'était là Votre enseignement, Seigneur. Et Votre visage tourmenté aux yeux clos, ce morceau de bois vivant que je sentais contre ma peau aurait dû m'avertir, m'annoncer ce que je ressentirais après, quand, échappant à l'ivresse, à la folie meurtrière des combats, je ne serais plus que ce corps épuisé qui s'arrimait pour ne pas être projeté d'un bord à l'autre par le roulis.

J'ai entendu Ruggero Veniero hurler des ordres.

Mais nous n'avions plus ni mât ni voile. Et nos rameurs chrétiens avaient été libérés de la chiourme afin de pouvoir participer au combat.

Nous étions un navire à la dérive que les vagues projetaient contre les débris des galères coulées, et c'étaient de grands chocs tandis que s'abattaient sur le pont des cadavres turcs ou chrétiens que la mer y déposait.

Parfois les lueurs d'un incendie avivé par le vent qui continuait de dévorer une galère éclairaient le pont. Des cordages alourdis par les poulies, des crochets se balançaient, pareils à des fouets cherchant au hasard l'échine de leurs victimes, venant heurter la rambarde à un pas du lieu où je me tenais. La poulie fracassait le bois et m'eût volontiers écrasé la tête.

Des soldats et des marins se sont rassemblés près de moi, écoutant Veniero qui leur ordonnait de se saisir des forçats libérés, de les mettre à nouveau aux fers et de les attacher à leur banc de chiourme. Il n'avait, lui, fait aucune promesse. Il n'était pas tenu par celles de don Juan ou d'autres. Lui voulait rentrer au port avec la *Marchesa* et il lui fallait des rameurs, chrétiens ou infidèles, bagnards et criminels.

— Prenez-les, et qu'ils rament, si vous voulez rester en vie ! a-t-il hurlé.

Entre deux vagues, j'ai vu marins et soldats parcourir le pont, se jeter sur ces hommes qui n'avaient été libres que le temps de tuer et de risquer la mort. Ils se débattaient. Ils Vous invoquaient, Seigneur. Ils criaient qu'on avait juré par-devant Vous que leurs condamnations seraient effacées. Certains résistaient pied à pied. Mais on les poussait dans la chiourme où déjà avaient été enchaînés des prisonniers infidèles, et les fouets commençaient à cingler les dos et les nuques.

Veniero tenta de mettre la galère vent arrière et de survivre jusqu'au matin.

La tempête s'est calmée avec l'aube. La mer n'était plus enragée, mais seulement violente, avec parfois des accès de colère quand de grosses vagues surgies d'on ne savait où passaient par-dessus les châteaux ou nous couchaient sur le flanc.

C'était une mer de sang couverte de débris et de corps si nombreux, parfois, qu'ils formaient une épaisse couche dans laquelle la proue de la *Marchesa* devait creuser son sillon.

Les corps s'accrochaient à la coque. Il y en avait de vivants qui criaient, cherchaient à se hisser à bord. Les marins et les soldats se précipitaient, secouraient les chrétiens, tranchaient les mains des infidèles à grands coups de hache, ou leur brisaient la tête, ou bien simplement les repoussaient avec la hampe d'une lance.

J'ai tant vomi, Seigneur, au cours de ces jours-là, qu'à

notre arrivée dans le port de Messine il m'a semblé que je n'étais plus qu'une outre vide, un corps douloureux, une âme désespérée qui s'accrochait à Vous comme font les naufragés à une pièce de bois devenue pour eux espoir de salut.

45.

J'ai titubé lorsque j'ai franchi la passerelle et fait mes premiers pas sur les quais de Messine.

J'étais vivant.

Merci, Seigneur !

Je pouvais serrer contre moi Michele Spriano. Il a murmuré qu'il avait prié pour notre victoire et mon salut. Puis il s'est écarté d'un pas tout en me tenant aux épaules. Il m'a dévisagé, effleurant du bout des doigts la plaie qui me partageait le front.

Il a dit :

— Tu as la figure d'un homme qui a traversé l'enfer.

Puis il a chuchoté, en se penchant vers moi :

— Mais l'enfer est ici aussi. Il faut que je te mette en garde.

Je n'ai pas voulu l'entendre.

Je voulais écouter les acclamations de la foule qui avait envahi les quais, qui se déversait depuis les ruelles aboutissant au port. Les cloches sonnaient à toute volée, célébrant notre victoire et notre retour. Le canon du fort tonnait. Les chants s'élevaient ici et là, remerciant

Dieu, louant don Juan le Grand, fils de l'empereur, qui méritait, lui, le bâtard, une couronne de roi.

J'ai essayé de ne pas écouter Spriano qui marchait près de moi. Nous suivions don Juan que la foule accompagnait à l'Église de Jésus.

— Je sais, a repris Michele, que le Génois Giovanni Andrea Doria, qui commandait l'aile droite de la flotte de la Sainte Ligue, a fait une manœuvre étrange avec ses galères, et qu'en face de lui le capitan-pacha d'Alger, Aga Mansour, n'a pas cherché à l'attaquer. Ils se sont esquivés : Aga Mansour laissant Ali Pacha affronter seul les galères vénitiennes et espagnoles, et l'autre, Doria, ne cherchant pas à aider don Juan et même, au contraire, agissant de telle sorte qu'il le mettait en péril...

J'ai eu envie de crier afin qu'il se taise, mais il a continué, expliquant qu'à Messine, à Naples, à Venise chacun pensait que le Génois avait exécuté des ordres donnés par Philippe II. Le roi d'Espagne souhaitait ménager le capitan-pacha Aga Mansour, voire parvenir à un accord avec lui de telle manière qu'il se détache un jour de l'Empire ottoman. Philippe II craignait aussi la gloire qu'une telle victoire vaudrait à don Juan.

Devais-je écouter cela, apprendre cela alors que j'avais encore dans la tête les cris des hommes qui brûlaient, qui se noyaient, qu'on égorgeait, alors que vibrait encore en moi le souvenir de cette force qui m'avait poussé en avant à la vue des janissaires tranchant le cou du christ aux yeux clos ?

Ainsi, pendant que nous revêtions l'armure et brandissions le glaive, affrontions les sabres courbes et les arquebuses des infidèles, vivions dans l'exaltation de cette guerre pour la Foi en Christ, d'autres, le Roi Catholique, et l'un des chefs de notre flotte, manœuvraient, soucieux de leurs petits intérêts plutôt que de la victoire de la Sainte Ligue !

Pouvais-je croire à ces propos de Spriano ?

Pouvais-je admettre que le Roi Catholique d'Espagne ne valait pas mieux que le roi Très Chrétien de France ?

J'ai suivi des yeux don Juan qui entrait dans l'église de Jésus.

Lui ne s'était pas dérobé. Il avait exposé son corps aux armes des infidèles.

Ce bâtard s'était rendu légitime.

— Philippe II et tous les souverains sont rois et princes de l'enfer, a murmuré Michele Spriano.

Je me suis écarté.

Deux femmes s'étaient suspendues à mes bras, se serrant contre moi, riant, la tête renversée en arrière, leurs lèvres rouges offertes. Elles m'entraînaient et je m'abandonnais, m'enfonçant avec elles dans la foule.

Je voulais m'éloigner de Spriano, retrouver l'ivresse.

Nous sommes entrés sous un porche.

Je devais être un riche seigneur, disaient-elles. J'avais sûrement puisé dans les coffres remplis d'or et de bijoux des infidèles.

Elles riaient de plus belle. Elles me demandaient seulement deux pièces d'or pour devenir mes esclaves.

J'avais ces deux pièces.

J'ai vécu entre ces deux femmes. La chambre où elles m'avaient accueilli donnait sur l'un des quais du port.

Près de la fenêtre était accroché un crucifix et j'avais placé sur une petite table basse – le seul meuble, avec une grande paillasse posée à même le sol – la tête du christ aux yeux clos.

Teresa et Evangelina se signaient chaque fois qu'elles passaient devant elle, et plusieurs fois par jour elles s'agenouillaient et priaient. Le murmure de leurs voix me rassurait.

Elles vivaient en pécheresses, et cependant il me semblait, Seigneur, qu'elles ne méritaient pas l'enfer. Moi, qu'elles appelaient « Notre Maître », j'y étais condamné, mais j'avais besoin de sentir renaître mon corps, d'éprouver ses forces par le désir et dans le plaisir.

C'était une sorte de retraite dans le péché mais où ma fatigue s'effaçait peu à peu en même temps que mes plaies cicatrisaient.

Teresa et Evangelina les couvraient d'onguents parfumés. Mais, je le confesse, Seigneur, c'étaient leurs corps, leur vigueur joyeuse, leur insouciance, l'aigu de leurs voix quand elles chantaient qui me guérissaient.

Vous étiez le Créateur, Seigneur, de ces sources de vie, et il m'est arrivé de penser que Teresa et Evangelina, et même moi, n'étions pas en état de péché, mais qu'au contraire nous célébrions Votre Création.

Mais je n'ignorais pas non plus que j'aurais pu être justement condamné pour cette proposition hérétique, et elles, si jeunes, brûlées ou lapidées comme femmes corrompues.

Même si, Seigneur, elles s'agenouillaient et priaient devant Votre visage aux yeux clos.

357

J'ai ainsi laissé filer les jours.

Je passais de longs moments à la fenêtre dans la caressante et douce chaleur du soleil d'hiver.

J'ai vu errer sur les quais du port les esclaves chrétiens que nous avions arrachés aux galères ottomanes.

Ils étaient faméliques, jetaient autour d'eux des regards encore apeurés, comme s'il avaient craint que de l'une des galères musulmanes amarrées dans le port, capturées au cours de la bataille, ne surgissent tout à coup des janissaires, des gardes-chiourme, et qu'on ne se saisisse d'eux pour les jeter à nouveau en enfer.

À les suivre des yeux, je me souvenais de ce que j'avais subi. J'étais fier d'avoir participé à ces combats qui les avaient rendus libres. Et j'étais honteux de m'être ainsi retiré alors que la guerre contre les infidèles n'avait pas cessé.

Pouvais-je laisser ainsi ma vie se dissoudre dans la satisfaction de mes désirs ?

Dieu ne m'avait pas appelé au monde pour n'être qu'un homme de jouissance.

J'ai quitté Teresa et Evangelina et j'ai retrouvé, sur la *Marchesa*, Ruggero Veniero et Vico Montanari. Enguerrand de Mons était parti pour la France et Benvenuto Terraccini avait regagné Venise.

Des charpentiers s'affairaient à dresser un mât, à colmater les brèches dans la coque. On tendait des cordages, on embarquait des prisonniers qu'on attachait à leur banc dans la chiourme. Quand ils arrivaient en rangs, gardés par des soldats, la foule sur les quais les maudissait sans trop oser s'approcher d'eux, tant leurs visages exprimaient la cruauté et la haine. Ils avaient le crâne rasé à l'exception d'une longue mèche qui leur pendait dans le dos.

Malgré le vent froid, la plupart étaient torse nu et portaient des pantalons bouffants, mais quelques-uns avaient gardé leurs uniformes jaune et rouge.

Veniero les dévisageait et parfois, d'un mouvement de la tête, ordonnait de faire sortir l'un d'eux des rangs. On entraînait l'infidèle vers la proue. On l'enfermait dans un réduit. Je m'interrogeais sur le sort de ces hommes-là. Mais qui se souciait de la vie d'un infidèle ? On assurait que près de trente mille d'entre eux avaient péri dans la bataille, que huit mille avaient été faits prisonniers, les chrétiens ayant quant à eux perdu au moins six mille hommes.

Un jour, Vico Montanari m'a entraîné vers la proue, martelant le pont du talon, au-dessus du réduit où un prisonnier venait d'être enfermé.

— Celui-là, a-t-il murmuré en secouant la tête, il ne ramera plus.

D'abord je n'ai pas voulu comprendre. Mais Montanari a poursuivi, comme s'il voulait partager avec moi le poids qui l'écrasait. Veniero, a-t-il expliqué, avait reçu des ordres précis du Conseil des dix qui gouvernait la sérénissime République. Il devait, parmi ces infidèles, dresser la liste de ceux que le Conseil appelait des « hommes de commandement ».

Montanari a regardé autour de lui et, après s'être assuré que personne ne pouvait l'entendre, il a ajouté :

— Le Conseil a écrit à Veniero : « En vous assurant qu'on n'a pas pris une personne pour une autre, vous les ferez mourir secrètement de la façon qui vous paraîtra la plus prudente. »

Montanari savait que le pape avait été horrifié à l'idée de ces assassinats d'hommes qu'aucun tribunal n'avait condamnés.

— Venise a une longue mémoire, a conclu Montanari. Nous nous souvenons de la cruauté des infidèles à Famagouste. Nous n'oublions rien !

Je n'ai pu lui répondre.

J'ai pensé à cet homme enfermé, à ceux qui l'avaient précédé dans ce réduit, à tous les autres qui lui succéderaient.

J'ai imaginé ce que devait être la « façon prudente » de faire mourir secrètement. Étrangler ? Égorger ? Empoisonner ? Puis faire disparaître les corps en les jetant au large de Messine ?

Certains jours, on découvrait, dans les criques et sur les plages proches de la ville, des corps nus dont la tête avait été tranchée.

Seigneur, est-ce ainsi que l'on combattait pour Vous ?

Je me suis souvenu des propos de Michele Spriano.

Pour les puissants de ce monde, avait-il dit, Dieu, l'Église n'étaient que des masques dont ils se servaient pour dissimuler leurs ambitions, les rivalités qui les opposaient les uns aux autres.

Mais ils reniaient leur foi s'ils estimaient qu'ils avaient intérêt à s'allier avec des hérétiques ou des infidèles.

J'avais alors refusé de l'entendre.

Il me fallait croire en la pureté et en la sincérité des

souverains catholiques pour que je pusse tuer en leur nom et au nom de la foi en Jésus-Christ.

Je l'avais fait.

J'avais vu la mer, d'une rive à l'autre du golfe de Patras, rougie par le sang versé. Je l'avais vue couverte de corps.

Mais Vico Montanari, qui avait combattu auprès de moi, m'assurait maintenant que le Conseil des dix cherchait à faire la paix avec le sultan Selim II. Et c'était mon propre frère, Guillaume de Thorenc, un huguenot, ambassadeur de France à Constantinople, qui servait d'intermédiaire entre la Sérénissime et l'Empire ottoman.

— Ils parviendront finalement à s'entendre, a ajouté Montanari. Ils peuvent bien se blesser, mais non se tuer. Ils en viendront à conclure un traité de paix. Voilà ce que c'est que vivre dans notre monde.

J'ai regardé vers la proue. J'avais moi aussi tapé du talon sur ce pont au-dessous duquel des infidèles étaient enchaînés, et, au bout de la coursive, il y avait ce réduit où un homme attendait qu'on l'égorge, qu'on l'étrangle ou qu'on l'empoisonne, puis qu'on le noie.

Était-ce aussi cela la paix ? Ces assassinats secrets ?

— C'est bien la paix des hommes, a dit Montanari en m'entraînant sur le quai.

Cette nuit-là, nous avons bu, nous nous sommes vautrés dans la débauche.

Parce que, pour vivre en ce monde, Seigneur, les hommes faibles doivent parfois s'aveugler.

Mais on m'obligeait à voir.

Diego de Sarmiento était arrivé à Messine. J'étais sur le quai. J'avais entendu la foule acclamer cette galère espagnole à la coque décorée de bois doré, aux fières sculptures de poupe et de proue.

J'avais reconnu Sarmiento debout sur le château arrière. Des soldats l'entouraient, chacun d'eux portant le drapeau d'un des royaumes d'Espagne ou d'Amérique qui obéissaient à Philippe II, le monarque du monde, le Roi Très Catholique.

Je n'ai pas voulu rencontrer Sarmiento, mais les espions espagnols grouillaient à Messine. Et des soldats sont venus me quérir dans la chambre de Teresa et d'Evangelina où je m'étais à nouveau réfugié.

Sarmiento m'a ouvert les bras et, comme je n'ai pas fait mine d'avancer vers lui, il m'a, tout en éclatant de rire, empoigné les épaules, me serrant à m'étouffer.

— Je te préfère entre les bras de deux putains qu'entre ceux de don Juan ! a-t-il dit en m'invitant à m'asseoir en face de lui dans la cabine où il vivait, à la poupe de la galère.

Je me suis redressé. J'ai exalté le courage, l'héroïsme de don Juan, le respect et la reconnaissance que tout catholique, fût-il roi, devait lui témoigner.

— Qui s'y refuse ? a répliqué calmement Sarmiento. Je me suis rassis. J'ai dû entendre son discours.

La Sainte Ligue n'existait déjà plus, a-t-il dit. Les commandants en chef, Veniero, Doria, Colonna, se disputaient les dépouilles turques. Chacun voulait la plus grosse part du butin. Il y avait huit mille prisonniers et cent quatre-vingts galères capturées. Des hommes qui avaient combattu côte à côte s'étaient poignardés après s'être disputé un capitaine turc dont ils espéraient tirer une forte rançon. Et depuis lors – Sarmiento s'est penché, pour me fixer droit dans les yeux –, ce Turc avait été retrouvé noyé, son corps rejeté sur les rochers.

Au reste, qu'aurait pu entreprendre désormais la Sainte Ligue ?

Les Vénitiens voulaient reprendre Chypre. Colonna et le pape rêvaient de nettoyer la Méditerranée des Barbaresques.

— Quant à notre Philippe II, il doit penser au monde, et non pas seulement à ces quelques îles ou côtes arides dont Venise, le pape, les Génois et l'ordre de Malte continuent de croire qu'elles sont le seul horizon. C'est aux Pays-Bas, sur les bords du Rhin, de la Seine, de la Loire, que se livrent les batailles. Je te l'ai déjà dit : l'avenir appartient au roi d'Espagne, au fils légitime de Charles Quint et à sa descendance, non à un bâtard, fût-il glorieux !

Sarmiento s'est approché de moi.

— Don Juan veut être roi, le souverain de n'importe quel pays. Il lui faut une couronne ! Mais jamais Philippe II n'y consentira. Un bâtard ne saurait s'asseoir sur un trône.

Sarmiento a continué à discourir longuement, m'exhortant à regagner l'Espagne avec lui.

Philippe II avait plus que jamais besoin d'hommes tels que moi, gentilshommes courageux et fidèles. Le roi me chargerait sûrement d'une mission en France où la guerre entre huguenots et catholiques couvait.

Il fallait attiser ce feu afin d'extirper l'hérésie protestante de ce royaume. Telle était la première tâche que voulait accomplir le souverain d'Espagne et qui devait être celle de tout catholique.

L'Empire ottoman devait être contenu, c'était là ce qu'avait réussi la Sainte Ligue par la victoire de Lépante et la destruction de la flotte turque. Mais les infidèles seraient toujours des infidèles. Et on devait empêcher que des chrétiens ne choisissent l'hérésie. Or cette peste huguenote faisait des ravages aux Pays-Bas, en France. C'était elle qu'il fallait combattre.

Que don Juan s'attelle à cette tâche plutôt que de rêver de devenir roi de Tunis ou d'Alger !

D'ailleurs, avec quelles galères et quels soldats voudrait-il conquérir les royaumes barbaresques ? La Sainte Ligue était épuisée, déchirée.

Venise ? Le grand vizir avait confié à l'ambassadeur de France, à ce huguenot nommé Guillaume de Thorenc, que les Ottomans, en s'emparant de Chypre, avaient amputé Venise d'un bras. « En détruisant notre flotte, avait ajouté le grand vizir, les Vénitiens ont certes rasé notre barbe. Un bras coupé ne repousse pas, mais une barbe rasée n'en repousse que mieux ! »

Don Juan ne pouvait donc qu'obéir au roi d'Espagne, et celui-ci lui avait fait connaître ses intentions par une lettre que Diego de Sarmiento avait été chargé de lui remettre et dont il m'a cité une phrase : « Quelque désir que j'ai de vous revoir et de vous féliciter de vive voix pour le courage dont vous avez témoigné, vous comprendrez les raisons pour lesquelles j'ai jugé nécessaire que vous passiez l'hiver à Messine... »

— Ici on lui dresse une statue, je crois, a dit Sarmiento. Qu'il assiste à sa bénédiction...

Il s'est esclaffé.

— Mais il ne peut y avoir deux soleils qui brillent en même temps dans le ciel d'Espagne.

Mais moi, à l'en croire, je pouvais, je devais retrouver la cour d'Espagne. Les femmes y aimaient les héros. Borgne et perverse, la princesse d'Eboli était de plus en plus resplendissante, et son amant, Antonio Pérez, avait acquis une grande influence auprès du roi. Or la princesse m'aimait bien. À entendre Sarmiento, elle s'inquiétait souvent de mon sort. Elle avait craint que je n'eusse été tué dans cette bataille. Et lors du *Te Deum*, qui, à l'Escurial, avait célébré notre victoire, la princesse avait, selon Sarmiento, prétendu avoir prié pour moi !

— Il est temps que le roi et la princesse te revoient. Philippe t'accordera une rente et une distinction qui feront de toi un homme puissant, et la princesse se chargera de te trouver une fonction. Tes combats, maintenant, Bernard de Thorenc, tu dois les livrer dans les salons des palais royaux. Laisse les plus jeunes brandir le glaive. Nous l'avons fait. Et bien fait !

Il m'a pris par l'épaule. La galère appareillait le lendemain. Je devais être à bord tôt le matin.

Que, jusque-là, je dorme entre ces deux filles dont on lui avait dit qu'elles étaient plaisantes et savantes en choses de l'amour !

J'ai retrouvé Teresa et Evangelina. Je les ai payées pour qu'elles donnent le change, fassent croire à ceux qui m'espionnaient que je passais cette dernière nuit entre elles deux, alors que je me rendrais chez Michele Spriano.

J'ai supplié ce dernier d'affréter avec moi un brigantin pour gagner Naples ou Pise.

Je ne voulais pas, pas encore retourner en Espagne.

In mezzo del camin di nostra vita, ainsi que le dit

Dante, je voulais retrouver, au milieu de ma vie, mes terres, ma demeure, marcher dans les forêts qui entourent le Castellaras de la Tour.

Je voulais déposer sur l'autel de notre chapelle l'étendard de damas rouge qui avait flotté à la poupe de la *Marchesa* et qui portait, brodée, la devise de Constantin, devenue celle de la Sainte Ligue : *Tu hoc signo vinces.*

Et sur ce tissu couleur sang je voulais placer, à droite du tabernacle, la tête tranchée du christ aux yeux clos.

II

Paris vaut bien une messe

Ôtons ces mots diaboliques, noms de partis, factions et séditions, luthériens, huguenots, papistes : ne changeons plus le nom de chrétien.

Michel de L'Hospital,
décembre 1560.

PROLOGUE

Je le sais, Seigneur, la Mort est déjà en moi.

Cette paralysie qui me tord les doigts, me fige la main et le bras, empoigne mon épaule alors que j'écris, c'est elle qui veut m'empêcher de poursuivre le récit de ma vie.

Seigneur, la laisserez-vous m'interrompre avant que j'aie pu aller jusqu'au bout de ce que j'ai vécu, jusqu'à ce moment d'espérance, quand, enfin, après tant de massacres, les hommes du royaume de France mettent leurs dagues et leurs épées au fourreau, déposent leurs arquebuses et écoutent ce que leur disait, si longtemps avant, le chancelier du roi, Michel de L'Hospital : « Ôtons ces mots diaboliques, noms de partis, factions et séditions, luthériens, huguenots, papistes : ne changeons plus le nom de chrétien ! »

Elle murmure à mon oreille :

« Assez dit ! Qui te lira encore ? Qu'importe ta voix dans cette vaste fosse où je vais te jeter parmi tous ces hommes que tu as vus vivants ? Et certains d'entre eux, souviens-toi, tu les as tués de ta main ! Qui les entend ? Chrétiens écorchés vifs par les bourreaux du bagne d'Alger et qui hurlaient. Chrétiens – tu as été l'un d'eux – que les fouets des gardes-chiourme cinglaient afin que les galères musulmanes glissent plus vite vers les côtes où bientôt d'autres cris s'élevaient, ceux des femmes violées et éventrées, des hommes dépecés ou brûlés. Et n'oublie pas les hurlements des Maures d'Andalousie que les soldats que tu commandais égorgeaient, tuant femmes et enfants. Et toi, quand tu t'es ouvert un chemin parmi les janissaires de la galère la *Sultane*, à coups de glaive, à coups de hache, as-tu entendu les cris de ceux dont tu tranchais bras et tête, dont tu perforais la poitrine ?

« Toutes ces voix sont enfouies dans le grand silence de la fosse où je règne.

« Pourquoi, pour qui veux-tu continuer d'écrire ?

« Tu veux – je t'ai entendu le confier à Vico Montanari avant qu'il ne quitte ta demeure pour regagner Venise – raconter comment, après les massacres, un édit, celui de Nantes, a rétabli la paix entre huguenots et papistes, et tu veux que les hommes se souviennent, en te lisant, de ce moment d'espérance (car c'est ainsi que tu le nommes !).

« Es-tu assez naïf, alors que tu es dans ta soixante et douzième année, pour croire que les hommes en ont fini avec la haine, avec le désir de tuer ?

« Souviens-toi des propos de Montanari : "Le Bien et le Mal sont comme des enfants monstres liés l'un à l'autre et que rien ne peut séparer."

« Je te le dis en confidence, Bernard de Thorenc, les hommes s'entre-égorgent comme s'ils étaient des pourceaux depuis qu'ils sont hommes. Et moi, je les moissonne.

« Alors, arrête-toi, repose ta plume. Quitte cette pièce sombre. Adosse-toi au mur ensoleillé de ta demeure.

Regarde les forêts qui entourent le Castellaras de la Tour. Vois l'horizon se teinter de rouge. C'est la couleur du sang.

« Il imprègne déjà tout ce que tu as écrit. Tu as suivi sa trace rouge d'Alger à Malte, de Grenade à Lépante. À quoi bon poursuivre ? Te faut-il encore dire que le sang a coulé non plus dans le combat contre les infidèles, mais dans la guerre entre chrétiens ? Et s'il te semblait aussi rouge, c'est qu'il était celui d'enfants et de femmes étripés comme l'avaient été – comme le sont encore – les chrétiens tombés aux mains des musulmans.

« Mais peut-être, en parcourant à nouveau ce chemin, veux-tu montrer qu'il conduit à la paix ?

« Laisse-moi ricaner. Et je t'ai déjà dit pourquoi.

« Alors, garde tes dernières forces pour contempler le ciel, jouir de la chaleur des pierres que le soleil dore en hiver.

« Écoute ton cœur. Il frappe dans ta poitrine. Parfois, il t'étouffe. Tu sais qu'il résonne comme le bout de la hampe de ma faux quand je marche et frappe le sol avec elle.

« Je suis si proche de toi, en toi, déjà, Bernard de Thorenc !

« Vis tes derniers jours en paix, dans la contemplation du monde, au lieu de retourner les cadavres qui jalonnent ta vie, et de tenter, avec ce qu'il reste d'eux dans ta mémoire, de te rappeler ce qu'ils furent, les sentiments de haine ou d'amour qu'ils t'inspirèrent.

« Regarde l'horizon, vieil homme, et chauffe tes os au soleil d'hiver. »

Comment faire taire cette voix tentatrice qui réduit toute vie à la mort et invite à se soumettre au règne du temps et de l'oubli ?

Comment trouver la force de résister, de continuer à m'avancer dans mon passé afin d'en rendre compte, pour que, avant que Dieu ne me juge, je pèse ce que j'ai fait, et que les hommes connaissent mes actes et mes pensées ?

Je Vous ai prié, Seigneur, Vous qui êtes la Résurrection, de me donner l'élan nécessaire, de me faire oublier cette douleur lancinante qui me brûle la nuque, entrave l'écriture alors même que ma vue se trouble, que les mots que je trace deviennent une informe grisaille que je ne réussis plus à lire.

Et cependant je dois écrire, Seigneur !

Ce matin je suis resté plus longtemps que de coutume dans notre chapelle du Castellaras de la Tour.

J'ai posé les mains sur cette tête de christ aux yeux clos. Je l'avais arrachée aux janissaires qui avaient mutilé le crucifix de notre galère et brandissaient ce visage de bois et de douleur comme la preuve de leur victoire.

Mais j'ai tué le Turc qui Vous avait frappé, Seigneur, et nous avons vaincu leur flotte à Lépante.

Il m'a fallu peu de temps pour comprendre que cette victoire ne mettrait fin ni à notre lutte contre les infidèles ni à nos guerres entre chrétiens.

C'est pour cela que j'ai quitté Messine en compagnie de Michele Spriano.

Nous avons acheté un brigantin, largué les amarres dans la nuit et navigué en longeant la côte jusqu'à Pise où Michele Spriano possédait des entrepôts et faisait travailler plusieurs dizaines de tisserands et de drapiers dans les petits villages accrochés aux pentes des collines entre Pise, Prato et Florence.

L'automne avait recouvert la terre d'un tapis de feuilles rousses. Souvent, de brèves et violentes averses achevaient de dépouiller les vignes et les arbres, les laissant comme des corps torturés. Mais la paix régnait, et après ce que j'avais vécu à Alger, parmi les chiourmes des galères barbaresques, à Malte, en Andalousie et, il y avait seulement quelques jours, pendant la bataille de Lépante, je me sentais comme alangui, plein du désir de retrouver les lieux de mon enfance, ce Castallaras de la Tour que je n'avais plus revu depuis – j'en faisais et refaisais le calcul tout en marchant entre les cyprès et les vignes – vingt-huit années.

Mon père était mort.

Mon frère Guillaume de Thorenc, huguenot, était ambassadeur du roi de France, Charles IX, à Constantinople.

Je me sentais honteux de porter le même nom que lui. Il était fidèle à mon père qui, pour le service du monarque, avait reçu chez nous, au Castellaras de la Tour, les envoyés de Soliman le Magnifique.

Selon Diego de Sarmiento, Guillaume s'employait à détruire la Sainte Ligue chrétienne en favorisant les rencontres entre Vénitiens et Turcs, en les aidant à conclure un traité de paix.

— Les Français, ton frère, comme avant lui ton père, m'avait-il dit, craignent tant l'Espagne qu'ils préfèrent la défaite de la chrétienté à sa victoire, qui renforcerait Philippe II. Ils nous trahissent. Ils te renient. Rejette-les !

C'est ce que j'avais fait tout au long de ma vie.

Sarmiento ajoutait que ma sœur Isabelle, huguenote elle aussi, faisait partie des suivantes de Catherine de Médicis. Ces jeunes femmes servaient d'appâts à la reine mère, qui, grâce à elles, séduisait les grands du royaume, qu'ils fussent huguenots ou papistes, et les ambassadeurs, espérant ainsi les empêcher de s'opposer à la politique de Charles IX.

— Je veux dire : celle qu'elle dicte à son fils, tortueuse et empoisonnée, italienne, pour tout dire, avait conclu Sarmiento.

Je l'avais écouté. Je n'avais plus revu ma sœur depuis des années. Mais pouvais-je vraiment le croire, lui qui haïssait les Français et aurait voulu que son roi Philippe II gouverne aussi à Paris ?

Je ne me suis pas attardé à Pise, et grande a été ma joie quand Michele Spriano a décidé de m'accompagner.

Nous avons pris la route. Ni Michele ni moi ne voulions poursuivre notre voyage par mer. Si nous avions pu naviguer de Messine à Pise sans encombre, c'est que la flotte turque était encore sous le coup de sa défaite à Lépante. Mais il avait suffi de quelques semaines pour que les corsaires barbaresques se remettent à rôder le long des côtes.

De la route nous apercevions leurs voiles ocre. Ils attaquaient les navires chrétiens et osaient même, comme pour montrer que la victoire de la Sainte Ligue n'était que d'apparence, débarquer de petites troupes de soldats qui s'en allaient loin du rivage attaquer et dévaster les villages, en massacrer ou déporter les habitants.

Nous avons donc commencé à chevaucher et j'écoutais Michele Spriano réciter tout au long du jour des vers de *La Divine Comédie*. Je réussissais parfois à compléter le passage qu'il avait commencé.

Nous nous répondions ainsi comme les joueurs de pelote, nous étonnant l'un l'autre de nos prouesses, allant de *L'Enfer* au *Paradis*, avançant lentement, savourant, après tant de souffrances, de tueries dont nous avions été les témoins, cette campagne italienne, puis celle de Provence qui s'assoupissaient sous les brumes encore légères de l'automne.

Enfin j'ai aperçu les murailles du Castellaras de la Tour, notre demeure depuis qu'il y a, sur cette terre, des Thorenc.

PREMIÈRE PARTIE

1.

Je me suis arrêté au milieu du pont et j'ai fermé les yeux.

J'ai entendu l'eau du torrent. Elle coulait vers moi depuis ma petite enfance. Un instant, j'ai imaginé que je venais enfin de quitter les territoires de la douleur et de l'humiliation, et que j'abordais, au mitan de ma vie, non pas une forêt obscure, mais le paradis, le lieu où j'avais vu le jour.

J'ai ouvert les yeux.

Un vieil homme s'avançait, la tête grise enfoncée dans les épaules. Il marchait avec peine. J'ai sauté à terre. Il s'est immobilisé et j'ai reconnu Denis, l'un des jeunes valets avec qui je m'étais souvent baigné dans ce torrent qui longeait les murailles du Castellaras de la Tour avant d'aller se jeter dans la Siagne.

Puis, dominant l'autre rive, j'ai aperçu les quatre tours de la Grande Forteresse des Mons.

J'ai appelé le valet par son nom en lui tendant les rênes, comme je l'avais fait tant de fois au retour de la chasse, ou bien de cette guerre des bois à laquelle nous nous livrions, Enguerrand de Mons et moi.

Denis m'a dévisagé. Il a hésité. J'ai cru qu'il allait se précipiter vers moi ou bien s'agenouiller. Mais il a seulement saisi les rênes de nos chevaux et s'est éloigné vers la poterne, se retournant à plusieurs reprises comme s'il voulait se persuader qu'il m'avait vu, que j'étais bien là, après tant d'années.

Je me suis dirigé vers la cour, suivi de Michele Spriano, qui se tenait à quelques pas en arrière.

Des hommes vêtus de noir, les uns portant des halle-bardes, les autres la main sur le pommeau de leur épée, sont venus à notre rencontre. Nous nous sommes fait face au milieu de la cour.

À ce moment, levant les yeux, j'ai vu que la statue de la Vierge qui se trouvait jadis à l'entrée de notre chapelle avait été décapitée et que les saints qui l'entou-raient avaient subi le même sort, leurs membres brisés, si bien que les niches ressemblaient à des cercueils trop grands pour ces corps mutilés.

L'émotion et la colère m'ont submergé.

Ils avaient saccagé mon enfance. Ils avaient osé se livrer ici à ces actes sacrilèges, pareils à ceux que nous avions déjà découverts dans certains villages depuis que nous étions entrés en Provence.

La haine dans les yeux, la rage dans la bouche, des paysans, des prêtres nous avaient raconté comment les hérétiques huguenots, ces gens de la secte du diable, avaient partout détruit, violenté les images de la Vierge Marie, massacré celles des saints, attiré ainsi la malé-diction. Ils défiaient Dieu, mangeant du rôti en carême, cachant leur diablerie sous les austères vêtements de l'hypocrisie. Ils refusaient de jouer aux cartes, d'entrer dans les estaminets, ils n'étaient jamais ivres et leurs femmes se drapaient dans des robes si amples et si boutonnées qu'on ne savait si leur peau était rose ou noire, leurs formes aiguës ou rondes.

Mais la bonne mine des protestants cachait une âme démoniaque et pervertie. Ils ne reconnaissaient ni le pape ni les prêtres. Comment auraient-ils alors obéi au roi ?

Et ces paysans et ces curés nous avaient montré les vitraux fracassés de leurs églises, les tympans sculptés martelés au burin, les visages des saints réduits à une bouillie pierreuse, l'Église blessée à mort.

Il avait fallu s'armer pour chasser ces nouveaux vandales, les pendre, les brûler, mais ils revenaient en grosses bandes, et l'une des plus déterminées était celle du Castellaras de la Tour, formée de mercenaires suisses ou allemands, lansquenets de sac et de corde, impies, que payait le comte Guillaume de Thorenc. Et, durant toutes ces années de guerres – treize années de guerre pour la religion ! –, Guillaume de Thorenc avait mis sa bande au service de l'amiral de Coligny, du prince de Condé, de Henri de Navarre-Bourbon, ces chefs de la secte huguenote auxquels le roi et la reine venaient d'accorder le privilège des places de sûreté, le droit de croire à ce qu'ils voulaient.

Était-ce là ce que les catholiques pouvaient attendre de leur suzerain et de la reine mère ?

J'avais écouté mais ne m'étais pas indigné. J'avais assisté à tant de massacres, vu la mer devenir rouge à Lépante, les corps des morts cachant l'écume des vagues, que ce que l'on me décrivait là m'avait paru de simples escarmouches.

La vraie guerre était celle que nous avions livrée contre les infidèles, le reste n'était que querelles de famille.

Michele Spriano m'avait certes mis en garde, mais comment aurais-je pu l'écouter alors qu'à chaque pas je reconnaissais les paysages, les parfums, les chemins de mon enfance ?

J'avais rêvé, vécu dans l'illusion. Je n'accédais pas aux rivages du paradis mais m'enfonçais dans la forêt obscure. Peut-être même n'avais-je pas encore atteint le cœur du royaume de Lucifer, là où l'Ange déchu broie et dévore les traîtres, les Judas, Brutus, Cassius...

Que Dieu y ajoute Guillaume de Thorenc, mon frère !

L'épée à demi tirée du fourreau, le plus grand des hommes en noir a fait un pas en avant.

Je connaissais ce regard-là, yeux de pierre froide mais à l'éclat d'acier. C'était le même que celui de Dragut-le-Brûlé, le Cruel, le Débauché. C'était celui des bourreaux. Celui de don García Luís de Cordoza, capitaine général de Grenade. Celui de tous les tueurs, quelques vêtements qu'ils portent, quelque Dieu qu'ils prient, tous renégats de la bonté, de la pitié et de la compassion.

Je sais que mes yeux ont brillé du même éclat quand j'ai tué.

Et sans doute, face à cet homme en noir, l'ai-je retrouvé, d'autant plus intense que, peu à peu, à ma colère et à mon émotion se mêlaient l'amertume et la déception.

Moi aussi j'ai tiré sur mon épée, en exhibant la lame.

L'homme m'a salué, inclinant à peine la tête, gardant son chapeau enfoncé jusqu'aux sourcils.

Il se dénommait Jean-Baptiste Colliard, dit-il d'un ton arrogant, capitaine des gardes du Castellaras de la Tour, au service du comte Guillaume de Thorenc. Il avait ordre de ne laisser personne pénétrer dans le château.

— Personne, a-t-il répété.

Puis, d'un ton dédaigneux, il a ajouté :

— Il faut passer son chemin.

Michele Spriano s'est avancé et s'est placé entre nous deux, expliquant au capitaine des gardes qui j'étais. L'homme a paru un instant troublé. Les gardes maintenant nous entouraient.

— Que voulez-vous ? a-t-il bougonné.

Il s'est encore approché.

— Ici, a-t-il poursuivi, c'est toujours la guerre. Les papistes de la Grande Forteresse de Mons refusent d'appliquer le traité de paix de Saint-Germain que le comte de Thorenc nous a demandé de respecter. Le Castellaras de la Tour est à nous, ainsi que tous les villages du fief. Nous prions comme nous l'entendons : en français, et nous lisons la Bible plutôt que ces prières à une femme que l'on dit vierge et qui ne l'est pas plus que moi !

Il s'est esclaffé et m'a dévisagé avec mépris avant de reprendre :

— J'ai entendu le comte de Thorenc dire que son frère s'était fait espagnol, par haine de la vraie foi, et qu'il avait renié son royaume, trahi son père et toute sa famille. Êtes-vous celui-là ?

Je n'avais pas bondi sur le pont de la galère la *Sultane*, je ne m'étais pas frayé un chemin à coups de hache et d'épée pour accepter qu'un huguenot m'insulte dans la cour de notre demeure.

J'ai tiré l'épée avant lui. J'en ai placé la pointe sur sa gorge.

J'ai crié que si l'un des gardes esquivait le moindre geste j'égorgerais leur capitaine. J'en aurais le temps avant que d'être tué, n'est-ce pas ?

— Qu'on s'écarte ! a dit d'une voix étranglée Jean-Baptiste Colliard.

Les gardes ont reculé.

— Partons, a murmuré Michele Spriano.

J'ai hurlé qu'on nous amène nos chevaux et j'ai contraint le capitaine des gardes à me suivre jusqu'au pont. Denis nous y attendait avec les montures.

J'ai repoussé Jean-Baptiste Colliard, puis nous avons bondi en selle. Comme nous atteignions les derniers mètres du pont, il y a eu une arquebusade.

J'ai entendu le plomb siffler à mes oreilles et frapper les pierres. Puis il y a eu le cri sourd de Michele Spriano que j'ai vu se pencher sur l'encolure de son cheval, s'agrippant à sa crinière.

Le sang a commencé à tacher la robe fauve de sa monture.

Mais il a continué de galoper vers la forêt cependant que je criais de désespoir, jurant de me venger.

J'ai enfin pu arrêter le cheval de Michele Spriano qui ne portait plus qu'un mort.

Nous étions au milieu d'une clairière à l'extrémité de laquelle se dressait, sur une butte entourée de chênes, un calvaire. On – qui d'autre, sinon les huguenots ? – avait renversé la croix et brisé le socle.

Je me suis agenouillé au pied de l'un des chênes et, avec ma dague, puis avec une branche épointée comme un pieu, enfin à mains nues, j'ai creusé une fosse.

C'est long et douloureux de préparer, seul, la sépulture d'un homme.

J'ai enveloppé le corps de Michele Spriano dans son manteau, y cachant son visage, puis je l'ai déposé au fond du trou. Près de lui, enroulée dans une couverture, j'ai placé la tête du christ aux yeux clos.

Un jour, je reviendrai.

Vous m'en avez donné, Seigneur, à l'instant où je commençais à faire glisser la terre, la certitude.

Je reviendrai au Castellaras de la Tour. Je bâtirai un tombeau pour Michele Spriano, dans notre chapelle. Je replacerai les statues de la Vierge et des saints dans les niches de la façade.

Et je déposerai sur l'autel l'étendard de damas rouge qui avait flotté à la poupe de la *Marchesa*, ainsi que la tête tranchée du christ.

J'ai tassé la terre à coups de bâton. Je devais rester le seul à connaître l'emplacement, car, ailleurs, on avait aussi profané des tombeaux.

J'ai reculé de quelques pas. Je reconnaîtrais ce chêne entre les mille arbres d'une forêt.

Puis j'ai attaché la bride du cheval de Spriano au

pommeau de ma selle, et j'ai commencé à longer la rive de la Siagne.

J'avais cru, en apercevant les murailles du Castellaras de la Tour, que le temps de la paix était revenu pour moi.

Tout au contraire, je m'étais un peu plus enfoncé dans la forêt obscure.

Et le sang avait à nouveau coulé.

Il me fallait donc aller au bout de mon voyage et de ma guerre.

J'ai décidé de me rendre à Paris. Là devaient se trouver Guillaume de Thorenc et les autres chefs de la secte huguenote, au centre du royaume de Lucifer.

2.

Seigneur, j'ai traversé le royaume de France du Castellaras de la Tour jusqu'à la porte de Buci que j'ai franchie au début du mois de décembre de l'an de grâce 1571.

Des hommes de la prévôté de Paris m'ont fouillé, me demandant à qui j'appartenais, me dévisageant d'un air soupçonneux.

J'ai répondu que j'avais combattu les infidèles avec la Sainte Ligue, que nous avions vaincu la flotte du sultan et que je me rendais auprès d'Enguerrand de Mons, chevalier de Malte, ambassadeur de son ordre auprès du roi.

On m'a donné l'accolade.

Je n'étais pas l'un de ces fieffés huguenots qui louent des chambres dans tous les quartiers de Paris, y tiennent des conciliabules, cherchent à introduire dans la ville des armes courtes avec lesquelles ils pourront procéder à de rapides exécutions dans les logis ou les rues.

Il fallait que je me méfie de tous les gentilshommes aux vêtements austères et à la large fraise : ce sont là des affidés de l'amiral de Coligny, des rebelles réformés, des séditieux amiralistes, des huguenots de guerre !

Je me suis éloigné, longeant le pré aux Clercs, croisant des hommes en armes, des gens du peuple, des bateliers, des portefaix, des femmes qui, malgré le froid vif, étaient bras nus. Ils gesticulaient autour d'une grande croix dressée sur une pyramide de pierre gardée par des soldats du roi.

J'ai mis pied à terre.

On m'a entouré. Étais-je un gentilhomme des Guises, les vrais défenseurs de la foi ?

J'ai opiné, écouté. On disait qu'il fallait empêcher que cette croix ne soit renversée et détruite comme le voulaient les huguenots. Dans le traité de paix de Saint-Germain le roi leur avait promis qu'aucun monument évoquant les guerres passées entre protestants et catholiques ne devrait rester en place. Or cette croix rappelait que trois huguenots, Philippe Gastine et son fils Richard ainsi que son gendre Nicolas Croquet, avaient été condamnés à mort et étranglés en place de Grève le 1er juillet 1560. Coligny et les huguenots exigeaient que cette croix fût abattue, ce qui serait un gage de paix conforme à la promesse du roi.

La foule autour de moi s'indignait : cette croix avait été élevée pour célébrer la victoire de Dieu et de Son Église catholique sur le Mal. L'abattre revenait à accepter que le Démon l'emporte, que la condamnation des hérétiques soit effacée.

Et un capucin juché sur une borne a récité :

> *L'air demande à les étouffer*
> *La terre à les réduire en cendres*
> *Le feu à les ardre et chauffer*
> . . . .
> *Ceux qui répandront leur sang*
> *Pour cette cause juste et bonne*
> *Sont assurés que Dieu leur donne*
> *Plein pardon de tous leurs péchés*
> *Et si nous pardonnons au moindre*
> *Dieu nous exterminera tous...*

Je me suis éloigné.

Je savais qu'Enguerrand de Mons logeait rue des Poulies, sur la rive droite de la Seine, non loin de l'hôtel de Bourbon. Quant à Diego de Sarmiento que, je l'avais appris à Pise, Philippe II venait de désigner pour le représenter auprès du roi de France, lui aussi habitait dans le quartier du Louvre, rue Saint-Honoré.

J'ai traversé la Seine, croisant sur le pont au Change un cortège d'hommes et de femmes qui chantaient : *La Croix de Gastine est notre Croix / Qui touche à la Croix est sacrilège / Qui renverse la Croix est damné / La Croix de Gastine est notre Croix...*

Était-ce cela, la paix entre protestants et catholiques ?

Je n'avais rencontré tout au long de ma route que suspicion, haine, désir de mort et de guerre.

J'avais eu le sentiment que le Christ était un corps livré à la folie des hommes qui prétendaient l'aimer et se le disputaient comme des chacals une proie, chacune des meutes arrachant un lambeau de chair, écartelant ainsi le Dieu dont elles se réclamaient.

Presque à chaque pas j'ai pensé au visage du christ aux yeux clos que j'avais enfoui au côté de la dépouille de Michele Spriano.

J'ai compris, Seigneur, Ta tristesse et peut-être même Ton désespoir !

Et alors que j'avais le dessein de venger Michele Spriano, que j'étais décidé à brandir le glaive contre ces hérétiques qui l'avaient tué, contre mon propre frère qui les avait stipendiés, armés, j'en venais à me demander, accablé, si être fidèle au Christ ce n'était pas d'abord chercher à unir tous ceux qui croyaient en lui et à conquérir les âmes qui ignoraient son enseignement, qu'il s'agisse d'infidèles ou de païens.

Mais tel n'était pas le but des humains sur cette terre.

À chaque fois que j'entrais dans un village ou une ville, je commençais par me demander au nom de quelle religion du Christ on allait me tuer.

M'égorgerait-on en célébrant le pape ? Me brûlerait-on en invoquant Calvin ?

Dans toute la région de Nîmes que j'avais parcourue sous un ciel aussi étincelant qu'une lame d'acier, les statues des saints et de la Vierge Marie gisaient, mutilées, fracassées, devant les églises dont les tympans sculptés avaient été brisés à coups de masse.

Parfois les clochers eux-mêmes avaient été renversés et gravats et poutres s'amoncelaient au milieu de la pauvre nef saccagée.

On m'entourait. On me menaçait.

Les hommes étaient tout en noir, la dague ou l'épée au côté, l'arquebuse à l'épaule, une large fraise empesée accentuant la sévérité de leurs traits.

Souvent en coiffe blanche, les femmes portaient des robes sombres au col boutonné jusqu'au menton.

Un bonnet plat et noir cachant ses cheveux, une longue tunique masquant son corps, le pasteur m'interrogeait.

Comme je l'avais déjà fait des années auparavant, je me servais de mon nom comme d'un bouclier. J'étais Bernard de Thorenc, le frère de Guillaume, l'un des proches de l'amiral de Coligny, et le fils de Louis, mort à Saint-Quentin en résistant aux Espagnols.

On se déridait. On me racontait comment on avait mis en déroute les papistes, saccagé les églises, tué moines et religieuses, ces âmes corrompues, ces êtres de vice et de mensonge, ces usurpateurs de la foi du Christ, ces vendeurs d'indulgences à la panse rebondie, ces maîtres de la débauche.

Je me dérobais lorsqu'ils me proposaient de participer à leur culte, d'écouter leurs prêches, leur lecture de la Bible.

Je laissais entendre que, chargé d'une mission, je devais rejoindre Paris au plus vite.

On me questionnait : était-il vrai que l'on préparait le mariage de Marguerite de Valois, la fille de la reine mère, la noire, l'empoisonneuse Catherine de Médicis, complice des Espagnols, et de Henri de Navarre-Bourbon, le prince de Béarn, fils de Jeanne d'Albret, la reine huguenote ?

Allait-on se laisser prendre à ce piège ? était-ce le prix à payer pour pouvoir enfin prier comme il le fallait ?

Je répondais par des mimiques et m'éloignais au plus vite.

J'avais hâte de me retrouver seul sur les chemins avec mes deux chevaux, dans cette campagne dénudée par l'automne et sous ce ciel glacé.

La solitude me rassurait alors que j'aurais pu craindre brigands, écorcheurs et rançonneurs de toutes sortes. Mais ils me semblaient moins cruels et menaçants que ces hommes de religion qui voyaient dans l'inconnu non pas le simple possesseur d'une bourse remplie d'écus qu'il fallait dépouiller de son bien, mais Satan qu'on devait tuer.

Seul sur ces chemins, dormant dans l'anfractuosité d'une roche ou payant mon écot dans une auberge, voire chez un paysan, j'étais rassuré. Mais la crainte me saisissait dès que je franchissais une poterne.

Dans chaque village au-delà de Lyon on m'a demandé en me visant avec une arquebuse si j'étais huguenot, hérétique.

Je racontais la bataille de Lépante, ma guerre contre les infidèles à Malte, ma croisade en Andalousie contre les Maures.

Je leur parlais des chiourmes et des bagnes d'Alger.

Rassurés sur mon appartenance, ils m'écoutaient à

peine, soucieux qu'ils étaient seulement d'extirper l'hérésie.

J'étais de leur foi, de leur Église. Je priais avec eux.

J'écoutais le prêtre clamer en chaire qu'il fallait tuer le huguenot, quel qu'il fût, père, frère ou sœur. Point de pitié pour celui qui portait le germe du Mal !

— Quand ton frère, continuait le prêtre, fils de ta mère, ou ton fils, ou ta fille, ou ta femme qui est en ton sein, ou ton prochain, lequel t'est comme ton âme, te viendra inciter à servir un autre Dieu, d'une autre manière, ne l'écoute pas, ne lui fais pas miséricorde ! Occis-le ! Ta main sera sur lui la première pour le mettre à mort, et après la main de tout le peuple !

Et l'on me montrait la fosse où l'on avait enfoui les corps des huguenots de guerre, ceux de leurs femmes hypocrites dont on avait purgé le village.

Seigneur, fallait-il qu'en Votre nom on s'entre-tue, on se dévore ?

Seigneur, était-ce cela la paix ?

À Paris, en écoutant les cris de la foule autour de la Croix de Gastine ou sur le pont au Change, j'ai su que la Seine, comme la mer à Lépante, allait être rougie par le sang humain.

3.

Chaque nuit, Seigneur, depuis l'année 1572, celle du massacre, il y a vingt-sept ans de cela, je Vous implore de me délivrer de mes remords et de mes cauchemars.

Vous n'avez jamais voulu m'entendre.

Vous m'avez laissé dans l'enfer des nuits sans sommeil.

Je vois un homme sur la rive droite de la Seine, quai de l'École, non loin de l'église de Saint-Germain-l'Auxerrois.

Comme on le fait d'un fagot, il traîne un nouveau-né emmailloté dont le sang a rougi les linges.

L'homme marche du pas lent d'un bûcheron qui vient d'achever sa taille.

Il s'arrête, regarde l'un de ses compagnons qui, la hache levée, est encore à la tâche.

Une femme se tient à genoux devant lui, enfouissant entre ses seins et ses cuisses un enfant comme si elle voulait qu'il rentre en elle.

Mais la hache s'abat et les corps sont fendus d'un coup bien ajusté qui partage la mère et l'enfant en deux parties écarlates.

Les bûcherons se congratulent et se signent.

Ils cherchent autour d'eux quels corps ils vont pouvoir abattre, puis jeter dans le fleuve dont je savais, Seigneur, dès les premières heures de mon séjour à Paris, qu'il serait rougi de sang humain.

Je n'ai rien fait pour empêcher cette coupe sanglante. Au contraire, je m'y suis mêlé, aussi fasciné qu'effrayé.

Et j'imagine que c'est pour cela, Seigneur, que Vous m'avez condamné à l'enfer.

Je suis arrivé à Paris en décembre 1571, soit près de huit mois avant ce dimanche 24 août, jour de la Saint-Barthélemy, où l'on tua comme on déboise.

En me rendant à l'hôtel d'Espagne, rue Saint-Honoré, où logeait Diego de Sarmiento, envoyé de Philippe II auprès de la cour de France, je m'arrêtais souvent à l'église Sainte-Opportune.

Elle était située à quelques pas du n° 29 de la rue Saint-Denis où s'élevait, au sommet de sa pyramide de pierre, la Croix de Gastine.

Je m'agenouillais parmi le peuple des gens de rien.

Du haut de sa chaire, dans la pénombre trouée çà et là par la flamme jaune et noir des hautes bougies, un prêtre – dont Sarmiento m'apprit qu'il s'appelait Veron et avait été inquisiteur en Espagne – prêchait.

Chacun de ses mots tombait comme un coup de hache.

Je baissais la tête, seul parmi tous ces fidèles qui, les yeux levés vers Veron, la bouche entrouverte, semblaient figés par quelque sortilège.

— Un hérétique, un huguenot est un arbre pourri qui pourrit la forêt tout entière ! clamait le père Veron. C'est un loup qui veut dévorer le troupeau. Il a apparence d'homme, mais il est créature du diable. Qui abattra cet arbre, qui tuera ce corps, purifiera la forêt des croyants, sauvera le troupeau de Dieu et punira le diable ! Prions ! Chantons pour la plus grande gloire du Seigneur !

Je quittais l'église, ayant souvent l'impression qu'on s'apprêtait à se jeter sur moi, tant mon attitude et mon départ me rendaient suspect.

J'étais peut-être l'un de ces espions huguenots, de ces hypocrites, de ces loups masqués qui rôdaient dans Paris, prêts à massacrer ?

Car tout un chacun dans le royaume de France se voyait brebis et imaginait l'autre en loup.

J'arrivais enfin à l'hôtel d'Espagne.

L'ambassadeur de Philippe II, le comte Rodrigo de Cabezón, que j'avais connu à Valladolid, m'y accueillit, me conduisit auprès de Diego de Sarmiento, d'Enguerrand de Mons et du père Verdini, assis devant une cheminée dont le feu éclairait la pièce lambrissée.

J'avais partagé avec eux tant de moments de ma vie qu'ils devinaient mon trouble et qu'il suffisait d'une de leurs questions pour que je me confie.

Je m'inquiétais de ce qui allait survenir. Qu'allaient faire les gens de rien après avoir écouté les prêches du père Veron ? Ils s'étaient déjà rassemblés autour de la Croix de Gastine. Ils avaient molesté des soldats du roi, commencé à piller des boutiques, tenté de mettre le feu à des maisons de huguenots, sur le pont Notre-Dame, ainsi, qu'à celle qu'on appelait du Marteau-d'Or.

Les mains croisées devant la bouche, la tête penchée, le père Verdini restait silencieux.

Cela faisait seulement quelques jours qu'il était arrivé à Paris, envoyé par Sa Sainteté Pie V pour essayer d'empêcher ce mariage funeste que Catherine de Médicis voulait conclure entre sa fille, Marguerite de Valois, et le roi de Navarre, ce huguenot de Henri le Béarnais,

Bourbon par son ascendance et appartenant donc à l'une des familles régnantes de France.

Sarmiento était indigné.

Il arpentait la pièce, les bras repliés sur la poitrine, les mains enserrant ses épaules. Il me donnait l'impression d'être une boule de muscles et de colère qui parfois s'immobilisait, nous regardait, tendait le bras vers le père Verdini ou Enguerrand de Mons, les prenant à témoin. Puis il croisait à nouveau les bras et décrivait un cercle autour de moi comme s'il avait voulu m'emprisonner, m'empêcher de fuir les propos qu'il assénait d'une voix tranchante.

Personne, disait-il, à part lui et le souverain d'Espagne auquel il envoyait chaque jour un courrier, ne mesurait l'étendue du complot qui se tramait ici, à la cour de France, contre l'Espagne et la sainte Église.

Le royaume, si les conspirateurs huguenots l'emportaient, risquait de sombrer dans l'hérésie, à l'instar de celui d'Angleterre.

La reine mère, cette Italienne, cette Médicis, n'était qu'une empoisonneuse entourée d'Italiens, les Strozzi, les Gondi, qu'elle avait faits princes. Les uns étaient des tueurs à gages, les autres des parfumeurs, créateurs de mixtures qu'il suffisait de respirer pour mourir.

Elle ne se souciait de rien d'autre que de l'avenir de ses enfants. Une vraie louve qui flairait ce qui était bon pour sa progéniture, se méfiant de tous mais cherchant à séduire Philippe II ainsi que ces chefs protestants, l'amiral de Coligny et Guillaume de Thorenc.

— Mais oui...

Sarmiento me faisait face et répétait :

— Mais oui, Guillaume de Thorenc ! Ton frère.

Elle entendait se servir des hérétiques ou des bons catholiques selon son avantage. Elle s'était mis en tête de marier sa fille Marguerite avec Henri de Navarre. Telle était son ambition présente. À cette fin elle s'était réconciliée avec Coligny. Elle l'avait flatté, pourvu, lui, l'hérétique, d'un bénéfice de notre sainte Église, avec deux cent mille livres de revenus, et elle l'avait doté par surcroît de cent cinquante mille livres. Voilà comment agissait celle qui se prétendait fervente catholique, qui proclamait qu'elle voulait rétablir la paix entre ses sujets, qu'ils fussent protestants ou de la vraie religion. Elle ne se souciait ni du Bien ni du Mal ni de Dieu ni du Diable. Elle ne défendait que ses intérêts.

Sarmiento avait haussé la voix, levé un bras.

— Seulement, Coligny est entré au Conseil du roi. Et ce roué, ce mécréant, cet hérétique a enveloppé Charles IX de ses flatteries, de ses raisonnements bouffons. Savez-vous ce qu'il veut obtenir ? Que le monarque envoie une armée aux Pays-Bas pour soutenir contre nous les gueux hérétiques de Guillaume d'Orange. Et ce pauvre Charles IX écoute, se laisse séduire, et sa mère ne dit mot, parce qu'elle tient à son mariage, elle veut la Navarre et le Béarn !

Sarmiento s'était rassis, avait entrepris de remuer les braises dans l'âtre. Tel était, avait-il ajouté, le complot. Le père Veron avait raison. Le loup huguenot était dans la bergerie, l'arbre pourri dans la futaie.

— C'est eux ou nous ! avait conclu Sarmiento.

Il avait donné un coup de talon dans les bûches qui s'étaient effondrées en une grande gerbe d'étincelles.

Seigneur, je l'avais écouté et m'étais laissé convaincre. N'étais-je pas là pour venger Michele Spriano ?

Enguerrand de Mons m'apprit que la troupe de Jean-Baptiste Colliard, stipendiée par Guillaume de Thorenc, parmi laquelle se trouvait le tueur de Michele Spriano, avait quitté le Castellaras de la Tour pour rejoindre Paris.

— Ils viennent tous, avait murmuré Sarmiento.

Toute cette diablerie de Nîmes, de Montauban, de Pau, de La Rochelle commençait à déambuler dans les rues de Paris, à se réunir rue de Béthisy, à l'hôtel de Ponthieu où habitait l'amiral de Coligny.

— Ils s'imaginent déjà vainqueurs ! Ils veulent leur part ! Ce que Coligny a obtenu les a mis en appétit. Ils n'attendent que la célébration du mariage entre Marguerite et Henri de Navarre pour égorger les catholiques, partir en guerre contre l'Espagne en envahissant les Pays-Bas.

Sarmiento avait ricané.

— Ils ne connaissent pas le duc d'Albe, ils ne savent pas que je suis capable de comploter aussi bien qu'eux !

Le père Verdini s'était signé.

Il avait ajouté de sa voix fluette, presque éteinte, que Sa Sainteté Pie V priait pour que Dieu voulût bien éclairer le roi Très Chrétien, retenir Charles IX, l'empêcher de faire la guerre au Roi Catholique. L'Espagne était avec Philippe II le bouclier et le glaive de l'Église. Et le pape était tourmenté à l'idée de ce mariage entre une catholique et un huguenot.

— Cela ne se fera pas, avait décrété Sarmiento en se levant. Ou alors Henri de Navarre aura renié sa religion hérétique et rallié la sainte Église.

Mais peut-on faire confiance à un renégat ?

Il s'était remis à aller et venir, à parler avec mépris de Catherine de Médicis, de ses fils, de Marguerite de Valois.

Charles IX, tout roi qu'il était, n'était qu'un jouet entre les mains des flagorneurs tels Coligny ou Guillaume de Thorenc. Mais, à la fin, c'était sa mère qui l'influençait. C'était donc elle qu'il fallait convaincre, effrayer, acheter même. Il fallait lui promettre une bonne et solide alliance qui assurerait le pouvoir et la richesse à ses enfants.

— Une Italienne, une descendante de marchands de Florence, elle n'est que cela : rien ! avait conclu Sarmiento.

Quant à ses deux autres fils, Henri d'Anjou et François d'Alençon, Catherine de Médicis se servait d'eux pour attiser la jalousie de Charles IX et le plier à ses desseins.

Ces deux-là n'étaient que des marionnettes. Henri d'Anjou se parait comme une femme. Couvert de rubans, de fanfreluches, de bagues, de colliers et de boucles, il se faisait friser les cheveux et poudrer à toute heure, changeait de vêtements plusieurs fois par jour. Homme ou femme, on ne savait trop de quel sexe il était, mais tourbillonnaient autour de lui des mignons qu'il déclarait aimer et qui lui étaient dévoués corps et âme.

François d'Alençon, l'autre fils, tentait de s'imposer entre ses deux aînés, prêt pour cela à pactiser avec le diable, les huguenots, les Anglais, et même – Sarmiento avait souri – les Espagnols !

401

Quant à Marguerite, elle se serrait la taille afin de paraître plus désirable, et couvrait son visage de tant de fards, de crèmes et d'onguents qu'on ne savait plus au juste ce qu'étaient ses traits.

— Voilà la cour de France, avait dit Sarmiento en appuyant la main sur mon épaule. Si nous n'y prenons garde, les huguenots attacheront tous ces princes futiles, ces reines corrompues au banc de leur chiourme, comme les Barbaresques l'ont fait avec tant de chrétiens. Nous avons vu, nous autres, ce que l'on peut obtenir des hommes...

Sarmiento savait que je gardais dans ma chair et ma mémoire les cicatrices de ma servitude.

J'avais baissé la tête.

J'étais avec lui.

— Nous ne pouvons compter que sur la famille des Guises, avait poursuivi Sarmiento. Ceux-là sont aussi avides que les huguenots. Mais ils sont à nous. Entre eux et les hérétiques, entre Henri de Guise, le Balafré, et l'amiral de Coligny, il n'y a pas de paix possible. Le royaume de France est fendu comme un billot peut l'être d'un coup de hache.

Seigneur ! Diego de Sarmiento ne croyait pas si bien dire !

4.

Ce coup de hache qui partagerait la France, j'ai vu Diego de Sarmiento encourager, commander, payer ceux qui pouvaient le donner.

Lorsque je traversais la cour de l'hôtel d'Espagne, je l'apercevais souvent en conciliabules avec des hommes enveloppés d'amples manteaux, le visage dissimulé par des chapeaux aux rebords rabattus sur les yeux. Leurs mains gantées ne lâchaient jamais le pommeau de leur épée ou de leur dague, et si, à mon approche, ils se retournaient brusquement, entrouvrant ainsi leurs manteaux, j'y devinais les crosses de leurs pistolets ou le canon de leur arquebuse.

En me voyant, Diego de Sarmiento s'interrompait, hésitait puis m'invitait à le rejoindre. La curiosité ou la soumission l'emportaient chez moi sur la crainte et la répulsion.

Je me faufilais entre ces hommes, jusqu'à Sarmiento.

Ils s'écartaient comme à regret, me dévisageaient sans que je pusse croiser leur propre regard.

Peut-être savaient-ils que j'étais le frère de Guillaume de Thorenc, compagnon de l'amiral de Coligny, ancien ambassadeur du roi Charles IX auprès du sultan, Guillaume de Thorenc l'hérétique ? Il aurait suffi d'un geste de Sarmiento pour qu'ils me poignardent, m'égorgent, tuant le catholique pour mieux blesser le huguenot.

Je les en sentais capables, car rien dans leur attitude

ne suggérait qu'ils fussent gentilshommes de duel, de guerre franche et réglée.

Ils étaient gens de guet-apens et d'assassinat.

Je les ai appelés les « hommes sombres » et Sarmiento me disait qu'ils appartenaient pour la plupart aux Guises, à Henri le Balafré et à son frère Louis, cardinal de Lorraine, qu'obsédaient la soif de pouvoir et la volonté de se venger de Coligny qu'ils accusaient d'avoir ordonné le meurtre de leur père, François, duc de Guise.

— Ces hommes sont à moi aussi, avait ajouté Diego de Sarmiento. Je les paie. Ils sont fidèles à celui qui leur donne des ducats. Et comme ils savent que je paie aussi Henri et Louis de Guise... Je suis leur vrai maître !

Peu à peu, au fil des jours, j'ai appris leurs noms. Diego de Sarmiento les énonçait comme un chasseur appelle ses chiens.

Il y avait Maurevert, qui avait tué pour le roi, pour Catherine de Médicis, pour Henri de Guise. C'était un homme grand et maigre, qui marchait voûté comme s'il avait cherché à se dissimuler, alors qu'on ne pouvait que remarquer sa silhouette courbée, la tête rentrée dans les épaules, avançant les jambes à demi ployées – jamais l'expression « pas de loup » ne m'avait paru plus juste.

J'ai aussi connu Keller, un mercenaire suisse, l'espion de Diego de Sarmiento à l'hôtel de Ponthieu, demeure de l'amiral de Coligny.

Autant le Suisse était silencieux, autant l'Italien Luigi Bianchi était bavard. Ce « parfumeur », autant dire cet empoisonneur, ne venait à l'hôtel d'Espagne que pour renseigner Catherine de Médicis.

— Je le sais, m'avait précisé Sarmiento. Et il sait que

je le tuerai s'il livre à la reine mère le moindre vrai secret. Et, comme je le paie mieux, il espionne pour moi celle qui l'envoie ici m'espionner.

Sarmiento ricanait, ses lèvres retroussées montrant ses dents de carnassier. Il aimait à se mêler à cette meute qu'il excitait et retenait tour à tour, la nourrissant d'or et de promesses, l'assurant qu'un jour proche il faudrait qu'elle tue, qu'elle nettoie Paris de tous ces nobliaux huguenots que la province déversait sur les bords de la Seine.

— Le diable est dans la tête de ces hérétiques ! lançait-il. On leur tranchera donc le cou.

Ces spadassins qui se nommaient Maraval, Lachenières, Guitard, Ruquier, Demouchy, et qui étaient les hommes liges de Maurevert, approuvaient, faisant glisser leur lame dans son fourreau. Ils inclinaient la tête : ils étaient prêts.

J'imaginais déjà leurs mains crispées sur la cognée.

L'un des premiers coups, ils l'assénèrent à la fin du mois de décembre 1571.

Ce jour-là – sans doute le 20 du mois, une année avant le massacre – le froid était si vif que la Seine charriait des blocs de glace qui s'agglutinaient contre les piliers du pont Notre-Dame.

Je le traversais pour me rendre à l'hôtel d'Espagne.

J'entendis des cris, des chants, cette rumeur que font les gens de rien quand ils se coalisent et se transforment en horde barbare.

Je la vis s'avancer, et, autour d'elle, comme des piqueurs poussant leurs bêtes, je reconnus plusieurs des

« hommes sombres », non pas Keller, Bianchi ni Maurevert, mais leurs spadassins, leurs hommes des basses œuvres.

À la tête du cortège marchait le père Veron.

Lui aussi, je l'avais vu ces jours derniers entrer à l'hôtel d'Espagne.

Chauve, le visage émacié, les yeux profondément enfoncés dans les orbites, il était plus grand que Maurevert et, au contraire de ce dernier, se tenait très droit comme s'il avait voulu que tout le monde le vît, pareil à une figure de proue.

La veille au soir, je m'en souvenais en le voyant bras levés au premier rang de cette foule, il m'avait heurté sur le perron de l'hôtel d'Espagne. Il avait paru ne pas même s'en rendre compte, tout à marmonner et à descendre à grands pas les marches donnant sur la cour.

Il était là, criant qu'il fallait que les hommes qui suivaient Dieu sortissent leurs longs couteaux pour faire justice, tuer ces loups d'hérétiques devant lesquels le roi lui-même – qu'il prenne garde ! – venait de s'agenouiller, lui, le Très Chrétien, en accordant à Coligny, à Thorenc, à cette vermine huguenote ce qu'elle demandait : la destruction de la Croix de Gastine, « notre Croix, celle qui dit que la justice de Dieu est passée, que les corps impies ont été châtiés ! ».

Peu après, j'ai aperçu Maurevert, qui suivait à distance le cortège, entouré de quelques « hommes sombres » que je ne connaissais pas.

Rue Saint-Denis, au n° 29, la pyramide et la croix de pierre avaient disparu, sans doute détruites durant la nuit sur ordre du roi, en exécution d'une clause du traité de paix de Saint-Germain conclu avec les huguenots.

Mais le peuple des gens de rien, mené par le père Veron et les tueurs à gages de Sarmiento, hurlait sa colère, s'indignant que le roi eût ainsi capitulé devant les hérétiques.

Sarmiento un jour m'avait dit :

— Charles IX et même Catherine de Médicis s'imaginent qu'ils vont pouvoir régner en paix parce qu'ils cèdent aux huguenots. Ils ne connaissent pas ces hérétiques ! Coligny endort la méfiance de Charles, promet à Catherine que va s'établir, grâce à elle et à son fils, un règne d'amour ! Et la reine mère fait comme si c'était possible. Le croit-elle vraiment ?

Il avait secoué la tête et ri silencieusement.

— Une Italienne aussi rouée peut-elle être encore à ce point naïve ?

J'ai suivi le cortège.

J'ai vu les « hommes sombres » pousser la foule vers une maison située sur le pont Notre-Dame et, peu après, des flammes en ont jailli, se sont élevées le long de la façade.

La foule hurlait et je voyais, dans les ruelles qui débouchent sur le quai, des boutiquiers fermer leurs volets cependant que la foule se répandait, brisant les portes, pillant, et peu lui importait que ce fût logis ou échoppe de catholique ou de protestant !

Il fallait du saccage et du vol pour satisfaire la horde.

Je suis revenu sur mes pas, attiré par l'incendie qui éclairait le pont, cependant que la foule commençait à se disperser.

Le prévôt des marchands était arrivé sur les lieux. Sa troupe avait tiré une arquebusade et s'était saisie de quelques émeutiers.

L'un d'eux, que je voyais gesticuler, était traîné vers une poterne. On lui passa la corde autour du cou. On la lança jusqu'à une poulie et l'on tira l'homme qui se trémoussa encore, puis, après quelques spasmes, se raidit.

Et le silence revint sur le pont Notre-Dame. La foule avait disparu.

Tout à coup, la porte de la maison qu'on avait tenté d'incendier s'ouvrit. Quelques hommes armés d'arquebuses et de pistolets en sortirent. Ils arboraient l'accoutrement noir des huguenots.

Ils s'immobilisèrent en me voyant seul au milieu du pont, et l'un d'eux me visa.

Je ne bougeai pas.

Je venais d'apercevoir dans la pénombre de l'entrée une silhouette de femme, et l'émotion m'étreignit. J'avais reconnu ses cheveux blonds dénoués, ses traits, maintenant, dans la clarté du jour.

— Éloigne-toi ! me cria l'homme. Qui que tu sois, passe ton chemin ou je te renvoie en enfer !

La jeune femme avait fait quelques pas, entourée par ses gardes.

Elle m'apparaissait plus belle encore que celle que j'avais vue pour la première fois à quelques rues d'ici, dans l'hôtel de Ponthieu, en compagnie de son frère Robert de Buisson, ce corsaire de La Rochelle qui m'avait permis de fuir du bagne d'Alger.

Je me souvenais de cet instant où, lors du funeste

tournoi qui vit une lance crever la tête du roi Henri II, Anne de Buisson s'était évanouie, et où je l'avais tenue contre moi.

Je l'avais reconduite jusqu'à cette demeure, au coin de la rue de l'Arbre-Sec et de la rue de Béthisy, à cet hôtel de Ponthieu où logeait l'amiral de Coligny et où se rassemblaient aujourd'hui les huguenots de sa secte.

Puis, des années plus tard, en Espagne, alors qu'elle était l'une des suivantes d'Élisabeth de Valois, je lui avais conseillé de quitter ce pays, car sa maîtresse, toute épouse de Henri II qu'elle fût, n'aurait pu la protéger de la haine que l'on vouait là aux hérétiques.

« Partez, partez ! » l'avais-je exhortée.

Peut-être lui avais-je ainsi sauvé la vie.

Et je la retrouvais non plus dans la robe bleu ciel dont je me souvenais comme si je ne l'avais jamais vue vêtue qu'ainsi, enveloppée d'une couleur légère qui rehaussait encore la blondeur de ses cheveux, mais serrée de noir comme ses gardes.

J'ai incliné la tête et reculé d'un pas en m'appuyant à la balustrade du pont.

Anne de Buisson, levant la main, la posa sur le canon de l'arquebuse, pesant sur lui, obligeant l'homme à abaisser son arme.

Puis elle s'avança vers moi et il me sembla qu'elle était comme autrefois entourée d'un halo clair, bleu et blond.

5.

J'ai aimé Anne de Buisson.

Et ce fut Votre grâce, Seigneur de me donner, par ces temps sombres, en cette époque de sang et de cruauté, le privilège de ne pas connaître que la haine et le désir de tuer.

À voir Anne de Buisson chez elle, dans cette maison du pont Notre-Dame, il me semblait que Vous aviez voulu, en la plaçant une nouvelle fois sur ma route, me rappeler qu'à quelque religion qu'ils appartiennent l'homme et la femme sont d'abord Vos créatures, et que, même lorsque la tromperie d'une hérésie les aveugle et les fait serviteurs du diable, ils restent Vos enfants.

Voilà ce que je pensais quand, debout près du fauteuil dans lequel s'était assise Anne de Buisson, je voyais sa nuque sous les fils d'or de ses cheveux, et l'arrondi de ses épaules.

Peu m'importait alors qu'elle lût pour moi, comme si elle avait voulu me convertir à la religion de sa secte, des versets de la Bible, ou bien qu'elle me chuchotât que, suivante de Catherine de Médicis, elle savait que la reine mère n'accepterait jamais que l'amiral de Coligny entraînât le royaume de France dans une guerre contre l'Espagne, ou seulement qu'il aidât les gueux des Pays-Bas en lutte contre les armées du duc d'Albe.

Catherine de Médicis souhaitait la réconciliation des huguenots et des papistes, non qu'elle respectât la religion et les projets de ces derniers, mais parce qu'elle voulait la paix entre les sujets de son fils Charles IX. Elle ne visait que ceci : l'intérêt du roi, prête à aller un jour vers le camp qui semblait le plus utile à son dessein, puis à se rapprocher de l'autre le jour suivant.

— Elle a besoin de moi, ajoutait Anne de Buisson. Elle me montre aux envoyés de Henri de Navarre. Elle leur dit : « Voyez la belle huguenote que j'ai choisie pour suivante ! Comprenez mon souhait, ma politique. Je veux un royaume de concorde et d'amour, et c'est pour cela que je désire que ma fille Marguerite de Valois, fidèle de la juste religion catholique, épouse Henri, roi protestant de Navarre. »

Anne de Buisson se tournait et levait la tête vers moi. J'aimais son front bombé, la perfection de ses traits qui semblaient à peine esquissés d'un trait léger, ses yeux au regard d'un bleu soyeux.

J'avais envie de me pencher, de baiser son cou, puis ses lèvres.

Je posais la main sur le dossier du fauteuil, effleurais ainsi son épaule. La chaleur de son corps me pénétrait peu à peu, me faisait frissonner.

Peut-être ressentait-elle la même émotion, le même désir ?

Il m'arrivait de le croire, puis je pensais que je n'étais qu'un vieux barbon du double de son âge, dont elle se fût moquée si je lui avais proposé, comme j'en avais eu plusieurs fois l'intention, de la prendre pour femme devant Dieu, de nous retirer dans ma demeure du Castellaras de la Tour et d'y voir naître notre descendance.

N'est-ce pas ainsi, en donnant la vie à des enfants légitimes, qu'on Vous honore le mieux, Seigneur ?

411

Je m'aventurais parfois à lui dire que le mariage qui s'annonçait entre Marguerite de Valois et Henri de Navarre, cette grande affaire dont chacun parlait pour s'en indigner, s'en féliciter ou la craindre comme un acte dément qui allait libérer les démons, devait être imité dans tout le royaume. Si de nombreux couples se formaient à l'image du mariage royal, alors se reconstituerait l'unité des chrétiens, et la paix s'établirait.

N'était-ce pas ce que voulaient Catherine de Médicis et Charles IX ?

Anne de Buisson me fixait longuement, se levait, marchait jusqu'aux hautes fenêtres qui ouvraient sur le pont Notre-Dame.

— Chacun croit à sa religion, commençait-elle. Il ne peut y avoir deux vérités de Dieu.

Elle connaissait Marguerite de Valois. La fille de Catherine de Médicis n'était pas femme à renoncer à sa foi. Et elle, Anne de Buisson, jamais ne renierait la sienne.

— Et les gentilshommes qui entourent l'amiral de Coligny, mon frère Robert ou le vôtre, ne sont pas gens à devenir des renégats.

Elle baissait la tête, faisait la moue, gonflait les lèvres.

— C'est ainsi. Peut-être faut-il que le sang ruisselle devant nos portes, dans les rues de nos villes, et que chacun essaie de vaincre comme dans un tournoi. Dieu choisira.

J'étais à une extrémité de la lice. Anne de Buisson se tenait avec les siens en face de moi, à l'autre bout du champ clos.

Ainsi j'ai vite découvert qu'à l'hôtel de Ponthieu ou dans la maison du pont Notre-Dame on était tout aussi déterminé à voir couler le sang qu'à l'hôtel d'Espagne.

En me voyant aux côtés de sa sœur, chez elle, Robert de Buisson m'avait d'abord ouvert les bras, et nous nous étions donné l'accolade d'un même élan. Puis, me tenant par les épaules, bras tendus, il m'avait tenu à distance.

— Êtes-vous toujours espagnol ? Êtes-vous de cette bande d'assassins qui se réunit à l'hôtel d'Espagne et qui ne rêve que de nous occire ?

Mon silence valait réponse et Robert avait retiré ses mains, reculé de plusieurs pas.

— Vous êtes donc dans le camp de ce Diego de Sarmiento, avec Enguerrand de Mons ? Celui-ci a perdu toute mesure. Il n'est plus l'homme que j'ai connu à Malte. Il veut nous égorger comme s'il désirait nous sacrifier, faute de pouvoir tuer tous les infidèles et arracher sa sœur à leurs griffes ! Ce n'est plus un sujet du roi de France, mais le serviteur de son ordre, comme vous-même êtes devenu courtisan du roi d'Espagne, et cela me navre.

Des gentilshommes m'avait entouré, la main sur la garde de leur épée.

Ils s'étonnaient, certains avec dédain, mépris, même : comment pouvais-je, moi, frère de Guillaume de Thorenc, fils de ce Louis de Thorenc tombé pour la cause huguenote, me souiller, me damner en compagnie de ces spadassins espagnols et italiens, ces gens des Guises qui n'étaient que des hommes de guet-apens et rêvaient d'un nouveau massacre des Innocents ? C'était pour cela qu'ils excitaient le peuple contre les décisions du roi. C'étaient eux qui avaient exhorté les gens de rien à mettre le feu à cette maison.

— Voulez-vous à ce point la mort de ma noble et gentille sœur ? avait lancé Robert de Buisson.

Je les écoutais. Ils creusaient le fossé qui me séparait d'Anne. J'étais d'un camp qu'ils haïssaient, auquel ils prêtaient l'intention de les massacrer.

Ils m'assuraient que la milice de Paris, sous les ordres du prévôt, était prête à tuer tous ceux que les prédicateurs, à l'instar du père Veron, ou les Espagnols et les gens des Guises désigneraient comme hérétiques.

— Ils ne veulent pas de la paix. Ils veulent égorger les huguenots, voilà ce qu'ils disent, répétait Robert de Buisson en se plaçant derrière le fauteuil de sa sœur et en posant les mains sur ses épaules comme pour me montrer que c'était elle qui serait égorgée, que c'était elle qu'il protégeait, elle à qui je devais penser, pour elle qu'il me fallait choisir.

— Savez-vous ce qu'ils chantent, dans la milice parisienne ? reprenait Robert de Buisson. Voici :

> *Nos capitaines corporiaux*
> *Ont des corselets tout nouveaux*
> *Dorés et beaux*
> *Et de longs manteaux*
> *Pour huguenots égorgetter*
> *Et une écharpe rouge*
> *Que tous voulons porter.*

La colère, la haine faisaient trembler sa voix.
Les gentilshommes – Blanzac, Pardaillan, Tomanges,

Séguret, d'autres encore – qui se pressaient dans la pièce portaient la main à leur épée, répétant de plus en plus fort : « Qu'ils y viennent, et nous verrons qui égorgettera l'autre ! »

— Commençons avant qu'ils ne commencent ! lança même Séguret.

Séguret ressemblait à l'un des spadassins des Guises. Il avait la même démarche que Maurevert, celle d'un loup avançant sur sa proie.

Jouant avec son épée qu'il tirait et replongeait dans son fourreau, il me confia qu'il avait combattu les papistes aux côtés de Jean-Baptiste Colliard, le capitaine des gardes de Guillaume de Thorenc.

Je soutins son regard et répondis en détachant chaque mot que Colliard était un assassin auquel je ferais rendre gorge pour ses crimes.

Séguret fit un pas vers moi et les autres gentilshommes m'encerclèrent. Sans doute avaient-ils entendu ou deviné mon propos.

— Ce beau seigneur de Thorenc, ajouta Séguret, veut en découdre avec Colliard, qu'il accuse...

— Un assassin ! l'interrompis-je, tirant mon épée et m'adossant à la porte.

— Espagnol ! jura Séguret.

Anne et Robert de Buisson s'interposèrent, demandant à Séguret et aux autres gentilshommes de quitter la maison.

Alors qu'ils passaient près de moi, chacun d'eux, d'un regard, d'un mot, d'une mimique ou d'un geste, exprima sa haine, sa détermination à me tuer.

Nous sommes restés seuls, Anne de Buisson assise, son frère et moi allant et venant, nous arrêtant devant elle chacun notre tour comme si nous avions attendu qu'elle prononçât un verdict.

— Savez-vous, avait commencé Robert de Buisson, ce qu'aurait dit Charles IX ce matin même en apprenant qu'une foule avait protesté contre la destruction de la Croix de Gastine ? Il a fait le serment qu'avant deux ans, et moyennant la grâce de Dieu, il aura fait dresser par tout le royaume de France plus de dix mille croix semblables à la Croix de Gastine qu'il avait été contraint de faire abattre pour que les huguenots entrent dans la nasse, là où l'on pourrait mieux les étrangler. Voilà ce que pense le roi au moment même où il semble vouloir respecter ses promesses et nous laisser libres de prier et d'honorer Dieu comme nous l'entendons !

J'ai regardé Anne de Buisson.

Elle était si proche de moi ! Je n'avais qu'à tendre la main pour caresser son visage. Un pas m'aurait suffi pour presser son corps contre le mien, comme j'en avais le désir.

Et, cependant, elle était si loin, sur l'autre rive d'un fleuve qui, bientôt, je le pressentais, serait rouge de sang.

6.

Depuis que j'avais revu Anne de Buisson, je vivais comme un homme double. Ma raison et mon cœur ne marchaient plus au même pas.

Je pensais que la guerre entre huguenots et catholiques était inévitable ; cependant, il me semblait que si j'avais pu nouer avec Anne de Buisson une relation d'amour la paix eût peut-être été assurée.

Et une rage silencieuse m'étouffait quand le père Veron, à l'hôtel d'Espagne où je logeais, clamait d'une voix exaltée qu'il fallait à tout prix empêcher le mariage de Marguerite de Valois et de Henri de Navarre, alors même que j'imaginais qu'il eût pu préfigurer le mien.

Mais l'union entre une princesse catholique et un roi huguenot était, selon Veron, un « exécrable accouplement ». Le pape y était opposé et jamais, selon le père, il n'y donnerait son consentement.

Diego de Sarmiento ajoutait qu'il avait fait porter au roi Charles IX et à son frère, Henri d'Anjou, des lettres du souverain d'Espagne les exhortant à convaincre leur mère, Catherine de Médicis, de renoncer à son dessein diabolique. Un dessein, ajoutait Diego de Sarmiento, « bien plus funeste pour la France que pour l'Espagne », laquelle pouvait se sentir d'autant plus forte que la première était divisée. À tout prendre, si les Français ne choisissaient pas de devenir des alliés bons catholiques de Philippe II, autant qu'ils s'entre-tuent !

Mais il fallait tout faire pour que ce mariage n'eût point lieu. Le général des jésuites, Francesco Borgia, venait d'arriver au château de Blois et avait demandé audience au roi Charles IX et à la reine mère pour leur faire part de son indignation à l'idée que l'on pût livrer une fervente catholique comme Marguerite au roi de Navarre, ce suppôt de l'hérésie.

Je quittais l'hôtel d'Espagne, tremblant de colère et de désespoir, et marchais vers la maison du pont Notre-Dame. Je me souvenais des propos de Robert de Buisson ou de Séguret, tout aussi enragés que ceux du père Veron.

Robert de Buisson s'emportait à l'idée qu'on pût vouloir faire entrer dans une famille de sang royal, pro-testante comme celle des Navarre-Bourbons, cette dévergondée, cette débauchée de Marguerite de Valois. À Blois, elle participait à toutes les fêtes galantes où l'on se dépoitraillait, où l'on dansait jusqu'à défaillir de fatigue. L'on y avait vu Charles IX, le visage noirci à la suie, jouer le rôle d'un homme d'au-delà de l'Océan, ou, pis encore, lui, roi de France, avancer à quatre pattes, sellé et sanglé comme un cheval, et demander aux femmes qu'elles l'enfourchassent !

N'étaient-ce pas des jeux indignes de bons chrétiens ! Mais les catholiques ne l'étaient plus depuis belle lurette !

Je baissais la tête. Anne de Buisson écoutait, immobile dans sa robe noire. Elle semblait ne pas entendre, ne pas me voir.

Cependant, jamais il ne s'est passé un jour, durant ces mois d'avant la grande tuerie du 24 août 1572, ce dimanche de la Saint-Barthélemy, où je n'aie pensé à elle, tenté de l'apercevoir, alors même que les gentilshommes huguenots m'avaient interdit l'entrée de sa maison.

Mais je rôdais sur le pont Notre-Dame comme eût pu le faire un espion des Guises, un Espagnol de Diego de Sarmiento.

Je remarquais d'incessantes allées et venues. L'amiral de Coligny, entouré de gardes du corps, rendait visite à Anne, qui le raccompagnait jusqu'au perron. J'ai vu le prince de Condé, d'autres nobles huguenots qui semblaient venir lui faire leur cour, et j'en étais jaloux. Mais peut-être était-ce à Robert de Buisson qu'ils rendaient visite, organisant ce complot dont ne cessait de parler Sarmiento, destiné à s'emparer de l'esprit et du corps du roi Charles IX afin de l'obliger à faire la guerre à l'Espagne, à soutenir le mariage entre Marguerite de Valois et Henri de Navarre.

Seigneur, les temps que nous vivions – que nous vivons encore – étaient une pelote de desseins emmêlés, un entrelacs de fils inextricable !

Ceux qui les tissaient et les nouaient cherchaient à entraver, à étrangler leurs ennemis.

Et il n'y avait pas place pour celui qui, comme moi, voulait tendre la main vers l'autre rive.

Je le savais et pourtant ne renonçais pas.

Un jour de grand beau temps d'hiver, froid et venté, Séguret, Blanzac, Pardaillan, Tomanges et d'autres tueurs huguenots sont sortis de la maison et se sont dirigés vers moi. Parmi eux, j'ai distingué Jean-Baptiste Colliard, dague et épée en main.

Celui-là venait pour m'occire.

J'ai dégainé et nous avons commencé à croiser le fer.

Séguret me visait avec son arquebuse. Ce n'était donc point un duel régulier, mais un guet-apens de spadassins.

J'ai crié, appelé, hurlé que des hommes noirs de la secte huguenote se proposaient d'assassiner un bon catholique.

Je reculai sur le pont Notre-Dame tout en combattant et en sautant de droite et de gauche pour éviter l'arquebuse dont Séguret me menaçait.

Une foule s'est peu à peu rassemblée autour de moi et a commencé à lapider les huguenots en criant : « Hors de Paris, les ennemis de Dieu ! En enfer, les suppôts du diable ! À Montfaucon, les amiralistes de Coligny ! À mort, ceux de la cohorte huguenote ! »

À Paris, les gens de rien, les gens du néant, haïssaient les huguenots. Les spadassins ont commencé à refluer vers la maison d'Anne de Buisson et, tout à coup, d'une fenêtre, Séguret a tiré sur la foule qui s'est égaillée, mais il n'a fallu qu'un court instant pour qu'elle revienne, plus nombreuse, armée de piques, de haches, brandissant des torches, allumant des incendies sur son chemin, pillant les échoppes, cependant que les hommes de la milice du prévôt se disposaient devant la maison d'Anne de Buisson afin de la protéger.

Les cris redoublaient. De quel côté étaient ce roi et ce prévôt qui faisaient abattre la Croix de Gastine mais faisaient pendre les bons catholiques ? Que valait ce souverain qui signait avec les hérétiques la paix de Saint-Germain et voulait marier sa sœur avec un roi huguenot ?

Les miliciens se sont élancés, ont saisi deux émeutiers

qu'ils ont aussitôt pendus à la façade de la maison d'Anne de Buisson.

J'en ai tremblé d'effroi.

C'était comme s'ils avaient désigné Anne de Buisson à la vindicte des gens de rien, comme si la pendaison de ces hommes avait été un crime des hérétiques.

De fait, quelques jours plus tard, des émeutiers ont incendié la maison, et, derechef, quelques-uns d'entre eux ont été pendus en place de Grève.

J'ai su qu'Anne de Buisson s'était réfugiée dans une maison de la rue de l'Arbre-Sec, au n° 7. Elle y logeait en compagnie de son frère.

Diego de Sarmiento m'a assuré que Robert de Buisson avait pris le commandement des gardes de l'amiral de Coligny.

J'ai arpenté cette rue de l'Arbre-Sec. Elle conduisait à la rue de Béthisy au coin de laquelle se trouvait l'hôtel de Ponthieu. Devant le porche se pavanaient, bruyants et fats, la mine arrogante, les gentilshommes huguenots.

Rien qu'à apercevoir parmi eux Séguret ou Jean-Baptiste Colliard, je savais que je n'appartenais pas à leur camp.

J'étais bien de l'autre rive.

7.

J'entrais dans la cour de l'hôtel d'Espagne.

C'était ma « rive », mon camp.

Je reconnaissais maintenant chacun de ces « hommes sombres » ; Maurevert discourait, entouré de ses spadassins, Maraval, Guitard, Lachenières, Demouchy, d'autres dont Sarmiento me disait qu'ils appartenaient à Henri le Balafré, duc de Guise, et à son frère Louis, cardinal de Lorraine.

Dans la grande pièce que le soleil de ce printemps 1572 éclairait, je retrouvais, aux côtés de Sarmiento, Keller, qui, après de longs détours pour s'assurer qu'on ne le suivait pas, arrivait de l'hôtel de Ponthieu. Il chuchotait comme s'il avait craint qu'on ne l'entendît, et on se pressait autour de lui.

Il annonçait que la mère de Henri de Navarre, cette folle huguenote de Jeanne d'Albret, reine de Navarre, venait de mourir, peut-être empoisonnée par l'un des « parfumeurs » de Catherine de Médicis.

On se tournait vers Luigi Bianchi qui niait, le visage plissé par un sourire. À dire vrai, ajoutait-il, il n'était pas le seul, dans l'entourage de Catherine, à connaître les secrets des mélanges de parfums et de poisons. Au Louvre, dans l'entourage de la reine mère et de Charles IX, on prétendait qu'un certain Renato, un Florentin, avait imprégné les gants de Jeanne d'Albret avec le contenu de trois fioles. Sitôt après avoir enfilé ses gants, la reine de Navarre avait été saisie de vomissements. On l'avait portée jusqu'à sa chambre ;

couchée, le corps enflé et violacé, elle ne s'était plus relevée.

Mais il ne s'agissait peut-être là que de rumeurs. Jeanne d'Albret était depuis longtemps malade et elle avait pu aussi bien succomber à une tumeur aux poumons grosse comme le poing, avaient dit les médecins, laquelle l'avait étouffée.

Sarmiento levait la main. Peu importait. Il n'y avait pas lieu de se féliciter de la mort de la reine de Navarre. Le chemin était désormais libre pour Catherine de Médicis, plus déterminée que jamais à marier sa fille avec le huguenot Henri. Mais ce n'était pas encore le plus grave.

Sarmiento allait et venait dans la pièce et Enguerrand de Mons, le père Verdini, le père Veron le suivaient, penchés vers lui pour mieux l'entendre. Il disait que trois mille cavaliers huguenots et cinq mille mercenaires allemands étaient en route pour les Pays-Bas afin d'apporter leur aide aux gueux de Guillaume d'Orange.

— Coligny, poursuivit-il en se tournant vers Keller, a obtenu l'accord du roi.

Keller l'approuvait, précisant que Charles IX avait déclaré vouloir s'opposer « le plus dextrement possible à la grandeur des Espagnols ».

— La conspiration huguenote, concluait Sarmiento, veut briser la puissance de l'Espagne en utilisant les ambitions du roi de France, et Catherine de Médicis se prête à cette machination.

J'écoutais, puis m'écartais. J'entendais encore le père Verdini rapporter qu'il avait reçu un courrier de Rome.

Le nouveau pape, Grégoire XIII, voulait, comme Pie V, empêcher ce mariage et tout risque de guerre entre l'Espagne et la France. Le seul moyen était de redonner vie à la Sainte Ligue des catholiques unis à la fois contre les hérétiques et les infidèles.

— Les uns et les autres sont fils du diable, ajoutait le père Veron. Un catholique a le devoir de les tuer. Saint Augustin a dit : « Il y a un Roi par-dessus la loi, c'est Dieu. Et s'Il commande à quelqu'un de tuer une personne, comme Il fit à Abraham de tuer son fils, il faut qu'il le tue. » Dieu a commandé d'envoyer en enfer Coligny et les hérétiques comme jadis les Templiers reçurent mission de tuer les infidèles.

Je restais à l'écart.

Je doutais, Seigneur. Je me souvenais des paroles de Michele Spriano qui avait entendu, derrière les grands mots de la religion, les ambitions terrestres des monarques avides de puissance, les habiletés de marchands et de banquiers soucieux de leurs profits.

Je m'interrogeais : et si l'affrontement entre huguenots et catholiques, entre chrétiens et musulmans, n'étaient que les pièges que tendait le diable aux hommes afin de les précipiter dans le Mal, de les pousser à tuer l'autre qui était aussi, Seigneur, l'une de Vos créatures ?

Les pensées dans ma tête formaient un enchevêtrement que je ne réussissais plus à démêler.

J'avais l'intuition que nous étions tous, catholiques et huguenots, entraînés dans l'une de ces danses macabres telles qu'on les voit sculptées au tympan des églises. La mort avec sa faux y menait sa sarabande.

Comment en finir avec ce bal de la haine ? Qui survivrait à cette rage de tuer qui déformait tous les visages, ceux des gentilshommes huguenots comme ceux des spadassins de Sarmiento et des Guises ?

Mon désespoir était d'autant plus grand que je voyais chacun danser avec entrain, comme si le désir de précipiter ses ennemis dans l'abîme faisait oublier que l'on y dévalerait aussi.

Seigneur, était-ce cela que Vous vouliez ? Ou bien aviez-Vous abandonné les hommes aux mains du diable ?

— Affûte tes lames ! m'a dit Sarmiento. Les huguenots arrivent aujourd'hui.

C'était déjà le mois de juillet.

J'avais revu Anne de Buisson et ma sœur Isabelle, toutes deux suivantes de Catherine de Médicis, à l'une des fêtes que la reine mère donnait au Louvre.

On y dansait dans les cours, les jardins, les salles et jusque sur les paliers.

On épiait Marguerite de Valois dont les robes constellées de perles enserraient la taille.

— La belle et légère Margot..., marmonnait Sarmiento. Mariée ou pas à son huguenot de Navarre, elle ne sera jamais l'une de ces huguenotes boutonnées en noir dont on ne sait trop si elles sont hommes ou femmes. Quant à Henri d'Anjou – il s'esclaffait –, il est encore plus femme qu'elle, regarde-le...

Le frère du roi traversait les salles de bal entouré de ses mignons, affichant les mines d'une rouée, paré de bagues et de boucles d'oreilles, des flots de dentelles débordant des manches et du col de son pourpoint.

— S'il vient à succéder à son frère, on ne sait s'il sera

reine ou roi, ajoutait Sarmiento. Mais lui – ou elle – au moins ne veut pas d'une guerre avec l'Espagne.

Je m'étais approché d'Anne de Buisson. J'avais été enivré par son parfum et j'étais resté un long moment silencieux, incapable de lui parler, tenté de la prendre par la taille, de la serrer contre moi, d'oublier ceux qui nous entouraient, dont je devinais qu'ils nous observaient. Nous devenions sans doute, l'un comme l'autre, suspects : Anne parce qu'elle ne se détournait pas d'un de ces catholiques de l'entourage de l'Espagnol Sarmiento, moi parce que j'étais séduit par cette huguenote qui n'était pas vêtue comme une adepte de la mauvaise secte de Luther et de Calvin, mais qui n'en était sans doute que plus dangereuse. Et l'on devait se souvenir que je me nommais Thorenc, comme Guillaume de Thorenc, l'un des conseillers de l'amiral de Coligny. N'étais-je pas un espion des hérétiques ?

C'est Anne de Buisson qui a parlé la première.

— Je ne vous vois plus, m'a-t-elle dit.

— Vos spadassins me tueraient.

— Je les ai déjà empêchés de le faire.

— Venez avec moi.

Elle a baissé les yeux. Il m'a semblé qu'elle rougissait.

— Après.

— Après quoi ?

D'un léger mouvement de tête, elle a désigné Marguerite de Valois.

— Après le mariage avec Navarre ? ai-je demandé.

Elle a souri et s'est éloignée.

Je l'ai revue le jour où Sarmiento m'a invité à affûter mes lames.

Elle portait une longue robe noire fermée jusqu'au menton, et était assise dans l'une des litières qui suivaient Henri de Navarre lors de son entrée dans Paris.

C'était le 10 juillet de cette année 1572.

Henri de Navarre, prince du sang, vêtu lui aussi de noir, était accompagné par le prince de Condé, son cousin, et l'amiral de Coligny.

Autour d'eux chevauchaient un millier de gentilshommes huguenots. C'était comme une vague noire qui déferlait, envahissant les rues proches du Louvre.

Le mariage de Henri de Navarre et de Marguerite de Valois devait être célébré dans un peu plus d'un mois.

J'ai reconnu, caracolant auprès de Coligny et de Henri de Navarre, Robert de Buisson et mon frère Guillaume. Leurs spadassins Séguret et Jean-Baptiste Colliard, Blanzac, Pardaillan et Tomanges les entouraient.

Diego de Sarmiento se tenait près de moi. Il m'avait suffi d'un regard pour mesurer sa colère. Il serrait les mâchoires, le menton en avant, l'une de ses mains crispée sur le pommeau de son épée, l'autre sur la garde de sa dague. Son corps était légèrement penché, comme près de s'élancer.

Il s'est tourné vers moi.

— Ils se croient vainqueurs ! a-t-il grogné. Ils ont toutes les audaces ! Coligny, ce maudit, a osé dire au roi : « Déclarez la guerre aux Espagnols, Sire, et partez vous couvrir de gloire ! » Et Charles l'a écouté, sans ordonner qu'on décapite cet hérétique ! Coligny a même menacé. Keller m'a rapporté qu'il répète partout, afin que Charles IX sache ce qui l'attend : « Si le roi renonce à entrer dans une guerre contre les Espagnols, Dieu veuille qu'il ne lui en survienne pas une autre dans laquelle il ne serait pas en son pouvoir de se retirer ! »

Sarmiento a frappé du talon.

— Ces huguenots traitent le souverain comme s'il était leur prisonnier. Et ils exigent en guise de rançon une guerre contre l'Espagne !

Il m'a fait face, puis, d'un mouvement de la tête et des épaules, il a montré le cortège des huguenots.

— Regarde-les, Bernard de Thorenc. Ils sont entrés dans la nasse. Ils n'y resteront pas longtemps vivants !

Seigneur, qui se souciait vraiment de Vous et de Vos volontés ?

8.

J'ai su d'emblée que les propos de Diego de Sarmiento n'étaient pas qu'une prophétie sanglante, un vœu funeste. Je l'ai entendu haranguer ses spadassins dans la cour de l'hôtel d'Espagne. Il leur parlait d'une voix hargneuse, éraillée lorsqu'il prononçait le nom de Margot.

— Cette Margot, cette Marguerite de Valois, c'est l'appât ! Et ils sont tous venus, Henri de Navarre à leur tête, pour y mordre. Nous allons leur trancher la gorge.

Vider le royaume de France de ce sang qui l'empoisonne !

Il faisait quelques pas et Maurevert, Demouchy, Maraval, Ruquier, Lachenières le suivaient.

Sarmiento ignorait, expliquait-il, les véritables intentions de Catherine de Médicis. Voulait-elle seulement arrondir l'héritage de la famille en poussant sa fille, Margot la coquette, dans les bras d'un roi huguenot ? Ou bien espérait-elle ainsi obtenir la paix ? Cédait-elle par là aux pressions de Coligny, à son chantage ?

Sarmiento s'arrêtait. Autour de lui, ses tueurs à gages et ceux des Guises se penchaient pour mieux l'écouter.

— Qui sait, reprenait-il, peut-être elle aussi veut-elle les tuer à l'occasion de ce mariage ? C'est une rouée, une Médicis. Peut-être l'Italienne sera-t-elle notre alliée, et, si elle le devient, Charles IX suivra-t-il sa mère ?

Sarmiento quittait la cour et pénétrait dans la grand-salle où l'attendaient Keller, Bianchi, Enguerrand de Mons, le père Verdini et le père Veron.

Celui-ci s'avançait. Les signes de la volonté divine se multipliaient, disait-il. Deux enfants mâles étaient nés la nuit dernière, deux jumeaux, mais liés l'un à l'autre par les parties honteuses. Ce monstre à double tête était l'incarnation de ce mariage impie que l'on préparait, de cette paix sacrilège que d'aucuns espéraient.

Le père allait de l'un à l'autre, s'arrêtant devant chacun de nous.

Savait-on que des maisons tombaient en poussière dans plusieurs rues de Paris ? continuait-il. Dieu voulait nous avertir. Mais ce n'était rien encore. On avait repêché dans la Seine des corps d'enfants fendus par le milieu, d'autres avaient les membres mutilés comme si une bête inconnue s'était précipitée sur eux pour les dévorer, se repaître de leur chair. Et il y avait eu dans le ciel des lueurs insolites, des orages inattendus, suivis de pluies d'insectes.

— Dieu nous montre Sa puissance. Il nous punira si nous ne Lui obéissons pas. Il faut que nous exercions Sa justice, que nous nettoyions Paris de cette secte huguenote.

En les écoutant préparer et annoncer le massacre, dresser la liste de leurs futures victimes, je pensais sans cesse à Anne de Buisson.

Un jour, Sarmiento nous apprit qu'une armée de huguenots composée de fantassins allemands et de gentilshommes français avait été défaite par les troupes du duc d'Albe à Mons. Les Espagnols avaient fait prisonniers plusieurs huguenots et, parmi eux, Robert de Buisson, qui avait avoué avoir reçu du roi Charles IX une lettre lui souhaitant « bonne chasse » à l'Espagnol !

— Charles doit savoir que ce Robert de Buisson n'est plus qu'un corps nu que se disputent les chiens errants.

J'ai frémi de désespoir. Je me suis souvenu de Robert de Buisson nous accueillant, Michele Spriano et moi, sur son navire, à Alger, puis nous déposant sur les côtes d'Espagne. Je l'ai revu combattant à mes côtés à Malte. Chrétien parmi les chrétiens. Les bourreaux espagnols du duc d'Albe avaient dû le soumettre à la torture, le faire souffrir plus qu'aucun infidèle ne l'avait fait.

Seigneur, Seigneur, j'ai eu l'impression de vivre un temps de folie !

J'ai quitté l'hôtel d'Espagne. Je devais avertir Anne de Buisson, la convaincre de quitter cette ville où le sang allait couler et où personne ne serait épargné.

Me dirigeant vers la rue de l'Arbre-Sec, longeant les murs du palais du Louvre, puis empruntant la rue des Poulies, la rue des Fossés-Saint-Germain, la rue de Béthisy, j'avais l'impression que chaque homme que je rencontrais était un tueur à gages, tant son regard exprimait la haine.

Devant l'hôtel de Ponthieu, un groupe de gentilshommes huguenots m'interpellèrent alors que je passais près d'eux. Je n'étais qu'un papiste, un suppôt de l'Espagne, un corrompu, un vendeur d'indulgences, un traître au royaume de France.

J'accélérai le pas.

Sur les bords de la Seine, je vis s'avancer une procession conduite par une nonne. Elle psalmodiait, disant qu'elle parlait au nom de Dieu, qu'elle était Son envoyée : « Tue les huguenots, criait-elle, si tu ne veux pas que ta ville soit détruite par la colère divine ! »

La foule la suivait. Des hommes portant des oriflammes et venus de l'église Saint-Germain-l'Auxerrois allaient à sa rencontre.

J'étais dans la foule. Je me signai comme elle. Je l'écoutai dire que le blé pourrissait sur pied parce que Dieu voulait qu'on empêchât ce mariage maléfique entre Marguerite la catholique et Henri le huguenot.

Sur ordre du roi on avait brûlé un sorcier et une sorcière en place de Grève. On les avait surpris à souiller l'eau des fontaines, sans doute pour le compte des huguenots. Ceux-ci voulaient empoisonner Paris parce que le menu peuple, les gens de rien, étaient restés fidèles à la vraie religion.

Et quelqu'un près de moi récitait :

> *Dieu fera vengeance mortelle*
> *De la perverse nation*
> *Et de la gent fausse et rebelle*
> *Qui ne tend qu'à sédition*
> *Tâchant que l'Église*
> *Soit à terre mise...*

« Cela ne se peut pas ! » criait la foule.

Et elle suivait la nonne, qui répétait de sa voix aiguë : « Tue le huguenot si tu ne veux pas que Dieu tue la ville ! »

Seigneur, Vous ne désiriez pas cela, mais tous, huguenots et catholiques, volaient Votre parole et parlaient en Votre nom.

Et moi, je priais pour que Vous protégiez Anne de Buisson, que Vous me donniez les mots qui la décideraient à quitter cette ville qui n'était plus qu'une nasse, un guet-apens.

Je me suis arrêté devant le n⁰ 7 de la rue de l'Arbre-Sec. J'ai eu la sensation que mon corps se couvrait de sueur.

Depuis quelques jours, la chaleur était si forte et si moite que la ville déjà semblait pourrir, les murs suinter.

432

Une vapeur malodorante montait de la Seine, empuantissait les rues, collait à la peau. Je me sentais sale. À ces odeurs putrides se mêlaient parfois les parfums entêtants des femmes et des gentilshommes. C'était à vomir.

Dans cette touffeur, on dressait des échafaudages, on montait les estrades où devaient se dérouler les fêtes prévues pour le mariage de Marguerite et de Henri de Navarre.

Anne de Buisson avait dit : « Après. »

Ç'avait été pour moi un mot d'espérance qui se convertissait maintenant en prophétie de malheur.

Enguerrand de Mons m'avait assuré que le grand Nostradamus, consulté par Catherine de Médicis, avait confié qu'il voyait dans les jours à venir des fleuves de sang inonder le royaume de France.

On massacrerait, et chacun l'espérait, puisque nul n'avait renoncé à ses projets.

L'amiral de Coligny recrutait à nouveau des gentilshommes et des reîtres pour partir aux Pays-Bas venger Robert de Buisson. Mais, selon Sarmiento, Charles IX n'osait plus le soutenir depuis que le duc d'Albe avait saisi cette lettre compromettante adressée à l'infortuné Robert.

Anne savait-elle que son frère était mort de la main des bourreaux espagnols et catholiques ?

J'étais pour elle de ce camp-là.

J'ai frappé à la porte du n° 7 de la rue de l'Arbre-Sec.

On a ouvert. J'ai reconnu Jean-Baptiste Colliard. Il pointait un pistolet sur ma poitrine.

Derrière Colliard, j'ai deviné dans la pénombre Séguret, Blanzac, Tomanges et Pardaillan.

— Tu veux mourir ? a dit Colliard.

Il a ri, Séguret a bondi et m'a ceinturé.

J'ai senti sur ma gorge la lame de sa dague.

J'ai fermé les yeux.

J'étais entre Vos mains, Seigneur.

Il y a eu des murmures et j'ai rouvert les yeux.

Anne de Buisson se tenait devant moi. Elle portait une robe ample et noire, et ses cheveux étaient dissimulés sous une coiffe blanche.

Son visage amaigri et sa peau pâle m'ont ému.

J'ai vu sa main se lever, saisir le poignet de Séguret, le forcer à écarter sa lame de mon cou.

— Robert vous avait donné la liberté, a-t-elle murmuré. Il croyait au Christ. Ils l'ont torturé. Ils lui ont brisé les genoux et les bras, puis l'ont étranglé.

Elle s'est tournée vers Jean-Baptiste Colliard.

— Qu'on le laisse partir, a-t-elle ordonné.

On m'a poussé vers la porte que Séguret a ouverte.

— Vous devez quitter la ville ! ai-je crié. *Avant*, avant le mariage...

On m'a jeté dans la rue de l'Arbre-Sec.

Je suis resté longtemps couché comme un mort sur le pavé, là où j'étais tombé, parmi les détritus, dans l'accablante chaleur.

9.

Je n'ai plus revu Anne de Buisson jusqu'à ce crépuscule rouge du dimanche 17 août 1572, le jour des
fiançailles de Marguerite de Valois et de Henri de
Navarre.

J'avais voulu me mêler à la foule des gens de rien, au
pied des échafaudages qu'on avait dressés entre le parvis
de Notre-Dame et le palais de l'évêché, situé sur le flanc
sud de la cathédrale. La cérémonie devait se dérouler là,
dans la grand-salle de l'évêché, les invités circulant au-
dessus de la tête du menu peuple sur de larges passerelles qui tremblaient sous leurs pas.

J'ai vu s'avancer le roi Charles IX et ses frères, Henri
d'Anjou et François d'Alençon, puis Henri de Navarre
et Coligny, et, autour d'eux, dans leurs vêtements noirs
à collerette blanche, la troupe des gentilshommes
huguenots.

La foule autour de moi murmurait, criait en tendant
le poing. J'ai reconnu la voix du père Veron, perdu
comme moi parmi ces gens du néant. Il disait de sa
voix aiguë, rageuse, tremblante :

— Regardez-les, ces corbeaux hypocrites ! Ils croient,
parce qu'ils sont là, qu'ils ont conquis le royaume, que
notre roi Très Chrétien va devenir huguenot ! Ils ont
voulu ce mariage, et le pape, entendez cela, mes frères,
n'a pas accordé sa licence pour ces noces, mais elles vont
se tenir. Alors viendra la terrible vengeance de Dieu !

Le père Veron levait le bras et montrait le ciel
embrasé. Un incendie dévorait l'horizon. Les flammes

déjà se rapprochaient des tours de Notre-Dame. Elles allaient envelopper ces échafaudages, brûler les huguenots, ceux qui avaient accepté de s'allier à eux et voulu unir cette bonne Margot catholique à ce huguenot de Henri.

— Dieu se venge ! poursuivit Veron. Ce sera bientôt la lessive générale des ordures du monde ! Il dressera le grand bûcher où se consumeront dans les tourments tous les hérétiques et ceux qui auront péché avec eux !

On a soulevé le père Veron, on l'a porté en triomphe et il s'est écrié :

— Il est encore temps, mon roi, tout peut être sauvé, ma reine, si tu écoutes la parole de l'Église qui est celle de Dieu ! si tu entends la voix de ton peuple !

J'ai levé la tête. Les invités continuaient de défiler sur la passerelle branlante.

Diego de Sarmiento et ses spadassins étaient restés à l'hôtel d'Espagne.

— Laissons-les jouer, avait dit Sarmiento. Nous ferons notre entrée dans le bal après. Et j'ai dans l'idée que Catherine de Médicis dansera avec nous. Nous prendrons aussi la main du roi pour qu'il nous accompagne...

Son rire, l'assurance de sa voix m'avaient effrayé.

Je revivais un de ces moments que j'avais connus quand, à Alger, Dragut-le-Cruel, le Débauché, le Brûlé, me regardait, et où je savais qu'il pouvait d'un plissement du visage ordonner qu'on m'émascule, qu'on m'écorche ou qu'on me plonge dans une jarre d'eau bouillante.

Sarmiento était nanti du même pouvoir.

J'avais quitté l'hôtel d'Espagne. La chaleur moite étouffait la ville. La brume était une haleine fétide qu'on recevait en plein visage.

J'avais un instant hésité à traverser la Seine et à me faufiler parmi la foule qui avait envahi les ponts. Puis j'avais aperçu la silhouette du père Veron auquel quelque portefaix ouvrait passage à grands coups d'épaule.

Je l'avais rejoint. Il avait paru heureux de me voir.

— Il faut être avec le peuple ! m'avait-il lancé. C'est lui qui se fera justice. C'est lui dont Dieu Se servira pour Se venger. Si le roi Charles devient huguenot, alors le peuple le chassera. Il ne manque jamais de culs pour vouloir s'asseoir sur un trône. Nous choisirons celui du vrai catholique. Pourquoi pas Henri d'Anjou, Henri de Guise ou Philippe II ?

Nous étions ainsi parvenus jusqu'au pied des écha-faudages.

J'avais contemplé le défilé des invités au-dessus de nos têtes.

Les parures des catholiques de la cour tranchaient sur la noire austérité des huguenots de l'entourage de Henri et de Coligny.

— Corbeaux, hypocrites ! avait grincé le père Veron.

Il avait posé la main sur mon épaule.

— Je vais dire la vérité, avait-il ajouté.

Et il s'était mis à haranguer la foule.

Pendant que le père Veron parlait, le ciel était devenu cramoisi. Les silhouettes des invités se détachaient, comme suspendues au milieu des nuées rouges et vio-lacées qui s'assombrissaient.

On commençait d'allumer les torches et j'ai reconnu, parmi les suivantes de Catherine de Médicis, Anne de Buisson, blonde dans une robe qui m'a semblé bleue.

Je me suis reproché à cet instant de ne pas me trouver auprès d'elle pour lui crier à nouveau de quitter Paris avant que le mariage ne fût célébré.

À l'hôtel d'Espagne, j'avais entendu Maurevert s'inquiéter de ce que certains gentilshommes huguenots, comme pressentant le péril, avaient commencé de regagner leurs provinces.

— Il y a toujours quelques rats pour échapper à la noyade, avait répliqué Sarmiento. Mais les autres – Coligny, Henri, les chefs de la secte – ne pourront pas sortir de la ville avant la fin des cérémonies. Ils ont voulu ce mariage ? Ils n'auront pas qu'une messe nuptiale !...

Il s'était interrompu en me voyant, avait esquissé un geste désinvolte, et, s'approchant de moi, m'avait pris le bras.

Il savait que j'avais été malmené par les gentilshommes huguenots qui gardaient cette maison du n° 7 de la rue de l'Arbre-Sec.

— Tu seras vengé au-delà de ce que tu imagines, m'avait-il dit.

Puis, m'étreignant l'épaule, il avait murmuré :

— Cette Anne de Buisson, la huguenote, tu la veux ?

Je m'étais écarté de lui, qui riait.

La nuit est tombée et j'ai perdu de vue Anne de Buisson.

J'étais si inquiet et il faisait si chaud que j'ai longtemps marché parmi la foule, passant d'une rive de la Seine à l'autre.

Toute la ville était dans les rues, sur les berges, écoutant les prédicateurs. Depuis le parvis des églises ou juchés sur une borne, ceux-ci annonçaient la vengeance de Dieu.

L'un d'eux criait que le roi avait déjà détruit la Croix de Gastine, fait pendre de bons catholiques, et qu'il livrait maintenant sa sœur Margot aux turpitudes d'un hérétique. Il devait être puni !

Des archers et des miliciens du prévôt s'avancèrent comme pour s'emparer de lui, mais la foule les entoura et ils reculèrent sans résister, complices, se contentant d'interdire à la foule de grimper sur les échafaudages.

Les jours suivants, jusqu'au 21 août, furent jours de fête. Jamais je ne m'y sentis joyeux.

Le roi et ses frères, la reine mère, Marguerite de Valois, Henri de Navarre et l'amiral de Coligny, qu'ils fussent vêtus de soie bleue ou de satin jaune, que leurs pourpoints ou leurs robes fussent ou non constellés de perles, qu'ils fussent gentilshommes huguenots, spadassins de Sarmiento ou des Guises, déambulaient sur ces passerelles au-dessus de la foule, et je les voyais comme des condamnés sur le point d'être précipités du haut de leurs échafaudages, dans le grouillement des gens de rien. On se saisirait de certains d'entre eux et on les dépècerait à la manière dont Dante décrit les damnés livrés aux monstres infernaux.

J'imaginais ces draperies blanc et or, couleurs des noces des filles de France, qui masquaient les échafaudages et ornaient le portail de Notre-Dame, déchirées, abattues, et la foule en faire des linceuls.

Je la sentais ivre de rage. Elle montrait, bras tendu,

Henri de Navarre qui se tenait sur le parvis de la cathédrale, car il n'avait pas voulu assister à la messe nuptiale, et c'était Henri d'Anjou, vêtu comme une coquette, qui avait conduit Marguerite de Valois, sa sœur, à l'autel, puis, après une cérémonie qui avait duré plusieurs heures, l'avait raccompagnée jusqu'à son époux.

La foule, en bas, avait hurlé. Et peut-être les huguenots avaient-ils cru qu'on acclamait ce mariage alors qu'on le maudissait.

Le 18, le 19, le 20, le 21, d'un salon du palais du Louvre à un jardin ou à une cour de l'hôtel de Bourbon, j'ai cherché Anne de Buisson. Partout l'on dansait, la pavane d'Espagne, le *passemezzo* d'Italie ou le branle de la torche et du flambeau.

Diego de Sarmiento s'approcha de moi pour me raconter que l'amiral de Coligny avait blasphémé dans la nef de Notre-Dame. Il s'y était promené non pas comme un croyant, mais comme un infidèle, disant à qui voulait l'entendre qu'on décrocherait bientôt des colonnes et des chapelles les étendards rappelant les victoires des catholiques sur les hérétiques, et qu'on mettrait à leur place d'autres drapeaux plus agréables à voir.

— Il l'a dit : il veut s'emparer des drapeaux espagnols. Ce vieux fou continue de harceler le roi pour que se constitue une armée de Français huguenots et catholiques qui irait combattre nos troupes aux Pays-Bas.

Sarmiento se pencha vers moi pour ajouter :

— Il ne blasphémera plus longtemps ! La reine Catherine pense comme nous, Bernard. Elle le veut mort !

J'entendais dans le propos de Sarmiento le cri aigu des lames qu'on affûte. Il me fallait retrouver Anne avant qu'on ne les brandisse, qu'on ne les enfonce dans le corps de ces hommes qui – Seigneur, vouliez-Vous donc les aveugler ? – dansaient.

Ce n'étaient jour après jour que divertissements, musiques et bals, défilés de chars, de roches artificielles et argentées. Dans la cour de l'hôtel de Bourbon, il me semblait voir s'animer les enluminures qui illustraient *La Divine Comédie*, ce livre de Michele Spriano dont je ne m'étais plus jamais séparé.

D'un côté, le paradis et ses nymphes ; de l'autre, le Tartare, ses spectres et ses furies. Ce n'étaient qu'un décor et un jeu. Mais Henri de Navarre et ses gentilshommes étaient repoussés en enfer par le roi et ses frères, et seul Cupidon sauvait les huguenots du châtiment éternel.

On riait. On se congratulait. Le décor s'embrasait. C'était la fête.

Moi, j'y voyais une préfiguration de l'avenir. Celui des huguenots, qui n'avaient le choix qu'entre le retour dans le giron de la sainte Église ou la damnation.

Je m'éloigne.

Je cherche toujours Anne de Buisson.

Je ne vois que femmes parées, couvertes de perles, et gentilshommes aux atours de satin, portant boucles et bijoux, tandis qu'au milieu du chatoiement des étoffes et des pierres précieuses paradent des gentilshommes huguenots dans leurs vêtements noirs.

J'entre dans la cour du Louvre, ce jeudi 21 août, alors qu'un nouveau crépuscule sanglant a recouvert le ciel.

Je vois les estrades et les lices. On se prépare à un tournoi.

Seigneur, avez-Vous donc effacé de leur mémoire la mort de Henri II, cette esquille de bois plantée dans l'œil et le crâne du souverain ?

Je me souviens, moi, d'Anne de Buisson, qui avait défailli et que je dus porter dans mes bras jusqu'à l'hôtel de Ponthieu.

Les trompettes sonnent.

Voici Charles IX et ses frères, Henri d'Anjou et François d'Alençon. Le duc de Guise, Henri le Balafré, les accompagne.

On s'exclame, on applaudit. Ils brandissent leurs lances mais sont enveloppés de dentelles, de soie et de satin, déguisés en Amazones.

À l'autre extrémité de la lice apparaissent Henri de Navarre et les gentilshommes huguenots vêtus comme des Turcs, avec de grands turbans verts et des pantalons bouffants.

Seigneur, Vous les avez bel et bien aveuglés !

Comment ces huguenots ne devinent-ils pas que leur sort est annoncé par le déguisement qu'on leur a imposé ?

Il ne s'agit que d'une parodie de guerre, mais eux sont les infidèles, ceux qu'il faut combattre et tuer.

Seigneur, j'ai su dès cet instant que Vous les aviez abandonnés.

Je me glisse entre les bancs de l'estrade parmi les suivantes de Catherine de Médicis et de Marguerite de Valois devenue épouse de Henri, roi de Navarre.

Je vois s'avancer vers moi Anne de Buisson. Elle ne baisse pas les yeux, s'approche à me toucher.

— Pourquoi vouliez-vous que je parte *avant*? murmure-t-elle.

Elle montre la lice. Les Amazones et les infidèles se donnent l'accolade sous les applaudissements. Charles IX embrasse Henri de Navarre, huguenot mais prince du sang, héritier du trône de France.

Je serre les poignets d'Anne de Buisson et lui montre le ciel.

Elle lève la tête, comme moi, vers cette immense marée écarlate qui surplombe la fête.

— Ce sont des jours de sang qui s'annoncent, lui dis-je.

Elle libère ses poignets, prend ma main et m'entraîne.

— Nous sommes d'*après*, répond-elle.

Nous quittons l'estrade.

Le palais du Louvre est un labyrinthe obscur et désert.

Je crois bien que nous nous y sommes perdus.

DEUXIÈME PARTIE

10.

Vico Montanari était arrivé à Paris le samedi 16 août 1572 et avait aussitôt voulu rencontrer Bernard de Thorenc.

Il était sûr que celui-ci pourrait le renseigner sur ce qui se tramait. N'était-il pas au service de l'Espagne, proche de Diego de Sarmiento, l'envoyé de Philippe II auprès du roi de France, et son frère Guillaume comme sa sœur Isabelle n'étaient-ils pas des huguenots de l'entourage de cet amiral de Coligny dont on disait à Venise qu'il avait beaucoup d'influence sur Charles IX ?

Ce qui ne laissait pas d'inquiéter le doge et le Conseil des dix.

Le bruit s'était répandu dans les Offices et les palais de la Sérénissime République que le mariage de Marguerite de Valois avec Henri de Bourbon-Navarre n'était que le premier acte d'une pièce de haute politique. Le roi Très Chrétien avait cédé aux pressions de Coligny et de la secte huguenote ; il allait lancer une armée contre les troupes espagnoles des Pays-Bas. Il réaliserait autour de cette guerre l'union de tous ses sujets, huguenots et catholiques, et, si le pape le condamnait, il agirait comme le souverain d'Angleterre, en se proclamant chef d'une religion gallicane. Et il prendrait pour alliés les infidèles. Guillaume de Thorenc n'avait-il pas été ambassadeur à Constantinople et n'avait-il pas cherché à faciliter la paix entre Venise et les Turcs ?

— Nous voulons savoir, avait dit le doge en recevant Vico Montanari. Vous serez là-bas nos yeux et nos oreilles.

Le ton du doge s'était voulu solennel.

— Il faut qu'un courrier parte chaque jour pour Venise afin que nous soyons informés des décisions prises par le roi de France. Il en va de la survie de la république, de notre commerce. Voyez ce Bernard de Thorenc avec qui vous avez combattu à Lépante et dont on dit qu'il a un pied chez les huguenots. Rencontrez Catherine de Médicis. Rappelez-lui qu'elle est de Florence et que nous n'avons jamais cherché à lui nuire, au contraire ! Parlez avec Diego de Sarmiento : qu'il se souvienne que nos galères ont assuré aux côtés de celles d'Espagne la victoire de la Sainte Ligue, et que nous ne négocions avec les Turcs que parce que les Espagnols ne paraissent guère soucieux d'affronter à nouveau les infidèles. Écoutez et observez, Montanari, et rédigez vos rapports. Dites-nous ce qui est, avant de nous écrire ce que vous pensez. C'est le Conseil des dix, c'est moi, qui pensons pour la république de Venise. Ne l'oubliez jamais !

Vico Montanari avait roulé depuis Venise sans jamais s'arrêter plus de temps qu'il n'en fallait pour changer de chevaux.

Le doge voulait que l'ambassadeur de la Sérénissime République assiste aux cérémonies nuptiales et aux fêtes que ne manquerait pas de donner la cour. On pouvait compter sur le goût du faste que cultivait, comme tous les Médicis, la reine mère.

— Quel que soit notre jugement sur les choix du roi de France, il est trop puissant pour que nous nous opposions à lui, avait poursuivi le doge. Soyez à la messe et au bal. Souriez. Laissez les Espagnols, si cela leur convient, manifester leur mauvaise humeur. Ils ont suffisamment d'or d'Amérique dans leurs coffres. Nous, nous naviguons en Méditerranée entre les Barbaresques, les Turcs, les Français, les Espagnols et les Génois, sous l'œil du pape. Cela nous oblige à la prudence et à la patience. Priez donc avec conviction pour le bonheur des nouveaux époux et dansez d'un bon pied à chacun des bals qu'on donnera en leur honneur.

La voiture de Montanari avait franchi la porte de Buci au début de la matinée du samedi 16 août 1572.

L'envoyé du doge avait eu aussitôt la sensation d'étouffer.

L'air était plus poisseux, les odeurs d'immondices, d'excréments et de pourriture plus fortes même qu'à Venise, comme si chaque rue, chaque ruelle avait été un canal rempli d'une eau stagnante.

Une foule dense pataugeait dans cette moiteur malodorante, et la voiture avait dû avancer au pas.

À plusieurs reprises, elle avait été entourée par des mendiants en guenilles, des hommes faméliques à la peau tannée, certains portant une faux, sans doute des paysans chassés de leurs terres par la sécheresse, la disette, dont les regards disaient le désespoir et la rage.

Ils s'étaient égaillés quand Montanari leur avait jeté une poignée de pièces. Le cocher avait profité de cet instant pour fouetter les chevaux. La foule avait dû s'écarter, mais il y avait eu des cris, des insultes. Des pierres avaient rebondi sur les portières.

Montanari avait été surpris par cette violence. Cette foule n'espérait donc rien de la fête royale. Misérable et haineuse, elle cherchait la moindre occasion pour exprimer sa colère.

Sur le pont Notre-Dame qu'il fallait franchir pour gagner la rue des Fossés-Saint-Germain, proche du Louvre, où se trouvait l'hôtel de Venise, résidence de l'ambassadeur de la Sérénissime, la voiture avait été à nouveau immobilisée.

Un prêtre porté par deux hommes brandissait un crucifix et haranguait la populace.

Montanari s'était penché hors de la voiture. Il avait vu des visages déformés par la haine, des poings brandis à chaque fois que le prêtre accusait les huguenots d'empoisonner l'âme du roi, d'user de subterfuges et de mixtures, d'envoûtements et de magie pour obtenir de lui ce qu'il aurait refusé s'il avait été libéré de cette maléfique influence.

— Tuons-les tous ! avaient braillé des hommes dans la foule.

D'autres avaient hurlé qu'il fallait arracher le roi aux démons qui le retenaient captif. Qu'on pende Coligny, Thorenc, tous ces hommes noirs qui avaient envahi Paris ! Qu'on les égorge, qu'on les brûle, qu'on les écartèle, eux, leurs femmes et leurs enfants ! Qu'on nettoie Paris de cette vermine huguenote !

— Dieu exprimera Sa joie si les hérétiques sont

châtiés ! avait lancé le prêtre. Tous vos péchés seront effacés !

On l'avait acclamé.

La voiture avait enfin pu recommencer à rouler et Montanari avait pu contempler l'eau noire du fleuve qui paraissait immobile. Des détritus, des cadavres gonflés de rats, de chiens et même celui d'un mouton formaient autour des piles du pont des couronnes qu'aucun courant ne semblait entraîner.

Le Vénitien en avait eu la nausée.

Il avait porté un mouchoir parfumé à son visage et ne l'en avait plus retiré, le gardant même dans la cour et les couloirs de l'hôtel de Venise, répondant par des hochements de tête à un secrétaire qui le recevait avec déférence, lui faisait apporter une carafe de vin frais, italien, pétillant.

Alors seulement Montanari avait renfoncé son mouchoir dans sa manche.

Il avait bu lentement, gardant longtemps sur ses lèvres la mousse violacée du vin. Et lorsque le secrétaire, un jeune homme aux cheveux bouclés, aux traits fins, lui avait dit se nommer Leonello Terraccini, Montanari s'était souvenu de la *Marchesa*, des blessés couchés sur le pont de la galère, des mourants dont le sang bouillonnait dans la bouche, couvrant leurs lèvres.

— Terraccini..., avait-il répété.

C'était le nom de ce sculpteur qui avait combattu à leurs côtés à bord de la *Marchesa*. En bondissant sur le pont de la galère musulmane, Bernard de Thorenc avait réussi à arracher aux janissaires cette tête de christ aux yeux clos, tranchée par les infidèles et brandie comme un signe de victoire.

— Benvenuto Terraccini ? Mon frère aîné, avait indiqué le secrétaire.

Montanari était resté un long moment silencieux, effaçant du bout des doigts le vin resté sur ses lèvres.

Ici aussi, avait-il pensé, le sang allait donc couler.

Il se mit à arpenter la pièce sombre.

Il voulait rencontrer dès aujourd'hui Bernard de Thorenc, dit-il.

Celui-ci logeait à l'hôtel d'Espagne, à quelques pas de la rue des Fossés-Saint-Germain, répondit le secrétaire.

— Bien, bien, murmura Montanari.

Il croisa les bras et dévisagea le jeune homme. Il se remémora les années qu'il avait passées dans ce même hôtel de Venise aux côtés de l'ambassadeur Orlandi. Les ans avaient fui. Les rôles avaient changé. Il était à présent l'ambassadeur.

Il indiqua d'une voix forte qu'il fallait mettre en place un service quotidien de courriers. Le Conseil des dix et le doge exigeaient un rapport quotidien. Le premier partirait le lendemain, puisque les fiançailles seraient célébrées ce dimanche 17 août.

Il se dirigea vers la cour. Le secrétaire lui avait emboîté le pas, mais Montanari le renvoya.

Dans ce quartier du Louvre qu'il connaissait bien pour en avoir souvent arpenté les rues, jadis, avec Orlandi, il fut surpris par le nombre de gentilshommes huguenots. Ils étaient assemblés devant certaines demeures, comme au 7 de la rue de l'Arbre-Sec, au coin de la rue de Béthisy, gardant l'hôtel de Ponthieu. Ils parlaient haut, défiaient les passants du regard ou du geste, s'approchaient d'eux, exhibant la lame de leur épée ou celle de leur dague. Ils ricanaient, juraient et, parfois, de la pointe de leurs armes, obligeaient même un passant à s'écarter.

Montanari ne s'attarda guère.

Il fit un détour pour éviter d'avoir à traverser ces groupes. Il aperçut les échafaudages dressés contre la façade de Notre-Dame. Des charpentiers s'affairaient, posant des passerelles. D'autres hommes déployaient de larges draperies blanc et or. C'étaient là les seuls signes qu'une semaine de fêtes nuptiales et royales allait commencer le lendemain.

En s'engageant dans la rue Saint-Honoré, il vit s'avancer une procession précédée de porteurs d'oriflammes. Des moines, des religieuses, des prêtres déambulaient en tête d'une foule qui priait, menaçant du poing les gentilshommes huguenots.

Montanari pressa le pas. Cette ville était dangereuse, grosse d'un événement sanglant. Elle l'attendait, l'espérait comme une femme qui sait que l'accouchement doit advenir, même si elle ne peut encore en prévoir l'instant.

Montanari frissonna. Jamais il n'avait eu peur durant toute la bataille de Lépante, mais ces rues-là étaient des coupe-gorges et il n'avait aucune raison d'y perdre la vie.

C'était bel et bien de guet-apens, d'égorgement, de massacre que parlait Diego de Sarmiento dans la grand-salle de l'hôtel d'Espagne où il avait reçu Montanari.

— Si Venise est ici avec nous, avait-il commencé, c'est que nous allons vaincre, les écraser. Car la Sérénissime, n'est-ce pas, ne s'engage qu'aux côtés des plus forts...

Il dissuada Montanari de répondre, levant la main, ajoutant qu'il était heureux que se reconstitue une Sainte Ligue contre les hérétiques. Il savait que le pape Grégoire XIII la souhaitait, car le péril majeur était ici – il avait frappé le parquet du talon. Si l'on voulait un jour délivrer le tombeau du Christ, il fallait ne pas laisser détruire sa religion et son Église dans les royaumes chrétiens, comme le faisaient trop de catholiques en France, et le roi Très Chrétien lui-même, aveuglé par sa jalousie des Espagnols, empoisonné par les conseils de l'amiral de Coligny et de Guillaume de Thorenc.

— Et Bernard de Thorenc ? interrogea Montanari.

Diego de Sarmiento rit en écartant les bras.

Bernard de Thorenc était bien comme son frère cadet, répondit l'Espagnol. Ils se connaissaient, certes, depuis les chiourmes des infidèles, c'était un homme courageux... Mais Sarmiento avait eu un geste de la main et une mimique exprimant la déception.

— Bernard s'est épris d'une huguenote et il en est tourneboulé. Tant qu'il ne l'aura pas culbutée, il en aura la tête embrumée. Mais, s'il ne se dépêche pas, d'autres écarteront les jambes de cette donzelle, et, qu'elle le veuille ou non, il faudra bien qu'elle les accueille dans son petit nid. Et il en sera ainsi pour toutes ces « robes noires ». On verra ce qu'il y a sous leur tissu de veuve ! Du sein rose ou de la carne !

Montanari écoutait. Tout cela n'était que bavardage, saillies, et ne permettait pas de rédiger un rapport.

D'une voix lente, il posa donc des questions précises, indiquant que le doge et le Conseil des dix attendaient ses courriers.

— Je vais vous dire, Montanari, comment on chasse certains animaux nuisibles en Espagne, répondit Sarmiento. On dispose un sac dont on peut clore l'entrée en tirant sur une simple cordelette. Au fond du sac, on dépose ce que l'animal qu'on veut chasser recherche comme son mets le plus précieux : de la viande, du fromage... On attend. On guette l'instant où l'animal se sera engouffré au fond du sac. On tire sur la cordelette. Et à coups de gourdin on frappe cette masse qui gigote et qui crie. On s'arrête lorsque la forme est devenue immobile, écrasée, que le sac est devenu écarlate.

Diego de Sarmiento s'approcha de Montanari.

— Bientôt, ce sera le moment de refermer le sac, dit-il.

— La reine mère a voulu ce mariage, murmura Montanari ; elle ne peut faire de sa fille une veuve dès le lendemain des noces.

Sarmiento haussa les épaules.

— Henri abjurera. Il a déjà changé plusieurs fois de religion. Ce n'est pas lui qu'il faut craindre, mais Coligny, Guillaume de Thorenc, cette vermine de gentilshommes huguenots, cette armée de fiers-à-bras qui veulent faire la guerre à l'Espagne et gouverner le royaume de France. Ceux-là, Catherine les craint. Et ils sont dans le sac !

Il raconta que Henri d'Anjou, frère du roi, était l'un des plus déterminés à frapper, à nettoyer le royaume de cette secte. Il avait même imaginé, avec les Italiens de l'entourage de Catherine de Médicis, d'organiser, comme s'il s'était agi d'un jeu, un assaut des huguenots contre un fort, une sorte de décor construit pour la circonstance et tenu par les frères du roi. La première salve des défenseurs aurait été tirée à blanc, mais la seconde à balles. Il aurait ensuite suffi d'enterrer les corps des huguenots. Mais la reine mère avait rejeté cette idée.

— Elle prétend ne vouloir qu'un seul mort : Coligny, ajouta Sarmiento.

Il se leva, posa la main sur l'épaule de Montanari.

— Qui a jamais pu, dans une guerre, prévoir le nombre de tués ?

Il éclata de rire.

— Un mort ! Jamais je n'aurais imaginé Catherine de Médicis aussi économe de la vie des hommes !

D'un pas lent, les doigts serrés sur la garde de sa dague, Montanari regagna l'hôtel de Venise.

La pénombre déjà avait envahi les rues, mais le ciel du crépuscule était encore flamboyant, rouge sang.

11.

« Illustrissimes Seigneuries,
J'écris ce rapport le jeudi 21 août 1572.

Le courrier partira pour Venise avant la tombée de la nuit.

J'escompte qu'il remettra ce pli à Vos Hautes Seigneuries dans la journée du samedi 23 août.

Mais j'ose suggérer aux Illustres Sages du Conseil des dix et au Vénérable Doge de la Sérénissime République d'attendre encore avant d'arrêter des décisions.

Tout ce que j'ai vu et entendu depuis mon arrivée à Paris, le samedi 16 août, me conduit à penser que le nœud de calculs et de prudences, qui a retenu jusqu'à aujourd'hui les huguenots de Coligny et de Guillaume de Thorenc, et les catholiques de Catherine de Médicis et de Diego de Sarmiento, va être tranché dans les jours et peut-être les heures qui viennent.

C'est l'avis que m'a donné le comte Enguerrand de Mons, l'un des hommes les plus avertis de Paris.

Enguerrand de Mons représente l'ordre de Malte auprès de la cour de France.

J'ai combattu à ses côtés à Lépante, sur la galère la *Marchesa* que commandait le valeureux capitaine de la république, Ruggero Veniero. Le comte de Mons est devenu l'un des plus proches compagnons de Henri d'Anjou, frère du roi Charles IX.

Enguerrand de Mons fait donc partie de ces jeunes hommes élégants et courageux dont Henri aime à s'entourer. Le frère du roi, présent à tous les Conseils, fils préféré de Catherine de Médicis, ne cache rien de ses intentions ni de ce qu'il sait à ses favoris, surnommés ici ses mignons.

Enguerrand de Mons m'a laissé entendre que, les fêtes étant finies – la dernière s'est déroulée aujourd'hui dans la cour du Louvre, elle opposait en tournoi le roi, ses frères et François de Guise, travestis en Amazones, à Henri de Navarre et aux gentilshommes huguenots déguisés en Turcs ! –, Henri d'Anjou et la reine mère allaient enfin mettre en œuvre ce qui était depuis longtemps décidé.

Mon interlocuteur n'a pas voulu m'en dire davantage. Mais il ne fait aucun mystère qu'il s'agit d'en finir avec l'influence huguenote sur le roi de France et les affaires du royaume.

D'après Enguerrand de Mons, l'amiral de Coligny et Guillaume de Thorenc n'ont pas cessé de tenter d'arracher au souverain la promesse d'une guerre contre l'Espagne. Diego de Sarmiento m'a confirmé l'obstination avec laquelle Coligny, chaque jour, admoneste le roi, lui faisant ressortir combien une intervention aux Pays-Bas, contre les troupes espagnoles du duc d'Albe, serait bénéfique pour le royaume et permettrait de réconcilier huguenots et catholiques français unis contre l'Espagne.

Charles IX, m'ont assuré conjointement Sarmiento et Enguerrand de Mons, a refusé de s'engager, mais a laissé espérer à Coligny une décision favorable.

Le roi aurait même dit à Coligny : "Je vous prie de me donner encore quatre ou cinq jours seulement pour m'ébattre ; cela fait, je vous promets, foi de roi, que je vous rendrai content, vous et tous ceux de votre religion..."

Ces propos ont plongé dans l'effroi et la colère tous les catholiques qui les ont connus.

"Mon frère, aurait confié Henri d'Anjou, n'est plus maître de lui-même. Ce sorcier de Coligny et ce démon de Guillaume de Thorenc lui ont crevé les yeux. Ils le conduisent maintenant là où ils veulent. C'est mon devoir de prince du sang, héritier de la couronne, fidèle à la sainte Église, de libérer mon frère de cette emprise maléfique !"

Catherine de Médicis aurait joint sa voix à celle de son fils. Elle ne veut pas d'une guerre contre l'Espagne. Elle désirerait se venger de l'amiral de Coligny, qui a fait tuer l'un de ses proches. On dit qu'elle a rencontré à plusieurs reprises Henri de Guise, le Balafré, pour lui rappeler que Coligny est aussi coupable de la mort et de l'assassinat de François de Guise, le propre père de Henri. Elle l'a incité à mettre à mort l'amiral.

Ainsi se trame une conspiration dont les auteurs se sentent si forts, si bien soutenus par le peuple parisien qu'ils ont du mal à cacher leurs intentions.

Lors des fêtes qui viennent de s'achever, les huguenots étaient représentés dans les spectacles comme voués à l'enfer, ou bien traités en infidèles.

Mais ces huguenots sont si fats, si sûrs d'eux-mêmes qu'ils ne semblent même pas avoir remarqué le sort auquel on les destinait, non plus sur la scène d'un théâtre, mais dans la vie.

Ainsi, après avoir écouté Enguerrand de Mons, Diego de Sarmiento, les gentilshommes qui les entourent, les pères Veron et Verdini qui les reçoivent en confession, les conseillent et haranguent le menu peuple, j'ai l'audace de conclure, Illustres Seigneuries, que ce qui se prépare sera aussi sanglant et impitoyable que la plus cruelle des guerres.

Enguerrand de Mons a d'ailleurs souvent évoqué devant moi la victoire de Lépante contre les Turcs, ajoutant qu'il fallait poursuivre notre croisade ici même, contre les huguenots, châtier la rage et la méchanceté de ces chiens barbares, plus coupables que les infidèles, parce qu'élevés dans la foi du Christ.

Diego de Sarmiento a lui aussi affirmé qu'il faudrait, dans le royaume de France, livrer une seconde bataille de Lépante, les combattants de la Croix venant se rassembler pour la gagner.

Au Conseil privé du roi, ce jour, jeudi 21 août – c'est Henri d'Anjou qui l'a rapporté à Enguerrand de Mons –, il s'est dit que l'on avait vu force gens à cheval entrer dans Paris, avec des pistolets et des arquebuses à l'arçon de la selle pour tourner la défense de port d'armes.

S'agissait-il de gentilshommes huguenots ou de spadassins des Guises ? peut-être même d'Espagnols ?

J'opine pour une troupe ennemie des huguenots, car elle a afflué vers Paris en même temps qu'y arrivait Henri de Navarre. D'ailleurs, certains d'entre eux, sans doute avertis du danger qui les menace, ou le pressentant, ont commencé de quitter la ville.

Sarmiento m'a dit : "Les plus malins de la secte sortent du sac avant qu'on ait tiré sur la cordelette qui le ferme."

460

J'ai rencontré Bernard de Thorenc ce même jeudi 21 août. Il quittait comme moi le Louvre à l'issue du tournoi.

J'ai aperçu près de lui une jeune femme dont j'avais remarqué qu'elle faisait partie des suivantes de Catherine de Médicis.

Bernard m'a longuement parlé d'elle. Il s'agit d'Anne de Buisson dont le frère, proche de l'amiral de Coligny, a été tué par les Espagnols à Mons, alors qu'à la tête d'une petite armée de gentilshommes et de lansquenets allemands il se portait au secours de protestants des Pays-Bas.

Robert de Buisson aurait été torturé, puis pendu. On aurait saisi sur lui une lettre du roi Charles IX l'incitant à combattre l'Espagne dans l'intérêt du royaume de France. À l'époque, l'affaire fit grand bruit.

Anne de Buisson est ainsi devenue l'une des figures du parti huguenot et qu'elle soit toujours au service de Catherine n'étonne que ceux qui ignorent l'habileté et la perversité florentines de la reine mère.

Celle-ci entend garder des liens avec tous les camps, se donner l'apparence d'une reine de paix, alors même qu'elle conspire à la perte des huguenots et incite le duc de Guise à faire assassiner l'amiral de Coligny.

J'ai longuement interrogé Bernard de Thorenc afin de découvrir ce qu'il savait. Il est au centre du labyrinthe. Sarmiento l'estime et le protège. Son frère Guillaume est l'un des chefs du parti huguenot et le conseiller de Coligny. De surcroît, lui-même est épris d'Anne de Buisson, qui m'a paru partager sa flamme.

Bernard de Thorenc m'a étonné. Il parle d'un

prochain "égorgement général" des huguenots comme s'il le considérait inéluctable. Mais, dans le même temps, je l'ai trouvé étrangement joyeux pour un homme qui annonce un massacre risquant d'emporter et son frère et sa bien-aimée.

Peut-être l'ai-je rencontré à un moment où il était en proie à l'ivresse des sentiments ?

Il a prôné avec fougue la réunion de tous les sujets du roi de France, quelle que soit leur religion. Le mariage entre Marguerite de Valois et Henri de Navarre pouvait être, à son avis, le premier acte de cette réunification. Une catholique épousant un protestant : n'était-ce pas la voie de la sagesse, de la concorde et de la paix ?

Sans doute prêchait-il à l'évidence pour lui puisqu'il a ajouté qu'il pouvait bien, lui, le catholique, épouser une huguenote, Anne de Buisson.

Des propos semblables m'ont été tenus au Louvre par un membre du Parlement de Paris, Michel de Polin, dont le père, Philippe de Polin, fut capitaine général de l'armée du Levant sous le règne de François Iᵉʳ, et, à ce titre, l'allié des infidèles, sa flotte combattant aux côtés de celle de Dragut-le-Brûlé.

Selon Michel de Polin, il faut que la sagesse de ceux qu'il appelle les "politiques" l'emporte sur la passion des "religieux". Les intérêts du royaume de France doivent passer avant ceux des sectes qui se combattent, dit-il. Le Christ est figure de paix, non de guerre. Et huguenots et catholiques sont chrétiens !

Polin a ajouté que Henri de Navarre, un Bourbon, prince du sang, pouvait être un jour roi de France si les fils de Catherine mouraient sans descendance mâle.

Certes, Charles IX, Henri d'Anjou et François d'Alençon sont bien vivants et encore jeunes.

Mais qui peut disposer de l'avenir ?

Tout ici est double discours, chausse-trape, coupe-gorge !

Chacun se tient en embuscade. »

12.

« Illustrissimes Seigneuries,

On a voulu tuer d'un coup d'arquebuse l'amiral de Coligny, ce jour, vendredi 22 août 1572, vers onze heures.

Le chef huguenot n'est que blessé.

Il a été transporté dans sa demeure, l'hôtel de Pon-thieu, situé rue de Béthisy, à quelques pas seulement de l'hôtel de Venise où j'écris.

Le chirurgien du roi, Ambroise Paré, dont on dit qu'il est lui-même huguenot, a soigné l'amiral.

Le bras et la main gauche de Coligny sont lacérés et brisés. Ambroise Paré a dû tailler dans les chairs, difficilement, pour trancher l'index et extraire du coude une balle de cuivre.

Coligny a montré un grand courage, répétant seulement, selon ce que m'a rapporté Guillaume de Thorenc, qui s'est tenu près de lui durant toute l'opération : "Mon Dieu, ne m'abandonnez pas dans l'état où je suis !"

Il a demandé à Thorenc que l'on fasse distribuer aux

pauvres de Paris une aumône de cent écus d'or pour remercier Dieu de l'avoir protégé. Car l'intention d'homicide était manifeste.

La balle était percée et munie de broches pour que la plaie fût large, les déchirures des organes et l'hémorragie mortelles.

Mais il fallait pour cela atteindre la poitrine ou la tête.

Or Coligny, au moment où le tueur faisait feu, s'est incliné en arrière et le bras gauche fut seul atteint.

Coligny a donc survécu, même si l'on craint une enflure du corps et les fièvres. Or rien n'est plus lourd de conséquences qu'un crime raté. Ceux qui ont organisé l'embuscade sont l'objet de toutes les vengeances sans avoir tiré profit de leur acte.

Au moment où j'écris, en cette fin de journée du vendredi 22 août, plusieurs centaines de gentilshommes huguenots, accompagnés de leurs domestiques, sont réunis devant l'hôtel de Ponthieu et réclament le châtiment des coupables, accusant le duc de Guise, la reine mère Catherine de Médicis, Henri d'Anjou et même le roi d'avoir armé le tueur.

Celui-ci ne peut avoir agi seul. Son crime avait été minutieusement préparé.

J'ai été sur les lieux de l'embuscade.

Coligny était encore à terre, entouré par la quinzaine de gentilshommes huguenots qui lui faisaient escorte.

Je l'ai entendu dire d'une voix forte, alors même que le sang couvrait son flanc gauche :

— Voyez comment sont traités les gens de bien en

France ! Le coup vient de la fenêtre où il y a une fumée...

La maison où se tenait embusqué le tueur est située à l'angle de la rue des Poulies et de la rue des Fossés-Saint-Germain. Elle n'est séparée de l'hôtel de Venise que par deux petites habitations.

C'est pourquoi j'ai entendu les détonations.

Pour moi, en effet, il y a eu *deux* coups d'arquebuse. J'ai d'ailleurs appris par Jean-Baptiste Colliard, l'un des gardes de Coligny, que l'on avait retrouvé une deuxième balle sur le sol de la rue des Poulies. Mais l'émotion était trop grande pour que l'on prêtât attention à ce détail.

Les gentilshommes huguenots s'étaient précipités vers la maison d'où le tireur avait fait feu. J'ai vu l'arquebuse encore fumante, la fenêtre grillagée derrière laquelle le tueur s'était tenu à l'affût, dissimulé par des draps pendus devant la croisée, comme si la demeure avait été habitée par quelque honorable famille soucieuse de faire sécher son linge au soleil du matin.

En interrogeant les domestiques, on a su que la maison appartenait à l'un des précepteurs du duc de Guise. Les Guises ont dont été aussitôt accusés d'être les ordonnateurs de l'attentat.

Je me suis rendu au milieu de l'après-midi à l'hôtel d'Espagne pour recueillir les propos des ennemis jurés de l'amiral de Coligny que sont Enguerrand de Mons, le père Veron et Diego de Sarmiento, conseiller de Philippe II, envoyé à Paris pour influencer la cour de France et la surveiller.

L'endroit était rempli d'hommes en armes qui m'ont

entouré, bruyants, soupçonneux et menaçants. Ils craignaient une attaque des gentilshommes huguenots et imaginaient que je pouvais être l'un de leurs espions.

On m'avait vu penché sur Coligny, rue des Fossés-Saint-Germain. J'avais conversé avec Guillaume de Thorenc et Jean-Baptiste Colliard : cela suffisait à me rendre suspect.

Je me suis fait connaître, mais, s'ils ont accepté de me laisser traverser la cour, ils n'en ont pas moins continué à m'accuser d'être l'ambassadeur d'une république qui avait traité avec les Turcs.

Pour ces hommes-là, l'Espagne est le seul pays digne de respect. Ils méprisent tous les autres.

J'ai rencontré Bernard de Thorenc, frère de Guillaume le huguenot. Assis sur l'une des marches de l'escalier, il m'a chuchoté le nom du tueur à l'arquebuse, un certain Maurevert, familier de l'hôtel d'Espagne. Maurevert aurait agi autant par foi que par esprit de lucre, la tête de Coligny étant depuis plusieurs années mise à prix cinquante mille écus.

— Maurevert est un loup, a lâché Bernard de Thorenc d'un ton las.

Il m'a cité plusieurs noms de ceux qu'il appelle les "hommes sombres", spadassins, gens de sac et de corde au service de Diego de Sarmiento, des Guises et même de Henri d'Anjou et de la reine mère.

Thorenc avait besoin de se confier. Il m'a paru plus désespéré qu'indigné. L'accouchement prochain de jours sanglants lui semble fatal, et l'attentat manqué contre Coligny est à ses yeux un premier frisson annonçant les douleurs de cet enfantement.

Il m'a longuement parlé d'Anne de Buisson. Il craint pour la vie de cette jeune femme.

— Nous allons revivre un massacre des Innocents, a-t-il dit. Rien ne peut plus l'empêcher. Le sang appelle le sang. La mort se répand plus vite que la peste. Ce sera une épidémie.

J'ai deviné qu'il souhaitait que je lui propose d'accueillir à l'hôtel de Venise cette "innocente", Anne de Buisson. J'ai fait mine de ne pas comprendre, lui rappelant que la Sérénissime ne pouvait prendre parti dans les guerres intestines.

Je l'ai laissé en plein désespoir.

Diego de Sarmiento, Enguerrand de Mons et le père Veron, que j'ai vus peu après dans la grand-salle de l'hôtel d'Espagne, ne m'ont pas caché qu'ils souhaitaient une grande lessive de l'hérésie.

Le peuple de Paris la réclamait. Il avait accueilli l'annonce de l'attentat par des cris de joie et des prières.

Les boutiques avaient fermé comme pour un jour de fête. On disait dans les rues qu'il fallait en venir aux mains et aux couteaux afin de tuer ces huguenots qui empoisonnaient l'esprit du roi, voulaient changer la religion du royaume. L'insolence de ces "hommes noirs", de ces huguenots de guerre, était insupportable.

Quand le peuple avait appris que Coligny n'avait été que blessé, sa colère avait redoublé.

Veron a rapporté qu'on l'avait acclamé, à Saint-Germain-l'Auxerrois, lorsqu'il avait déclaré en chaire : "Dieu dresse toujours des obstacles sur la route des croisés afin de soupeser le courage des combattants de la Croix."

Sarmiento et Enguerrand de Mons n'ont pas parlé religion, mais politique. Ils redoutent le désarroi et les hésitations de certains des instigateurs de l'embuscade, désarçonnés par l'échec de l'attentat.

— À la guerre, a conclu Sarmiento, celui qui ne termine pas ce qu'il a commencé est un homme perdu. Or, c'est une guerre que nous menons ici.

Quittant l'hôtel d'Espagne, rue Saint-Honoré, j'ai emprunté le chemin suivi ce matin-là par l'amiral de Coligny et les gentilshommes de son escorte, censés le protéger.

J'ai à nouveau rencontré plusieurs d'entre eux. Guillaume de Thorenc, Jean-Baptiste Colliard, Pardaillan et Séguret — ces deux derniers les plus enragés des huguenots — ont répété devant moi leur serment de venger l'amiral. Ils soupçonnent non seulement François de Guise, mais Henri d'Anjou et jusqu'à la reine mère.

Ils remarquent que Charles IX n'a pas assisté, ce matin, au Conseil privé qui s'est tenu à dix heures, au Louvre, en présence de Coligny. L'amiral n'a rencontré le roi qu'au moment où le Conseil se terminait. Le monarque se rendait au jeu de paume, rue de l'Autruche. C'est là qu'après l'attentat Guillaume de Thorenc et Séguret lui ont apporté la nouvelle.

Charles IX aurait alors brisé sa raquette en la jetant à terre. Il se serait écrié : "N'aurais-je donc jamais de repos ? Quoi, toujours de nouveaux troubles !" Séguret s'est demandé si cette indignation n'était pas feinte, car le roi s'est mis à table peu après, sans songer à se précipiter aussitôt au chevet de Coligny. Et l'on a su, à l'hôtel de Ponthieu, que Catherine de Médicis n'avait pas paru surprise à l'annonce de l'embuscade.

Pardaillan, un fier-à-bras au visage de reître, a hurlé, en brandissant son épée, que tous ceux qui avaient manigancé cette conspiration seraient châtiés, quels que fussent leur sang et leur rang.

Le roi cependant, accompagné de ses frères Henri d'Anjou et François d'Alençon, ainsi que de la reine mère, s'est rendu cet après-midi à l'hôtel de Ponthieu. Des murmures et quelques menaces ont accueilli l'arrivée de la famille royale. J'en ai été le témoin.

À ce que m'ont rapporté Guillaume de Thorenc, Colliard et Séguret, le monarque a conversé à voix basse avec Coligny, au grand dépit de Catherine de Médicis. Craignait-elle qu'il ne s'engageât à diligenter une enquête sur le complot dont elle était peut-être l'instigatrice ?

Charles IX a dit à Coligny d'une voix forte, pour que chacun l'entendît :

— Mon père, vous avez la plaie et moi la perpétuelle douleur, mais je renie mon salut que j'en ferai une vengeance si horrible que jamais la mémoire ne s'en perdra !

Et il a proposé à Coligny de se rendre au Louvre où il serait à l'abri d'éventuelles émeutes, qu'on pouvait redouter à de nombreux signes.

Coligny a refusé et le roi, au jugement de tous les témoins, a paru surpris et blessé, comme si l'amiral le soupçonnait de vouloir le séquestrer, l'occire ou, pis encore, mettait en doute la capacité royale de défendre le Louvre en cas de troubles dans la ville.

Charles IX a donc quitté l'hôtel de Ponthieu, contraint de passer au milieu d'une foule de protestants qui ont proféré une nouvelle fois de grosses injures et des menaces à son endroit.

Peu après, Henri de Navarre est arrivé et a été accueilli par des acclamations, comme s'il s'était agi d'un roi.

Il était accompagné de plusieurs gardes suisses qui ont commencé d'entreposer dans l'hôtel de Ponthieu des cuirasses et des arquebuses.

C'est donc que, dans le camp huguenot, on pense que l'embuscade est un commencement, qu'il faut s'apprêter au combat.

À écouter Séguret, Pardaillan, Jean-Baptiste Colliard ou Guillaume de Thorenc, il m'a semblé entendre Enguerrand de Mons, Diego de Sarmiento ou les spadassins regroupés dans la cour de l'hôtel d'Espagne.

L'embuscade contre Coligny a ravivé toutes les plaies, attisé toutes les rancunes. J'ose, Illustres Seigneuries et Vénérable Doge, formuler cette certitude : la gangrène va se répandre dans les heures qui viennent et toucher l'ensemble du pays.

On a déjà vu, sur la rive gauche de la Seine, autour du pré aux Clercs, des hommes en armes se former en cortège ; les compagnies d'archers dépêchées par le prévôt des marchands et les échevins, n'ayant pu les disperser, se sont regroupées autour de l'Hôtel de Ville.

Rumeurs et émotions ont enflammé au cours de la journée tous les quartiers.

On a affirmé que le tueur Maurevert avait parcouru

les rues au grand galop en criant : "L'amiral est mort ! Vous n'avez plus d'amiral de France !"

Les ordres du roi, d'avoir à le poursuivre et à s'emparer de lui, n'ont pas été exécutés.

Ce n'est qu'un mystère de plus dans cette affaire qui demeure bien ténébreuse.

J'ai entendu deux détonations, et l'on n'a trouvé qu'une arquebuse que Maurevert, à l'évidence, n'a pas eu le temps de recharger. Il y avait donc un second tueur. Mais nul ne s'en est soucié.

On a accusé le duc de Guise d'être l'âme de la conspiration et d'avoir permis au tueur de se poster dans cette maison devant laquelle Coligny passait chaque jour.

Mais peut-être d'autres acteurs se dissimulent-ils derrière les Guises. On a vu cet après-midi Catherine de Médicis et son fils Henri d'Anjou se promener en compagnie de Diego de Sarmiento et d'Enguerrand de Mons dans les jardins des Tuileries. Ces longs conciliabules ont fait penser que là se trouvaient les véritables instigateurs de l'embuscade.

Sarmiento agissait dans l'intérêt du roi d'Espagne ; la reine mère voulait arracher Charles IX à l'influence de Coligny et garder entre ses mains le pouvoir qui risquait de lui échapper.

Les promeneurs des Tuileries devaient mesurer toutes les conséquences du crime raté, car les huguenots savent désormais que c'est à eux qu'on en a voulu en visant Coligny.

La paix entre les deux camps, qu'était censé sceller le mariage de Marguerite de Valois et de Henri de Navarre, est donc rompue.

Qu'adviendra-t-il ?

Les huguenots sont en force dans Paris. Mais le roi est maître de la ville.

Que décidera-t-il ?

Ses conseillers les plus proches, la reine mère Catherine, son frère Henri d'Anjou, les prédicateurs, le peuple qui attend l'ange de Dieu qui purifiera Paris sont favorables au grand égorgement des huguenots.

Mais ceux-ci peuvent aussi agir les premiers.

Dans la lourde chaleur de ce vendredi 22 août, l'orage est sur le point d'éclater sans qu'on sache, Illustres Seigneuries, qui la foudre frappera d'abord. »

13.

— Ils les tueront tous ! murmure Bernard de Thorenc.

Il est assis en face de Vico Montanari dans l'une des pièces du premier étage de l'hôtel de Venise dont les deux fenêtres sont restées closes depuis l'aube pour se protéger de la chaleur de brasier qui étouffe la ville jour après jour et qui n'a jamais été aussi ardente qu'en ce samedi 23 août 1572.

C'est jour chômé, parce que vigile de la Saint-Barthélemy.

Montanari s'est souvent approché des fenêtres pour voir défiler, rue des Fossés-Saint-Germain, les processions des confréries, car on a fermé les ateliers.

Il a même entrouvert quelques instants l'une des croisées pour écouter l'un des prêcheurs qui, debout sur la borne qui se trouve au coin de la rue des Poulies, s'adressait aux fidèles, proférant des paroles de mort.

Le prêtre disait – Montanari avait cru reconnaître la voix du père Veron :

— On doit abattre une bête odieuse à Dieu comme aux hommes. On tient la bête dans les filets. Mais elle n'est que blessée. Elle peut encore mordre et tuer. Il faut prendre garde qu'elle et ses démons ne puissent s'échapper. Il ne faut pas manquer une si belle occasion de remporter une victoire, au nom de Dieu et de la Croix, sur les ennemis de la sainte Église et du royaume. La victoire est facile. Le butin est grand et assuré. On peut sans péril obtenir la récompense d'un si grand succès. Dieu nous regarde ! Il faut tuer la bête !

Montanari avait refermé la croisée.

Il était en sueur. Il avait entendu les chants des confréries, puis les cloches se répondre d'une église à l'autre, saluant ce jour de la vigile de la Saint-Barthélemy. Et leur son sourd n'avait cessé de marteler la journée.

Il était allé du Louvre à l'hôtel de Bourbon, de l'hôtel d'Espagne à l'hôtel de Ponthieu, puis à l'hôtel d'Aumale où s'étaient rassemblés les gentilshommes appartenant à la maison des Guises.

Mais l'heure n'était plus à parloter.

On l'avait écarté parfois brutalement.

Des arquebusiers, garde-corps du roi, avait occupé les maisons proches de l'hôtel de Ponthieu. Il avait assisté à de courtes rixes entre ces soldats et les Suisses qui

gardaient l'amiral de Coligny. Les arquebusiers voulaient empêcher ces derniers de recevoir des piques, des
cuirasses, des hallebardes, des pistolets et des arquebuses. Guillaume de Thorenc et Pardaillan étaient
sortis, avaient menacé un certain capitaine Cosseins qui
commandait les garde-corps.

Montanari s'était approché et avait interrogé Guillaume de Thorenc, qui avait ricané, tout son visage
exprimant l'amertume.

— Le roi, avait-il dit, nous donne Cosseins et ses
arquebusiers pour protéger notre amiral, mais il n'est
pire ennemi de Coligny et de la religion que ce Cosseins, le roi le sait, et nul ne l'ignore.

Puis Guillaume de Thorenc était rentré dans l'hôtel
de Ponthieu, cependant que Pardaillan et d'autres
huguenots criaient qu'ils allaient se faire justice, qu'ils
ne se laisseraient pas égorger comme des moutons, que
des milliers de huguenots étaient déjà en route depuis
les Pays-Bas et qu'il faudrait bien que le roi choisisse
son camp, celui des tueurs ou celui de la religion nouvelle. S'il s'y refusait, eh bien, on en mettrait un autre
sur le trône, et pourquoi pas Henri de Navarre, prince
du sang, un Bourbon ?

Ce n'étaient pas paroles en l'air. Montanari avait vu
des gentilshommes huguenots quitter la rive gauche, des
armes accrochées à l'arçon de leur selle, se regrouper rue
de Béthisy, autour de l'hôtel de Ponthieu, et devant le
nº 7 de la rue de l'Arbre-Sec.

En remontant la rue des Poulies et en arrivant rue
Saint-Honoré, Montanari s'était trouvé face aux spadassins de Diego de Sarmiento. Ils écoutaient Enguerrand

de Mons qui parlait – comme le père Veron – d'une « bête malfaisante aux mille têtes, qu'il fallait toutes trancher si l'on ne voulait pas qu'elles renaissent ».

Enguerrand avait ajouté que la guerre qu'il menait ici pour défendre le roi Très Chrétien, que les huguenots voulaient égorger, ou à tout le moins inciter à renier sa foi, était la même que celle qu'il avait livrée à Malte et à Lépante contre les infidèles.

Montanari ne s'était pas attardé. Mais, au moment où il s'éloignait de l'hôtel d'Espagne, il avait vu Enguerrand de Mons se précipiter vers un coche qui s'arrêtait rue Saint-Honoré.

Montanari avait reconnu le frère du roi, Henri d'Anjou, que les spadassins saluèrent par des acclamations.

Montanari avait revu Henri d'Anjou plusieurs fois dans la journée. Il passait en revue les arquebusiers royaux alignés sur la berge de la Seine, ou bien s'adressait aux archers et aux miliciens du prévôt qui gardaient les carrefours.

Lorsque Montanari était rentré à l'hôtel de Venise, Leonello Terraccini s'était précipité vers lui.

Le secrétaire avait appris que toutes les portes de Paris avaient été fermées. Il ne pouvait donc être question de faire partir ce soir-là un courrier.

L'ordre avait été donné au prévôt des marchands de faire tirer toutes les barques sur les rives et de les y enchaîner. La milice bourgeoise devait être armée, les pièces d'artillerie prêtes à entrer en action.

Montanari monta au premier étage de l'hôtel.

Là, derrière les fenêtres fermées, les rideaux tirés, il faisait un peu plus frais.

Il demanda à Leonello Terraccini de lui apporter une bouteille de vin doux. Et il se mit à boire à petites gorgées, avec un sentiment de fatigue et d'accablement.

La nuit était tombée, la mort approchait, personne ne pourrait plus l'arrêter. Comment ces hommes, ceux de Coligny et ceux de Henri d'Anjou, d'Enguerrand de Mons, du roi, des Guises, de Catherine de Médicis, auraient-ils pu le faire alors qu'ils pensaient que leur survie et leur pouvoir ne seraient assurés que s'ils réussissaient à tuer l'autre ?

Comment ce peuple qui marchait en priant et en chantant derrière les bannières des confréries, qui écoutait et acclamait les prêcheurs, n'aurait-il pas désiré la mort de ces hérétiques à l'austérité insolente, de ces huguenots qui semblaient appartenir à une race et à une nation différentes, qui voulaient imposer leur religion au roi Très Chrétien et au royaume de France ?

Montanari avait bu, somnolé.

Leonello Terraccini le réveilla pour lui annoncer que Bernard de Thorenc souhaitait le voir.

C'était déjà le milieu de la nuit.

— Ils les tueront tous, répète Bernard de Thorenc.

Il se penche vers Vico Montanari.

— Ils n'attendront pas le lever du soleil, poursuit-il.

Il se cache le visage derrière ses mains, parlant si bas que le Vénitien doit s'approcher pour comprendre ses mots chuchotés.

Bernard de Thorenc a vu un membre du Parlement de Paris, Michel de Polin, partisan de la réconciliation ; il a décidé de quitter la ville parce qu'il est sûr qu'on ne va pas massacrer que les huguenots, mais aussi ceux qui, bons catholiques, ne veulent pas qu'on tue. Selon Michel de Polin, seul un miracle ou l'opposition du roi – mais ne serait-ce pas un miracle ? – pourrait empêcher l'hécatombe.

Michel de Polin a appris que des listes avaient été dressées. Les quarteniers sont allés dans toutes les hostelleries, les logis, prenant par écrit les noms de ceux qui font profession de la religion nouvelle, et ont transmis ces rôles au prévôt et aux échevins qui les ont remis aux gens des Guises et de Henri d'Anjou.

Les tueurs, qu'ils soient hallebardiers suisses – ainsi, ces cruels trabans levés par le duc de Guise – ou bien garde-corps du roi, savent qui ils doivent égorger.

Coligny sera le premier, puis viendront tous les autres.

Bernard de Thorenc se tait sans pour autant retirer les mains de son visage.

Il a vu, reprend-il de la même voix étouffée, les hallebardiers, les arquebusiers, les tueurs de Sarmiento s'accrocher un ruban blanc à l'épaule afin de se reconnaître durant le massacre.

— Ils les tueront tous, dit-il une nouvelle fois.

Il semble hésiter, se redresse, regarde Vico Montanari.

— Enguerrand de Mons participait au Conseil privé qui s'est tenu au Louvre il y a moins d'une heure. S'il l'avait voulu, le roi aurait pu couper la corde avec laquelle on s'apprête à étrangler les huguenots. Mais le miracle n'a pas eu lieu.

Bernard de Thorenc s'interrompt.

— Je n'aime pas les huguenots. Ils ont tué mon plus proche compagnon, Michele Spriano. Ils sont les alliés des infidèles. Je suis prêt à les affronter en bataille réglée. Mais cet égorgement qu'on prépare n'est pas conforme à la religion du Christ.

Il fait la moue, hausse les épaules.

— Je sais les huguenots prêts à faire de même, continue-t-il. C'est avec cette crainte que Henri d'Anjou et Catherine de Médicis ont arraché au roi son assentiment à ce qui se prépare. Je sais aussi que Diego de Sarmiento a transmis à Charles IX une missive du roi d'Espagne. Peut-être Philippe II l'a-t-il menacé de faire entrer dans le royaume les troupes espagnoles afin qu'elles en finissent avec les huguenots. Et Charles a cédé. Il s'est levé, a crié, juré par la mort Dieu, dit que puisque la reine mère et son frère d'Anjou trouvaient bon qu'on tuât l'amiral, il le voulait bien, mais qu'on tue aussi tous les huguenots de France afin qu'il n'en demeurât pas un qui pût lui reprocher d'avoir fait tuer l'amiral. Et il a juré derechef : « Par la mort Dieu, tuez-les tous, et promptement ! »

Tout à coup, Bernard de Thorenc saisit les mains de Montanari.

Il a cherché, dit-il, à avertir Anne de Buisson. Mais il était déjà trop tard, la rue de l'Arbre-Sec était tout entière occupée par des hallebardiers, les trabans des Guises. Aurait-il réussi à franchir leur ligne qu'il se serait trouvé face aux gentilshommes huguenots. Et

Séguret, Pardaillan ou Jean-Baptiste Colliard ne l'auraient pas laissé voir Anne.

— Je vais retourner là-bas, dit-il. Je veux être présent au moment où les hallebardiers et les arquebusiers attaqueront. La grosse cloche de Saint-Germain-l'Auxerrois devrait donner le signal, vers les six heures. Mais ils n'attendront pas jusque-là. Ils ont trop hâte de tuer !

Il serre les mains de Montanari.

— Je ne veux pas qu'ils attentent à sa vie. Je la sauverai. Mais elle ne sera en sûreté que si elle reste cachée plusieurs jours, le temps que leur vienne le dégoût du sang. Arrive un moment où cela se produit toujours, nous le savons, nous qui l'avons tant vu et fait couler...

Thorenc se lève.

— Je la conduirai jusqu'ici. Vous la cacherez, n'est-ce pas ?

Vico Montanari ne répond pas.

14.

Vico Montanari s'est affaissé sur le siège à haut dossier. Il dort, le buste penché en avant, bras croisés, les mains enserrant ses coudes. Il respire bruyamment, le menton calé sur la poitrine, le front appuyé contre le rebord de la fenêtre.

Les bougies se sont consumées. La nuit n'est déchirée que par les lueurs fugitives de torches qui éclairent un instant la poterne et la façade de l'hôtel de Venise.

Tout à coup, Montanari secoue la tête comme s'il

voulait la dégager, échapper à l'étouffement, à ce battement sourd qu'il entend, à ces flots de sang qu'il imagine recouvrir par saccades son visage et le noyer.

Il pense : on égorge une femme au-dessus de moi et c'est son sang qui jaillit, m'ondoie, pour quelles épousailles ?

Noces vermeilles. Noces de sang. Noces barbares.

Il se redresse, se réveille.

Le tocsin de Saint-Germain-l'Auxerrois frappe à grands coups contre la vitre qui tremble comme si elle allait se briser !

Montanari se lève, repousse le siège, ouvre la fenêtre.

Poisseux, chaud, l'air noir de la nuit est parcouru d'ondes épaisses qui résonnent, se chevauchent, heurtent les murs de l'hôtel de Venise. Montanari recule comme s'il ne pouvait résister à ce flot de bruits qui monte de la rue des Fossés-Saint-Germain.

Des hommes avancent dans la lumière des torches. Les arquebuses et les hallebardes, les casques brillent par instants. Il reconnaît les uniformes, les armes, le cuir des trabans, les mercenaires suisses du duc de Guise.

Il s'écarte d'un bond de la croisée.

Des soldats se sont arrêtés devant la poterne de l'hôtel de Venise. Ils lèvent leurs torches. La lumière jaune envahit la pièce, puis disparaît.

Montanari ne discerne pas les chevaux, mais il perçoit le choc des sabots contre le pavé.

Une voix rauque se détache, s'impose au tocsin qui semble l'accompagner. Elle répète à chaque fois, plus forte : « Le roi commande ! C'est la volonté du roi ! C'est son exprès commandement ! »

La troupe se remet en marche vers la rue de l'Arbre-Sec et la rue de Béthisy. À l'angle des deux rues se trouve l'hôtel de Ponthieu, là où repose l'amiral de Coligny, protégé par quelques hommes, encerclé par les garde-corps du capitaine Cosseins, son ennemi juré, désigné par le roi.

Montanari s'avance à nouveau vers la fenêtre. L'obscurité est comme un tissu dont les mailles peu à peu se desserrent.

Il se penche. La rue est envahie par les soldats. Ils parlent fort, leurs armes s'entrechoquent. Cette rumeur proche couvre parfois le tocsin de Saint-Germain-l'Auxerrois qui continue de heurter la nuit pour l'enfoncer, l'abattre.

Brusquement, des détonations, des cris, le fracas de portes qu'on brise, des hurlements, la voix aiguë de femmes.

D'autres cloches se mettent alors en branle, celles de Sainte-Eustache et de Notre-Dame qui répondent au tocsin. Les églises sont autant de nefs qui ouvrent le feu de tous leurs canons, et le quartier, du quai de l'Étoile à la rue Saint-Honoré, de la rue de la Monnaye à la rue de l'Autruche qui longe le Louvre et l'hôtel de Bourbon, n'est plus qu'un champ de bataille.

Montanari ferme les yeux. Il est à bord de la *Marchesa*, les galères se heurtent, les mâts craquent. Ce sont les mêmes cris d'hommes qu'on égorge à Paris comme à Lépante.

Les hurlements proviennent de la rue de l'Arbre-Sec et de la rue de Béthisy. Montanari les reconnaît. C'est quand on tue qu'on hurle ainsi.

Les soldats ont dû entrer dans la maison du n° 7 et occire l'amiral de Coligny.

Montanari regarde.

Les mailles se sont écartées. La nuit est trouée. L'aube est là, déjà rougie.

Les soldats sont moins nombreux, mais la rue grouille d'hommes, de femmes, d'enfants qui courent en gesticulant, en criant. Les uns brandissent des objets, des tapis, des vêtements ; ils se battent entre eux, se disputent le butin.

C'est l'hallali, le temps du pillage. On va tuer, tuer jusqu'à en être ivre, le visage barbouillé de sang.

Qui peut retenir une meute quand on l'a lâchée après lui avoir donné à flairer sa proie ?

Il faut que les noces de sang, les noces vermeilles, les noces barbares s'accomplissent.

Montanari discerne maintenant les corps, les armes et les visages.

La nuit n'est plus que débris d'un naufrage que noie la lumière de l'aube. Devant la poterne, tout à coup, des cris, un attroupement, deux silhouettes dont l'une, bras tendu, repousse de son épée les coups qu'on veut leur porter.

Montanari se précipite, dévale l'escalier, crie à Leonello Terraccini qu'il faut rassembler les valets : « Qu'on les arme, qu'ils me suivent ! »

Il traverse la cour, ouvre la poterne, reçoit contre lui le corps ensanglanté de Bernard de Thorenc, qui brandit son arme tout en protégeant de sa poitrine Anne de Buisson.

Montanari les pousse à l'intérieur de la cour, écarte les bras. Il sent que les valets l'entourent. Il fait face aux gueules ouvertes, voit les dents ébréchées, les gencives sanguinolentes, les visages balafrés, les yeux exorbités, les poings brandis, les torses couverts de haillons, les gourdins et les poignards. Des enfants semblent se glisser entre ses jambes. Il lui faut les rejeter à coups de pied.

Les valets dressent leurs hallebardes. Le peuple du néant recule.

Un prêtre s'avance au premier rang, dit qu'il faut châtier les mal-sentants de la foi, que l'ange de Dieu a choisi ce jour de la Saint-Barthélemy pour écraser les démons. Tous ceux qui les protègent seront damnés.

— Je suis vénitien de la Sainte Ligue, crie Montanari. Je suis soldat de la Croix, et l'homme que j'ai accueilli était avec moi à Lépante en ce jour béni du dimanche 7 octobre de l'année 1571, je l'atteste devant Dieu. Entre, si tu veux !

Il n'attend pas la réponse du prêtre, le tire par le bras dans la cour. Bernard de Thorenc est debout. Il porte à l'épaule le mouchoir blanc des soldats du roi et des Guises, le signe des exécuteurs.

— Tu le vois, dit Montanari. Ce gentilhomme est au service de Philippe II, roi catholique d'Espagne. Il a été prisonnier des infidèles. Il était avec moi à Lépante, dans la Sainte Ligue, sous le signe de la Croix : *Tu hoc signo vinces !*

Le prêtre hésite. Il aperçoit Anne de Buisson assise sur l'une des marches.

— Celle-là, s'écrie le prêtre, celle-là est une huguenote, une hérétique !

— Convertis-la, bénis-la si tu crois cela ! lance Montanari.

Il s'approche d'Anne de Buisson, lui tend la main, chuchote qu'il s'agit non seulement de sauver sa vie, mais celle de tous les gens qui vivent là. « Les chiens qui hurlent dehors veulent du sang. Ils nous tueront tous ! » lui murmure-t-il.

Anne de Buisson s'agenouille devant le prêtre, qui regarde autour de lui.

Bernard de Thorenc tient son épée à demi levée. Leonello Terraccini est armé de deux pistolets. Montanari a la main sur sa dague. Les valets avec leurs hallebardes ont formé un hérisson. La foule n'avance pas.

Le prêtre pose la main sur les cheveux d'Anne de Buisson, s'incline et marmonne. Elle baisse la tête. Montanari n'entend pas son murmure, mais elle doit confesser son erreur, renier sa foi, demander grâce pour qu'on l'admette à nouveau au sein de la sainte religion.

Le prêtre se signe, puis se dirige vers la foule et crie :

— Il n'y a dans cette demeure que des croyants de la vraie foi en Jésus-Christ et en la sainte Église.

On hésite, puis on l'acclame. Il se tourne vers Montanari, le bénit.

Les valets referment la poterne.

Montanari se signe et murmure :

— Merci, Seigneur.

— Si je voulais la sauver, dit Bernard de Thorenc, je devais me jeter en avant.

Il est assis en face de Vico Montanari dans la pièce du premier étage de l'hôtel de Venise.

Il tourne la tête vers les fenêtres. Elles sont fermées,

mais on entend le battement sourd des cloches auquel se mêlent les détonations sèches des arquebuses, les cris, le martèlement des sabots des chevaux.

— C'était comme sur le pont de la *Sultane*, reprend-il. Je me suis ouvert un chemin parmi les huguenots. Derrière moi, on égorgeait, on étripait.

Il s'interrompt, écoute la rumeur.

— Dieu a-t-Il voulu cela ?

Ses mains, ses bras, sa poitrine et son front sont pris dans des bandages que le sang a déjà rougis.

— Ils les ont tous massacrés, ajoute-t-il.

Il s'est engagé seul dans une galerie où les huguenots s'étaient réfugiés, raconte-t-il. Elle devait conduire jusqu'aux berges de la Seine. Ils espéraient fuir par le fleuve, ignorant que le roi avait donné l'ordre d'enchaîner les barques.

— Ils n'ont pas eu le temps d'atteindre la berge. Les hallebardiers du roi et du duc de Guise les ont cloués contre les parois. Je me suis placé devant Anne de Buisson.

Il s'interrompt, baisse la voix comme s'il craignait qu'Anne ne l'entende de la chambre voisine où elle a été conduite.

— Le sang qui coulait de mes plaies m'a sauvé. J'avais bien combattu. Elle était ma prise.

Il baisse la tête.

— Quant à ce qu'ils ont fait des autres femmes...

Il se tait un moment.

— Dieu veut-Il cela ?

Il se lève, mais, au bout de quelques pas, titube. Il refuse que Montanari, qui l'a rejoint, le soutienne.

— Vous la garderez ici, dit-il en montrant d'un

hochement de tête la porte de la chambre où se trouve Anne.

— Elle n'est plus huguenote, répond Montanari, mais bonne catholique.

— On tue qui l'on veut, répond Bernard de Thorenc. On égorge un chrétien parce qu'il est un mal-sentant de la foi aux yeux du premier venu...

Il hausse les épaules.

— Qui sait ce que veut Dieu, qui Il condamne ? Qui sont, pour Lui, les mal-sentants de la foi ? Je ne connais que chrétiens, juifs et infidèles.

Il retourne lentement s'asseoir.

— Mais les rois choisissent selon leurs intérêts ceux qu'ils veulent tuer et ceux dont ils font des alliés, qu'ils soient infidèles, mal-sentants de la foi ou bien juifs. Vous autres Vénitiens agissez de la sorte depuis long-temps. On brûle les hérétiques, on combat les infidèles, on contraint Maures et juifs à se convertir seulement quand il y va de l'intérêt des princes ou du doge. Mais Dieu veut-Il cela ? Veut-Il qu'on tue des hommes en Son nom ?

— Dieu laisse les hommes se damner, dit Montanari, puis Il les juge.

— Gardez-la ici, murmure Bernard de Thorenc.

Il traverse la pièce en claudiquant. Vico Montanari l'aide à descendre l'escalier.

Comme ils traversent la cour, on entend dans la rue une voix qui clame, répétant chaque phrase, détachant chaque mot :

— L'ange de Dieu a exécuté le jugement du Sei-gneur. Le traître Coligny, qui a voulu tuer le roi, qui voulait perdre la France et a fait tant de mal à Paris, n'est plus maintenant que charogne pour les vers et les corbeaux ! Dieu soit loué !

15.

« Illustrissimes Seigneuries,

Je n'ai pu avant ce jour, jeudi 28 août 1572, vous rapporter les événements extraordinaires et sanglants survenus à Paris depuis le dimanche 24, jour de la Saint-Barthélemy.

Les portes de la ville ayant été fermées et les barques enchaînées aux rives de la Seine dès le samedi 23 sur ordre du roi, aucun courrier n'a pu quitter Paris jusqu'à aujourd'hui.

Ce jeudi 28, les portes ont été rouvertes et, au regard de ce qui s'est passé quatre jours durant, la ville est calme.

Je l'ai parcourue.

Des potences ont été dressées aux carrefours et portent des grappes de pendus. La corde noue ensemble pillards et huguenots. Les corbeaux par dizaines coassent au-dessus des gibets ; les yeux et les entrailles des morts ne sont que chair à picorer.

Mais la pendaison est un privilège auquel ont rarement eu droit les huguenots.

On les traque encore.

Ce matin, quai de l'Étoile, à quelques pas de l'hôtel de Bourbon et du palais du Louvre, j'ai vu une meute de vauriens arracher ses vêtements à une femme dont la robe noire et le port austère avaient dû faire penser qu'elle était de la religion réformée. La malheureuse battait des bras comme une noyée. Les chiens se sont disputé ses jupons, puis l'ont culbutée avant de la précipiter dans la Seine.

Peu après, sur le même quai, j'ai vu s'avancer, précédée de hallebardes, de porteurs de bannières et de crucifix, de prêcheurs, la grande procession qui, conduite par la famille royale, se rendait à Notre-Dame.

Je l'ai rejointe, marchant aux côtés de Diego de Sarmiento, envoyé du roi d'Espagne, et des ambassadeurs des cours d'Allemagne et d'Italie.

Le père Verdini s'est félicité, au nom de Sa Sainteté Grégoire XIII, de la victoire remportée sur la secte huguenote.

Sarmiento s'est moqué de cet amiral de Coligny qui prétendait faire la guerre à l'Espagne ou imposer sa foi à Paris avec quatre mille cavaliers huguenots et deux fois plus de fantassins venus des Pays-Bas et d'Allemagne.

— Allez donc le voir, le sentir, il est à Montfaucon, m'a-t-il lancé en s'esclaffant.

Autour de nous tous se sont gobergés.

Le sort de Coligny n'inspire aucune pitié à ces hommes dont beaucoup l'ont côtoyé dans les Conseils du roi.

Quant au souverain lui-même, il l'écoutait avec une considération filiale, ne l'appelant – à la grande colère de ses frères Henri d'Anjou et François d'Alençon – que "mon père".

Charles IX avait même paru, je l'ai rapporté, décidé

à suivre les conseils de Coligny, et l'on a saisi sur le corps de Robert de Buisson, tué par les Espagnols, une lettre signée de sa main exhortant à tuer de l'Espagnol, comme le demandait Coligny.

Aujourd'hui, tout cela semble ne pas avoir existé. Nous sommes dans un autre monde.

Tout a commencé le dimanche 24 août.

Avant le jour, entre trois et quatre heures, le tocsin de Saint-Germain-l'Auxerrois a commencé à battre et, peu après, les cloches d'alarme de toutes les églises lui ont répondu.

Le bruit s'est aussitôt répandu que le roi avait permis qu'on égorgeât tous les huguenots et qu'on pillât leurs maisons.

Alors a commencé le massacre par tout Paris.

On m'a assuré – je l'ai vu, constaté autour de l'hôtel de Venise – qu'il n'y avait point de ruelle dans Paris, quelque petite qu'elle fût, où l'on n'en eût assassiné quelques-uns. Le sang coulait dans les rues comme s'il en avait plu.

Coligny a été le premier tué, peut-être même avant que n'ait sonné le tocsin à Saint-Germain-l'Auxerrois.

On connaît le nom de l'assassin, Bême, un homme des Guises, né en Bohême, qui a forcé avec les arquebusiers et les hallebardiers du capitaine Cosseins la porte de l'hôtel de Ponthieu.

Les huguenots se sont défendus. Certains ont réussi à fuir par les toits. On dit que, parmi eux, se trouvaient Guillaume, le frère de Bernard de Thorenc, Séguret et Jean-Baptiste Colliard, trois des huguenots les plus entêtés parmi les fidèles de Coligny.

Bême et ses spadassins ont percé et tailladé le corps de Coligny, puis ont voulu le précipiter par la fenêtre.

Coligny, encore vivant, s'est accroché. On lui a alors sectionné les doigts. Il est tombé aux pieds du duc de Guise qui attendait, voulant s'assurer de sa vengeance. Il a lui-même, dit-on, nettoyé le visage balafré et ensanglanté de Coligny avec un foulard, puis s'est écrié : "C'est bien lui, je le reconnais." Il l'a alors piétiné.

Ce qui est advenu du corps de l'amiral doit être dit, Illustres Seigneuries, si l'on veut mesurer ce qui s'est passé à Paris durant ces jours-là, alors que des centaines de cadavres nus et mutilés jonchaient les rues et souillaient le fleuve.

L'amiral jeté à demi vif au bas de l'hôtel de Ponthieu, plusieurs dizaines d'enfants – deux ou trois cent, me dit-on – se sont jetés sur lui pour lui couper la tête et les parties viriles, puis les mains, les bras et les jambes.

On l'a traîné par les rues, on l'a brûlé un peu sur un bûcher dressé quai de l'Étoile, on a hésité à le jeter dans la Seine, on l'a laissé pourrir avant de l'aller pendre par les cuisses au gibet de Montfaucon.

C'est là que le roi a voulu voir celui qu'il appelait "père".

Cependant que nous marchions dans la grande procession, ce jeudi 28 août, le comte Enguerrand de Mons raconta que le corps de Coligny n'était plus qu'une charogne puante. Lui-même avait dû se boucher le nez et d'autres gentilshommes près de lui l'avaient imité, ce que voyant, le roi avait dit :

— Je ne le bouche pas comme vous autres, car l'odeur de son ennemi mort est très bonne.

Le roi a fait preuve de la même impitoyable rancune avec d'autres gentilshommes huguenots qui furent ses compagnons de jeu de paume ou de baignades dans la Seine.

Au cours de cette nuit de la Saint-Barthélemy, le Louvre est ainsi devenu un des lieux de massacre.

Je tiens le récit de ces événements de la bouche de Diego de Sarmiento qui ne pouvait cacher son étonnement devant le roi qu'il avait cru tombé sous la coupe des huguenots et qui, tout à coup, devenait leur bourreau, ne sauvant de la mort que les princes du sang, Henri de Navarre et Condé.

Ces deux Bourbons, convoqués nuitamment, sans armes, ont été insultés par Charles IX qui leur a donné à choisir entre la messe, la mort ou la Bastille, tout en posant la pointe d'un poignard sur leur gorge.

— Lui, répétait Sarmiento, lui, Charles IX, qui était prêt à nous faire la guerre et semblait disposé à embrasser la religion réformée ou du moins à accepter sa présence dans le royaume...

Sarmiento secouait la tête, racontant comment Henri le Béarnais s'était aussitôt agenouillé, renégat une fois encore, prêt à entendre toutes les messes, à prier tous les saints qu'on voudrait. Condé avait résisté davantage pour finir, à son tour, par renier sa foi.

Ce furent là les deux seules grâces accordées par Charles IX.

Les gentilshommes huguenots des deux princes du sang et tous ceux qui, il y avait à peine quelques heures, dansaient dans les salles du Louvre, furent poussés un à un dans la cour où les Suisses les transpercèrent de leurs piques, chaque corps crevé de si nombreux coups que le sang jaillissait de toutes parts, ruisselant sur le pavé.

Ils ont poursuivi un gentilhomme huguenot jusque dans la chambre de Marguerite de Navarre où ce couard s'est caché sous elle, la tachant de son sang. Je crois qu'elle a obtenu sa grâce, au moins pour quelques heures.

On avait égorgé dans les couloirs du palais, dans les jardins.

On avait traqué ceux qui cherchaient à fuir dans les combles, les souterrains.

De sa fenêtre, le roi avait regardé cet abattage dans sa cour et sur les rives de la Seine.

— Bon chasseur ! ricanait Diego de Sarmiento.

Il racontait comment le souverain avait tiré sur des huguenots qui, sur la rive gauche, en face du Louvre, tentaient de quitter Paris.

— Il avait une grande arquebuse à giboyer, ajoutait l'Espagnol. Et il criait : "Tuez, tuez, mort-Dieu ! Ils s'enfuient, tuez !"

Puis on a trouvé dans les couloirs du Louvre, non loin de la chambre du monarque, une suivante de Catherine de Médicis éventrée, et la peur a saisi le souverain, comme s'il craignait tout à coup ne plus pouvoir rappeler les chiens qu'il avait lâchés, qu'ils n'obéissent plus, allant jusqu'à massacrer et mutiler cette Isabelle de Thorenc, huguenote sans doute, mais protégée de Catherine de Médicis et sœur de Bernard de Thorenc, proche de Diego de Sarmiento.

Le roi a en effet cessé de conduire la chasse aux huguenots.

Mais le peuple, sorti du néant et de l'abîme où il se terrait, a envahi les rues, éventrant les maisons de huguenots et leurs habitants.

Au moins trois mille d'entre eux ont été ainsi d'abord dénudés – leurs vêtements de bonne laine représentant un butin convoité par ces gens de rien, vêtus de haillons – puis égorgés, dépecés, détroussés de toutes leurs bagues et boucles, enfin laissés dans les rues pour les chiens errants, ou jetés dans la Seine, ou déversés dans les fosses du cimetière des Innocents, ou encore pendus à Montfaucon.

Plus de six cents maisons ont été ainsi défoncées et pillées. Ce n'est que le mardi 26 août que, sur ordre du roi, des potences ont été dressées aux carrefours pour qu'y soient pendus les pillards.

Mais le Saint Carnage et le Juste Pillage ont continué jusqu'à aujourd'hui.

Depuis les fenêtres de l'hôtel de Venise et dans les rues que j'ai arpentées chaque jour, accompagné du secrétaire Leonello Terraccini, j'ai vu des bêtes féroces à visages et à corps d'hommes.

Les tueurs couverts de sang crevaient indistinctement le ventre de l'enfant ou de la femme. Ils entraînaient des nourrissons aux langes ensanglantés jusqu'au fleuve afin de les y précipiter. Ils faisaient éclater les crânes à coups de gourdin.

J'ai vu des huguenots agenouillés tenter de sauver leur vie en offrant une bourse pleine de pièces d'or. Mais pourquoi accepter une rançon alors qu'on peut prendre et la bourse et la vie ?

On égorge et on vole. On pille.

Les quarteniers guident les tueurs vers les maisons qu'ils savent habitées par des huguenots. Ils consultent leurs registres, montent les escaliers des hôtels jusqu'à ces chambres où loge un gentilhomme venu à Paris pour le mariage de Henri, son seigneur huguenot, et de Marguerite de Valois, la catholique.

On tue.

Rien de tout cela, Illustrissimes Seigneuries, ne devrait me surprendre, puisque dans mes rapports précédents j'ai indiqué comment Diego de Sarmiento préparait une battue. Une fois entrés dans la nasse, enfermés dans la ville, les huguenots seraient frappés comme des bêtes prises au fond d'un sac.

Mais il y a loin des mots à l'odeur et à la couleur du sang. Et on a du mal à imaginer les rues d'une ville transformées en ruisseaux rouges, ou bien ce peuple que l'on croyait contenu, soumis, mué tout à coup en horde rugissante, en meute de tueurs travaillant avec ardeur et rage à massacrer ses voisins, à percer les corps de nourrissons, à éventrer femmes et vieillards.

Cela s'est fait. Je l'ai vu.

Les tueurs égorgeaient sans que leur main tremblât, avec l'assurance de qui exécute le jugement de Dieu.

Et chacun, durant ces jours-là, a su qu'une aubépine morte, fleur séchée devant la statue de la Vierge, au cimetière des Innocents, s'était mise à refleurir, signe de la satisfaction de Dieu devant le bon travail qui s'était accompli dans Paris.

Je me suis rendu au cimetière des Innocents et j'ai

entendu les cloches de son église carillonner pour que la bonne nouvelle du miracle soit connue de tous.

Autour de la statue de la Vierge, j'ai vu des hommes et des femmes, les yeux exorbités, crier, prier, sauter sur place, se tordre, être emportés, soulevés par la joie du miracle.

Puis ils quittaient le cimetière des Innocents en courant pour aller plus vite tuer d'autres hérétiques, faire couler ce sang qui avait irrigué l'aubépine et allait faire reverdir le royaume de France.

Ainsi se sont passées les choses durant ces quatre jours écoulés depuis cette nuit du dimanche de la Saint-Barthélemy, le 24 août 1572.

Aujourd'hui, le roi s'est rendu en procession au cimetière des Innocents afin de contempler lui aussi le miracle de l'aubépine.

Il s'est agenouillé devant la branche refleurie.

J'étais non loin de lui, auprès de Diego de Sarmiento, au premier rang de tous les ambassadeurs.

Le visage de Charles IX était d'une extrême pâleur et ses mains tremblaient. Il m'a semblé que son corps oscillait et il a eu du mal à se redresser, reprenant à pas lents la tête de la procession.

Il ne m'a pas paru habité par le sentiment de la victoire qu'il venait de remporter, plutôt par la crainte.

On murmure qu'il a convoqué le chirurgien Ambroise Paré, épargné bien qu'on le soupçonnât d'huguenoterie et qu'il eût soigné l'amiral de Coligny après l'arquebusade dont celui-ci avait été victime. Charles se serait plaint d'avoir l'esprit et le corps grandement émus, comme pris d'une forte fièvre.

Il lui semble à tout moment, aurait-il confié, qu'il veille ou qu'il dorme, que les corps massacrés approchent de son visage leurs faces hideuses, couvertes de sang. Il jure qu'il n'a pas voulu que fussent compris dans le massacre les imbéciles et les innocents.

Mais ils l'ont été, Illustrissimes Seigneuries, et Dieu seul a le pouvoir de faire ressusciter les morts. »

16.

« Je vis dans l'attente de la mort », a écrit Anne de Buisson.

C'est la première ligne du journal qu'elle a tenu tout au long de sa vie. Elle l'a commencé à la fin de l'après-midi du dimanche 24 août 1572, jour de la Saint-Barthélemy. Elle s'était réveillée en sursaut, découvrant cette chambre du premier étage de l'hôtel de Venise où, elle s'en souvenait peu à peu, Bernard de Thorenc l'avait conduite après qu'elle se fut agenouillée dans la cour de l'hôtel, que le prêtre lui eut demandé de renier sa foi, qu'il eut posé la main sur ses cheveux.

À ce souvenir elle avait frissonné, bondi hors du lit, les mèches dénouées, pieds nus – mais qui l'avait déchaussée ? Et, tout à coup, elle avait entendu des cris, des hurlements, ou plutôt des aboiements, et ce battement du tocsin dont elle avait eu l'impression qu'il ébranlait sa tête comme si elle avait été le métal heurté, vibrant.

Elle s'était précipitée vers la fenêtre, écartant la tenture, éblouie par l'ardent crépuscule.

Elle avait vu, au coin de la rue des Poulies et de la rue des Fossés-Saint-Germain, deux enfants qui tiraient un corps nu mutilé, puis des hommes portant à pleines brassées des vêtements, d'autres qui, accroupis sur les pavés vidaient le contenu d'un coffre. Autour d'eux gisaient des corps nus, ensanglantés, hommes et femmes, celles-ci jambes écartées, les seins tranchés, enveloppées de pièces de tissu qu'elles portaient comme de grandes écharpes.

Anne avait crié, la porte de la chambre s'était ouverte et elle avait vu s'y encadrer Vico Montanari. Elle n'avait pas eu besoin de l'interroger pour qu'il lui dise que Bernard de Thorenc était reparti, mais qu'elle se trouvait en sûreté, qu'elle pouvait demeurer là tant que – il avait eu un mouvement du menton en direction de la fenêtre – cela durerait.

Elle avait joint les mains comme on prie, avait dit d'une voix suppliante et affolée qu'elle voulait du papier, des plumes, de l'encre. Puis elle avait plaqué les paumes sur ses oreilles pour faire comprendre à Vico Montanari qu'elle voulait écrire afin de dresser autour d'elle, en elle, mot après mot, pierre après pierre, un mur qui la protégerait, auquel elle pourrait s'accrocher quand elle se sentirait glisser vers l'abîme, dans cette galerie noire où elle avait vu des hommes, des femmes, des enfants transpercés à coups de hallebarde, cloués comme des trophées de chasse aux parois de ce souterrain qui conduisait, leur avait-on dit, du n° 7 de la rue de l'Arbre-Sec jusqu'aux berges de la Seine où l'on trouverait des barques pour s'enfuir et échapper aux massacreurs.

« Massacreurs » : elle répéta ce mot d'abord à mi-voix, puis elle le hurla aux oreilles de Montanari : « Massacreurs ! Massacreurs ! »

Elle l'avait entendu pour la première fois ce matin-là quand Bernard de Thorenc, le corps ensanglanté, blessé aux épaules, aux mains et au front, le cou taillardé par les huguenots — car il était entré le premier dans la demeure, puis dans la galerie —, lui avait murmuré, en la soulevant et en la portant vers la sortie : « Ce sont des massacreurs ! »

Des hallebardiers, ces mercenaires suisses qui appartenaient aux Guises, avaient voulu l'arrêter. Où allait-il ? Qui était cette femme, pourquoi ne pas l'ouvrir ici comme une truie, en la fendant par le milieu ? Et ils avaient fourré leurs mains entre les cuisses d'Anne de Buisson.

Bernard de Thorenc les avaient repoussés à coups d'épée, criant que celle-là était à lui, qu'il la gardait pour son propre usage.

— C'est ma bonne prise, et je l'ai payée de mon sang !

Et il avait exhibé ses blessures.

Ils avaient pu quitter la maison du n° 7 de la rue de l'Arbre-Sec.

Elle avait renoncé d'instinct à nouer ses bras au cou

de Bernard de Thorenc, les laissant pendre, comme une proie blessée dans la gueule du fauve.

Mais, lorsqu'ils étaient parvenus rue des Fossés-Saint-Germain, elle avait voulu marcher, et, dès les premiers pas, la foule les avait cernés.

Elle avait vu ces visages haineux, ces mains qui cherchaient à s'accrocher à elle, à lui arracher ses vêtements.

Bernard de Thorenc avait dû décrire des moulinets avec son épée, mais la foule avait hurlé :

— C'est une huguenote ! On la tue ! À la Seine ! À la potence ! Au bûcher ! Donne-la, donne-la-nous !

Bernard de Thorenc s'était campé devant elle et avait repoussé cette meute en distribuant de grands coups d'épée. Puis la poterne s'était ouverte et les valets armés de piques avaient empêché ces chiens de pénétrer dans la cour, Montanari y attirant le prêtre devant qui elle avait dû s'agenouiller, confesser ses erreurs.

Elle en avait envie de vomir.

— Massacreurs, a murmuré à son tour Vico Montanari.

Il s'approche d'Anne de Buisson, veut lui prendre le poignet mais elle se dérobe et va jusqu'à la fenêtre.

Elle voit d'autres corps étendus dans la rue des Poulies, éventrés, émasculés, les détrousseurs se partager les vêtements des morts, puis regarder autour d'eux comme s'ils flairaient de nouvelles proies.

Anne de Buisson a un mouvement de recul et se heurte à Vico Montanari.

— Les massacreurs n'entreront pas ici, dit-il,

cependant qu'elle s'éloigne, se recroqueville, assise sur le lit, le dos voûté, les bras enserrant ses jambes repliées.

Elle ne paraît pas écouter le Vénitien, qui explique que personne à la cour, ni le roi, ni la reine mère, ni son frère, Henri d'Anjou – ces deux-là ayant décidé le massacre et le souverain leur ayant cédé – n'entendent entrer en conflit avec la Sérénissime République.

Il se penche vers Anne de Buisson.

— Ici, c'est l'hôtel de Venise, précise-t-il.

Anne de Buisson se lève. Elle ne peut s'empêcher de marcher à grands pas comme une folle, elle le sait, jetant les bras en l'air, les tordant, répétant qu'elle les connaît : lui, ce roi qui aime à se faire fouetter et qui fouette, qui tremble devant sa mère, le visage en sueur, les yeux baissés, la parole hésitante ; et l'autre, le roi des mignons, Henri d'Anjou, fardé, paré comme une femme ; et elle, Catherine, la Médicis, la noire, la Reine de mort, celle qui ordonne à ses mages et à ses envoûteurs de piquer des aiguilles dans le cœur des figurines modelées à l'image de ceux qu'elle exècre, et qui, quand le sortilège ne réussit pas, use du poison – et personne, pas même le monarque, ne peut se dire à l'abri de cette tueuse.

— Si elle veut, elle entrera ici ou elle enverra ses empoisonneurs. Pour elle je suis déjà morte, mais, si elle sait que je vis, elle n'aura de cesse que je meure.

Anne de Buisson s'arrête devant Montanari. À nouveau elle le supplie : elle veut écrire, lutter ainsi contre les maléfices, ces poisons que Catherine infuse dans les âmes – et on ne sait plus, on ne veut plus, on n'est plus entre ses mains qu'une poupée qu'elle déchiquette, puis qu'elle jette quand elle l'a décidé.

Anne hésite, puis, d'une voix étouffée, murmure :

— Isabelle de Thorenc ?

Montanari baisse la tête, recule. Il dit que le secrétaire, Leonello Terraccini, va lui apporter ce qu'elle demande.

Il s'arrête sur le seuil de la chambre.

— Ils ont trouvé le corps d'Isabelle de Thorenc, répond-il.

Anne de Buisson écarte les bras.

— Ils veulent aussi le mien, dit-elle.

Le secrétaire est entré peu après et a déposé sur la petite table, au centre de la pièce, le papier, les plumes taillées, l'encre.

Anne se lève, tourne autour de cet homme jeune aux cheveux bouclés, aux traits réguliers.

Elle pousse la table vers la fenêtre. Elle doit voir les massacreurs.

Peut-être même Bernard de Thorenc est-il retourné parmi eux après l'avoir sauvée ? Mais c'était elle, elle seulement qu'il voulait arracher aux massacreurs ; les autres, tous les autres, comme ce nourrisson qu'elle voit traîné par des enfants et dont le corps et la tête rebondissent sur les pavés de la rue des Poulies, qu'on les tue tous !

Bernard de Thorenc doit les tuer pour se faire pardonner de l'avoir épargnée, cachée, ou pour éviter qu'on le soupçonne, lui, le frère de Guillaume de Thorenc, de complicité avec les gens de la secte huguenote, ceux de la cause.

Elle dispose les feuillets sur la petite table.

Or c'est à cet homme-là qu'elle s'est livrée le jour du mariage de Henri de Navarre et de Marguerite de Valois.

Et elle s'est laissé prendre sous un escalier, dans le coin le plus reculé du palais du Louvre, là où, aujourd'hui, on massacre ou on éventre Isabelle de Thorenc, la propre sœur de Bernard.

Il a sauvé Anne, mais l'a abandonnée ici alors que, dans la rue des Poulies, les massacreurs lèvent la tête et la recherchent peut-être.

Anne de Buisson s'assied à la petite table et prend une plume.

— Ne vous montrez pas, lui dit Leonello Terraccini en s'approchant. Ils vous ont laissée entrer ici, mais j'ai vu le prêtre rôder rue des Fossés-Saint-Germain. Il y a une centaine de tueurs qui l'écoutent et le suivent. Il n'a accepté de vous convertir que parce qu'il avait peur. J'ai entendu ses prêches. Il dit : « Dieu les convertira s'Il le veut, Dieu leur pardonnera s'Il le veut, mais nous, nous devons exécuter Sa sentence. » Le prêtre peut revenir, vouloir vous reprendre. Il agit peut-être pour le compte de quelqu'un qui souhaite votre mort.

Anne de Buisson se tourne et regarde fixement le secrétaire, qui répète :

— Ne vous montrez pas, le sang les a rendus fous !

Tout à coup, d'un mouvement brutal, Anne le saisit par le cou, l'attire vers elle, colle son corps au sien. Elle geint, semble vouloir s'enfoncer entre les épaules et les jambes de Leonello Terraccini.

Elle le force à se baisser, l'embrasse. Elle ne s'écarte de lui que lorsqu'elle a cette saveur tiède sur la langue.

Elle voit des perles de sang sur les lèvres de Terraccini qu'elle a mordues.

Elle noue les bras autour de sa taille, recule jusqu'au lit, y bascule en l'entraînant.

Elle ferme les yeux cependant qu'il soulève ses jupons, glisse sa main entre ses cuisses.

Elle se souvient du geste des massacreurs dans la galerie noire de la maison du nº 7 de la rue de l'Arbre-Sec.

Elle saisit le poignet de Terraccini non pour repousser sa main, mais pour qu'il l'enfonce en elle.

Elle pense : « Je vis dans l'attente de la mort. »

17.

Les jours de sang, quand les massacreurs tranchaient le nez et les oreilles, les lèvres, les sexes, les gorges, enfonçaient des pieux dans le ventre des femmes, ou bien, avant de les profaner ainsi, les forçaient à s'accoupler avec des huguenots émasculés, voire des pourceaux – et les rires, avec le sang, emplissaient les rues ces jours-là –, Bernard de Thorenc, rue des Poulies, rue des Fossés-Saint-Germain, baissait la tête, craignant de regarder la fenêtre de l'hôtel de Venise derrière laquelle il imaginait que se tenait Anne de Buisson.

Il pressait le pas pour s'éloigner au plus vite de ces rues où rôdaient les massacreurs guidés par ce prêtre devant qui Anne s'était agenouillée et qui souvent s'arrêtait devant la poterne de l'hôtel de Venise, comme tenté de la forcer, de reprendre ce qui lui avait été arraché, cette huguenote qu'il n'avait pu que convertir alors qu'il eût voulu la tuer.

De loin, dans la rue de l'Autruche, Bernard de Thorenc observait ces massacreurs dont les mains, les bras et jusqu'à la bouche étaient maculés de sang.

Puis, lentement, lorsqu'il était persuadé qu'ils allaient enfoncer d'autres portes, traverser la Seine en courant pour prendre en chasse quelques huguenots qui tentaient de fuir – et le roi, depuis sa fenêtre du Louvre, les tirait avec sa grande arquebuse comme à la chasse on vise un cerf ou un sanglier –, Thorenc rentrait à l'hôtel d'Espagne.

Il gardait l'épée à la main, et son foulard blanc – taché de sang – était toujours noué à son épaule, sauf-conduit pour les massacreurs, comme l'étaient aussi ces bandages rougis qui enserraient ses épaules, ses mains, son front.

Il marchait tête haute, maintenant, parce qu'il voulait voir.

Là, il butait sur les corps de deux femmes enlacées, nues, le visage si tailladé qu'il en avait perdu toute forme humaine, et on avait planté des cornes de bœuf entre leurs cuisses.

Plus loin, au coin de la rue Saint-Honoré, c'était une troupe d'enfants qui entourait un vieillard nu, agenouillé, et le forçait à avaler des feuillets de la Bible, puis des excréments, car l'homme ne doit pas lire le Livre saint en langue profane ni refuser le carême. Or ce vieux-là avait fait tout cela. Alors, qu'il périsse dans les tourments !

Quelques pas après, Bernard de Thorenc avait vu des enfants – encore des enfants ! – crever le ventre d'une femme, l'éviscérer, se servir des boyaux fumants comme de fouets, frappant le visage d'autres huguenots que l'on poussait vers eux – et la foule d'applaudir ces gamins rieurs qui tuaient si sauvagement.

Bernard de Thorenc se retournait.

Souvent, durant ces journées de sang, il avait eu l'impression d'être suivi, et, quand il rentrait à l'hôtel d'Espagne, Diego de Sarmiento, Enguerrand de Mons ou le père Verdini le dévisageaient avec suspicion comme si l'un de leurs espions – ces serpents-là étaient nourris par la reine mère, Henri d'Anjou ou Sarmiento lui-même – leur avait rapporté que Bernard n'avait tué aucun huguenot, s'était seulement défendu, évitant le combat. Qu'il s'était ainsi borné à sauver une femme, cette Anne de Buisson, huguenote, sœur du maudit corsaire de La Rochelle, Robert de Buisson, cette Anne, suivante de Catherine de Médicis, que celle-ci voulait peut-être à présent faire disparaître, parce qu'elle avait été témoin de trop de complots et que, Paris nettoyé, Henri de Navarre converti, on n'avait plus besoin d'une huguenote parmi les femmes de la reine mère.

Aussi Bernard de Thorenc se méfie-t-il. Il ne faut pas donner le moindre prétexte à ces massacreurs. Il faut éviter de regarder la fenêtre de l'hôtel de Venise, et même de penser à Anne de Buisson.

D'ailleurs, pourquoi l'attendrait-elle alors qu'entre

505

eux deux, depuis leur nuit sous l'escalier dans le palais du Louvre, le sang a coulé comme un torrent les jours de crue ? Il fallait laisser passer le temps, ne même pas s'approcher de Vico Montanari ou de son secrétaire, Leonello Terraccini, que Bernard de Thorenc avait souvent aperçu à l'hôtel d'Espagne, puis dans cette chapelle du Louvre où Henri de Navarre s'était agenouillé au milieu des massacreurs, reconnaissant n'être qu'un dévoyé de la foi qui demandait humblement à être reçu en la sainte Église. Et, lorsqu'il avait ouvert la bouche pour recevoir l'offrande, le rire de Catherine de Médicis avait été si fort qu'il avait empli toute la nef, et les massacreurs avaient mêlé les leurs à celui de la reine mère.

C'est à cet instant que Bernard de Thorenc avait pensé – ç'avait été dans sa tête comme une douleur brûlante – que les hommes, tous les hommes, à quelque religion qu'ils appartinssent, avaient fait un enfer de cette terre offerte par Dieu.

Il s'était souvenu des enluminures du livre de Michele Spriano, des supplices que Dante décrivait dans son voyage en enfer. C'était bien ce qu'il avait vu accomplir rue des Poulies, rue de la Monnaye, sur le quai de l'École, autour de l'hôtel de Bourbon et de l'hôtel d'Aumale.

Enguerrand, qui rentrait de Provence, de la Grande Forteresse des Mons, avait péroré, disant qu'il avait chaque jour, au terme d'un festin, et pour distraire les bons catholiques qu'il y avait invités, précipité des huguenots du haut des falaises dans les gorges de la Siagne. Il conviait les femmes invitées à piquer à l'aide de poignards les reins et le cul de ces huguenots pour les inciter à se jeter d'eux-mêmes dans la rivière. Et les enfants n'avaient pas été les derniers à se prendre au jeu.

Partout, disait Enguerrand de Mons, on traquait le huguenot, et les corps de ces hérétiques flottaient aussi sur le Rhône, personne ne voulant leur donner une sépulture.

— Et maintenant ces charognes empoisonnent les eaux...

— On n'en a jamais fini avec eux, avait ajouté Enguerrand de Mons, après un silence, en se tournant vers Bernard de Thorenc.

Une centaine de gentilshommes huguenots avaient occupé et défendaient le Castellaras de la Tour. À leur tête se trouvait...

— ... votre frère Guillaume, et quelques épargnés comme Jean-Baptiste Colliard et Séguret.

Sarmiento s'était indigné.

Ceux qui avaient laissé la vie sauve à des mal-sentants de la foi étaient encore plus coupables qu'eux. C'étaient à ceux-là qu'il fallait infliger la mort la plus cruelle. Ils devaient la sentir se glisser lentement en eux. Car ils avaient, par leur compassion, leur lâcheté ou leur complicité, compromis le destin du royaume de France et de la juste foi.

Déjà les protestants de La Rochelle résistaient aux troupes du roi. Ceux de Montauban et de Nîmes, entre bien d'autres villes du Sud, voulaient se rassembler en une Union, quitter le royaume, attendre les secours des Allemands et des gueux des Pays-Bas.

— Voilà ce qu'ont permis les protecteurs de

huguenots ! Pour ceux-là, la hache, le poignard, la corde, l'agonie la plus longue seront encore des châtiments trop légers !

Diego de Sarmiento n'avait pas quitté des yeux Bernard de Thorenc, qui avait soutenu son regard, puis s'était éloigné.

Dans sa chambre, cette nuit-là, il avait prié, agenouillé, la tête appuyée sur ses mains nouées, les bras reposant sur le rebord de sa couche.

Puis il avait délaissé les prières et commencé d'une voix devenue peu à peu plus forte, en s'adressant à Dieu :

— Seigneur, nous sommes tous des infidèles ! Ici, j'ai vu crimes et barbaries aussi pervers qu'au bagne d'Alger et dans les chiourmes turques. J'ai vu trancher le nez, les oreilles, les lèvres, crever les yeux comme faisaient les bourreaux de Dragut-le-Brûlé, de Dragut-le-Cruel.

« J'ai vu dénuder les femmes, les traiter comme des proies, puis, après avoir abusé d'elles, les éventrer, ou bien les laisser pour mortes, le corps profané. Chrétiens ou mahométans, nous sommes tous des infidèles, Seigneur. La terre est devenue enfer.

« Que peut faire celui qui croit en Toi ?

« J'ai beaucoup péché, Seigneur.

« Souvent, au cours de ma vie, j'ai été un massacreur.

« Mais j'ai maintenant le dégoût du sang.

« Comment, Seigneur, agir pour qu'on ne le répande plus en Ton nom ?

« Comment, Seigneur, mettre fin au massacre, cette trop humaine et sanglante comédie ?

« Comment ne plus t'être infidèle ? »

18.

Lorsque Bernard de Thorenc s'est mis à parler d'une voix que l'indignation et peut-être le désespoir faisaient trembler, Vico Montanari lui a étreint le bras. Mais il a poursuivi sur le même ton, indifférent à la foule qui les entourait.

Il y avait sur ce quai de l'École, des portefaix, des mendiants, des mariniers, des marchands, des femmes dépenaillées qui lavaient à grande eau le linge du Louvre ou de l'hôtel de Bourbon. Mais, au coin de la rue de l'École et du quai, Montanari avait remarqué des spadassins aux pourpoints élimés, le bord rabattu de leur chapeau leur cachant le visage. Ceux-là étaient gens de sac et de corde qui, pour une poignée d'écus, vous crevaient le ventre. Peut-être même étaient-ce des espions de la reine mère surveillant Bernard de Thorenc, chargés de rapporter ses propos.

Montanari lui a chuchoté :

— Parlez plus bas !

Bernard de Thorenc a regardé autour de lui, haussé les épaules, posé la main sur le pommeau de son épée

— Qu'on vienne ! a-t-il dit, les dents serrées.

— Oui, Montanari, a-t-il repris, nous sommes aussi cruels, aussi barbares que des infidèles. Les hallebardiers, les trabans du duc de Guise, les garde-corps royaux, les spadassins de Diego de Sarmiento, d'Enguerrand de Mons ou de Henri d'Anjou sont nos janissaires. Nous avons nos massacreurs, nos bourreaux. Et qui est le plus débauché, de Dragut-le-Brûlé ou du roi Très Chrétien ?

Il s'est interrompu, puis a ajouté d'une voix plus sourde :

— Il aime tuer. Il est comme fou. Un chasseur dément. Il veut du sang. Il a usé plus de cinq mille chiens. Il massacre à l'arquebuse et à la dague. Ses cerfs, ses sangliers, ce sont les huguenots qui ont réussi à s'enfuir, qui résistent encore, à La Rochelle, qui se rassemblent autour de mon frère Guillaume, massacreurs eux aussi.

Il a eu une moue de dégoût.

— Lorsque Charles rentre de la chasse, on le parfume, on l'habille. Il attend la nuit et s'en va, masqué, rôder dans les rues, non loin de ce quai de l'École, rue Saint-Honoré, rue de l'Arbre-Sec ou rue de la Monnaye. Il force les portes des gentilshommes ou des membres du Parlement. Il les jette au bas de leur lit, s'y installe, exige qu'on le fouette. Il prend la femme, fouette à son tour, geint. Il dit qu'il entend des voix criardes, hurlantes, en tout semblables à celles des nuits de massacre. Il a le corps couvert de sueur. Il veut qu'on le fouette encore, et raconte que chaque matin, devant ses fenêtres, des multitudes de corbeaux, de ceux qu'on voit voler autour des potences et du gibet de Montfaucon, se rassemblent ; leurs cris sont cris d'hommes et parfois ils viennent frapper de leur bec les croisées.

Vico Montanari lui a de nouveau serré le bras, puis, pour l'empêcher de continuer, lui a parlé d'Anne de

Buisson, toujours cachée à l'hôtel de Venise. Elle songeait à quitter Paris, peut-être pour la Sérénissime.

Bernard de Thorenc a paru ne pas entendre. Il a poursuivi en disant que le roi avait de plus en plus souvent du sang dans la bouche, sur les lèvres, qu'il toussait et hoquetait. De ses débauches de la nuit, il rentrait pâle, le pourpoint taché de sang, le regard sombre, la tête baissée, criant tout à coup qu'il voulait qu'on rassemble ses gardes, qu'il savait qu'on cherchait à le tuer, à l'étrangler, à l'envoûter. D'aucuns pensaient qu'il redoutait que sa mère ne songeât à l'empoisonner parce qu'elle lui préférait Henri d'Anjou, qu'elle avait déjà organisé la succession ; et, puisque Henri d'Anjou venait d'être élu roi par la Diète de Pologne, c'est elle qui, après la mort de Charles, et en attendant son retour, assurerait la régence.

— Il a beau crier, a continué Bernard de Thorenc, des flots de sang l'étouffent, et quiconque le voit sait qu'il va mourir.

C'est encore Bernard de Thorenc, marchant aux côtés de Vico Montanari sur ce quai de l'École, qui a murmuré que Charles IX était mort, du sang plein la bouche, ce dimanche 30 mai 1574, jour de la Pentecôte. La reine mère s'était enveloppée d'une écharpe noire, avait caché son visage sous une dentelle noire et ses mains dans les plis de sa robe noire.

— Femme de deuil, a murmuré Thorenc, femme de mort ! Elle est la messagère de la moissonneuse à la grande faux.

Catherine de Médicis avait aussitôt fait partir des courriers pour la Pologne afin que son fils bien-aimé,

Henri d'Anjou, vienne poser son petit cul de femme sur le trône et soit proclamé Henri III, roi Très Chrétien du royaume de France.

C'est ce même jour, celui de la mort de Charles IX, qu'Anne de Buisson et Leonello Terraccini ont quitté l'hôtel de Venise, et Montanari n'a su comment annoncer leur départ à Bernard de Thorenc, se bornant à lâcher à mi-voix :

— Elle est partie. Avec lui.

Montanari a d'abord cru que Bernard de Thorenc n'avait pas entendu, puisqu'il a continué à parler du roi.

— Ce sang dans sa bouche, ce sang qui l'a étouffé est celui des massacrés, de ceux sur lesquels il a tiré depuis sa fenêtre comme s'il visait du gibier, de ses compagnons de jeu qu'il a laissés égorger, transpercer sous ses yeux à coups de hallebarde. C'est le sang du remords. À moins...

Il s'est arrêté tandis que la foule, si dense sur le quai de l'École, les bousculait.

— À moins que sa mère ne l'ait empoisonné. La reine Catherine sue la mort...

Puis, tout à coup, il a murmuré :

— Elle est donc partie avec ce Terraccini ?

Il a esquivé une grimace, la bouche tordue, ajoutant qu'il avait connu autrefois, quand il était encore jeune, comme ce Leonello Terraccini, une femme, Mathilde de Mons, qui avait des tresses blondes comme celles d'Anne de Buisson. Il l'avait retrouvée heureuse dans le harem de Dragut-le-Débauché.

— Les femmes sont ainsi, a-t-il conclu en haussant les épaules.

Il s'est remis à marcher, tête baissée, puis, d'un mouvement du menton, il a montré les lavandières qui, agenouillées, bras rougis, frottaient les draps des palais et des nobles demeures.

— Même celles-là, a-t-il murmuré.

Et, après quelques pas :

— Même les reines.

Il a entrepris de raconter ce qu'Enguerrand de Mons et Diego de Sarmiento rapportaient de ce qui se passait au Louvre où Marguerite de Valois, l'épouse de Henri de Navarre, se couchait sous tous les hommes qu'elle rencontrait.

C'était, à les entendre, une dépravée qui n'avait qu'une seule pensée : satisfaire ses appétits, même avec ses frères, et ce depuis l'âge de douze ans.

Au lieu d'amoindrir ses désirs, le temps n'avait fait qu'augmenter ses vices, et, aussi mouvante que le mercure, elle branlait pour le moindre sujet qui l'approchait.

Elle était même allée déterrer la tête d'un de ses amants, décapité sur ordre du roi, et elle l'avait enfouie de ses propres mains dans la chapelle des Saints-Martyrs, sous Montmartre.

Son époux et ses frères, François d'Alençon et le mignon Henri III, ses compagnons de jeu, montraient la même lubricité qu'elle.

— Ils vont des unes aux autres, et Catherine de Médicis leur jette entre les jambes des jeunes femmes qui les épuisent. L'on dit même que Henri de Navarre a perdu conscience pendant plus d'une heure, tant il s'est donné à cette volupté. Et tous se disent chrétiens, tous s'agenouillent devant l'autel ! Voilà la cour, et celle d'Espagne est à cette image, et chacun de laisser derrière lui bâtards de prince ou de roi.

Thorenc a hoché la tête.

— J'ai connu don Juan, bâtard de Charles Quint...

Il s'est de nouveau arrêté puis a repris :

— J'observe Henri de Navarre chaque fois que je me rends au Louvre. Je n'ai jamais vu homme aussi joyeux, qui court de l'alcôve au jeu de paume. Il rit avec les massacreurs de ses gentilshommes. Il danse, la cuirasse sous la cape, la dague dans la manche du pourpoint, parce que – c'est ce qu'il a dit à Enguerrand de Mons – « nous sommes presque toujours prêts à nous couper la gorge les uns les autres ». Mais il danse, Montanari, il festoie comme s'il n'y avait pas eu massacre des siens, de ces gentilshommes que son mariage avait attirés à Paris. Lorsqu'ils avaient voulu sortir du sac, sentant qu'on allait les y enfermer pour les tuer, il leur avait promis sur sa propre vie qu'ils étaient en sûreté, que le roi Charles le lui avait juré.

Thorenc a ajouté d'une voix rauque :

— Celui-là est mort, le sang du remords plein la bouche. Mais Henri danse et couche, il rit et s'ébroue au récit des amours de son épouse Margot. Ce sont là princes chrétiens ! Demain Henri sera peut-être roi. Les huguenots l'espèrent. Mais tous ceux-là, je les vois, Montanari, comme si j'étais Dante marchant dans l'enfer aux côtés de Virgile et y découvrant les damnés.

Ils ont ainsi parlé presque chaque jour, et Vico Montanari, rentré à l'hôtel de Venise, faisait rapport aux

Illustrissimes Seigneuries de la Sérénissime de ce qu'il avait appris.

Il ajoutait que d'autres que Bernard de Thorenc partageaient ses regrets – son dégoût – pour tout le sang versé, et que ces sentiments étaient d'autant plus vifs que la guerre entre huguenots et catholiques se préparait, que la religion apparaissait dans chaque camp comme un simple prétexte.

On massacrait au nom de Dieu, mais qui se souciait de ce qu'avait enseigné le Christ ?

Montanari était sûr que Thorenc avait pris langue avec d'autres « mal-contents », des « politiques » des « machiavéliens » – ainsi se nommaient-ils – qui voulaient la paix entre chrétiens, l'union de tous les sujets du royaume, puisque aussi bien ils ne s'étaient pas entre-massacrés pour Dieu, mais pour l'ambition de quelques princes.

Il fallait écouter, observer ces hommes-là, et, parmi eux, un Bernard de Thorenc, un Michel de Polin, conseiller au Parlement de Paris, avait écrit dans l'un de ses rapports Vico Montanari. Ces mal-contents, ces politiques pouvaient rallier un souverain qui serait d'abord homme de paix.

Pourquoi pas ce Henri de Navarre qui avait déjà plusieurs fois changé de religion et qui avait fui le Louvre, le 4 février 1574, craignant qu'on ne l'y égorgeât ou qu'on ne l'empoisonnât ?

TROISIÈME PARTIE

19.

Je me souviens du vent glacé qui, en ce premier jour de mars 1576, balayait le quai de l'École que Vico Montanari et moi arpentions comme nous le faisions souvent.

La glace recouvrait les berges, s'accumulait en blocs grisâtres contre les piles des ponts.

J'avais le cœur gelé.

J'avais retrouvé Montanari au coin de la place de l'École, au bas de la rue de l'Arbre-Sec et du quai.

Il m'avait aussitôt pris par le bras et, comme il l'avait étreint, j'avais deviné qu'il allait me parler d'Anne de Buisson.

Je m'étais aussitôt dégagé et m'étais mis à marcher d'un pas plus rapide, lui rapportant ce que j'avais appris au Louvre et à l'hôtel d'Espagne.

Diego de Sarmiento et Enguerrand de Mons, les pères Verdini et Veron, le duc Henri de Guise, dit le Balafré, se rencontraient presque chaque jour depuis la fuite de Henri de Navarre.

Sarmiento et Guise se montraient les plus inquiets. Si Henri III n'avait pas de descendant mâle, Henri de Navarre deviendrait l'héritier du trône de France.

Le père Verdini s'emportait. Dieu ne le permettrait

pas ! renchérissait le père Veron. Comment pardonnerait-il à Henri d'avoir une nouvelle fois, dès qu'il s'était retrouvé parmi les siens, la Loire traversée, abjuré la foi catholique et proclamé qu'il était huguenot, protecteur de l'union de tous les huguenots du royaume ?

— Protecteur, avait répété Diego de Sarmiento, ainsi que se nomme le prince d'Orange aux Pays-Bas. Croyez-vous que nous, Espagnols, allons accepter cela ?

Henri de Guise avait dit que si le Roi Catholique, le grand Philippe II, l'aidait dans l'entreprise – il y fallait des ducats pour recruter des hommes : Suisses, mais bons catholiques ; Allemands, mais ennemis jurés des luthériens et des calvinistes ; et pourquoi pas des troupes espagnoles du duc d'Albe en provenance des Pays-Bas –, alors lui, Henri de Guise, jurait de rapporter au Louvre le corps de Henri de Navarre attaché sur un âne et saigné comme un goret. On ferait de lui ce qu'on avait fait du corps de l'amiral de Coligny : on le dépècerait et on pendrait ce qu'il en resterait au gibet de Montfaucon.

J'avais écouté, assis dans la pénombre ; la haine que chacun de ces hommes exprimait était si grande que j'en avais frissonné.

Ceux-là appartenaient au camp des massacreurs. Enguerrand de Mons, qui pourtant était l'un des plus proches conseillers de Henri III, avait ajouté que le roi, malgré toutes les drogues qu'il prenait et celles qu'il faisait administrer à son épouse, Louise de Lorraine, était bien incapable d'engendrer un fils.

— À moins, avait-il ricané, que l'un de ses mignons, Épernon ou Joyeuse, ne l'engrosse !

Ils avaient ricané.

— Mais ce miracle-là, Dieu ne le veut pas, n'est-ce pas, mon père ? avait ajouté Diego de Sarmiento en se tournant vers Verdini, qui, l'air offusqué, s'était signé.

De jour en jour, à écouter les conciliabules de Sarmiento et du duc de Guise à l'hôtel d'Espagne, j'avais senti ainsi battre de plus en plus vite le désir de guerre contre les huguenots.

Enguerrand de Mons racontait que Henri III s'y ralliait, que la reine mère, Catherine, le poussait à prendre la tête d'une armée pour aller traquer Henri et ses huguenots dans leurs provinces de Guyenne, de Gascogne et du Béarn, à Montauban et à Nîmes, à La Rochelle, qu'il fallait faire diligence si l'on ne voulait pas que ces hérétiques imitent les gueux des Provinces-Unies et créent eux aussi, dans cette partie du royaume, un État huguenot.

— Catherine répète au roi que la grande purge de la Saint-Barthélemy aurait été administrée en vain si on laissait Henri de Navarre et ses huguenots se rassembler. Elle sait que des reîtres allemands au nombre de vingt mille sont en marche pour le rejoindre.

Je me rendais au Louvre en compagnie de Sarmiento et d'Enguerrand de Mons. J'observais Henri III et la reine mère.

Le roi, de haute taille, paré de velours et de soie, s'avançait, entouré de ses mignons à l'élégance aussi raffinée que la sienne. Ils étaient si parfumés que j'en toussais.

Souvent, dans leur sillage, apparaissait Marguerite de

521

Valois, l'épouse de Henri de Navarre. Elle était si belle, son regard si accrocheur, son visage si parfait que j'en étais troublé, sachant aussi ce que l'on disait de ses mœurs, de sa lubricité, de son désir jamais assouvi.

On murmurait que Henri III – mû peut-être par la jalousie – avait fait chasser de la cour une jeune femme parce que la reine Marguerite – Margot, disait-on, pour la traiter comme une harengère – partageait ses caresses avec elle, sitôt que les hommes avaient quitté sa couche.

Elle m'avait souvent regardé et j'en avais été ému. Puis elle détournait la tête et je la suivais des yeux alors que, vêtue d'une robe de drap d'or frisé, les cheveux ornés de grosses perles et de riches pierreries, de diamants disposés en étoile, elle allait de l'un à l'autre.

Et, cependant, elle était prisonnière. La reine mère et le roi – sa mère et son frère ! – lui interdisaient d'aller rejoindre Henri de Navarre. Et lorsqu'elle avait menacé de fuir, comme son époux, on l'avait attachée ; et Catherine de Médicis et Henri III l'avaient battue, assurant qu'on la tuerait si elle cherchait à quitter Paris.

J'avais donc rapporté ce que j'avais entendu et vu à Vico Montanari, l'empêchant ainsi de me parler d'Anne de Buisson.

Chaque fois que, par le passé, il l'avait fait, me confirmant ainsi qu'elle avait quitté Paris en compagnie de Leonello Terraccini, j'avais feint de ne pas l'entendre, de ne pas en être blessé, alors que ma poitrine était trouée, mon cœur gelé.

Mais j'avais dû, ce matin-là, dans le froid vif qui tailladait les joues et les lèvres, écouter Vico Montanari me dire que Terraccini venait de rentrer, qu'il avait vu à

Pau, puis à Nérac, au milieu des troupes huguenotes, Henri, roi de Navarre, heureux et vert comme un homme qui a échappé à la mort et qui s'en va répétant – tels étaient ses mots, consignés par Terraccini : « Loué soit Dieu qui m'a délivré ! On a fait mourir la reine, ma mère, à Paris, on y a tué M. l'amiral et tous nos meilleurs serviteurs. On n'avait pas envie de me mieux faire, si Dieu ne m'avait pas gardé. Je n'y retourne plus si on ne m'y traîne. Je n'ai regret que pour deux choses que j'ai laissées à Paris, la messe et ma femme : toutefois, pour la messe, j'essaierai de m'en passer, mais, pour ma femme, je ne puis et la veux ravoir... »

— Il les veut toutes, et son épouse par surcroît, avait commenté Montanari. Terraccini, qui n'est pas un moinillon, est encore tout ébahi de ce qu'il a vu ; ce roi Henri est comme un chien fou qui renifle toutes celles qu'il croise, les prend quelles qu'elles soient, et se soucie fort peu des morpions qu'il y gagne. Ses poux espagnols sont si nombreux, si pressés dans leur logis des parties basses, qu'ils montent sous les aisselles, dans les sourcils, les cheveux, et qu'on voit Henri se gratter, et, quand les morpions ne le harcèlent pas, il souffre de la chaudepisse. Voilà le souverain huguenot, adepte d'une cause que l'on disait austère ! Mais lui culbute tous les jupons qui passent, viole celles qui résistent, marie les autres à ses compagnons pour qu'ils les lui gardent prêtes, qu'il puisse en disposer à sa guise, et l'âge ou la condition ne font nullement obstacle à ses désirs : fille de quatorze ans ou putain, châtelaine ou vilaine, la plupart sont bien heureuses de recevoir le roi entre leurs jambes. Ce Henri-là n'est pas entouré de mignons et ne sera pas en manque d'héritiers ! Cela aussi doit enrager notre Catherine et son fils, lui qui n'a jamais dû toucher une femme...

Nous avions fait quelques pas en silence, puis Vico Montanari m'avait à nouveau pris le bras et j'avais baissé la tête, l'écoutant me dire qu'Anne de Buisson s'était d'abord rendue au Castellaras de la Tour « où votre frère Guillaume avait rassemblé quelques centaines de gentilshommes qui s'étaient emparés de la Grande Forteresse de Mons, sur l'autre rive de la Siagne ». Enguerrand m'avait déjà fait part de cette attaque. Mais j'ignorais qu'Anne avait vécu plusieurs mois dans notre demeure en compagnie de Leonello Terraccini et de Guillaume.

Puis elle avait quitté le Castellaras de la Tour avec Guillaume et la plupart des gentilshommes, renonçant à se rendre à Venise comme elle l'avait d'abord promis à Terraccini.

Ils avaient chevauché à travers les provinces huguenotes du Midi, attaquant quelques châteaux et villages catholiques, pillant les biens, égorgeant ou pendant les prêtres, contraignant les croyants à l'abjuration, tuant ceux qui s'y refusaient, disant qu'ainsi les massacres de Paris, de Lyon, d'Orléans, les quelque trente mille fidèles de la cause étaient vengés, mais que ce n'était là qu'un commencement, qu'un jour il faudrait chasser du Louvre et de Paris les massacreurs, qu'avec l'aide de Dieu, d'Élisabeth d'Angleterre, de ceux de la religion venus d'Allemagne ou des Pays-Bas, et sous le commandement de Henri de Navarre, ce serait bientôt chose faite.

— Anne de Buisson, avait ajouté plus bas Vico

Montanari, était, si j'en crois Leonello Terraccini, l'une des plus belliqueuses, jurant qu'elle voulait, elle, venger son frère et ceux qu'elle avait vu tuer dans la galerie de la maison du 7 de la rue de l'Arbre-Sec. A-t-elle oubliée que vous, catholique, l'avez sauvée ?

J'aurais voulu que Montanari se taise.

Seigneur, Vous savez combien, depuis des mois, je Vous adjure de me donner la grâce d'oublier Anne de Buisson.

Mais une fois de plus, ce matin-là, j'ai su que Vous aviez refusé de m'entendre.

Je n'ai pu m'empêcher de demander à Montanari où elle se trouvait maintenant.

J'avais déjà imaginé sa réponse.

Avec Guillaume elle avait gagné Pau, puis Nérac, où séjournait le roi de Navarre.

Selon Terraccini, qui en avait été le témoin, il avait suffi d'un jour, peut-être même d'un regard pour qu'Anne de Buisson fasse oublier au roi toutes les autres femmes.

Montanari m'avait serré le bras.

— Mais Henri de Navarre, je vous l'ai dit, est un chien qui court après chaque femelle, l'une chassant l'autre.

Que ne m'aviez Vous fait, Seigneur, de cette espèce-là ?

20.

Je n'ai plus revu Vico Montanari durant des semaines mais ce sont les espions de Diego de Sarmiento, d'Enguerrand de Mons ou de Henri de Guise le Balafré qui m'ont parlé d'Anne de Buisson.

Ils n'avaient nul besoin de la nommer.

Je l'imaginais, lorsqu'ils racontaient que Henri de Navarre puait comme un porc et que les femmes qu'il prenait se plaignaient de cette senteur « de l'aile et du pied ». Elles se baignaient et se parfumaient durant plusieurs heures après qu'il les eut quittées.

Quant à la reine Margot que Henri III et Catherine de Médicis avaient autorisée à rejoindre son mari à Pau puis à Nérac, elle changeait toute sa literie lorsque le roi de Navarre s'y était vautré.

Sarmiento faisait une grimace de dégoût. Henri de Guise disait que ce Béarnais avait toujours eu le cul merdeux.

Je ne voulais pas entendre, mais m'approchais de ces hommes qui arrivaient des provinces huguenotes de Guyenne, de Gascogne ou du Béarn.

Ils avaient séjourné dans les villes fortifiées par les fidèles de la cause où Henri de Navarre se rendait souvent en compagnie de quelques gentilshommes.

Ils disaient qu'à Agen, à la fin d'un bal, le roi avait fait souffler toutes les chandelles afin de pouvoir forcer les femmes et leurs filles, honnêtes dames tant mariées qu'à marier, et que certaines en étaient mortes d'effroi, d'autres s'étaient précipitées par les fenêtres pour défendre leur honneur, et celles qui avaient subi sentaient si fort le porc et le bouc que l'on savait, à les humer, qu'elles avaient été chevauchées par ce satyre couronné qui se prétendait chrétien.

Il y avait aussi cette suivante de la reine Margot, Françoise de Montmorency-Fosseux, qu'on appelait la « Petite Fosseuse », qu'il avait prise et que la reine Margot avait enseignée pour qu'elle fût la bonne et experte amante que Henri souhaitait.

— Damné, murmurait le père Verdini, il faut qu'il le soit ! Brûlé comme hérétique et comme dépravé !

Je songeais à Dragut-le-Débauché, à Mathilde de Mons.

Je pensais à Anne de Buisson.

L'un de ces espions rapportait que Henri de Navarre s'était un jour écrié : « Si je n'étais huguenot, je me ferais turc ! » Le bel aveu !

On disait aussi que, dans le château de Nérac, la reine Margot recevait ses amants au vu et au su du roi.

— Une putain ! décréta Sarmiento.

Mais d'autres espions ajoutaient qu'elle avait créé une académie et qu'elle y recevait des lettrés venus de Bordeaux, tel ce Michel de Montaigne qui discourait avec elle de religion, de philosophie et, disait-on, de pensées athéistes.

— Sorcière, sacrilège et païenne ! renchérit le père Verdini.

Des gentilshommes gascons et des pasteurs de la religion partageaient ce sentiment. L'un d'eux s'était confié, disant que cette reine avait « amené les vices, comme la chaleur les serpents ». Elle voulait, prétendait-elle, dérouiller les esprits, mais elle avait fait rouiller les armes ! Elle avait semé le trouble parmi tous les gentilshommes huguenots qu'elle accrochait d'un regard, qui savaient qu'elle recherchait le plaisir et ne le cachait pas, ayant même convaincu Henri de Navarre que c'était vertu de ne rien faire en secret, que le vice était non dans la chose, mais dans sa dissimulation, que l'époux devait caresser les serviteurs de sa femme, et celle-ci caresser les maîtresses du roi, son mari.

— Et elle assiste à la messe chaque matin dans la chapelle située dans le jardin du château de Nérac.

Sarmiento s'esclaffa :

— Les putains souvent sont bonnes catholiques.

Il me lança un coup d'œil, puis interrogea l'espion :

— Et la huguenote, cette Anne de Buisson ?

— Comme les autres, répondit l'espion.

Mais, d'un geste, Sarmiento l'arrêta.

— Pour elle on ne veut pas savoir, dit-il, tourné vers moi.

Il n'est pire souffrance que d'imaginer.

Je voyais Henri de Navarre faire irruption dans la chambre d'Anne de Buisson. Il n'avait pas besoin d'en forcer la porte. Anne s'avançait vers lui, embrassait ce corps aux affreux relents de sueur, puant de l'aile et du pied. Et j'imaginais qu'elle ne se lavait pas après le départ de Henri de Navarre pour garder sur elle cette odeur de roi.

C'est Diego de Sarmiento qui m'a obligé à voir ce qu'il en était vraiment d'Anne de Buisson.

Un soir, à l'hôtel d'Espagne, j'ai vu entrer dans la grand-salle l'ambassadeur Rodrigo de Cabezón, accompagné d'un Maure portant turban. Il se tenait quelques pas en retrait, comme un serviteur.

Aussitôt, Sarmiento avait, d'un signe, invité tous les gentilshommes présents à quitter la pièce.

J'avais voulu sortir moi aussi, mais il me retint, me demandant de fermer les portes, et quand je l'eus fait, que je me retournai, je le vis qui s'inclinait devant le serviteur maure.

Celui-ci venait d'ôter son turban, et, peu à peu, malgré la teinture noire de son visage, je reconnus don Juan d'Autriche qui me souriait, nous expliquant comment il avait traversé toute la France sous ce déguisement, en route pour les Pays-Bas, où, sur ordre de Philippe II, il devait prendre la tête des troupes espagnoles.

— J'ai vu les provinces huguenotes, les villes fortifiées. J'ai côtoyé l'armée de Henri de Navarre.

Il s'est assis et nous l'avons entouré.

Il repartait le lendemain matin sous ce déguisement mais avait reçu mission de transmettre à Diego de Sarmiento les volontés de Philippe II.

Il a posé les mains sur ses genoux, s'est penché vers nous :

— Ce roi de Navarre, cet hérétique, il nous le faut comme allié ! a-t-il commencé.

21.

J'ai écouté don Juan d'Autriche le front baissé. Je craignais qu'il ne lût sur mon visage mon désespoir, mon mépris, ma honte.

Mais il ne me prêtait pas attention.

Il déclara que Philippe II était prêt à verser trois cent mille écus, puis cent mille autres chaque mois, si Henri de Navarre entrait en guerre avec ses troupes huguenotes contre Henri III, le Très Chrétien roi de France. L'infanterie espagnole, franchissant les Pyrénées, viendrait appuyer les gentilshommes de la cause et leurs mercenaires allemands ou anglais lorsqu'ils affronteraient les soldats du roi.

Don Juan s'interrompit, frappant du talon le parquet avant de reprendre :

— Nous mettrons ainsi notre pied sur la gorge du mignon Henri III qui apporte contre nous son aide aux protestants des Pays-Bas. Et Catherine de Médicis, qui envoie une flotte contre nos possessions d'Amérique, se souviendra de l'engagement qu'elle avait pris d'être toujours à nos côtés.

J'entendais les approbations de Diego de Sarmiento.

Lui qui, il y avait seulement quelques heures, souhaitait que le pape excommuniât le roi de Navarre, ce renégat qui changeait de religion plus souvent que de chausses, se félicitait maintenant que Philippe II se déclarât prêt à offrir sa fille, infante d'Espagne, à ce satrape, s'il abjurait une nouvelle fois sa cause.

— Donc, ajouta don Juan, proposons-lui les écus,

et, s'il les refuse, nous les verserons à Henri de Guise et à la Ligue catholique pour qu'ils fassent plier les genoux à Henri III et à Catherine.

Dieu, où étiez-Vous dans toutes ces manigances ?

J'avais le sentiment d'avoir été berné et bafoué, comme Vous !

Lorsque j'avais combattu en Andalousie aux côtés de don Juan d'Autriche, j'avais cru que nous tuions pour Votre plus grande gloire, parce que ces Maures menaçaient notre foi et que leur conversion n'était qu'un masque cachant leur haine de Votre Église.

Je me souvenais de Lela Marien dont le nom était Aïcha et qui avait brandi contre nous un sabre courbe.

Puis notre sainte guerre s'était poursuivie à Lépante. Don Juan commandait alors la flotte de la Sainte Ligue.

Vico Montanari m'avait dit qu'une immense statue de don Juan avait été dressée sur une place de Messine pour honorer le vainqueur des infidèles. Et, maintenant, c'était lui qui voulait conclure, au nom de son roi, une alliance avec les huguenots, ceux-là mêmes dont Diego de Sarmiento avait voulu, ordonné, organisé le massacre !

Je gardais souvenir que j'avais, au début de ma vie, condamné mon père, qui, au nom de son roi, François Iᵉʳ, avait recherché l'alliance avec les infidèles.

J'eus envie de crier quand, redressant la tête, je découvris de nouveau le déguisement de don Juan d'Autriche. La couleur noire de sa peau n'était pas teinture, mais vérité de son âme.

Il était devenu infidèle au Christ.

J'ai pensé à cet instant que tous ceux – Sarmiento ou don Juan, et, dans l'autre camp, mon père autrefois, à présent mon propre frère Guillaume ou Séguret, et sans doute aussi ce Henri de Navarre – qui invoquaient le Christ tout en s'en prétendant les hérauts, en fait, le trahissaient.

C'était ce que m'avait dit, sur le quai de Messine, Michele Spriano. Les religions, celles des infidèles, des hérétiques, comme notre sainte foi catholique, étaient tombées entre les mains des habiles, masques derrière lesquels se cachaient les rictus de leurs bouches avides.

Plus près de Dieu m'avaient paru ceux qui ne Le nommaient que dans la prière et non en politique.

Dieu Lui-même le savait.

J'ai revu cette tête de christ aux yeux clos que j'avais enfouie au pied d'un chêne, dans la forêt qui entoure le Castellaras de la Tour.

Ce christ pleurait.

Il connaissait les mensonges des hommes et c'est pour ne pas se détourner d'eux à jamais qu'il préférait fermer les yeux.

J'ai ainsi maudit et méprisé ceux qui se servaient de Dieu pour cacher leurs parjures, leurs sordides besognes, même s'il me fut échu d'être leur compagnon d'armes et leur messager.

Je reconnais, Seigneur, ma faiblesse. Je ne suis pas meilleur qu'eux.

Mais peut-être ai-je, avec le temps, tenté de le devenir.

Lorsque Diego de Sarmiento et don Juan d'Autriche m'ont proposé de partir pour Nérac afin d'y rencontrer

Henri de Navarre et de lui faire connaître les propositions du roi d'Espagne, j'ai eu l'impression qu'un souffle d'air emplissait ma poitrine et que je me redressais comme une voile enfin tendue.

Sarmiento s'est approché de moi et a posé les mains sur mes épaules, la tête tournée vers don Juan.

— Vous le connaissez, dit-il. Bernard de Thorenc a été de toutes les batailles, de toutes les saintes causes.

Don Juan hocha la tête. Il parla de Grenade, de Lépante. Il se souvenait de l'assaut que j'avais conduit contre la galère la *Sultane*, au cours duquel Ali Pacha avait péri.

— Il a été l'esclave des Barbaresques, ajouta Sarmiento. Lui et moi avons été enchaînés au même banc dans les chiourmes musulmanes.

Don Juan écarta les bras, souligna en riant qu'il n'avait d'un Maure que l'apparence.

J'ai marmonné que l'imitation était si parfaite qu'on aurait pu s'y laisser prendre.

Diego de Sarmiento et don Juan ont échangé un regard. Le premier a semblé hésiter à me répondre, puis il a ri à son tour, imitant le second.

J'étais, a-t-il repris en pesant sur mes épaules, le gentilhomme catholique que les huguenots pouvaient écouter. Mon frère était l'un de leurs chefs. Et n'avais-je pas sauvé la vie de cette huguenote dont on disait qu'elle était l'une des préférées du roi de Navarre ?

— Tu la verras, a murmuré Sarmiento.

C'était bien ce qui m'incitait à partir.

22.

J'ai vu Anne de Buisson dès le jour de mon arrivée à Nérac.

J'étais fourbu, la peau tannée par le vent de la course, par la pluie qui m'avait accompagné jusqu'au-delà de Tours, puis par le soleil qui m'avait brûlé.

J'avais le pourpoint déchiré, car j'avais dû à plusieurs reprises gagner les futaies, me jeter dans les fossés pour éviter les bandes de pillards, ces soldats en maraude qui mettaient le feu aux récoltes, rançonnaient les villages, violaient les femmes, coupaient les oreilles et le nez, et parfois – je l'ai vu – empalaient les hommes qui tentaient de leur résister.

Ces « picoreux » volaient les chevaux, détroussaient les cavaliers, et certains m'avaient poursuivi jusqu'à la nuit, au cœur des forêts où j'étais parvenu à leur échapper.

J'avais traversé des villages incendiés, écouté les paysans qui se lamentaient et maudissaient ces brigands qui prétendaient agir au nom de leur religion, dévalisant ici les églises, saccageant là les temples, catholiques s'il fallait voler des huguenots, huguenots s'il fallait dépouiller des catholiques.

Cependant, au fur et à mesure que je m'étais enfoncé dans les provinces huguenotes, j'avais senti que l'ordre était ici comme un printemps dont on voit pointer les premières pousses.

Je pouvais m'asseoir dans une auberge, à Agen, et entendre un marchand me dire que le roi Henri voulait que « l'on vive et se comporte aimablement les uns avec les autres, sans quereller, injurier, provoquer, troubler ni empêcher respectivement en leur religion, jouissance de leurs biens, sans rien entreprendre les uns contre les autres ».

Et ce marchand, en me versant à boire, avait ajouté : « Nous sommes tous du royaume de France, concitoyens d'une même patrie. »

Sur la route menant à Nérac, j'avais vu sécher, pendus à quelques arbres, des soldats aux uniformes lacérés, aux yeux picorés par les corbeaux, eux qui avaient tant « picoré » les biens des paysans !

À l'entrée de Nérac, j'ai même vu deux hommes dont on venait de trancher le poing parce qu'ils avaient pris les armes dans une ville de la province.

Peut-être ce roi de Navarre était-il homme d'ordre et de paix ?

Je l'ai espéré.

J'ai donc marché dans les rues de Nérac en tenant mon cheval par la bride.

On me regardait avec une curiosité bienveillante, comme si la douceur du temps, la tiédeur des pierres rose et ocre rendaient les gens aimables. Je me souvenais de la haine que l'on ressentait à chaque pas, quai de l'École ou rue de l'Arbre-Sec. Paris était un volcan qui ne cessait de gronder. Ici semblait régner une nonchalante gaieté.

On m'a accueilli au château qui dominait le méandre d'une rivière.

J'ai découvert les grandes salles auxquelles des tentures et des tapisseries brodées de velours, de satin et d'or, conféraient une allure opulente. Je me suis avancé jusqu'à l'une des portes ouvrant sur le jardin. Des allées bordées de lauriers et de cyprès descendaient jusqu'à la berge.

Tout à coup, auprès d'une fontaine, j'ai découvert Anne de Buisson, plus blonde qu'elle n'était dans mon souvenir. Elle portait une robe bleue à larges plis, boutonnée jusqu'au cou. Mais la couleur en était si vive, la taille si serrée, la dentelle blanche autour du cou et des poignets était si abondante qu'on eût dit une robe de bal, non l'austère tenue d'une huguenote.

Anne de Buisson marchait aux côtés d'une femme dont le rouge de la robe, brodée de velours noir, attirait le regard. Je reconnus Marguerite de Valois. La maîtresse et l'épouse du roi de Navarre se tenaient par le bras et riaient.

Elles me remarquèrent et l'une et l'autre détournèrent la tête comme si ma présence les importunait.

Elles m'ignorèrent et s'éloignèrent dans une allée bordée d'orangers qui me rappelaient les jardins d'Alger ou ceux d'Andalousie et d'Italie.

On vint me chercher pour me conduire auprès du roi.

Il était seul, allant et venant dans une petite pièce plus sombre que toutes celles que j'avais traversées. Des livres étaient posés sur une écritoire.

Il s'approcha de moi.

Il sentait vraiment de l'aile et du pied !

Je découvris qu'il était d'une taille bien inférieure à celle de Henri III et, me souvenant du roi de France, j'eus l'impression de voir s'avancer un nobliau de campagne habitué aux chevauchées, aux batailles, au vin rugueux, aux viandes faisandées, aux femmes qu'on renverse sur une botte de paille, qu'on prend contre un rebord de table comme on avale une rasade quand on a soif, sans s'arrêter à la qualité du vin ni à la propreté du verre.

Il m'interrogea :

— Thorenc, comme Guillaume ?

Il se mit à rire.

Il avait le front dégagé, un menton avancé qu'il commençait de cacher sous une barbe taillée en pointe. Ses lèvres étaient soulignées par une moustache effilée. L'œil était vif et rieur.

— Et tu n'es pas de notre cause ? Tu es papiste ? Tu pries tous ces saints, si nombreux que personne, même les docteurs de la Sorbonne, n'est capable de les nommer ?

Il haussa les épaules.

— Mais nous croyons au Christ, toi et moi, et nous sommes du royaume de France. Ton frère est avec moi ; toi, tu es avec Henri ; faut-il pour autant se trancher la gorge ?

Il s'écarta, mais l'odeur affreuse persistait comme si toute la pièce en était imprégnée.

— Que veux-tu me raconter ? Tu ne viens pas te perdre ici seulement pour rencontrer ton frère ?

Il rit à nouveau.

— L'as-tu vu ?

Il s'assit derrière l'écritoire.

— Tu découvriras le présent que je lui ai fait... Et ce têtu qui le refusait ! Il a fallu que je lui demande par

537

trois fois de l'accepter... Mais il te racontera. Dis-moi ce que tu veux.

J'ai craint que les propositions de Philippe II ne le mettent en rage et qu'il ne m'empêche même de les lui exposer, s'indignant dès mes premiers mots.

J'étais bien naïf.

Henri de Navarre m'a écouté en se lissant la barbe et les moustaches, le regard amusé, puis se frottant les mains comme s'il avait été heureux qu'on songeât à le payer, comme on fait d'un mercenaire, sans se soucier de la foi qui était la sienne ni des liens qui l'unissaient depuis l'enfance au roi Très Chrétien, Henri III, et à ce royaume de France dont les Bourbons étaient l'une des familles régnantes.

Benêt que j'étais !

Henri a répété lentement :

— Trois cent mille écus, et cent mille chaque mois ? Le Balafré, si je refuse, acceptera, il n'aura de cesse que de mettre une laisse à Henri III et de nous faire la guerre. Auprès de qui se rangera alors François d'Alençon ? Rejoindra-t-il le roi, son frère, ou bien les Guises, et pourquoi pas moi ? Si j'ai l'argent et les troupes du roi d'Espagne, je serai bien plus que le roi de Navarre. Or François d'Alençon va là où est la force...

Il a tout à coup ri aux éclats.

— Mais me convertir une nouvelle fois pour épouser l'infante d'Espagne ? Là-bas, elles sont laides, sèches, les cuisses serrées comme les deux moitiés d'une coque de noix ! Et nous avons ici ce qu'il nous faut en femmes. En veux-tu une pour cette nuit, Bernard de Thorenc ?

Seigneur, cette cour non plus n'appartient pas à Votre royaume !

J'en suis venu à penser qu'ici comme au Louvre, comme à l'Escurial, à Alger ou à Constantinople, les hommes étaient exclusivement guidés par leurs désirs et leur volonté de gouverner.

Aurais-je dû me retirer du monde dans quelque lieu de prière ?

Ce soir-là, quittant Henri de Navarre, je me suis bien tardivement incliné devant la décision de l'empereur Charles Quint fermant derrière lui toutes les portes afin que, d'une abdication à l'autre, il se retrouve seul à seul avec Vous, Seigneur !

J'ai quitté le château de Nérac à la nuit tombée, sûr que Henri de Navarre refuserait les propositions de Philippe II, non par fidélité à sa foi ou sens de l'honneur, mais par calcul.

Cet homme-là était un habile qui ne voulait pas compromettre son avenir en devenant le mercenaire d'un prince étranger. Et peut-être sa prudence serait-elle moins préjudiciable aux sujets du royaume de France que la témérité d'un Henri de Guise qui, j'en étais convaincu, accepterait pour sa part l'alliance espagnole en prétendant vouloir ainsi défendre les catholiques contre les huguenots.

Un prince cynique valait peut-être mieux qu'un prince hypocrite, même si aucun des deux n'était vertueux.

Mais la vertu, Seigneur, était-elle encore de ce monde ?

J'étais ainsi dans mes pensées, cherchant l'auberge où je devais passer la nuit, quand des hommes m'ont entouré, l'épée à la main.

J'ai reconnu Séguret, Jean-Baptiste Colliard, d'autres spadassins huguenots que j'avais vus à Paris devant la maison du n° 7 de la rue de l'Arbre-Sec ou devant l'hôtel de Ponthieu.

Il ne me servait à rien de tirer mon épée hors du fourreau.

— Tu vas rendre gorge pour notre amiral et nos compagnons que vous avez massacrés, a rugi Séguret.

Il a levé son arme, en appuyant la pointe contre ma poitrine.

J'ai pensé à Anne de Buisson.

Et tout à coup elle a été là avec des serviteurs qui portaient des torches.

Elle s'est avancée, se plaçant devant moi, disant qu'elle me devait la vie et qu'il faudrait la lui prendre avant que de me tuer. Les spadassins ont rengainé leurs armes et je me suis retrouvé en face d'elle, dans la lueur mouvante des torches. Anne me fixait, le visage altier, la bouche boudeuse, avec un air d'arrogant défi.

— Partez ! a-t-elle dit. Sinon, ils vous tueront, quoi qu'en pensent Henri de Navarre et mon époux.

Elle a haussé la voix en sorte que je ne perde aucun des mots qu'elle prononçait.

— Ils veulent venger le sang des nôtres avec le vôtre.

Peut-être allais-je arguer que je n'avais pas participé au massacre ? Elle m'a devancé.

— Vous m'avez sauvée plusieurs fois, en Espagne,

rue de l'Arbre-Sec, je ne l'ai pas oublié. Mais tant d'autres ont été tués par les gens de votre camp !

— Je ne veux être que du camp de Dieu.

— Sur terre, il n'y a que des hommes, a-t-elle répondu. Ce ne sont pas les hommes qui choisissent Dieu, mais Dieu qui les choisit.

La pluie s'est mise à tomber, dru et froide. Les flammes des torches ont vacillé.

— Votre époux ? ai-je murmuré.

Ses tresses, sous l'averse, s'étaient dénouées et ses longues mèches couvraient ses épaules. Sa robe collait à son corps, en dessinant les formes, et je fus saisi par le désir de la serrer contre moi, comme autrefois, sous cet escalier du palais du Louvre, le jour du mariage entre ce Henri de Navarre, le Puant, et Marguerite de Valois dont elle, Anne, paraissait l'amie.

Elle a ri.

— C'est un présent du roi de Navarre, a-t-elle dit.

Le porc l'avait mariée à un gentilhomme complaisant, ai-je d'abord pensé. Puis, tout à coup, j'ai porté la main à mon épée en me souvenant de ce que Henri de Navarre avait dit du présent qu'il avait offert à mon frère Guillaume.

Il avait donc fait cela, et Guillaume avait accepté de prendre Anne de Buisson pour épouse afin de complaire à son souverain !

Tuer, tuer !

Oui, Seigneur, j'ai été emporté par la rage.

J'ai saisi Anne par les épaules et l'ai secouée en hurlant.

Les serviteurs se sont précipités, me repoussant avec les flammes de leurs torches.

541

— Je suis maintenant de votre famille, a-t-elle lancé en s'éloignant.

Tuer, tuer !

Ce prince et ce frère cyniques qui pouvaient enfermer dans leurs bras le corps d'Anne de Buisson, que je voyais disparaître dans cette nuit rayée par la pluie.

23.

— Qu'ils crèvent tous !

J'ai crié ces mots en quittant Nérac sous un déluge qui me glaçait les os.

Mort-Dieu !

J'ai blasphémé en éperonnant mon cheval jusqu'à ce qu'il tombe, jambes brisées, après avoir heurté un arbre que le vent avait déraciné et qui barrait le chemin.

Il a tenté de se redresser, sa croupe agitée de soubresauts.

Je me souviens que j'ai caressé son encolure, ému aux larmes, prêt à m'agenouiller, à Vous implorer, Seigneur, pour lui et pour moi.

Et puis j'ai reculé d'un pas.

Mort-Dieu !

Vous m'aviez infligé la plus humiliante, la plus inattendue des souffrances ! Que pouvais-je craindre de l'enfer ? J'étais déjà au fond de l'abîme, le corps broyé, écorché vif.

Celle que j'aimais, celle que Vous aviez mise sur ma route, à qui j'avais sauvé la vie – ce que Vous aviez permis, Seigneur –, respirait à présent la puanteur de l'hérétique, qu'il fût roi de Navarre ou mon propre frère !

Qu'avais-je à attendre de Vous, mort-Dieu ?

Elle l'avait dit, cette putain blonde, cette huguenote : Dieu choisit les hommes qu'Il veut sauver.

Mort-Dieu, Vous ne m'aviez pas élu ! Vous me replongiez le visage dans la fange !

J'ai cherché mon cornet à poudre. J'ai armé mon pistolet. Mais l'amorce était trempée par cette pluie qui n'avait pas cessé.

Vous vouliez donc que ce cheval agonise, qu'il soit la proie des loups qui viendraient le flairer, le déchiqueter encore vivant !

C'était cela, le monde, mort-Dieu !

J'ai tué mon cheval en lui tranchant la gorge et le sang a jailli, me couvrant les mains, chaud, brûlant même.

Mort-Dieu, c'était cela, la vie !

Point de paix ! Point de pitié ! Point d'entente entre sujets du même royaume ! Mais la guerre !

Qu'ils crèvent tous, mort-Dieu !

J'ai vécu la tête pleine de ces pensées durant des mois et même des années.

Vico Montanari s'étonnait. Je refusais de rencontrer Michel de Polin, qui continuait d'espérer que Henri de Navarre et Henri III feraient alliance pour établir la paix dans le respect des religions de l'un et de l'autre. N'étaient-elles pas toutes deux issues de l'enseignement du Christ ?

« Ne vaudrait-il pas mieux ouïr cinq cents messes

tous les jours ou cinq cents lectures de la Bible, que d'allumer une guerre civile ? » disait Michel de Polin.

Je ricanais lorsque Montanari me rapportait ces propos.

J'avais vu le porc de Navarre entouré de ses truies, qu'elles eussent pour noms Anne de Buisson, la Petite Fosseuse, la comtesse de Guiche ou la reine Margot, sans oublier toutes ces autres, servantes et paysannes, châtelaines et suivantes, filles vierges ou épouses rouées.

J'étais son ennemi.

Qu'on le tue ! Qu'ils crèvent tous !

Le père Veron ne prêchait-il pas que le devoir de tout catholique était de livrer à Dieu le corps mort de l'hérétique ?

J'étais de cet avis.

Diego de Sarmiento me serrait contre lui.

— Tu es de Castille ! se rengorgeait-il.

Il m'envoya auprès de Henri le Balafré, duc de Guise, lui remettre les milliers de doublons que lui offrait Philippe II pour lever des troupes qui, le jour venu, pourraient servir les desseins de l'Espagne, vaincre l'armée huguenote et porter sur le trône de France un roi décidé à soutenir la politique espagnole, en lieu et place de ce Henri III qui balançait comme une femme.

Je déposai devant Henri de Guise les sacs remplis de pièces d'or.

J'approuvais Diego de Sarmiento, Enguerrand de Mons, les pères Verdini et Veron quand ils s'indignaient des propos tenus par Henri III à ses mignons.

Le frère de Henri III étant mort, c'était désormais Henri de Navarre qui se trouvait être l'héritier du trône.

J'imaginais déjà les bals et les banquets donnés au Louvre, mon frère Guillaume s'avançant vers le nouveau souverain, accompagné de son épouse, Anne de Buisson.

Mort-Dieu, n'avais-je donc vécu que pour assister à cela ? Que pour entendre Henri III dire, en tendant ses mains baguées vers le feu de la cheminée :

— Je reconnais le roi de Navarre pour mon seul et unique héritier. C'est un prince bien né et de bon naturel. Mon naturel a toujours été de l'aimer et je sais qu'il m'aime. Il est un peu colère et piquant, mais le fond en est bon. Je m'assure que mes humeurs lui plairont et que nous nous accommoderons bien ensemble...

Il fallait à tout prix empêcher cela !

J'assistais à des conciliabules secrets entre le duc de Guise, Diego de Sarmiento, Enguerrand de Mons, les pères Veron et Verdini, et quelques autres gentilshommes. On y parlait à voix basse, mais parfois quelqu'un s'écriait : « Ils nous égorgeront ! Ils se vengeront. Ce sera une Sainte-Barthélemy des catholiques, le peuple le sait. Il ne veut pas de ce roi huguenot ! »

On décida de distribuer des armes aux bourgeois de Paris.

Le père Veron prêchait que « les sujets ne sont pas tenus de reconnaître ni de soutenir la domination d'un prince dévoyé de la foi catholique et relaps ».

On se réunissait au château de Joinville. Sarmiento ou Rodrigo de Cabezón y parlaient en maîtres. Il fallait créer une Sainte Ligue perpétuelle qui choisirait un autre héritier à Henri III et n'accepterait jamais qu'un hérétique accédât au trône de France, celui du roi Très Chrétien.

Et Diego de Sarmiento ajoutait que si, pour l'empêcher, il fallait d'abord chasser Henri III, eh bien, on l'en chasserait !

Car ce roi à mignons, ce pratiquant de l'amour inverse avait beau s'agenouiller dans toutes les églises de Paris et conduire les processions, il n'en était pas moins l'allié des hérétiques, écrivant par exemple à Henri de Navarre :

« Je vous avise, mon frère, que je n'ai pu empêcher, quelque résistance que j'aie faite, les mauvais desseins du duc de Guise. Il est armé. Tenez-vous sur vos gardes et n'attendez rien. Je vous enverrai un gentilhomme à Montauban qui vous avertira de ma volonté. »

Et c'était l'un de ses mignons, le duc d'Épernon, qui était parti pour les provinces huguenotes.

— Celui-là, disait Sarmiento, on l'empalera !

Il se tournait vers moi. La peau de son visage s'était fripée, la barbe était devenue grise, mais le temps n'avait pas terni son regard.

Penché vers moi, il m'interrogeait : est-ce que je me souvenais des bourreaux de Dragut-le-Cruel qui plongeaient dans les entrailles des chrétiens un épieu rougi au feu ?

— Ce qu'ils ont fait, nous le ferons à Navarre et à quelques autres, concluait-il.

Je ne baissais pas les yeux.

Mort-Dieu, je voulais qu'ils souffrent, ceux qui m'avaient écorché vif !

Telle fut ma vie de haine et de blasphème, pleine de désir de vengeance.

J'ai honte aujourd'hui de l'écrire, mais j'ai vécu ainsi.

Je ne priais plus, Seigneur, Vous le savez.

Je me réjouissais que le père Verdini nous lise la bulle d'excommunication que le pape Sixte Quint avait publiée contre Henri de Navarre et son cousin Henri de Condé, « génération bâtarde de l'illustre et si signalée famille des Bourbons ».

Mais ce n'était plus, pour moi, en ce temps-là, le jugement du descendant de l'apôtre Pierre, et donc une parole sacrée, mais une arme de plus dans cette guerre qui m'opposait à ceux qui m'avaient blessé.

Finie, la compassion !

Oubliées, l'espérance de paix, et mes indignations de chrétien face à ces rois, ces princes, ces gentilshommes qui se servaient de la religion pour satisfaire leurs démons !

J'étais devenu l'un d'eux.

J'assistais aux messes. Je communiais. Je vouais les hérétiques à la damnation. Je portais la bannière d'un bon catholique. Je respectais le rituel. J'accomplissais les gestes du croyant. Je remuais les lèvres pour faire croire que je priais.

Mais je Vous avais chassé de mon cœur, Seigneur !

J'étais devenu un homme de guerre.

24.

La guerre, c'est la mort.

Je voulais l'infliger à mes ennemis et je sais aujourd'hui que je souhaitais aussi la recevoir.

Je la conviais chaque jour à ma table.

Je proposais à Diego de Sarmiento de partir pour l'une de ces villes huguenotes – Agen, Mont-de-Marsan, Montauban, Cahors ou La Rochelle – où nos espions signalaient la présence du roi de Navarre.

Je saurais m'approcher de lui, le flatter, lui parler de femmes, rire avec lui, peut-être partager l'une de ses nuits de débauche, et l'égorger, le matin venu, comme le porc puant qu'il était.

Diego de Sarmiento me regardait et m'écoutait avec étonnement.

Je sentais qu'il se défiait de moi.

— Cette affaire-là n'est pas besogne de gentilhomme, mais d'assassin gagé ou de moine inspiré. Tu n'es pas Maurevert. On ne te paie pas pour tuer, et la guerre n'est pas un duel privé.

Au demeurant, on apprenait que Henri de Navarre se tenait sur ses gardes, entouré de gentilshommes sûrs comme Séguret, Jean-Baspiste Colliard et mon frère, qui les commandait.

Guillaume ne me laisserait pas approcher de Henri. Lui-même lui conseillait la vertu, lui demandant de renoncer « aux amours si découvertes, auxquels vous donnez tant de temps et qui ne semblent plus de saison.

Il faut, Sire, que vous fassiez l'amour à toute la chrétienté, et particulièrement à la France... ».

Sarmiento se tournait vers moi, paumes ouvertes, et me remontrait qu'on ne tuerait point Henri de Navarre dans une alcôve, ou déculotté dans une grange ! Ni dans un tournoi comme le Béarnais l'avait lui-même proposé à Henri de Guise, le défiant de l'affronter en duel singulier ou bien avec une troupe choisie de quelques gentilshommes. (Je m'étais aussitôt proposé pour être l'un de ceux qui porteraient les couleurs du Balafré, des catholiques contre le roi huguenot, mais Guise avait décliné cette offre.)

Et la mort ne venait pas, même si la guerre se préparait.

Je l'attendais avec des ribaudes que Diego de Sarmiento et moi troussions à l'hôtel d'Espagne pour quelques écus.

Je buvais, forniquais jusqu'à ce que la petite mort du plaisir et l'ivresse m'ensevelissent sous le voile noir du sommeil.

Je ne laissais ainsi, Seigneur, aucun doute m'envahir.

Le matin venu, je pouvais, encore titubant, m'assurer que les bourgeois de la Sainte Ligue et les prêtres qui les commandaient avaient appris le maniement des arquebuses, se tenaient prêts, s'il le fallait, à défendre chaque rue de Paris.

Ils avaient déjà accumulé des barriques et les avaient remplies de sable afin de les rouler au milieu de la chaussée, le moment venu, et de les y amonceler pour rendre impossible le passage des troupes, celles de

Henri III et de Henri de Navarre, qu'ils harcèleraient depuis leurs fenêtres.

Je rentrais à l'hôtel d'Espagne.

Parfois, je m'arrêtais à celui de Venise, et, cependant que Vico Montanari ou Michel de Polin m'entretenaient, je regardais cette porte derrière laquelle avait vécu Anne de Buisson, et me reprochais de n'être pas venu la forcer.

Je valais bien un prince aux affreuses odeurs de l'aile et du pied, et aussi bien mon frère !

Je me tournais vers Montanari et Michel de Polin, les interrompais, les informais que nous avions appris que la reine Margot, qui risquait d'être un jour reine de France si Henri de Navarre venait à succéder à Henri III, s'était enfuie, enlevée en croupe par un petit gentilhomme qu'elle avait séduit, et lorsque son mari l'avait reprise et enfermée elle s'était offerte au geôlier pour s'échapper à nouveau.

— La reine Margot ?

Je ricanais.

— Margot la Ribaude, Margot la Débauchée, Margot la Putain, comme toutes celles qui respirent le fumet de Henri de Navarre !

Michel de Polin s'emportait : il se moquait de savoir combien de jupons avait troussés Henri de Navarre et combien de gentilshommes la reine Margot avait vus se déchausser.

Que le Béarnais puât de l'aile et du pied, c'était affaire de nez, et non de politique.

Henri de Navarre n'en était pas moins l'héritier

légitime de la couronne et tous ceux qui s'opposaient à cette perspective – il tendait le bras vers moi pour les énumérer : les Guises, les Espagnols, les bourgeois de cette Sainte Ligue... – écartelaient le royaume, ruinaient la France et favorisaient l'Espagne.

Il arrivait de Lyon, avait parcouru les provinces. Il avait vu les bandes de paysans affamés couper, sur les terres, les épis de blé à demi mûrs et les manger à l'instant pour assouvir une faim effrénée.

— Le peuple meurt d'avoir le ventre vide, disait-il. Il veut continuer de prier dans ses églises, devant ses saints, mais il veut d'abord qu'on lui remplisse la panse, qu'on lui donne du grain à semer pour qu'il puisse récolter du blé à la prochaine saison. Car il a mangé ses semences !

Il se levait, allait jusqu'à la fenêtre, montrait la rue des Fossés-Saint-Germain, m'invitait à le rejoindre, à voir ces mendiants, ces misérables, ces gens du néant qui avaient quitté leurs campagnes parce qu'ils y crevaient de faim.

— Le royaume a besoin de paix et d'ordre, donc d'un souverain légitime, et non de princes qui se sont vendus à l'Espagne, qui s'enrichissent des doublons que leur verse Philippe II et qui ont forcé le roi Henri à mettre en vente à leur profit les biens des hérétiques.

Il était revenu s'asseoir en face de moi.

— Vous le savez, Thorenc, pour eux la religion n'est qu'un moyen de plus d'arrondir leurs possessions, leur fortune, et demain s'emparer du trône. Peu leur importe de servir ainsi l'Espagne plutôt que la France.

Je ricanais. Il avait sans doute raison. Mais son Henri de Navarre était de la même couvée !

Légitime ? Il avait demandé à la reine Élisabeth d'Angleterre deux cent mille écus, des navires et des soldats pour mener la guerre contre les catholiques. L'un de ses envoyés – Séguret – avait gagné l'Allemagne et le Danemark, promettant à leurs princes de bonnes terres du royaume pour y créer des colonies.

« Faites la plus grande levée que vous pourrez de reîtres, de Suisses, un peu de lansquenets, leur avait écrit Séguret. Prenez les meilleurs et les plus expérimentés colonels et capitaines. Venez combattre les catholiques, il y va de notre religion partout dans nos contrées ! »

Voilà ce qu'il en était des huguenots ! Ne valaient pas mieux qu'eux, j'en convenais, les Guises et les ligueurs qui avaient rassemblé une armée de Suisses, d'Albanais, d'Allemands afin de renforcer les troupes royales. Mais à chacun son camp, son choix.

Le mien était fait.

Michel de Polin avait répété qu'il était du côté de la maison de France dont Henri de Navarre était l'héritier légitime. Il voulait à tout prix éviter la guerre qui, pour les sujets du royaume, était la plus cruelle des destinées.

C'était vrai. Les paysans souffraient. La faim les tenaillait. Les soldats, reîtres ou Suisses au service des huguenots, ou Albanais enrôlés par les Guises, les traitaient moins bien que le bétail.

Mais c'était là la loi du monde.

— Dieu ne le veut pas ainsi, avait murmuré Michel de Polin.

Quand on me parlait de Vous, en ces années-là, Seigneur, je ne savais plus que blasphémer.

— Mort-Dieu ! ai-je crié.

Polin ignorait-il que la cruauté régnait sur cette terre, qui était le véritable enfer des hommes ?

D'autant qu'à la barbarie s'ajoutaient la trahison et le mensonge.

Michel de Polin savait-il que, pendant que l'on se préparait à la guerre, que les armées se rangeaient en ordre de bataille et que leurs soldats maltraitaient déjà les paysans pour un sac de grain ou une poule, Catherine de Médicis embrassait avec une feinte affection Henri de Navarre tout en lui palpant la poitrine de ses doigts gras pour s'assurer qu'il ne portait pas sur lui une dague ou bien une cuirasse ?

— Il faut que vous me disiez ce que vous désirez, interrogeait-elle.

— Mes désirs, madame, ne sont que ceux de Vos Majestés, répondait benoîtement Henri.

— Laissons ces cérémonies et me dites ce que vous demandez.

— Madame, je ne demande rien et ne suis venu que pour recevoir vos commandements.

— Là, là, faites quelque ouverture !

— Madame, il n'y a point ici d'ouverture pour moi.

Et les espions avaient rapporté à Sarmiento que les dames qui assistaient à l'entrevue s'étaient esbaudies devant la vivacité des reparties du roi de Navarre et ses marques de galanterie.

Je savais par ailleurs que Guillaume de Thorenc, mon frère, avait envoyé – trahison dans la trahison – Jean-Baptiste Colliard auprès du duc de Guise pour lui proposer une alliance entre les troupes huguenotes et celles de la Sainte Ligue perpétuelle afin de chasser de son trône Henri III et ses mignons.

Si le duc de Guise avait refusé, ce n'était pas pour raison de religion, mais parce qu'il disposait à Paris d'au moins quatre mille arquebusiers prêts à envahir le Louvre, à s'emparer de la personne du roi et à le contraindre soit à s'allier à lui, soit à abdiquer ou à fuir.

Pourquoi dès lors partager avec les huguenots ce dont on pouvait s'emparer seul ?

Et si Henri III refusait de céder la place, eh bien, on ferait comme la reine Élisabeth d'Angleterre qui venait de faire trancher à la hache la tête de la reine d'Écosse, Marie Stuart, la catholique, fille de Marie de Guise et qui avait été reine de France en tant qu'épouse de François II, l'un des fils de Catherine de Médicis, lequel n'avait jamais régné qu'une année !

Le sang avait commencé de couler.

Telle était la loi des hommes.

N'avaient-ils pas répandu celui du Christ ?

25.

J'ai oublié que le sang des hommes est de même couleur que celui du Christ. J'ai voulu qu'il jaillisse du corps de mes ennemis.

Je les devinais cachés dans ce chemin creux, entre la rivière de l'Isle et celle de la Drôme, non loin du village qui a pour nom Coutras.

Nous étions en Charente et nous suivions les huguenots depuis plusieurs jours déjà. Ils s'enfuyaient, marchant vers le sud, après avoir traversé le Poitou, cherchant à regagner leurs provinces de Guyenne et de Gascogne. Mais peut-être allaient-ils changer de direction, se porter à la rencontre de ces vingt mille reîtres et arquebusiers, lansquenets allemands et hallebardiers suisses qui avaient pénétré en Lorraine afin de leur porter secours.

— Il faut les tuer avant, avait décrété Diego de Sarmiento.

Et le duc de Guise, mais aussi le roi Henri III, bien contraints d'obéir à la Sainte Ligue, avaient donné l'ordre de rassembler près de cinq mille fantassins et plus de mille cinq cents cavaliers afin de débusquer le malodorant roi de Navarre qui en appelait aux mercenaires étrangers pour satisfaire son ambition et faire triompher sa foi hérétique.

Depuis longtemps je n'écoutais plus les prêches du père Veron. Peu m'importait désormais le sort du royaume de France ! Je savais seulement que Henri de Navarre et Guillaume de Thorenc, mes deux ennemis, marchaient à la tête de leurs troupes et j'avais donc rejoint l'armée des Guises et du roi Henri que commandait le duc de Joyeuse, l'un de ces mignons dont l'accoutrement et les manières, les parfums et les bijoux me soulevaient le cœur.

Je n'en avais pas moins chevauché à ses côtés, forçant le train, inquiet de ne voir autour de moi que des gentilshommes vêtus comme pour un bal, avec leurs grands chapeaux à plumes, leurs pourpoints de soie, de satin et de velours, leurs armes de parade toutes damasquinées.

Beaucoup d'entre eux brandissaient une longue lance au bout de laquelle flottaient leurs pennons multicolores. Et ils devisaient gaiement comme s'ils participaient à une cavalcade, par un jour de fête, rue Saint-Antoine.

On était pourtant loin des estrades.

La pluie, en ce mois d'octobre 1587, noyait la campagne. Quand elle cessait, le brouillard s'accrochait aux haies.

Dans cette grisaille, derrière les buissons, les buttes sableuses, au confluent de ces rivières, dans ces chemins creux, je craignais que Henri de Navarre et ses spadassins, gens de guerre comme Jean-Baptiste Colliard, Séguret ou mon frère Guillaume, ne dissimulent leurs arquebusiers, leurs canons et leurs cavaliers.

Ceux-là ne portaient pas d'oriflammes de couleur à la pointe de leurs lances. Ils serraient la crosse de leur pistolet. Aucune enjolivure n'ornait les armes des arquebusiers, mais ils savaient en faire bon usage, vieux briscards et non danseurs invités des fêtes royales.

J'ai dit plusieurs fois au duc de Joyeuse et à son frère Claude de Saint-Sauveur qu'il fallait prendre garde aux huguenots, que Henri de Navarre avait à ses côtés ses cousins Condé et Soissons, que c'étaient là de vrais chefs de guerre et que, quittant La Rochelle, il leur avait lancé, ainsi que les espions l'avaient rapporté : « Souvenez-vous que vous êtes du sang des Bourbons ! Et vive Dieu ! Je vous ferai voir que je suis votre aîné ! »

Et Condé avait répondu, de la même voix forte : « Nous nous montrerons bons cadets ! »

L'on disait qu'avant de quitter La Rochelle Henri de Navarre s'était agenouillé devant ses soldats, faisant repentance, jurant qu'il allait, par sa bravoure, obtenir le pardon de Dieu pour ses fautes, y compris la dernière, quand il avait forcé cette fille d'officier de son armée de La Rochelle.

Lorsqu'on avait rapporté ces propos au duc de Joyeuse, il avait ri comme font les femmes, la tête rejetée en arrière, disant qu'on allait venger l'honneur de la petite huguenote maltraitée par ce soudard de Henri de Navarre.

Et l'assurance de vaincre le roi huguenot et son armée d'hérétiques s'était répandue comme un poison.

En regardant ces gentilshommes accoutrés comme pour une cavalcade, j'avais éprouvé un sombre sentiment de jouissance.

Nous allions tuer – et mourir.

Le 20 octobre 1587, après avoir traversé le village de Coutras, nous nous sommes engagés dans une petite plaine, large de sept cents pas, dessinée comme pour un tournoi.

Mais j'avais vu, sur la butte sableuse qui la dominait, les canons huguenots, et, malgré la pluie qui voilait l'horizon, j'ai aperçu dans les chemins creux les cuirasses grises des fantassins du roi Henri. J'ai pensé que sa cavalerie devait attendre que nous fussions entrés dans cette lice et que les arquebusiers nous eussent tirés comme gibiers rabattus pour s'élancer et nous tailler en pièces.

Mais n'était-ce pas ce que je désirais ?

J'ai chargé aux côtés des frères Joyeuse et des gentilshommes qui brandissaient leurs lances à pennons comme pour une parade. Quelques huguenots sont venus vers nous, puis se sont dérobés pour nous attirer plus avant dans le piège.

J'ai éperonné, frappé, j'ai tué, aveuglé par le sang qui jaillissait, puis il n'y a plus eu d'ennemis, hormis ces quelques corps étendus.

Et, brusquement, un psaume chanté autour de nous a roulé depuis la butte, est monté des chemins creux :

> *La voici l'heureuse journée*
> *Que Dieu a faite à plein désir*
> *Par nous soit joie démenée*
> *Et prenons en elle plaisir !*

Et le duc de Joyeuse et son frère Claude de Saint-Sauveur de rire, de clamer, debout sur leurs étriers, que l'armée huguenote demandait déjà grâce, qu'il suffisait d'aller les chercher pour qu'ils se rendissent.

Les chevaux de nos gentilshommes et de nos mercenaires albanais piaffaient d'impatience.

Tout à coup, ce fut la canonnade, l'arquebuse, la charge des cavaliers huguenots.

Nous étions dans la nasse, nous heurtant les uns aux autres, tués par la mitraille des arquebusiers, percés par les balles des pistolets des cavaliers. Ceux-là ne portaient aucune lance, mais de leurs mains jaillissaient le fer et le plomb.

J'ai vu tomber le duc de Joyeuse, ses dentelles et ses plumes rougies par le sang.

J'ai vu son frère Claude de Saint-Sauveur désarçonné par une arquebusade, et son corps, resté lié au cheval par un étrier, traîné sur le champ de bataille déjà couvert de morts enrubannés.

Il m'a semblé reconnaître, à la tête des cavaliers huguenots qui chargeaient, Jean-Baptiste Colliard et Séguret. Henri de Navarre et mon frère Guillaume ne devaient pas être loin de ces deux-là.

J'ai tiré sur les rênes, forcé, en lui labourant les flancs, mon cheval à bondir, et je me suis élancé contre mes ennemis.

Que leur sang coule, qu'il soit royal ou fraternel !

J'ai frappé. Mon épée rencontrait la molle résistance des corps. Et j'ahanais chaque fois que je la retirais, comme un laboureur qui vient de donner son coup de bêche.

Je ne voyais plus rien, du sang plein le visage, le mien ou celui d'autres, dont je reconnaissais la douceur tiède.

Tout à coup j'ai eu l'impression qu'on me tranchait le corps au ras des épaules.

J'ai senti que je tombais, que mon visage heurtait le sol puis s'enfonçait dans la terre.

Je me suis souvenu de la petite fosse que j'avais creusée au pied d'un chêne de la forêt du Castellaras de la Tour et dans laquelle j'avais enfoui la tête du christ aux yeux clos.

J'ai rouvert les yeux et j'ai discerné les poutres noircies d'un plafond enfumé. J'ai voulu tourner la tête à droite, puis à gauche, et j'ai hurlé tant la douleur était vive.

Je me suis mordu les lèvres pour étouffer ce cri.

J'ai entendu un brouhaha de voix, le bruit des écuelles et des verres qu'on heurte.

559

J'ai reconnu l'odeur de la viande qu'on rôtit.

J'ai réussi à me redresser en m'appuyant sur les coudes. J'ai découvert, attablés, les huguenots en cuirasse grise et collet de buffle, et, sur des bancs, nus, les corps morts du duc de Joyeuse et de son frère.

J'étais aussi allongé sur un banc, blessé.

Contre les murs étaient appuyées les lances à pennons des gentilshommes de Joyeuse. Dans le fond de la salle de cette auberge, sur une table entourée de cierges, j'ai deviné le corps de mon frère Guillaume, mains jointes sur la poitrine. Près de lui, tête baissée, bras croisés, se tenait Henri de Navarre qu'entouraient Jean-Baptiste Colliard et Séguret.

Je ne les avais pas tués. Peut-être le seul que j'avais occis était-il mon propre frère.

J'ai fermé les yeux et la prière est revenue en moi au bout de tant de semaines, Seigneur. Et j'ai imploré Votre pardon.

J'étais Caïn.

J'ai sangloté.

J'ai reconnu près de moi la voix de Henri de Navarre.

— Je perds Guillaume de Thorenc, disait-il. Je ne veux pas que l'arbre des Thorenc soit déraciné. Je veux que tu vives, Bernard de Thorenc, même si tu m'as fait grand mal.

Je l'ai regardé. Il a secoué la tête.

— Ce n'est pas toi, a-t-il dit.

Puis son visage s'est crispé, les mâchoires serrées, le front partagé par des rides.

— Pas toi seulement. Il s'est trouvé dans une mêlée. Tu as dû, toi aussi, donner ton coup. Mais il n'est pas mort de ta main. Je ne te déclare pas coupable. Tu n'as jamais été avec moi. Tu ne m'as donc pas trahi.

Il s'est penché.

— Combien de gentilshommes français sont morts aujourd'hui ? Tous de bonne race. Ils faisaient la force et la noblesse de notre royaume de France. Crois-tu que je sois satisfait de cela ? Pour quelques ligueurs que les Guises ont enrôlés, les mêlant à des Albanais, les autres, tous les autres, et toi aussi, Bernard de Thorenc, vous êtes de bons et naturels Français.

Il a effleuré du bout des doigts mon épaule meurtrie, murmurant qu'il avait ordonné à ses chirurgiens de me guérir. Un coup d'arquebuse m'avait déchiré le cou et les épaules. C'était miracle que je fusse encore en vie.

— Dieu l'a voulu ainsi. Un Thorenc mort aujourd'hui, cela suffit.

Il a haussé la voix et, dans le silence qui s'est établi peu à peu, il a dit qu'il voulait que les catholiques morts aient droit à une messe conforme à ce qu'auraient été leurs vœux.

— Qu'on trouve un prêtre et qu'on porte les corps dans l'église de Coutras.

Il s'est tourné vers moi.

— Quand les chirurgiens t'auront arraché aux griffes de ta blessure, tu seras libre, même de porter à nouveau les armes contre moi. Mais sache, Bernard de Thorenc, que je ne veux connaître que Français, et non papistes ou huguenots. Et sache aussi qu'il me fâche fort le sang qui se répand et affaiblit ainsi le royaume de France, pour le plus grand profit du roi d'Espagne. Je veux mettre fin à cette saignée. La mort d'un Thorenc suffit à ma peine. Je ne veux pas de la tienne. Vis et aide ce royaume à trouver la paix !

J'ai réussi, malgré la douleur qui glissait de mes épaules à l'extrémité de mes doigts, à joindre les mains et à prier.

26.

Je n'ai cessé de Vous parler, Seigneur, alors que la douleur m'empoignait tout le corps.

J'étais allongé dans une litière qui se dirigeait lentement vers le Castellaras de la Tour.

C'était l'hiver. Les chemins étaient creusés de fondrières où les roues s'embourbaient. À chaque cahot, un épieu me traversait la nuque, se brisait et ses éclats venaient me déchirer les épaules et la poitrine.

Mais cette épreuve-là, j'avais choisi de la subir.

Henri de Navarre avait voulu me retenir près de lui, mais, du fond de la fièvre, j'avais supplié qu'on me conduisît chez moi, puisque les chirurgiens avaient renoncé à me soigner : la plaie purulente était trop profonde, ses lèvres boursouflées, ma chair labourée par le plomb et le fer de la balle ; la gangrène, à les entendre, était déjà à l'œuvre, noircissant mon bras qu'il faudrait couper. Et cela ne servirait de rien.

Henri s'était plusieurs fois emporté contre ces médecins qui avaient – même le plus docte, Ambroise

Paré – prétendu que l'amiral de Coligny allait succomber à sa blessure, qu'on ne pouvait le transporter
hors de Paris ; or Coligny y avait survécu, et sa fièvre
avait disparu, et les tueurs de Henri de Guise avaient
en fait poignardé et mis en pièces un homme guéri.

Il me répétait qu'il voulait que je reste en vie, et
j'étais ému par tant d'attention. J'en venais à me
reprocher d'avoir désiré sa mort et celle de mon frère.

Je Vous implorais, Seigneur, de me pardonner. Cette
souffrance que Vous m'infligiez était comme les douleurs d'une renaissance.

Il était juste que Vous me châtiiez.

J'avais cédé aux démons. J'avais blasphémé. J'avais
fait couler le sang.

Par jalousie et amertume. Par déception d'amour.

Anne de Buisson était venue, le jour où je devais
quitter l'hostellerie du Cheval-Blanc, à Coutras, pour
entamer ce voyage de retour au Castellaras de la Tour.
Au moment où les porteurs soulevaient le brancard, j'ai
vu son visage penché vers moi. J'ai aussitôt voulu lui
rappeler cette phrase qu'elle avait prononcée à Nérac,
par cette nuit de déluge, ces mots qui m'avaient précipité dans l'abîme de la haine, dans le blasphème et le
désir de mort. Elle avait dit : « Je suis maintenant de
votre famille. » J'ai remué les lèvres, mais comment
aurait-elle pu entendre alors qu'aucun son ne sortait de
ma gorge à demi tranchée par le coup d'arquebuse ?

Et, cependant, elle a souri comme si elle avait
compris. Elle a posé sa main sur la mienne, accompagnant le brancard jusqu'à la litière. J'ai essayé encore de
lui dire : « Nous restons seuls. » Je me suis soulevé. Qui

pouvait imaginer la douleur que je ressentais ? J'aurais voulu qu'elle entendît au moins ce mot : « Venez. »

Je suis retombé.

Les porteurs ont déposé le brancard dans la litière, baissé les rideaux de cuir, et, au premier tour de roues, j'ai su que si je voulais tenter d'étouffer ces cris de douleur qui envahissaient ma poitrine il fallait que je prie.

J'ai continué de m'adresser à Vous, Seigneur, durant tous ces jours de voyage – je voyais que leur lumière se faisait plus vive, tout comme les nuits devenaient plus courtes –, puis durant toutes ces heures passées allongé devant la cheminée du Castellaras de la Tour.

Ma plaie peu à peu se cicatrisait, et dans le même temps se refermait l'abîme dans lequel je m'étais naguère précipité.

Un jour je me suis levé et, appuyé au bras de Denis, notre serviteur, j'ai recommencé à marcher, m'arrêtant devant les niches vides de notre chapelle. J'ai donné des ordres pour que l'on fasse sculpter des statues de la Sainte Vierge et des Apôtres, pour que l'on guérisse ainsi ces plaies que les huguenots avaient ouvertes en détruisant les figures de notre foi.

J'ai pu m'agenouiller et revivre les heures de mon enfance, mais aussi les dernières vécues aux côtés de Michele Spriano, quand nous avions chargé les spadassins de Jean-Baptiste Colliard et qu'un coup d'arquebuse avait ôté la vie à Michele.

Plus tard, j'ai pu me rendre dans la clairière où je l'avais enseveli dans son manteau, plaçant près de lui, au pied d'un chêne, la tête du christ aux yeux clos.

J'avais fait le serment de bâtir un tombeau pour Michele Spriano, dans notre chapelle, et de placer sur l'autel l'étendard de damas rouge qui avait flotté à la poupe de la *Marchesa*, notre galère victorieuse.

J'ai tenu parole.

Son corps n'était plus qu'ossements, et son manteau poussière.

Seules ses armes avaient résisté au temps.

Je suis rentré au Castellaras de la Tour, portant ce corps devenu si léger et cette tête de christ aux yeux clos que j'avais caressée pour la dépouiller de la gangue de terre qui l'enveloppait.

Je me suis remémoré ma rage, ma haine, ma volonté de tuer ceux de la secte huguenote, ces suppôts de Satan, ces mercenaires de Lucifer. Mais ces sentiments-là aussi étaient devenus poussière, et je les ai ensevelis avec Michele Spriano, dans son tombeau, à droite de l'autel de notre chapelle. Puis j'ai placé sur l'étendard rouge la tête de Christ aux yeux clos, à côté du tabernacle.

Après, j'ai commencé à attendre.

J'ai guetté, chaque jour, ne quittant pas des yeux la route qui longe la vallée de la Siagne.

J'ai prié pour que Vous lui rappeliez qu'elle était de notre famille.

Elle avait choisi, quelles qu'en fussent les raisons, d'en porter le nom.

Parfois, le désespoir m'étranglait : elle avait été

565

l'épouse d'Abel et jamais elle n'accepterait de vivre avec celui qui avait été le complice de Caïn.

Puis je reprenais confiance. Elle viendrait, puisqu'elle m'avait souri dans cette hostellerie du Cheval-Blanc, à Coutras.

Je me persuadais, Seigneur, que Vous nous aviez imposé ces détours pour donner plus d'éclat à nos retrouvailles.

Il fallait qu'elles aient lieu pour que naquît d'elles un enfant qui continuerait notre famille, qui unirait dans sa vie les parties trop longtemps ennemies de notre foi en Jésus-Christ.

Je devais Vous prier de m'entendre.

Un jour, alors que le soleil était voilé et qu'une journée grise n'annonçait aucune joie, une voiture a franchi le pont et s'est arrêtée devant le Castellaras de la Tour.

Anne de Buisson en est descendue.

QUATRIÈME PARTIE

27.

Dans la grand-salle du Castellaras de la Tour, Michel de Polin ne vit d'abord que le berceau.

On eût dit une petite nef à la carène faite de nervures de bois poli, surmontée de rideaux de dentelle qui ressemblaient à des voiles.

Michel de Polin fit encore quelques pas, puis s'arrêta.

La pièce était plongée dans la pénombre.

Il entendit des chuchotements, chercha en vain à distinguer ceux qui parlaient. Puis, tout à coup, une lueur éclaira la salle. Les troncs posés l'un sur l'autre dans l'ample cheminée où plusieurs hommes eussent pu tenir debout venaient de se briser et des braises rouges avaient jailli des flammes bleutées.

Michel de Polin distingua alors une femme agenouillée derrière le berceau qui, jusqu'à cet instant, l'avait dissimulée. Deux servantes se tenaient auprès d'elle.

Il s'avança.

— Je suis Michel de Polin, dit-il à mi-voix, craignant de réveiller l'enfant.

Il expliqua qu'il était du Parlement de Paris. Il avait connu le comte Bernard de Thorenc à l'hôtel de Venise, chez l'ambassadeur de la Sérénissime République, Vico Montanari...

Il s'interrompit.

La femme s'était redressée et avait fait un signe aux servantes. Elles soulevèrent le berceau et à petits pas l'emportèrent en le tenant comme un brancard.

Elles disparurent dans l'obscurité où demeurait plongée une partie de la pièce.

Polin se remit à parler d'une voix plus forte.

Il rentrait de Rome, dit-il. Il avait été reçu par le souverain pontife. Et Vico Montanari lui avait conseillé de s'arrêter, à l'aller ou au retour, chez Bernard de Thorenc. Montanari et beaucoup d'autres, dans l'entourage du roi, s'étonnaient, par ces temps troublés, de son absence. On savait qu'il avait été blessé à Coutras où tant de gentilshommes – près de quatre cents – avaient été tués aux côtés du duc de Joyeuse et de Claude de Saint-Sauveur. On s'inquiétait à la cour.

— Que voulez-vous ? fit la jeune femme en s'approchant.

Elle était entrée dans la lumière des flammes. Ses cheveux dénoués tombaient sur ses épaules et semblaient des fils d'or rehaussant le bleu de sa robe. Elle avait croisé les bras.

Polin s'était tu. Cette femme campée, le menton levé, les yeux immobiles, était comme une statue menaçante, la gardienne des lieux.

— Mon époux chasse le sanglier, a-t-elle ajouté.

Puis, son regard cherchant les yeux de Polin, elle a répété :

— Que voulez-vous ?

Michel de Polin a eu un geste vague de la main, et, comme pour échapper à ce regard, il s'est mis à marcher de long en large, s'arrêtant devant la cheminée, fixant les flammes. Puis il s'est retourné et a dévisagé la jeune femme.

C'était donc elle, cette Anne de Buisson dont Vico Montanari lui avait naguère dit qu'elle était l'une de ces huguenotes aux mœurs plus débauchées que la plus dévergondée des catholiques. Elle avait été l'amie de la reine Margot, partageant avec elle la couche de Henri de Navarre. « Huguenots ou catholiques, ces femmes-là préfèrent ouvrir les jambes plutôt qu'un missel ou une bible ! Toutes des ribaudes ! » avait alors conclu Montanari.

Et pourtant, cette femme immobile à quelques pas de Polin ne ressemblait en rien à ce portrait.

Fière et austère, on la devinait résolue et intransigeante.

Michel de Polin s'est approché.

— Bernard de Thorenc...

— Mon époux, l'a-t-elle interrompu. Notre fils Jean est né il y a onze jours. Nous l'avons baptisé dans la chapelle du Castellaras. Dans la religion catholique. Dites-le à ces messieurs de la cour qui s'inquiètent. Mais un ministre de la cause a assisté le prêtre. Je l'ai voulu ainsi. Je suis huguenote et convertie de force pour sauver ma vie et quelques autres, mais convertie. Ici nous ne fermons la porte à aucun de ceux qui croient au Christ et qui sont du royaume de France.

Elle est allée jusqu'à la cheminée, a empoigné le tisonnier, remué les braises, puis est revenue vers Michel

571

de Polin, tenant la tige de fer recourbée et rougie comme une arme.

— Que voulez-vous ? a-t-elle répété d'une voix plus forte.

Michel de Polin a reculé d'un pas.

— La réunion des croyants dans la paix, a-t-il murmuré. Il y a de cela près de trente ans déjà.

Il a rappelé en haussant le ton la phrase de ce chancelier du roi, Michel de L'Hospital, qui avait eu le courage et l'audace de dire qu'il fallait ôter « ces mots diaboliques, ces noms de partis, factions et séditions, luthériens, huguenots, papistes : ne changeons plus le nom de chrétiens ».

— Nous sommes tous sujets du roi de France, a-t-il ajouté.

Anne de Buisson s'est à nouveau dirigée vers la cheminée et, accroupie, de la pointe du tisonnier elle a brisé les morceaux d'un tronc d'arbre, faisant s'envoler des nuées d'étincelles.

— Vous voulez cela vraiment ? a-t-elle demandé.

Puis elle s'est dressée, croisant les bras d'un geste rapide, baissant la tête et parlant d'une voix sourde, sans regarder Michel de Polin.

Les Espagnols avaient tué son frère, Robert de Buisson. Elle avait vu les Suisses de Henri de Guise, ces massacreurs, égorger hommes, femmes et enfants au n° 7 de la rue de l'Arbre-Sec, en ce jour de la Saint-Barthélemy, un dimanche. Elle ne devait la vie qu'à Bernard de Thorenc. C'est pour cette raison qu'elle l'avait épousé, puisqu'il le voulait et qu'elle lui devait bien ça, non ? Et pourtant il avait été l'un de ces bons gentilshommes catholiques, au service de Henri de Guise et du roi, qui avaient tué à Coutras Guillaume de Thorenc, son propre frère, et l'avaient laissée veuve.

Elle a serré les poings devant son visage.

— Mon fils, je ne veux pas qu'on me le prenne. Et je ne veux pas non plus qu'il tue.

— Si nous réussissons..., a commencé Michel de Polin.

Mais il a soupiré comme si la fatigue l'avait tout à coup gagné.

— Mais il faut que Bernard de Thorenc nous aide, a-t-il repris.

Elle a secoué la tête et s'est bornée à répondre :

— La paix, c'est ici.

À cet instant, on a entendu les aboiements des chiens.

28.

Bernard de Thorenc se tenait au milieu des chiens qui se jetaient en avant, tirant sur leurs laisses, essayant d'atteindre les cadavres des trois sangliers qu'on avait jetés sur les dalles, à l'entrée du Castellaras de la Tour.

Le sang, déjà noir, avait séché sur les soies longues et rêches des bêtes mortes.

Écartant les chiens de la pointe de ses bottes, Bernard de Thorenc s'est avancé et Michel de Polin a discerné cette longue balafre qui, partant du bas de sa mâchoire, cisaillait le cou de Thorenc et s'enfonçait sous le pour-point, sans doute jusqu'à l'épaule. La peau était rouge et boursouflée.

Thorenc fit glisser son doigt le long de la cicatrice, puis montra les sangliers.

— Quand les hommes deviennent des bêtes, dit-il, quand ils se font la guerre, les bêtes sauvages envahissent à nouveau la terre. On ne les chasse qu'une fois la paix revenue. Je chasse donc...

Il a pris le bras de Michel de Polin et l'a entraîné dans la grand-salle.

On avait placé deux nouveaux troncs dans la cheminée et les flammes jaillissant des braises les enveloppaient.

— La paix n'est pas revenue, a murmuré Michel de Polin.

Il s'est assis en face de Thorenc, devant la cheminée.

— Elle l'est ici..., a commencé par objecter Thorenc.

— Nul n'est en paix dans un royaume quand celui-ci est encore en guerre. Vous le savez, Thorenc : les soldats, les massacreurs violent et tuent qui ils veulent ; ils pillent, fracassent la tête des enfants – il s'est tu comme pour laisser entendre les aboiements – puis les jettent aux chiens.

Thorenc a placé sa main ouverte devant ses yeux comme s'il se refusait à voir cette scène.

— Tous les jours, a poursuivi Polin, à chaque carrefour, autour du Louvre, dans la rue de la Monnaye, où j'habite, j'entends les prédicateurs qui appellent à tuer les hérétiques pour empêcher une Saint-Barthélemy des catholiques. On s'en prend au roi, on crie : « Allons quérir le sire Henri dans le Louvre ! » Les moines, les prêtres sont armés. Ils ont pris le commandement des quartiers au nom de la Sainte Ligue. Vous n'imaginez pas, Thorenc, ces troupes de quatre cents moines, de huit cents étudiants brandissant tous leurs arquebuses. Quand le roi a fait entrer les Suisses dans la ville pour y rétablir l'ordre, ils ont été attaqués, encerclés. Dans chaque rue, on a amoncelé des barriques, des pavés, des sacs de terre, et les Suisses ont été écharpés, tirés comme vous l'avez fait de vos sangliers. Derrière chaque fenêtre était posté un arquebusier. C'est Henri de Guise qui mène le bal contre le souverain. J'ai entendu les émeutiers crier qu'il fallait « prendre ce bougre de roi » et qu'il fallait sans lanterner mener M. de Guise à Reims !

Thorenc n'a pas bronché, la main devant les yeux, le buste penché, le coude appuyé sur la cuisse.

— Voilà la paix qui règne à Paris, a repris Michel de Polin. On tue et on tuera au nom de Dieu, et cette sotte populace sortie du néant est échauffée comme un troupeau de taureaux que des prédicateurs excitent. Henri de Guise la conduit là où il veut. Ce peuple a besoin de corps à embrocher. Il jette dans la Seine les malheureux qu'il décrète huguenots. Mon Parlement a condamné les deux malheureuses filles d'un procureur dont je connais la religion, celle d'un catholique respectueux, a être brûlées en place de Grève en les déclarant « hérétiques des plus obstinées et des plus opiniâtres ». Les deux innocentes avaient voulu empêcher que l'on égorge un artisan de leurs voisins. Vous connaissez l'usage...

Michel de Polin s'est interrompu, comme marquant une hésitation, avant de continuer :

— On étrangle d'abord les condamnés avant de mettre le feu au bûcher. Mais le peuple, comme fou, a réussi à arracher l'une des filles au bourreau et l'a poussée vive dans les flammes. J'étais là au milieu de la foule, Thorenc, j'ai entendu ses cris. Je ne les oublierai pas.

Michel de Polin avait quitté Paris avec le roi. Ils avaient réussi à déjouer la surveillance des ligueurs. Le souverain était maintenant en sécurité à Chartres, mais n'osait pas combattre Guise, aveuglé qu'il était par les conseils de la reine mère, par la peur qu'il éprouvait d'être pris comme en tenailles entre les huguenots de Henri de Navarre et les hommes de Henri de Guise.

— Ceux-ci ont l'Espagne avec eux. Diego de Sarmiento promet des troupes et des doublons. Depuis que la flotte de Philippe II, la prétendue Invincible Armada, a été défaite par les Anglais, il lui faut plus que jamais une France déchirée, vaincue par ses propres démons. Les ligueurs et Henri de Guise sont entre ses mains. Il les paie. Dieu veut-Il cela ?

Michel de Polin a levé les bras.

— Qui peut le croire ? Ce n'est même pas l'intérêt de l'Église...

Il s'était rendu à Rome, expliqua-t-il, pour dire, au nom de bons catholiques de France, qu'il fallait que le souverain pontife aide ceux qui, dans le royaume, voulaient la réunion de tous les croyants.

Il avait rencontré le pape Sixte Quint. Il lui avait

assuré que Henri de Navarre savait qu'il ne pourrait être sacré roi de France qu'en abandonnant sa cause. Les huguenots les plus clairvoyants le savaient aussi et s'en inquiétaient. Henri III s'en persuadait peu à peu, et cela le rassurait, lui dont Henri de Navarre était l'héritier. Mais c'était au pape à favoriser ce rapprochement, à empêcher que les ligueurs, les guisards, ces massacreurs ne se masquent et ne se parent du nom de catholiques.

— Le pape m'a écouté. J'ai cru la partie gagnée. Mais il avait près de lui un prêtre que vous connaissez, le père Verdini. C'est un vieil homme, mais brûle en lui le feu de l'enfer. À peine avais-je cessé de parler qu'il m'a accusé d'être l'un de ces faux apôtres, de ces judas, plus retors que les juifs, qui veulent que les catholiques mettent la tête sur le billot et connaissent tous le sort de la reine Marie Stuart, décapitée par l'hérétique Élisabeth. «Voilà ce qu'ils veulent en France, a répété Verdini. Henri de Navarre sur le trône, et le sang des catholiques répandu dans les rues. La hache huguenote frappant les cous innocents des serviteurs de l'Église !»

— Le père Verdini..., a murmuré Bernard de Thorenc. C'est lui qui m'a appris ici – il a tendu le bras vers la chapelle dont on apercevait la façade – les premières prières, qui m'a enseigné les Évangiles, à qui je me suis confessé, que j'ai écouté plus que mon propre père...

— C'est l'homme de Sarmiento, a répliqué Michel de Polin. Il croit que Philippe II est le bras armé de l'Église, le chevalier de la foi. Il a eu des sanglots dans la voix quand il a évoqué la destruction de l'Invincible Armada. Pour lui, tous ceux qui veulent la réunion des croyants en France sont des « machiavélistes » – c'est ainsi qu'il nous appelle – et, pis encore, des athéistes. Henri de Navarre, à l'entendre, veut un royaume sans Dieu !

Michel de Polin est resté un long moment silencieux, respirant bruyamment comme si on lui écrasait la poitrine.

— J'ai eu peur, a-t-il repris d'une voix étouffée. J'ai pensé que le père Verdini allait ordonner aux spadassins espagnols qui le gardent de me tuer avant que j'aie pu quitter Rome. Je me suis enfui et n'ai changé de chevaux qu'une fois entré sur les terres du duc de Savoie, mais le Castellaras de la Tour est ma première halte. Vico Montanari, qui sait ce que vaut et ce que veut Diego de Sarmiento, m'avait conseillé de m'arrêter ici, chez vous.

Bernard de Thorenc s'est levé, a écarté les bras, murmurant que Michel de Polin était le bienvenu, que la demeure et les terres des Thorenc étaient vouées à la paix. Qu'il le voulait ainsi.

Polin a entrepris de tisonner le feu, appuyé de la main gauche au tableau de la cheminée. Il a précisé que Henri III avait convoqué les états généraux du royaume à Blois ; qu'il fallait que tous ceux qui voulaient la réunion des sujets et la paix y participent.

— Je pars demain matin, venez avec moi, a-t-il dit. Vous chasserez après.

Il s'est approché de Bernard de Thorenc.

— N'abandonnez pas votre fils à un royaume d'égorgeurs. Ils ne lui pardonneront pas d'être né de vous et d'Anne de Buisson.

Thorenc a paru ne pas entendre, branlant du chef, les yeux baissés.

— Vous les avez vus comme moi tirer sur le quai de l'École, rue de l'Arbre-Sec, a continué Polin, vous avez vu ces enfants morts emmaillotés de linges tachés de sang et dont la tête battait le pavé...

— Taisez-vous ! l'a adjuré Bernard de Thorenc.

Il a quitté la salle, suivi par Michel de Polin.

Les cadavres des trois sangliers gisaient toujours sur les dalles de l'entrée et les chiens continuaient d'aboyer avec la même fureur sauvage.

29.

Seigneur, en quittant le Castellaras de la Tour et en suivant Michel de Polin, je savais que je ne chasserais plus le sanglier.

À nouveau mon gibier serait l'homme, c'était son sang rouge que j'allais faire couler et non plus celui, noir, des bêtes sauvages.

Au moment du départ, dans la cour du Castellaras de la Tour, alors que les serviteurs, les chiens aboyant à leur suite, tiraient sur les pavés les corps des trois sangliers, j'ai dit à Anne de Buisson que je la quittais parce qu'il fallait aller jusqu'au bout si l'on voulait que la paix fût rétablie une bonne fois en ce royaume de France, donc ici même, sur nos terres.

J'ai voulu la serrer contre moi, elle m'a repoussé, le visage figé tel un masque aux yeux fixes.

J'ai haussé le ton.

J'étais parjure, je le savais.

Je lui avais promis, à elle, ainsi qu'à Vous, de ne plus prendre les armes que contre ceux qui viendraient jusqu'ici, dans notre demeure, nous menacer.

J'ai crié que je ne voulais pas laisser mon fils à la merci d'un égorgeur, huguenot ou ligueur, parce que nous n'appartenions plus à un camp ou à l'autre, mais aux deux, traîtres à l'un comme à l'autre.

Ainsi était le destin de notre famille, moi servant le roi catholique, et mon père, mon frère et ma sœur dans l'autre parti.

— Ils sont morts, a dit Anne de Buisson.

Elle a croisé les bras, reculé quand j'avais voulu de nouveau m'approcher.

— Le salut de ton fils, notre salut était dans l'oubli, a-t-elle ajouté. Ils vont se souvenir de toi et des tiens. Tu auras du sang plein les mains, jusqu'aux coudes. Ceux que tu vas tuer voudront encore se venger.

Elle s'est tournée, suivant des yeux les sangliers et les chiens.

— Les bêtes sauvages ne se souviennent pas de qui les tue ; les humains, oui. C'est pour cela qu'ils sont cruels et que les guerres ne finissent jamais.

— La paix viendra, a protesté Polin. Il faut des hommes comme Bernard de Thorenc pour l'instaurer. Sa vie, ce que vous avez fait l'un pour l'autre, et ce fils sont des exemples.

— Si l'on veut vivre en paix, il faut se terrer et non

pas monter sur les estrades, se pavaner à la cour, se mêler aux intrigues. On tue celui qu'on voit, a répondu Anne.

Elle s'est éloignée.

— J'aurais dû vous chasser, a-t-elle ajouté en se retournant vers Michel de Polin. Ou vous tuer.

En sautant en selle, j'ai lancé qu'elle devait prier pour nous, pour le succès de notre entreprise.

— Je veux vous oublier ! s'est-elle écriée.

Tout au long de notre chevauchée jusqu'à Blois où les états généraux du royaume et la cour étaient rassemblés, ces mots m'ont poursuivi comme une malédiction.

Puis les chuchotements des conspirateurs, le choc des poignards, les râles des assassinés, les rires des tueurs, les hurlements de colère de leurs ennemis ont étouffé la voix d'Anne de Buisson.

J'étais rentré dans le royaume des hommes en guerre, et chacun voulait savoir à quel camp j'appartenais, huguenot ou ligueur, espion de Henri de Navarre ou de Diego de Sarmiento, donc du prince de la Sainte Ligue, Henri le Balafré, et de son frère Louis, cardinal de Lorraine. Ou bien étais-je aux côtés de Henri III avec Enguerrand de Mons qu'on soupçonnait pourtant d'être aussi de la Sainte Ligue ? À moins encore que je ne fasse partie des machiavélistes, des athéistes que dénonçaient le père Veron et, depuis Rome, le père Verdini ?

N'étais-je pas arrivé à Blois en compagnie de ce Michel de Polin dont on assurait qu'il cherchait à rapprocher Henri III du roi de Navarre, à obtenir la conversion – une de plus ! s'indignaient les ligueurs – de ce dernier à la sainte religion afin qu'il pût accéder au trône de France, le souverain régnant étant sans héritier ?

— Savez-vous ce qu'on dit du roi ? me confia Vico Montanari, qui, comme tous les ambassadeurs, avait suivi la cour à Blois.

Il logeait non loin du couvent des Jacobins, dans une maison du quai de la Loire, à quelques pas du château.

Montanari s'est frotté les mains tout en riant silencieusement.

— Il a le bout de la verge tordu vers le bas. Il ne peut donc répandre le sperme dans la matrice. Certains médecins ont voulu le fendre plus haut, mais il a refusé. Il a préféré boire du lait d'ânesse pour modérer l'écoulement de son sperme qui sort trop vite et trop bas... Mais le roi est persuadé que c'est la reine qui ne peut pas enfanter. Elle prend des bains, elle maigrit, elle a des accès de fièvre. Il a fait venir de Lyon une fille de dix-huit ans, d'une extrême beauté, et on murmure que, bout de la verge tordu ou pas, et fendu trop bas, il lui a fait un enfant, mais personne ne l'a vu. Il ne l'a pas légitimé. Donc, les chances de Henri de Navarre de succéder à Henri III restent grandes. Que pensez-vous de lui, Thorenc, est-il prêt à se convertir ?

Je ne répondais pas aux questions de Vico Montanari, qui, chaque jour, se rendait au château, voyait Diego de Sarmiento, Enguerrand de Mons ou les proches de la reine mère, Catherine de Médicis. Il dépêchait auprès des femmes Leonello Terraccini, que je n'avais salué que d'une inclination de tête, mais dont j'imaginais qu'il pouvait faire merveille auprès d'elles.

De fait, Terraccini était au mieux avec Mme de Montpensier, la sœur de Henri le Balafré et du cardinal de Lorraine. Au cours d'un dîner, celui-ci avait montré les ciseaux d'or qu'elle portait accrochés à sa ceinture. C'est avec cette paire-là, avait-elle dit, qu'elle tondrait le roi Henri qui devait finir ses jours comme un moine, au fond d'un couvent.

Et tout le monde de se goberger autour d'elle, le cardinal de Lorraine buvant à la santé de son frère Henri le Balafré qui serait bientôt roi de France.

— On a rapporté ce genre de propos à Henri III. Il enrage. Il dit : « Qu'ils ne me mettent point en fureur, sinon je les tuerai ! » Mais il embrasse Henri de Guise, rit avec lui, lui promet tout ce dont il rêve, le pouvoir, la grande lieutenance du royaume, et l'autre est aussi aveuglé que l'a été César à la veille et au matin des ides de mars !

J'écoutais. J'avais l'impression, lorsque je marchais dans les rues de Blois ou que j'entrais dans le château, de m'écorcher à ces regards acérés comme des dagues.

— Cela ne peut durer plus de quelques jours, disait Michel de Polin. Nous saurons bientôt qui, du roi ou du duc, sera le plus puissant.

Il baissait la voix, murmurait que, selon ce qu'Enguerrand de Mons avait rapporté, Henri III aurait dit : « Il faut qu'il meure ou que je meure. »

Polin se lamentait. Le royaume, à l'entendre, était plein d'ulcères, ses quatre membres en étaient infectés.

— La religion s'est brisée en cent sectes et l'État en

cent factions. On ne respecte plus l'autorité du roi. Henri III le sait. C'est pour cela qu'il a fui Paris, mais les barricadeux veulent le trône pour Henri le Balafré. Et le royaume n'est plus qu'un champ où l'on a semé les graines de la division, de l'improbité et de l'impiété.

Avec Polin, je rencontrais Enguerrand de Mons.

Durant la saison des massacres, ces semaines qui avaient suivi la Saint-Barthélemy, il avait été l'un des plus enragés à vouloir que l'on extermine les huguenots.

Maintenant, il s'emportait contre les Guises que Diego de Sarmiento payait, qui espéraient que les fantassins espagnols ou les Suisses des cantons catholiques viendraient les soutenir.

J'osais observer que Henri de Navarre, de son côté, appelait à l'aide Anglais et Allemands.

— Réunion des sujets du royaume autour du roi, voilà notre but ! répétait Michel de Polin.

Sarmiento a demandé à me voir et je me suis rendu dans cette demeure située non loin de celle de Montanari.

Il ne s'est pas levé à mon entrée dans la petite pièce enfumée où il se tenait, le visage masqué par la pénombre, le menton appuyé sur ses mains croisées, les coudes posés sur les accoudoirs de son siège.

Il m'a harcelé de questions. Il savait que le roi avait rassemblé autour de lui, dans ses appartements, ses coupe-jarrets, quarante-cinq hobereaux payés mille deux cents écus l'an, une garde personnelle faite de tueurs à gages — « des diables gascons », avait-il ajouté, des « chiens égorgeurs ».

— Pour quelle raison ?

Il était inquiet. Henri III, il en était sûr, voulait assassiner Henri le Balafré, et ce dernier, aveuglé par sa vanité, refusait de quitter Blois, assurant que le souverain n'oserait jamais le faire tuer : Henri III était trop bon catholique, indécis comme une femme. D'ailleurs, Henri de Guise, montrant sa propre garde, disait qu'il ne se déplaçait jamais seul, qu'au premier de ses appels on se précipiterait à son secours. Si le roi tentait quelque chose contre lui, le Balafré ne donnait pas cher de son trône et de sa vie ! Paris s'insurgerait. Ce serait une guerre cruelle où périrait la dynastie : avec Henri III celle des Valois, avec Henri de Navarre celle des Bourbons. Alors pourraient enfin accéder au trône les Guises, descendants de Charlemagne et des Capétiens, et serait renoué le vrai fil dynastique.

— Avec qui es-tu ? a fini par questionner Sarmiento en se levant et en apparaissant ainsi dans la lumière.

Son visage m'a alors semblé encore plus dur, plus menaçant.

J'ai écarté les bras, dit que je ne voulais que la paix. J'avais trop vu couler le sang.

Il a eu une grimace de dégoût et de mépris.

— Michel de Polin t'a empoisonné l'esprit. Tu es devenu l'un de ces machiavélistes qui sont les pires ennemis de la paix chrétienne. Athéistes, plus pervers que des renégats !

Il s'est avancé, la main sur le pommeau de son épée.

— Choisis bien ton chemin, Bernard de Thorenc, a-t-il repris. Ce que nous avons vécu ensemble, tu sembles l'avoir oublié. Passe loin de moi !

Je suis sorti de sa demeure à reculons, sachant qu'il était homme à me donner un coup d'épée entre les épaules sans que sa main tremblât, tant il était sûr de son droit, de sa foi.

Oui, il m'aurait tué comme il l'aurait fait d'un animal nuisible ou d'un démon. Je mesurais sa rage et sa haine à la flamboyance de son regard.

Il me l'avait dit : j'étais à ses yeux coupable de trahison, d'alliance avec les pires ennemis de son roi, ceux qui étaient responsables des échecs de Philippe II aux Pays-Bas ou du désastre de ce que, dans son orgueil, Philippe II avait appelé l'Invincible Armada.

Celle-ci gisait au fond des mers au large des côtes de l'Angleterre.

Il fallait donc à Philippe II une victoire. Il la remporterait si le royaume de France restait divisé, ou si, mieux encore, Henri le Balafré montait sur le trône.

Sarmiento veillait sans relâche sur ce dernier, l'avertissant des dangers qui le guettaient, essayant de connaître les desseins secrets du roi.

Mais je me suis tu, sachant pourtant par Enguerrand de Mons et Vico Montanari que Henri III réunissait chaque soir ses proches et le chef de ces quarante-cinq coupe-jarrets. Qu'il se réjouissait des défaites espagnoles qui affaiblissaient Henri le Balafré et sa Sainte Ligue, et que le moment paraissait favorable pour le frapper.

Je marchais le long des berges de la Loire, traversais la cour du château et voyais ces groupes d'hommes qui s'observaient, les uns appartenant au roi, les autres aux Guises.

Le ciel était noir et bas. Il pleuvait presque chaque jour.

Michel de Polin m'entraînait à couvert, dans la pénombre d'un auvent. Les gouttes martelaient le toit, formant un rideau gris devant nous.

— Ce n'est, parmi les courtisans, les conseillers, les gardes du corps du roi et ceux de Henri de Guise, que craintes et suspicions, disait-il. On s'attend à quelque accident étrange et inouï, mais on ne sait quel il sera, ni qui en sera l'auteur.

30.

« Illustrissimes Seigneuries,

Hier matin, 23 décembre 1588, Henri le Balafré, duc de Guise, a été poignardé au château de Blois dans la chambre même du roi Henri III.

Il était seul, sans cotte de mailles, convoqué au Conseil où ses gardes, qui l'accompagnaient partout, ne pouvaient être admis.

Il avait répondu à l'invitation du souverain, qui lui demandait de le rejoindre dans son cabinet particulier pour un entretien. Il fallait pour cela traverser la chambre du roi.

Huit hommes armés de poignards l'y ont suivi et l'ont assailli au moment où il ouvrait la porte donnant sur le cabinet particulier.

Douze autres, venus du cabinet, lui barraient le passage.

Les premiers lui ont percé le dos avec leurs poignards, les autres la poitrine et la gorge avec leurs épées.

Ce guet-apens avait été préparé par Henri III en personne qui avait veillé au moindre détail, choisissant les assassins parmi les quarante-cinq tueurs à gages de sa garde personnelle.

Ce matin, quelques-uns d'entre eux ont occis de la même manière Louis de Guise, cardinal de Lorraine, frère du Balafré, arrêté hier.

Les députés parisiens aux états généraux, tous ligueurs, ont été enfermés, et ordre a été donné devant eux de faire dresser des potences. Mais ils n'y ont pas encore été pendus.

Par ces meurtres et ces arrestations, le roi Henri III entend se soustraire à la mascarade des ligueurs qui l'ont humilié à Paris avec leurs barricades. Il veut être enfin maître du pouvoir.

L'assassinat de Henri de Guise revêt par là autant d'importance pour le royaume de France qu'en eut pour l'Empire romain le meurtre de César.

Comme César, Henri de Guise n'a écouté aucun de ceux qui, depuis l'aube du 23 décembre, l'avertissaient des dangers qui planaient sur lui.

Certains de ses hommes, gentilshommes ou simples serviteurs, avaient remarqué l'arrivée dans la nuit des quarante-cinq coupe-jarrets du roi, puis noté que les portes et les escaliers du château étaient gardés par des Suisses, mercenaires royaux.

Mais Guise a tenu à se rendre au Conseil, sûr que le roi, bon chrétien, n'oserait jamais ordonner sa mort.

Henri III avait réussi depuis plusieurs jours à endormir la méfiance du Balafré en le flattant et en l'entourant de prévenances. Il lui avait même rendu visite, la veille de l'embuscade, dans les appartements de la reine mère, Catherine de Médicis, qui ne se doutait pas elle-même de ce qui se tramait. Elle souhaitait au contraire continuer de négocier avec Henri de Guise, persuadée qu'en faisant se battre les uns contre les autres les ligueurs du Balafré et les huguenots du Béarnais elle renforcerait le pouvoir de son fils Henri III.

J'ai appris par Bernard de Thorenc, qui le tient lui-même du père Veron, proche de Diego de Sarmiento, que Catherine de Médicis, avertie des assassinats, a montré la plus vive désapprobation.

— Ah, le malheureux, qu'a-t-il fait ! aurait-elle dit au père Veron. Priez pour lui qui en a plus besoin que jamais et que je vois se précipiter à sa ruine ! Je crains qu'il ne perde le corps, l'âme et le royaume...

Les machiavélistes sont d'un avis opposé.

J'ai vu longuement Michel de Polin, le plus illustre d'entre eux. Il n'a pu me cacher le dégoût qu'il éprouve devant cet assassinat perpétré dans la chambre même du roi qui devrait être un lieu sacré.

Il veut cependant espérer qu'il ne s'agit là que du dernier acte d'une tragédie, que ce crime entraînera la disparition de la Sainte Ligue et la réunion des huguenots et des catholiques par l'alliance de leurs chefs, Henri de Navarre et Henri III.

L'avenir me paraît plus sombre que ce que Polin imagine.

J'ai envoyé Leonello Terraccini à Paris. Le premier courrier reçu de lui atteste la résolution des ligueurs.

Ils crient : "Au meurtre ! Au feu ! Au sang ! À la vengeance !"

Ils brisent les effigies et les armoiries de Henri III. Ils le maudissent, l'insultent. Il n'est plus pour eux que le "vilain Hérode". Ils ne l'accepteront plus pour souverain légitime et ils refusent par avance son héritier huguenot, Henri de Navarre.

Le roi d'ailleurs me paraît hésitant et Bernard de Thorenc m'a fait part de divers faits et propos qui révèlent l'indécision du souverain. Henri III prétend continuer la "guerre contre les huguenots avec plus d'ardeur et de courage, car [il] veu[t] de toute façon les extirper du royaume". Mais il entend aussi écraser la Sainte Ligue, "être roi et maître, et non prisonnier et esclave".

Mais que pourra-t-il contre les moines, les prêtres et le petit peuple de Paris, tous ces barricadeux armés d'arquebuses, s'il ne fait pas alliance avec l'armée huguenote ?

Or pareille alliance le condamnerait aux yeux des ligueurs et de la plupart des catholiques.

— Le roi est sans armure, m'a déclaré Bernard de Thorenc. Et le sang appelle le sang. Son corps va devenir une proie. Il a tué ; il sera gibier.

La manière dont le souverain a fait assassiner Henri de Guise le rend peu estimable même à ceux – comme

Polin ou Thorenc – qui l'avaient préféré aux ligueurs et aux guisards.

Il invoque Dieu, qui aurait guidé son action et lui serait venu en aide après l'avoir inspiré. Mais ces paroles sont honnies par beaucoup, et Bernard de Thorenc m'a confié :

— Que le roi ne mêle pas Dieu à ses crimes ! Dieu n'est jamais complice d'un assassinat. Que Henri III ait fait tuer le Balafré comme une bête sauvage prise au piège est une affaire politique. Il en avait peut-être le droit, puisqu'il est le juge souverain. Mais Dieu n'a jamais voulu qu'on traite les humains, y compris Ses ennemis, comme on traque et abat des sangliers. »

31.

Seigneur, j'ai vu le visage des assassins de Henri le Balafré !

Ce sont eux qui m'ont accueilli dans la salle du Conseil du roi.

Ils sont venus me renifler comme des chiens de meute pour s'assurer que j'étais bien Bernard de Thorenc, celui que leur maître Henri III avait souhaité rencontrer.

Et j'ai détourné les yeux pour ne pas croiser leurs regards, pour qu'ils ne lisent pas dans le mien le dégoût qu'ils m'inspiraient.

C'est dans cette même pièce du Conseil, que Henri le Balafré avait murmuré à Enguerrand de Mons : « J'ai froid. Le cœur me fait mal ! Qu'on me fasse du feu. »

Il portait un vêtement de satin bleu trop léger pour ce vingt-troisième jour de décembre.

Il s'était frotté les mains pour se réchauffer, avait réclamé des raisins de Damas, puis de la confiture de roses, et on ne lui avait apporté que des prunes de Brignoles qu'il avait commencé à manger quand Enguerrand de Mons lui avait dit que le souverain souhaitait le voir en particulier dans son vieux cabinet. Henri le Balafré avait suivi Enguerrand, insouciant, jusque dans la chambre du roi qu'il lui fallait traverser.

Je suis entré dans cette chambre.

J'ai vu sur le parquet les auréoles brunes qu'y a laissées le sang du Balafré.

Les sbires se sont jetés sur lui au moment précis où s'ouvrait la porte du vieux cabinet royal.

Ils ont crié :

— Traître, tu mourras !

Et lui s'est retourné et a hurlé :

— Ah, messieurs, messieurs, quelle trahison !

Il s'est accroché aux jambes de ses tueurs et s'est débattu avant de tomber là, au pied du lit royal. Nul n'a pris soin d'effacer les taches de son sang.

Il a murmuré :

— Ce sont mes offenses ! Mon Dieu ! Miséricorde !

Mais déjà le sang lui emplissait la bouche. On l'a enveloppé dans un manteau gris.

Personne ne sait avec sûreté ce que l'on a fait du corps criblé de trous.

L'a-t-on brûlé dans une salle du rez-de-chaussée du château avant de disperser les cendres dans la Loire ?

L'a-t-on enfoui dans la chaux vive aux côtés du cadavre de son frère, le cardinal de Lorraine, tué dès le lendemain ?

Ou bien l'a-t-on enterré anonymement dans le cimetière de quelque village ?

Le roi lui-même le sait-il ?

Je m'avance vers lui.

Je le dévisage sans pouvoir capter son regard. Je ne vois que la poudre sur ses joues, ses boucles d'oreilles, ses amulettes, son petit chapeau brodé.

Je me souviens de ces mots qu'on se répète dans l'entourage de Henri de Navarre, et ici même, au château de Blois : « Est-il, ce Henri, roi-femme ou bien homme-reine ? »

Et l'on ricane.

On croit, dit-on encore, se trouver « en face d'un roi » et l'on ne rencontre qu'une « putain fardée ».

Je m'incline devant celui que ses ennemis appellent « ce dégénéré de Henri, cet hypocrite bigot qui aime moins jouer le roi que le cagot ».

Il me touche l'épaule afin que je me redresse, me prend par le bras, familier et même tendre.

— Thorenc, me dit-il, vous êtes celui qui peut se faire entendre par mon cousin Henri de Navarre. Vous êtes celui en qui je place ma confiance. Je fais la guerre contre mon cousin sans la vouloir. Mais il le faut bien, si je ne veux pas que les ligueurs me chassent du trône et m'égorgent. Je suis contraint de continuer la guerre contre les huguenots, mais faites-leur savoir que je ne le veux point !

Nous sommes passés de son vieux cabinet à sa chambre.

Il s'arrête, les yeux rivés sur les taches brunes qui souillent le parquet.

— Ils m'ont indignement traité, moi, le roi, murmure-t-il.

Il se penche vers moi. Sa lèvre tremble.

— J'aurais bien volontiers accompli cet acte de justice par la voie ordinaire plutôt que par celle qui a été choisie et qui ne me plaît pas plus qu'à vous, Thorenc. Il y avait contre Henri et Louis de Guise plusieurs chefs de crime de lèse-majesté pour chacun desquels ils méritaient la mort. Mais ils avaient pris un tel pied et acquis tant de partisans dans le royaume et à la cour qu'il était impossible d'arriver à la fin recherchée par la voie ordinaire sans tout mettre sens dessus dessous.

Je me tais et deviens ainsi son complice.

— Thorenc, insiste-t-il, que puis-je ? Les théologiens de Paris viennent de délier mes sujets du serment de fidélité qu'ils me doivent. On les invite à me tuer comme si j'étais l'adversaire de la religion !

Il se signe.

— Dieu sait que je suis Son serviteur, mais les ligueurs, prêtres et moines, me nomment tyran, ils arment le bras d'assassins dont je sais qu'ils ne rêvent que de m'égorger. Ils détruisent à coups de masse mes armoiries et mes portraits...

Il porte la main à son visage comme s'il venait de recevoir un coup.

— Thorenc, ils veulent me couper le cou ! Il faut

bien que je me défende, dussé-je me servir des hérétiques et même des Turcs ! François Iᵉʳ l'a fait contre
Charles Quint, pourquoi ne le ferais-je pas contre le
frère de Henri de Guise et de Louis, ce petit duc de
Mayenne qui gouverne à Paris et a mis son épée au
service du roi d'Espagne ?

Il me serre le coude.

— Vous avez été le compagnon de Diego de Sarmiento ? Cet homme-là, au nom de Philippe II, a tout
fait et fera tout pour que je meure et pour que le
royaume de France ne soit plus qu'un cadavre !

Il cherche fébrilement dans la manche de son pourpoint et en sort un billet froissé qu'il déplie, puis me
le tend.

Je lis ces mots : « Pour entretenir la guerre en France,
il faut sept cent mille écus tous les mois. »

— C'était dans les poches de Henri de Guise. Le
prix qu'il réclamait, pour ses services, à Sarmiento.

Il s'éloigne d'un pas, puis revient vers moi.

— Vois Henri de Navarre, Thorenc. Aide-moi, aide-
nous, aide le royaume à guérir de la guerre !

Je sais ce qu'il en est des maladies du royaume.

Leonello Terraccini est rentré de Paris. Je l'écoute,
dans la demeure de Vico Montanari, raconter ce qu'il y
a vu.

Le peuple de la capitale célèbre chaque jour, dans
chaque rue, la mémoire des Guises. La cathédrale
Notre-Dame est tendue de noir afin que n'apparaissent
plus que leurs armoiries.

On brise à coups de masse les sépultures des proches
du roi, « sangsues du peuple et mignons de tyrans ». On

dénonce les « horribles assassinats perpétrés par le tyran, le vilain Hérode, faux roi et vraie putain ».

Quant au duc de Mayenne, au nom de la Sainte Ligue, il appelle Philippe II à l'aide.

Diego de Sarmiento a quitté la France pour l'Espagne afin d'apporter à son souverain le message des ligueurs.

« L'entente entre celui qui était notre roi, et qui n'est plus qu'un tyran sans foi, et la huguenoterie de Henri de Navarre est notoire, a écrit Mayenne. Apportez-nous votre appui, et vous aurez la gloire d'avoir rétabli l'Église et ce royaume vous en aura une perpétuelle obligation. »

J'ai hésité durant plusieurs jours.

Où étaient les grands élans de ma jeunesse quand je croyais que les monarques étaient les serviteurs de Dieu et que leurs actes ne visaient qu'à grandir Sa gloire et celle de Son Église ?

Où étaient le bel aveuglement et les grandes passions de mes années de combats en Andalousie, à Malte ou, avec la flotte de la Sainte Ligue, à Lépante ?

Je savais désormais que rien de ce que les hommes entreprennent, qu'ils soient manants ou rois, n'est limpide comme eau de source.

Seul Vous étiez, Seigneur, dans la clarté pure, mais Vous aviez quitté ce monde après nous avoir donné Votre souffrance, et nous n'étions plus que des aveugles qui tâtonnions.

Cependant, j'ai cédé aux bonnes raisons de Michel de Polin et de Vico Montanari. Il n'était pas nécessaire de croire à la sincérité des hommes, me disait Polin, et moins encore à celle des rois pour tenter d'empêcher que le pire ne survienne.

L'enfer sur terre, c'était la guerre fratricide entre chrétiens, entre sujets du même royaume de France.

J'ai donc quitté Blois en compagnie de Michel de Polin pour rencontrer Henri de Navarre dont les troupes, parties de La Rochelle, avançaient vers Tours.

Nous l'avons rencontré à Niort.

Le Béarnais passait toujours d'une couche à l'autre, on le croyait avec Diane d'Andoins, qui se faisait appeler Corisande, alors qu'il honorait une paysanne et lorgnait une jeune femme de dix-sept ans, Gabrielle d'Estrées.

Il vint à nous, les cheveux ébouriffés, le pourpoint ouvert, les gestes lents de qui vient de connaître l'épuisement heureux de l'amour, et il dit, en ouvrant les bras :

— Nous avons été quatre ans ivres, insensés et furieux. N'est-ce pas assez ?

Il baissa la tête, ferma les yeux comme pour se recueillir, reprendre force ; puis, allant et venant, il ajouta qu'il était prêt, si on l'instruisait, si on lui montrait une autre vérité que celle en laquelle il croyait, à s'y rendre et à prendre une autre religion que celle avec laquelle il avait servi Dieu dès le jour de sa naissance.

Mais on ne devait pas oublier qu'il était chrétien, alors qu'on était plus sévère avec lui que s'il avait été un barbare, un Turc !

Je l'écoutais.

Seigneur, il parlait de religion et de Vous avec légèreté, comme d'un sujet parmi d'autres. Mais au moins ne pouvait-on l'accuser d'hypocrisie, de mensonge ni de cagoterie, comme celle qu'affichait Henri III.

Henri de Navarre voulait le trône. Depuis l'assassinat des Guises, il s'en sentait plus proche. Il s'éloignait donc de sa religion réformée et j'entendais les murmures de certains de ses fidèles qui le trouvaient trop accommodant avec les papistes, trop peu soucieux de la vérité de sa foi.

En nous prenant tour à tour par les épaules, Michel de Polin et moi, il disait :

— Vous le savez, notre État est extrêmement malade ; la cause du mal est la guerre civile, maladie presque incurable de laquelle nul État n'échappa jamais... Quel remède ? Nul autre que la paix, qui fait l'ordre au cœur de ce royaume... qui, par l'ordre, chasse les désobéissances et malignes humeurs, purge les corrompus et les remplit de bon sang, de bonnes volontés ; qui, en somme, le fait vivre. C'est la paix, la paix qu'il faut demander à Dieu pour son seul remède, pour sa seule guérison ; qui en cherche d'autre, au lieu de le guérir, le veut empoisonner... Il faut avoir pitié de cet État. Catholiques serviteurs du roi autant que ceux qui ne le sont pas, nous sommes tous français. Il faut dépouiller les misérables ligueurs de guerre et de violences pour reprendre les haleines de paix et d'union, les volontés d'obéissance et d'ordre, les esprits de concorde.

Il pressait les deux mains sur sa poitrine, ajoutant qu'il ne permettrait jamais que les catholiques fussent contraints dans leur religion, et qu'il ferait respecter la liberté de chacun, huguenot ou catholique.

Il m'a tout à coup longuement fixé, effleurant du bout des doigts sa moustache et sa courte barbe.

— Qu'as-tu donc fait à la belle Anne de Buisson, Thorenc ? Tu la cloîtres ?

Il a ri.

— Un fils, a murmuré Michel de Polin. Un Jean de Thorenc.

Henri de Navarre s'est rembruni.

— Donnons-lui la paix, a-t-il murmuré avec gravité.

32.

J'ai pensé à mon fils lorsque j'ai vu, dans le parc du château de Plessis-lès-Tours, Henri de Navarre s'age-nouiller devant Henri III.

Et je Vous ai remercié, Seigneur, d'avoir permis cette rencontre, cette alliance dont, peut-être, allait naître la paix du royaume.

Et de faire que mon fils ne soit pas la proie des égor-geurs dont un courrier m'avait averti qu'ils rôdaient autour du Castellaras de la Tour et de la Grande Forte-resse des Mons, sans que l'on sût à quel parti ils apparte-naient, huguenots ou ligueurs – mais peut-être n'étaient-ce que des détrousseurs, des massacreurs n'in-voquant la religion ou la cause que pour masquer leur âme d'assassins et de violeurs.

Ceux-là se nourrissaient de la guerre.

C'était donc avec elle qu'il fallait en finir si l'on

599

voulait que les routes soient à nouveau sûres, et que l'on puisse dormir en sûreté dans les villages et les châteaux.

Je Vous ai donc rendu grâce, Seigneur, quand Henri III s'est penché sur Henri de Navarre et l'a invité à se redresser, puis l'a serré contre lui.

À ce moment, la foule a crié « Vive le roi ! », puis « Vivent les rois ! », et j'ai frissonné d'émotion.

Je me suis senti frère de ces gentilshommes, de ces marchands, de ces enfants et de leurs mères qui avaient envahi le parc et s'y pressaient, tant et si bien qu'ils empêchaient les deux souverains d'avancer vers le château en se tenant par le bras.

L'un, Henri de Navarre, était vêtu d'un pourpoint usé aux épaules et aux flancs par le port de la cuirasse. Il était enveloppé d'un manteau rouge d'empereur romain et l'on voyait, sous l'étoffe écarlate, la grande écharpe blanche du parti huguenot. Je me suis trouvé un bref instant près de lui, j'ai croisé son regard, et dans son visage ridé, déjà vieilli, l'œil vif et joyeux. J'ai cru à la franchise de cet homme qui m'a paru de bon métal, sonnant juste.

L'autre, Henri III, avait jeté sur ses épaules une courte cape. Les cheveux bouffants, à demi cachés par un petit chapeau à bord roulé, il paraissait lui aussi heureux de cette rencontre, et je l'ai vu, d'un geste, demander à l'un des gentilshommes huguenots de lui tendre une écharpe blanche qu'il a nouée à son épaule. Et la foule, après un instant d'hésitation, de répéter : « Vive le roi ! », « Vivent les rois ! ».

Je n'avais pas estimé possibles de tels gestes de paix.

J'étais avec Michel de Polin, resté à Niort, parmi les huguenots, puis, avec eux, nous avions chevauché vers Saumur, cette place que Henri de Navarre réclamait à Henri III comme gage de bonne alliance.

Mais je sentais autour de nous les réticences et j'entendais les sarcasmes.

Qui pouvait faire confiance, nous répétait-on, à ce roi-femme, à ce souverain-putain, à cet assassin ? Certes, il avait, en tuant les Guises, duc et cardinal, envoyé en enfer les pires ennemis des huguenots ; mais il continuait de négocier avec le duc de Mayenne, le frère des Guises. Et son âme appartenait au diable.

Il est imbu du vice que la nature abhorre, me disaient un Séguret ou un Jean-Baptiste Colliard.

Ceux-là, l'envie m'était grande de les défier en duel régulier afin de parachever nos combats passés. Eux-mêmes m'avaient d'ailleurs avoué qu'ils devaient se faire violence pour ne pas me planter leur lame dans le corps, parce qu'ils savaient que mon épée était rouillée par le sang de tant et tant de leurs compagnons.

Mais Michel de Polin se plaçait entre nous. L'heure était à la paix et non à la guerre. Séguret et Colliard se contentaient alors de vilipender ce roi, ses mignons et ses archi-mignons.

— Son cabinet, ajoutaient-ils, a été un vrai sérail de lubricité et de paillardise, et sa chambre une école de sodomie où se sont déroulés de sales ébats. Jusqu'à la chambre du château de Blois, devenue un coupe-gorge pour les Guises, certes plus haïssables que le roi, mais plus vertueux !

Je n'avais rien à répondre.

Je n'étais ni courtisan de ce monarque, ni son favori, ni son gentilhomme. Je ne le servais pas plus que je ne servais Henri de Navarre. Je voulais que la guerre cesse et qu'on en finisse avec ces massacreurs qui maculaient de sang les autels et le visage du Christ.

Je voulais que la foi en Vous, Seigneur, ne soit plus une arme dont on se sert pour tuer un rival, neutraliser un ennemi.

Ce qu'elle était encore plus que jamais dans le camp des ligueurs.

Leonello Terraccini revenait de Paris et émaillait son récit d'un mot qu'il répétait en secouant la tête : *Pazzi, pazzi !*

« Fous, fous ! » traduisait Vico Montanari dans la demeure duquel Michel de Polin et moi le rencontrions.

Chaque jour, dans les rues de la capitale, ce n'étaient, disait Terraccini, que processions, actions de grâces pour célébrer le souvenir des Guises et vouer Henri III, suppôt du diable, à l'enfer.

Des centaines d'enfants, portant des chandelles de cire ardente entre leurs mains, chantant les sept psaumes pénitentiaux et autres psaumes, des litanies, hymnes, oraisons et prières, et marchant pieds nus sans se soucier de la neige, allaient en chemises d'église en église.

On souillait, on détruisait tout ce qui pouvait rappeler Henri III et ses mignons.

On vénérait le duc de Mayenne et Mme de Montpensier, frère et sœur des Guises.

Les moines répétaient, en faisant l'apologie du duc

de Guise et du cardinal, son frère : « Ô Saints et glorieux martyrs de Dieu, béni soit le ventre qui vous a portés et les mamelles qui vous ont allaités. »

Puis les capucins, dominicains, feuillants, et les prêtres de toutes les paroisses, portant des reliques, parcouraient les rues de la ville, entourés de ligueurs en armes.

— *Pazzi, pazzi !* murmurait Leonello Terraccini.

Ces moines et ces ligueurs accusaient même Henri III d'avoir provoqué le trépas de sa mère, Catherine de Médicis, morte de chagrin après qu'il eut fait assassiner les Guises. La prédiction annonçant qu'elle succomberait étouffée sous les ruines d'une noble maison – c'était celle des Guises – s'était réalisée. Et Henri III, fils démoniaque et indigne, ne s'était même pas incliné devant la dépouille de la reine mère.

— Ils disent qu'à peine rendu le dernier soupir son fils l'a traitée comme une chèvre morte, rapportait Terraccini.

J'écoutais.

Je mesurais combien la foi et la religion, quand on se sert d'elles comme d'outres pleines de passion, peuvent en effet rendre fous les hommes.

— Le peuple est si échauffé et enragé que, la nuit, il oblige les prêtres et les moines à conduire des processions, et chante « Dieu éteigne la race des Valois ! » reprenait l'Italien.

Lorsqu'on avait appris à Paris que le pape excommuniait Henri III pour avoir tué le cardinal Louis de Lorraine, la haine contre le souverain s'était encore exacerbée !

Il fallait un « vengeur » pour en finir par le fer et le

feu avec cet homme du diable, ce souverain qui n'était plus légitime, car, disaient les ligueurs, « ce ne sont pas les rois qui font les peuples, mais les peuples qui font les rois ».

— Paris est un nid de frelons, ajoutait Terraccini. Ils veulent la mort du roi. Ils le tueront, lui, tout comme son héritier, Henri de Navarre. Ils le clament. *Pazzi !* *Pazzi !*

Je vois Henri III inquiet, blessé par l'excommunication, hésitant à plonger le poing dans ce nid de frelons.

J'entends Henri de Navarre lui répéter :

— Pour regagner votre royaume, il faut passer sur les ponts de Paris. Qui vous conseillera de passer ailleurs n'est pas un bon guide.

On se met en route. Je me tiens en retrait, chevauchant aux côtés de Michel de Polin.

Je ne veux point participer à ces batailles entre ligueurs, commandés par le duc de Mayenne, et les troupes de Henri III et de Henri de Navarre. Parmi celles-ci je reconnais les lansquenets et les reîtres, les Suisses, les gentilshommes du roi ainsi que Séguret et Jean-Baptiste Colliard, ceux du Béarnais. Je me refuse à combattre à leurs côtés, à arborer moi aussi à l'épaule l'écharpe blanche de la huguenoterie.

Je découvre, jusqu'à en avoir la nausée, ce que l'on fait dans les villes conquises : Pithiviers, Étampes, bientôt Pontoise, Meudon, Saint-Cloud... On pend le gouverneur, les officiers, les magistrats, déclarés ligueurs et rebelles.

Quand les armées se font face, j'entends les ligueurs

crier : « Braves huguenots, gens d'honneur, ce n'est pas à vous que nous en voulons, c'est à ce perfide, à ce couillon de Valois qui vous a tant trahis et qui vous trahira encore ! »

Et je sais que Séguret, Jean-Baptiste Colliard et bien d'autres remâchent cette inquiétude.

Ainsi, la guerre a pour corollaire la vengeance. Elle entraîne tous ceux qui l'approchent, et je n'ai pu y échapper.

J'ai vu de nouveau la mort dans les églises et les rues de Saint-Symphorien, l'un des faubourgs de Tours, occupé une nuit – une seule nuit – par les ligueurs du duc de Mayenne. Ils avaient pillé les maisons, massacré les habitants, poursuivi les femmes jusqu'au pied des autels. Ils avaient violé celles-ci devant leurs filles, puis les filles à leur tour avaient été violentées. Après quoi ils avaient enfoui dans de grands sacs les objets du culte, clamant que tout leur était permis puisqu'ils combattaient pour la juste cause, la vraie foi. Le pape ayant excommunié le roi, dès lors tous leurs péchés leur étaient pardonnés !

J'ai contemplé ces églises saccagées, ces corps martyrisés.

Alors je me suis porté, l'épée au poing, au premier rang, et j'ai accroché une écharpe blanche à mon épaule.

Nous sommes ainsi arrivés jusque dans les petits villages qui entourent Paris. J'étais auprès de Henri de Navarre quand il a dit : « Il y va du royaume à bon escient d'être venu baiser cette belle ville et ne lui mettre pas la main au sein serait folie ! »

Le roi Henri III était resté à Saint-Cloud.

Le Béarnais a levé son épée et nous avons, avec huit cents chevaux, pris tous les villages jusqu'à Vaugirard, puis nous nous sommes avancés vers le pré aux Clercs où les ligueurs nous ont accueillis par une violente arquebusade.

Quand elle cessa, un moine est sorti de leurs rangs et s'est avancé vers nous, criant sans paraître nous craindre :

Le sang qu'as épandu devant Lui crie vengeance !
Dieu te fera mourir par la main d'un bourreau
Qui, de ton bras, tyran, délivrera la France !

33.

Le bourreau que le moine prophète annonçait, clamant devant nos bivouacs sa haine du misérable Henri III, ce fut un autre moine, un dominicain chétif de corps, à la courte barbe noire, aux yeux brillants de fou, qui se nommait Jacques Clément.

Il planta un long couteau à manche noir dans le bas-ventre du roi qui, chausses défaites, à demi nu, le recevait, assis sur sa chaise percée, le matin du 1er août 1589, dans la chambre de sa demeure de Saint-Cloud.

J'avais passé la nuit assis devant l'un des feux allumés par nos soldats, non loin des remparts de Paris d'où parfois les ligueurs nous tiraient une arquebusade.

Autour de moi, enroulés dans leurs manteaux, veillaient Séguret et Jean-Baptiste Colliard parmi d'autres gentilshommes huguenots. À quelques pas, tête baissée, le menton sur la poitrine, Henri de Navarre somnolait.

Nous devions attaquer Paris dès le lendemain.

Je n'avais pu fermer l'œil, priant pour que Dieu protège mon fils et sa mère.

Un courrier arrivé de Provence dans l'après-midi m'avait informé que des bandes de ligueurs parcouraient la campagne, plus nombreuses de jour en jour, harcelant châteaux et villages restés fidèles à Henri III et à Henri de Navarre. Ils pillaient et massacraient au nom de Dieu et de la Saint Église, sûrs d'être absous puisque les prêcheurs leur répétaient que celui qui tue l'hérétique ou l'excommunié fait œuvre pie.

J'étais sûr, Seigneur, que Vous n'aviez pas voulu cela. Mais les démons montent ainsi en chaire et, sacrilège, se parent des habits sacerdotaux. L'inquiétude me rongeait le cœur. J'étais si loin de mon Jean et d'Anne de Buisson ! Ils étaient en Votre sauvegarde, Seigneur, mais peut-être vouliez-Vous me punir d'avoir, durant quelques années, blasphémé, douté de Vous. Je savais que Vous teniez le compte exact des actions des hommes et que Vous pouviez les punir en frappant ceux qu'ils aimaient.

J'aimais Jean et sa mère. Je souffrais de les imaginer pourchassés, encerclés par les massacreurs. J'en avais tant vu à l'œuvre qu'à chaque instant un flot de sang et des cris envahissaient ma mémoire.

Tout au long de cette nuit, je n'ai pu chasser de ma vision ce corps de nourrisson emmailloté dans des linges rouges. Et quand j'ai entendu le galop d'un cheval, que j'ai vu son cavalier foncer vers nous, j'ai aussitôt bondi, craignant qu'il ne soit le messager de la mort des miens.

Il a sauté à terre. J'ai reconnu un gentilhomme huguenot. Il s'est penché vers Henri de Navarre, lui a soufflé quelques mots ; le Béarnais a tressailli. Je suis allé vers lui en compagnie de Séguret et de Jean-Baptiste Colliard.

Henri de Navarre s'est adressé à moi d'une voix étouffée.

— Mon ami, le roi vient d'être blessé d'un coup de couteau dans le ventre. Allons voir ce qu'il en est. Venez avec moi.

À quelques-uns nous sommes partis à bride abattue vers Saint-Cloud.

Et je Vous ai remercié, Seigneur, de ne pas m'avoir frappé.

J'ai d'abord aperçu dans la cour de la maison du roi le corps transpercé de coups d'épée et brisé de l'assassin que les gardes du roi avaient frappé de leurs lames avant de le précipiter par la fenêtre de la chambre.

C'était ce dominicain, ce Jacques Clément, au visage ensanglanté, car le monarque l'avait frappé au visage avec le couteau qu'il avait arraché de sa plaie au ventre, criant :

— Ah, méchant, tu m'as tué !

Ce moine n'était plus qu'une défroque maculée.

Dans la chambre, le roi, le front blanc couvert de sueur, se tient les entrailles à deux mains.

Henri de Navarre s'approche. Je le suis parmi la foule de gentilshommes éplorés.

Les chirurgiens entourent Henri III et je lis, sur leurs visages qui se voudraient impassibles, que la mort est à l'œuvre, qu'elle creuse le corps royal, qu'ils le savent et le taisent.

J'entends la voix haletante du roi, auquel Henri de Navarre a baisé les mains.

— Mon frère, dit-il, voyez comme vos ennemis et les miens m'ont traité !

Il s'arrête, sa tête retombe. Sa respiration est rauque.

J'ai entendu de si nombreux râles, sur le pont de la *Marchesa*, dans la rue des Fossés-Saint-Germain, en tant d'autres lieux sanglants, que je reconnais cette plainte funèbre.

— Il faut que vous preniez garde qu'ils ne vous en fassent autant, reprend-il.

Il tousse, les mains à nouveau posées sur son ventre.

— Mon frère, continue-t-il, je le sens bien, c'est à vous de posséder le droit auquel j'ai travaillé pour vous conserver ce que Dieu vous a donné. C'est ce qui m'a mis en l'état où vous me voyez. Je ne me repens point, car la justice de laquelle j'ai toujours été le protecteur veut que vous succédiez après moi à ce royaume dans lequel vous aurez beaucoup de traverses, si vous ne vous résolvez point à changer de religion.

Il se redresse.

— Je vous y exhorte autant pour le salut de votre âme que pour l'avantage du bien que je vous souhaite.

Il lève la main et, d'un lent mouvement, trace un cercle :

— Messieurs, dit-il, approchez et écoutez mes dernières intentions sur les choses que vous devez observer quand il plaira à Dieu de me faire partir de ce monde... J'ai été contraint d'user de l'autorité souveraine qu'il avait plu à la Divine Providence de me donner sur mes sujets rebelles pour éviter la subversion générale de cet État. Mais comme leur rage ne s'est terminée qu'après l'assassinat qu'ils ont commis en ma personne, je vous prie comme mes amis, et vous ordonne comme votre roi, que vous reconnaissiez après ma mort mon frère que voilà, que vous lui ayez la même affection et fidélité que vous avez toujours eue pour moi, et que, pour ma satisfaction et votre propre devoir, vous lui prêtiez serment en ma présence...

Je vois les larmes couler sur le visage de Henri de Navarre.

J'entends les sanglots des gentilshommes. Ils jurent fidélité au roi de Navarre, et disent au mourant qu'ils obéiront à ses commandements.

Je pleure aussi, appuyé à l'épaule de Michel de Polin, qui murmure :

— Dieu nous donne un nouveau roi. Que la paix soit avec lui !

C'est la nuit, le silence. On prie. On dit la messe. Le roi se confesse.

Tout à coup, sa voix pourtant si faible, enrouée, hésitante, impose silence.

— Je n'y vois plus, dit-il. Le sang va me suffoquer.

34.

« Illustrissimes Seigneuries,

Le roi Henri III est mort, la bouche pleine de sang et le boyau percé par le poignard du moine Jacques Clément.

J'étais le seul ambassadeur présent à Saint-Cloud, dans cette demeure où Henri III a trépassé, le 1er août 1589.

J'ai entendu les sanglots des proches qui, autour du lit royal, prêtèrent serment, à la demande du souverain agonisant, au huguenot Henri de Bourbon-Navarre qu'il avait désigné comme son héritier. Mais aucun d'eux n'a crié, comme le veut la coutume : "Le roi est mort ! Vive le roi !"

Plusieurs de ces gentilshommes, fervents catholiques, sont venus vers moi en se tordant les mains, en jetant leurs chapeaux à terre, en me demandant de faire connaître à Vos Illustrissimes Seigneuries de notre république, mais aussi aux autres princes italiens et à Sa Sainteté le pape, qu'ils préféraient "mourir de mille morts et se rendre à toutes sortes d'ennemis plutôt que de souffrir un roi huguenot".

Beaucoup ont déjà quitté Saint-Cloud pour retourner dans leurs provinces, et certains ont dû prendre langue avec les ligueurs de Paris.

J'ai envoyé Leonello Terraccini dans la capitale afin de connaître l'opinion de ceux qui ont armé le bras de Jacques Clément. Ce que me rapporte Terraccini confirme les avis que m'ont prodigués Michel de Polin et Bernard de Thorenc.

Jacques Clément, moine sot et lourdaud, au témoignage de ceux qui l'ont connu, a été poussé à commettre son acte tyrannicide : il a rencontré à plusieurs reprises le père Veron, l'un des plus zélés catholiques et prêcheurs que l'on ait vus et entendus dans Paris. Le père Veron est de l'entourage de Diego de Sarmiento, et le roi d'Espagne ne peut que se réjouir de savoir que la France est à nouveau tachée de sang et écartelée.

À Paris, à l'annonce de la mort du souverain, les ligueurs ont festoyé, sortant des tables dans les rues. On a loué Dieu et chanté :

> *Peuple dévot de Paris*
> *Éjouis toi de courage*
> *Par gais chants et joyeux ris*
> *Il est mort ce traître roi*
> *Il est mort, ô l'hypocrite !*

La sœur des Guises, Mme de Montpensier, a fait distribuer au peuple des écharpes vertes afin que chacun arbore ce signe d'espérance. Elle a parcouru les rues en carrosse, accompagnée de sa mère, Mme de Nemours, et ces deux princesses de Guise ont crié au peuple assemblé :

— Bonne nouvelle, les amis ! Bonne nouvelle ! Le tyran est mort ! Il n'y a plus de Henri de Valois en France !

Illustrissimes Seigneuries,
Je ne puis dire aujourd'hui si Henri de Bourbon-Navarre, qu'on nomme désormais Henri IV, pourra

conquérir ce trône qu'en mourant Henri III vient de lui léguer.

Le peuple dévôt de Paris et tous les catholiques du royaume le haïssent, et les prêcheurs vont exhorter les bons moines à tuer ce "renard béarnais", ce "loup".

Michel de Polin m'assure que les Écossais de la Garde royale lui ont prêté serment, et qu'il est le plus fort. Les soldats, prétend-il, se rallieront à lui. Et certains nobles ne renieront pas le serment qu'ils ont prêté devant le monarque mourant en faveur du nouveau souverain.

Mais qu'en sera-t-il des provinces du royaume ?

Bernard de Thorenc a quitté Saint-Cloud pour regagner la Provence car sa demeure, le Castellaras de la Tour, serait menacée par des bandes de catholiques zélés ou de pillards qui se prétendent tels.

Leonello Terraccini a appris que les chefs de la Sainte Ligue ont demandé aux prédicateurs de louer l'acte de Jacques Clément. Ce moine, disent-ils, est un vrai martyr qui a enduré la mort pour délivrer la France de la tyrannie de ce chien de Henri de Valois. Pour eux, Dieu le voulait, Jacques Clément l'a accompli. C'est une grande œuvre de Dieu, un miracle, un pur exploit de Sa Providence, que l'on peut comparer aux mystères de Son incarnation et de Sa résurrection.

Ces prêches, qui sont un appel au tyrannicide, seront-ils entendus et Henri IV pourra-t-il esquiver les poignards, le poison ou le plomb des arquebuses, maintenant qu'il est devenu gibier ?

Les machiavélistes, les politiques – comme Michel de Polin et Bernard de Thorenc – lui ont prodigué maints conseils.

J'ai vu Thorenc avant son départ pour le Castellaras de la Tour. Il ne pouvait dissimuler sa fureur et son accablement.

Il dit que c'est manœuvre diabolique d'invoquer le nom de Dieu et la religion pour mener des batailles d'ambition. Les vrais hérétiques, les ennemis de la foi sont ceux qui pervertissent ainsi les principes sacrés.

Mais Thorenc craint aussi que ces mauvais bergers n'entraînent le peuple dans une guerre sans fin qui ne verra que l'abaissement du royaume et le triomphe de la mort après d'infinies souffrances et de grands massacres, le sang faisant jaillir le sang. Les tueries de la Saint-Barthélemy ont conduit au meurtre des Guises, et celui-ci a provoqué l'assassinat du roi, Clément ripostant aux tueurs de Blois !

— J'ai peur pour mon fils et ma femme, a conclu Thorenc avant de me quitter.

Beaucoup d'autres gentilshommes protestants ou papistes partagent de semblables inquiétudes. Ils craignent un regain de haine. Ils ne croient pas que le peuple catholique pourra accepter un roi qui ne le serait pas.

Henri IV a-t-il écouté Michel de Polin et Bernard de Thorenc ?

Dans une déclaration solennelle, il vient d'affirmer qu'il veut "maintenir et conserver en notre royaume la religion catholique apostolique et romaine dans son entier, sans y innover et changer aucune chose... Nous sommes prêt et ne désirons rien davantage, dit-il, que d'être instruit par un bon et légitime concile général et national pour en suivre et observer ce qui y sera conclu et arrêté".

Il paraît donc disposé à abandonner sa foi huguenote.

Mais la promesse de sa conversion suffira-t-elle à désarmer les tueurs ?

Les soldats l'ont acclamé, mais les plus entêtés parmi les gentilshommes huguenots murmurent et renâclent devant ce qu'ils appellent une "trahison", une "abomination", l'abandon du rêve d'un royaume protestant. Plusieurs ont déjà quitté son armée.

La tâche de Henri IV, roi de France et de Navarre, sera donc difficile.

J'ose pourtant conseiller à vos Illustrissimes Seigneuries de l'accepter comme souverain légitime. C'est un homme vigoureux et résolu, au corps et à la volonté de montagnard, et qui ne renoncera pas. Il a montré son courage, plus homme de guerre que de cabinet, aimé de ses soldats, paillard comme eux, mais esprit raisonnable qui semble prêt à l'abjuration de sa foi s'il peut ainsi rallier ses sujets à son trône.

Il est entouré d'hommes de qualité tels Michel de Polin et Bernard de Thorenc.

Il sera victorieux s'il échappe aux poignards des régicides.

Si Votre Illustrissime République le reconnaît au moment où il est en péril, il se souviendra d'elle quand il régnera sur un royaume apaisé.

Je suis prêt, dès que vous le jugerez bon, à me présenter à lui en audience solennelle.

Votre dévoué serviteur,
Vico Montanari. »

35.

Seigneur, lorsque j'ai vu ces longues traînées noires qui maculaient les murs du Castellaras de la Tour, j'ai cru que Vous ne m'aviez pas épargné.

J'ai sauté à terre, j'ai pris mon cheval par la bride et ai marché lentement.

J'avais éperonné mes montures tout au long de la chevauchée depuis mon départ de Saint-Cloud. Mais, à présent, je n'avais plus aucune hâte.

J'ai pensé : « Les choses sont faites. Tu n'y peux plus rien. »

Je me suis arrêté sous la poterne. La cour était devant moi. Et un instant j'ai craint, en levant les yeux, de voir, couchés sur les pavés, les corps de mon fils Jean et d'Anne de Buisson, mon épouse, comme deux sangliers tués après la battue.

Mais il n'y avait aucun cadavre devant la porte du Castellaras de la Tour.

Je me suis avancé.

Jamais quelqu'un n'avait pu traverser cette cour sans que la meute entière hurle, se ruant contre les portes du chenil, les faisant trembler, et nos visiteurs se hâtaient comme s'ils avaient eu tous ces chiens à leurs trousses.

Mais plus un aboiement pour couvrir mes pas qui résonnaient dans la cour vide.

J'ai eu la tentation de m'agenouiller, de Vous prier, Seigneur, de me faire mourir là, d'un coup de lame ou d'une décharge d'arquebuse, voire tout simplement de désespoir.

Mais je suis resté debout, lâchant la bride de mon cheval qui demeurait immobile près de moi, tête baissée.

J'ai caressé son encolure et répété : « Les choses sont faites. »

Je suis entré dans la grand-salle, puis je me suis dirigé vers notre chapelle avec, dans la gorge, ces cris et ces appels que j'aurais voulu lancer, tant ce vide et ce silence autour de moi étaient comme une mer nue pour un galérien jeté par-dessus bord, abandonné sans un bout de bois pour le soutenir.

Rien pourtant n'avait été saccagé.

Les statues étaient en place dans leurs niches. Le tombeau de Michele Spriano n'avait pas été profané. Sur l'autel, la tête du christ aux yeux clos reposait sur la bannière de damas rouge.

J'ai eu un mouvement d'espoir. Je suis tombé à genoux devant Votre visage. Je Vous ai imploré. Mais Vos yeux sont restés clos et Vos traits exprimaient l'accablement et la tristesse.

Les choses étaient faites.

Je ne me suis pas révolté contre Vous, Seigneur. Je n'ai pas blasphémé. J'ai commencé à prier.

Peu après, Denis, que les années avaient comme écrasé, lui courbant le dos, enfonçant sa tête dans ses épaules, est venu s'agenouiller près de moi.

Il a murmuré :

— Elle l'a sauvé, elle nous a tous sauvés. Ils ne sont pas entrés dans le château.

J'ai su, Seigneur, que Vous ne m'aviez pas précipité dans l'enfer.

Debout devant moi, dans la grand-salle, Denis le Vieux m'a raconté.

— Ils sont venus une nuit. Ils ont voulu nous brûler, entassant le foin et le bois contre les murs. Mais la pluie a éteint les feux et elle n'a pas cessé de plusieurs jours. Nous nous sommes défendus. La maîtresse disait que vous alliez venir avec une troupe, et qu'il fallait résister, qu'ils seraient chassés et pendus. Ils étaient comme fous. Ils ont d'abord égorgé les moutons, les porcs, les vaches. Puis ils ont tué tous les chiens et ont jeté leurs cadavres dans la cour, et ç'a été un tourbillon de mouches si nombreuses qu'elles cachaient le ciel. Nous avons commencé à manquer de poudre, de balles et surtout d'eau. Or il en fallait pour votre fils. La maîtresse nous a réunis. Elle a dit que c'était elle qu'ils réclamaient, qu'elle allait se livrer et qu'elle leur apporterait l'or, les bijoux qu'elle possédait. Ainsi ils lèveraient le siège du Castellaras de la Tour et ne toucheraient pas à un cheveu de l'enfant.

— Ils sont las. Ils accepteront, a-t-elle dit. C'est moi qu'ils veulent. Moi – et la rapine.

— Tous, a continué Denis, nous l'avons suppliée de ne point se livrer. Ces hommes-là, pillards et égorgeurs, ne respectent pas leur serment. Ils la détrousseraient, la violeraient, puis la tueraient et ne lèveraient jamais le siège. C'étaient des chiens errants, non des hommes de religion. Ils étaient pires que des loups, ne laissant pas un lambeau de chair sur leur proie et leur brisant même les os d'un coup de mâchoires pour se repaître de la moelle. Ces profanateurs ne répugnaient pas à déterrer des cadavres pour s'emparer des bagues et des colliers. Ils l'avaient fait, ils l'avaient fait !

Anne de Buisson avait paru ne pas entendre. Elle avait dit : « Ils me connaissent. Ils m'attendent. Ils me veulent. »

— Elle paraissait sûre d'elle et sans peur, et à la fin nous nous sommes tus, a murmuré Denis. Elle s'est recueillie dans la chapelle, gardant longuement son fils serré contre elle, puis elle est sortie, vêtue de noir, avec une coiffe blanche, comme la plus huguenote des huguenotes, tenant dans ses bras ses coffrets à bijoux.

Denis le Vieux a branlé du chef.

— Ils l'ont entourée. Ils ont crié. Mais ce n'était pas de la haine. Et ils sont partis avec elle qui chevauchait à leur tête. Elle ne s'est pas retournée.

On dit que des louves parfois pénètrent dans les chenils pour mettre bas. Elles demeurent quelques jours parmi les chiens, nourrissent et lèchent leur portée à l'abri du froid, des bergers et des chasseurs. Puis, une nuit, elles bondissent par-dessus l'enclos et s'en vont rejoindre la meute, et leurs petits, qu'elles abandonnent, deviennent les plus aguerris des chiens. Mais elles, elles égorgent les troupeaux comme par plaisir...

J'ai pensé qu'Anne de Buisson était l'une de ces louves quand j'ai appris qu'une bande ayant à sa tête une femme attaquait les villages et les châteaux de la Haute-Durance sans se soucier de savoir s'ils étaient huguenots ou catholiques, fidèles de Henri IV ou de la Ligue. Ils pillaient. Ils massacraient.

De grande beauté, la femme était la plus cruelle, tailladant les seins des prisonnières, tranchant le sexe des malheureux qui n'avaient réussi ni à fuir ni à mourir.

Seigneur, malgré ces traces de sang qu'elle laissait derrière elle et ces corps d'enfants à demi consumés qu'on trouvait dans les maisons incendiées, parfois aussi sur des bûchers dressés sur les places, je n'ai pu la maudire.

Il me semblait qu'elle agissait ainsi pour entraîner loin du Castellaras de la Tour les égorgeurs qui l'avaient choisie pour capitaine. Qu'elle était cruelle par désespérance, pour attirer sur sa troupe les foudres de la vengeance.

C'est ainsi qu'un jour, sur un charroi arrêté devant la poterne du Castellaras de la Tour, j'ai vu sa dépouille, nue, un pieu enfoncé dans la bouche, un autre dans son sexe. Les paysans qui l'avaient tuée l'avaient jetée sur les dalles de l'entrée comme un gibier de choix. Les chiens, autour d'elle, hurlaient à la mort.

Je l'ai rendue humaine et j'ai longtemps contemplé son corps et son visage apaisés, puis je l'ai couverte d'un large manteau bleu.

Et j'ai voulu, Seigneur qu'on l'ensevelisse dans notre chapelle aux côtés du tombeau de Michele Spriano.

Quand ils l'ont su, les paysans qui me l'avaient livrée se sont rassemblés autour du Castellaras de la Tour, menaçants. Je suis sorti seul, mon épée à la main, et j'ai hurlé : « Elle est à moi ! » puis j'ai fait déposer à leurs pieds le produit de ma chasse de la veille – trois sangliers, des bêtes lourdes et grasses qui leur donneraient du jambon pour plusieurs mois.

Après quoi je suis retourné dans la chapelle pour prier, Seigneur, devant Votre visage aux yeux clos.

J'ai sollicité pour elle Votre miséricorde.

620

Elle s'était abandonnée aux puissances de l'enfer, mais elle avait sauvé cet enfant, notre fils, dont la voix jaillissait près de moi au pied de Votre autel.

36.

La voix de mon fils Jean, je ne me suis pas lassé de l'entendre.

Sa main, j'aurais voulu ne jamais la lâcher.

Elle était potelée, la peau lisse et rose comme du satin, et si bien formée qu'elle m'émerveillait.

Je pouvais la cacher tout entière dans mon poing. Et Jean la serrait autour de mon majeur comme si mon doigt avait été une branche.

Parfois, en jouant, je l'ai prise dans ma bouche et ai refermé les dents sur son poignet comme si j'avais voulu le trancher. Jean riait, se débattait entre joie et frayeur, et, lorsque je le libérais, je lui disais, en le soulevant à bout de bras :

— Je te mange ! Je te dévore ! Je t'avale !

Et tout à coup il me semblait qu'en moi, en effet, sommeillait un ogre qui aurait pu engloutir cet enfant dans un moment de folie et d'amour mêlés.

Je m'éloignais. Je regardais ce fils.

J'avais envie de tomber à genoux, Seigneur, pour Vous remercier de me l'avoir donné.

Je comprenais comme jamais qui Vous étiez, mon

Dieu, dans Votre bonté, de par ce miracle de la Vie, de la naissance, de l'enfance, de par l'innocence de mon fils qui venait vers moi, désarmé.

Seigneur, Vous aviez voulu que les enfants d'humains ne puissent vivre que par l'amour qu'on leur portait.

Vous aviez été Vous aussi, comme mon fils Jean, comme tous les enfants, un être sans défense. J'avais lu l'Évangile selon saint Matthieu et je me souvenais de l'ange du Seigneur qui apparaît à Joseph et lui dit : « Lève-toi, prends l'enfant et sa mère, fuis en Égypte et restes-y jusqu'à ce que je te parle. Car Hérode va chercher l'enfant pour le perdre ! »

J'ai prié devant Votre visage aux yeux clos.

J'ai compris Votre accablement et Votre compassion qu'exprimaient les rides autour de Votre bouche.

À chaque naissance, Vous donniez aux hommes la chance du salut.

Il nous suffisait d'aimer l'être nouveau que nous avions engendré et qui dépendait de nous.

À chaque naissance, depuis que l'homme est l'homme, Vous assistiez au massacre des innocents.

Cet enfant nu, nous le tuions, nous le laissions mourir, ou bien nous en faisions un égorgeur.

Je me souvenais d'avoir vu, ce dimanche 24 août 1572, jour de la Saint-Barthélemy, des enfants massacrés, mais aussi d'autres qui, comme des vautours sur la charogne, s'acharnaient à mutiler, à dépecer, à brûler les corps.

Plusieurs dizaines d'enfants – peut-être deux cents –

s'étaient ainsi jetés sur le cadavre de l'amiral de Coligny et l'avaient profané.

Voilà ce que nous faisions des enfants, Seigneur, et de la liberté que Vous nous aviez donnée de les aimer, de les protéger ou bien de les haïr, de les tuer ou de les pervertir.

J'avais assisté à tant de massacres des innocents !

J'avais vu tant d'hommes fracasser la tête des enfants contre les murs, les jeter dans les flammes ou les embrocher.

J'avais laissé faire, détournant à peine les yeux des nouveau-nés chrétiens donnés en pâture aux chiens par les Barbaresques, des corps des enfants maures en Andalousie, ou bien de ceux des fils de huguenots, rue des Fossés-Saint-Germain.

Et maintenant j'avais un fils dont la gorge était menacée par le poignard d'Hérode, comme l'était celle de tous les enfants.

J'avais peur pour lui.

Sa mère avait massacré des innocents.

Et je ne savais pas, Seigneur, vers quelle Égypte je pouvais m'enfuir pour mettre mon fils Jean à l'abri des égorgeurs.

Parfois, je vous l'ai dit, je craignais qu'un ogre en moi ne surgisse et que je ne devienne Hérode pour mon fils.

J'ai eu peur de moi, du désir de me châtier pour tout ce que j'avais fait, tout ce que je n'avais pu empêcher.

J'ai craint d'attirer par ma présence le malheur sur mon fils, et j'ai eu la certitude qu'il fallait que je m'éloigne de lui.

J'avais remarqué que lorsque je l'effrayais et que, tout à coup, il se détournait et s'enfuyait, seule la présence d'une jeune paysanne italienne, Margherita, le calmait.

Elle le berçait, le caressait, l'endormait.

Anne de Buisson lui avait confié l'enfant dès le lendemain de sa naissance. Je l'ai observée : elle avait une beauté et une bonté rondes, à l'instar de son visage et de son corps.

Je l'ai vue souvent, agenouillée devant Vous, Seigneur, le front posé sur ses mains nouées. Je ne pouvais détacher les yeux de ses larges épaules, de sa nuque que j'apercevais sous sa coiffe.

J'ai pensé qu'elle pourrait être, pour mon fils Jean, l'Égypte.

Je l'ai appelée un matin, alors que Jean dormait. Je lui ai montré la grande chambre où je dormais.

— Ce sera la tienne, lui ai-je dit. Tu vivras ici avec Jean. Sa mère est morte. Remplace-la.

J'ai tendu les bras vers sa poitrine. J'ai effleuré ses seins qui gonflaient sa robe de toile épaisse et grise.

Elle s'est agenouillée devant moi, secouant la tête, murmurant :

— Non, non.

— Tu ne veux pas ?

— Jean, oui, a-t-elle chuchoté.

J'ai baissé les bras. J'avais honte de mes instincts, de mon désir, de la folie qui pouvait naître de ma mémoire.

J'avais peur de moi, de la passion que j'éprouvais pour mon fils.

— Aime Jean mieux que je ne pourrais le faire. Je ne te demande rien d'autre.

J'ai quitté le Castellaras de la Tour sans revoir mon fils.

Mieux valait que sa main fût serrée par celle d'une femme qui n'avait jamais été souillée par le sang des hommes.

CINQUIÈME PARTIE

37.

J'ai retrouvé la cruauté des hommes.

Nous avancions dans le brouillard qui recouvrait les vallées, les marais, les prairies et les collines de la région de Dieppe. C'est là, au château d'Arques, que j'avais rejoint, en cette fin de septembre 1589, l'armée de Henri, quatrième du nom, roi de France et de Navarre.

J'ai entendu sa voix forte aux accents béarnais nous jurer, dans la cour du château, que nous allions en quelques jours en finir avec l'armée du dernier des Guises, le duc de Mayenne.

Henri IV s'est dressé sur ses étriers, silhouette floue dans le brouillard.

— Les portes de Paris s'ouvriront devant nous ! a-t-il lancé.

De cette masse sombre de cavaliers, de fantassins, de Suisses, des cris se sont élevés : « Saint-Barthélemy, Saint-Barthélemy ! »

Et j'ai frissonné.

Michel de Polin s'est penché vers moi et s'est accroché à mon épaule, nos chevaux flanc contre flanc.

Ses amis du Parlement de Paris qui avaient réussi à fuir la capitale lui avaient raconté qu'à Paris on était si sûr de la victoire du duc de Mayenne qu'on louait à prix d'or les fenêtres de la rue Saint-Antoine afin de pouvoir assister à son triomphe ; et on disait aussi qu'il avait déjà fait construire la cage dans laquelle croupirait Henri l'hérétique, le huguenot relaps, le roi illégitime, complice du misérable Henri III !

Les hommes savent haïr. C'est ainsi qu'ils cessent d'être des enfants !

J'écoutais Séguret et Jean-Baptiste Colliard pendant que nous chevauchions le long des petites vallées qui irriguent la campagne entre le château de Dieppe, celui d'Arques et les hauteurs dominant les berges de l'Aulne et de la Béthune. J'avais l'impression de n'avoir jamais vu leurs visages couturés, leur peau tannée, ni leurs mains ainsi crispées sur la crosse de leur pistolet ou le pommeau de leur épée. Ils tendaient le bras, me montraient les fantassins anglais qui venaient de débarquer au nombre de quatre mille. Ceux-là, avec les Suisses et les arquebusiers, les cavaliers, allaient assurer, disaient-ils, la victoire de la cause, de la rébellion contre les papistes du duc de Mayenne.

Je m'étonnais : j'avais cru que Henri se préparait à abjurer. Séguret et Colliard m'assuraient au contraire qu'il avait, avec eux, écouté le prêche des pasteurs, la lecture de la Bible, et que jamais il ne renoncerait à sa foi. Au reste, pourquoi abjurer si l'on était victorieux des catholiques ? On allait l'être, et le royaume serait huguenot !

Les hommes sont des outres de duplicité et d'hypocrisie !

Nous franchissions la vallée de l'Aulne, protégés par

le brouillard. Je me retrouvais près d'Enguerrand de Mons qui me confiait qu'il ne suivrait le roi Henri que si celui-ci abjurait. De nombreux gentilshommes qui avaient prêté serment au roi à la demande de Henri III n'y resteraient pas fidèles s'il se dérobait à ses engagements. Vaincre les ligueurs, soit, mais pas pour placer sur le trône de France un hérétique.

Les hommes sont maîtres en fourberies !

Seigneur, comment préserver en eux les vertus, l'angélique naïveté de l'enfance ?

J'ai entendu crier : « Vive le roi ! » Cela provenait de la berge opposée tenue par les troupes du duc de Mayenne. Nous en avons été étonnés. Peut-être s'agissait-il de transfuges qui quittaient le camp de la Ligue pour rejoindre celui de Henri IV ?

J'ai vu s'avancer vers nos Suisses des lansquenets, lances et drapeaux baissés, criant encore : « Vive le roi ! »

Nos Suisses leur ont tendu la main pour les aider à franchir le fossé, et tout à coup ces Allemands ont sorti dagues et coutelas et commencé d'égorger et d'éventrer les Suisses, puis de se précipiter vers nous qui refluions, appelant à la rescousse. Enfin, les quatre canons du château d'Arques ouvrirent quatre belles rues sanglantes parmi les escadrons et les bataillons ligueurs qui s'arrêtèrent court.

Les hommes se vengent toujours. L'oubli et le pardon sont les privilèges de l'enfance.

Moi, mêlé à cette bataille, marchant avec quatre cents arquebusiers huguenots vers les ligueurs, je pensais à mon fils Jean, à sa peau veloutée, à l'innocence de son regard.

Seigneur, Vous nous donnez tout avec l'enfance et nous sommes comme ces joueurs qui se dépouillent, coup de dés après coup de dés, de ce qu'ils possèdent, croyant ainsi pouvoir gagner alors qu'ils vont tout perdre.

Pensant cela, je m'élançai aux côtés du roi. J'écartai d'un coup de lame un capitaine de lansquenet qui le menaçait de sa lance en lui demandant de se rendre.

À cet instant précis, les arquebusiers ont fait feu, nos Suisses se sont jetés en avant et ont commencé d'égorger, de crever la poitrine et la panse de tous les lansquenets, en guise de représailles pour la trahison dont ils avaient été victimes.

Les hommes se laissent griser par la victoire.

Après celle d'Arques, Henri IV a répété que nous allions forcer les portes de Paris.

Le 1er novembre, les arquebusiers et les gentils-hommes huguenots ont assailli les retranchements des faubourgs de la rive gauche de la Seine.

J'entendais leurs cris : « Saint-Barthélemy, Saint-Barthélemy ! » et j'imaginais que s'ils pénétraient dans la ville ils rechercheraient ceux dont ils pensaient qu'ils avaient été les massacreurs d'août 1572.

Dix-sept ans déjà...

La haine, la vengeance, le désir de mort étaient plus forts que jamais. Les huguenots commençaient le pillage de l'abbaye de Saint-Germain, conquise.

Des prisonniers, apeurés, prétendaient qu'ils combattaient pour la Ligue parce qu'ils craignaient la pendaison ou le bûcher s'ils se dérobaient. Les ligueurs avaient étranglé des hommes accusés d'être partisans du roi hérétique, simplement parce qu'on les avaient vus sourire à l'annonce de l'assaut des huguenots.

Mais nous fûmes repoussés après avoir échoué à enfoncer la porte Saint-Germain, et nous dûmes abandonner les villages de Montrouge, d'Issy et de Vaugirard, puis chevaucher vers Tours en prenant les villes que nous traversions.

Dans chacune on pendait le ligueur le plus illustre. « Les autres rats, disait Séguret, vont rentrer dans leurs trous. »

Les hommes méprisent les hommes.

Ô Seigneur, donnez-leur la force de garder en eux l'enfance !

38.

« Illustrissimes Seigneuries,

J'ai été reçu ce jour par le roi de France et de Navarre en audience solennelle en sa demeure de Tours.

Le roi était arrivé la veille de Vendôme, ville qu'il venait de conquérir et où les chefs ligueurs ont été pendus, les maisons pillées par les soldats. Mais, à la demande de Sa Majesté, les églises avaient été sauvegardées.

Le roi et les gentilshommes huguenots m'ont paru sûrs de leur victoire sur le duc de Mayenne. La bataille d'Arques les a persuadés que les ligueurs seront bientôt chassés de Paris.

— Si la fortune nous veut rire, m'a dit Henri IV, je vous assure que ni le mauvais temps ni les mauvais chemins ne m'empêcheront de la suivre en quelque part qu'elle se présente, et j'espère bientôt me reposer à Paris après en avoir chassé le duc de Mayenne.

Les nobles catholiques qui se sont ralliés à Henri IV sont plus réservés. Enguerrand de Mons m'a confié son inquiétude et son dépit. Le Béarnais n'évoque plus sa conversion.

— Henri peut vaincre la Ligue, m'a dit de Mons, mais le peuple parisien ne l'acceptera que si le roi entend la messe. Or il préfère écouter la lecture de la Bible. Les huguenots qui l'entourent l'entretiennent dans l'idée qu'il doit rester de sa religion et que le royaume sera huguenot à la manière de l'Angleterre ou des Provinces-Unies. Mais nous ne le suivrons pas.

Enguerrand de Mons m'a demandé de faire comprendre au monarque que notre reconnaissance allait au souverain qui s'était engagé à renoncer à sa cause, et non à celui qui s'obstinerait dans l'hérésie.

Je me suis bien gardé de lui en parler.

Henri IV n'ignore pas que le roi d'Espagne et son envoyé, Diego de Sarmiento, tentent de rassembler tous les princes chrétiens. Philippe II appuie le cardinal Charles de Bourbon, celui que les ligueurs appellent Charles X et qu'ils ont reconnu comme roi de France. Mais l'homme est vieux et prisonnier des huguenots !

Sarmiento m'a fait parvenir un courrier dans lequel il regrette — et s'indigne — que notre Sérénissime

République ait pu apporter son appui à un souverain hérétique, alors qu'il faut "extirper du royaume de France l'hérésie, et non la soutenir, qu'il y va du salut de la sainte Église catholique".

Il m'indique que Philippe II est prêt à envoyer deux armées dans le royaume de France pour le délivrer des huguenots.

Alexandre Farnèse, leur meilleur chef de guerre, se serait mis en route avec les troupes espagnoles des Pays-Bas.

La guerre va donc continuer, plus cruelle encore.

Bernard de Thorenc, l'un de ces catholiques ralliés à Henri IV, m'a fait le récit de la bataille d'Arques et de celle d'Ivry qui s'est déroulée le 11 mars. Le roi s'y est montré grand et valeureux capitaine :

"Mes compagnons, a-t-il dit avant de charger, Dieu est pour nous. Voici Ses ennemis et les nôtres, voici votre roi ! À eux ! Si vos cornettes vous manquent, ralliez-vous à mon panache blanc, vous le trouverez au chemin de la victoire et de l'honneur !"

Il a remporté la victoire sans avoir pu forcer les défenses de Paris. On dit que le sol était jonché de ligueurs tués au combat ou, comme le furent tous les lansquenets, égorgés après la bataille.

Bernard de Thorenc et d'autres gentilshommes catholiques sont las de ces massacres qui affaiblissent le royaume. Ils s'étonnent que Henri IV continue de se dire huguenot, priant comme un hérétique et parmi les gens de sa cause, et répétant : "Dieu me conduit."

À Tours, cependant, le clergé catholique l'a accueilli avec transport, entonnant des hymnes à sa gloire :

Chantons Henri notre grand prince
Tout le clergé de la province
Chante son nom de banc en banc
Prions que la paix il apporte
Afin que les trois lys qu'il porte
Ne soient plus entachés de sang !

Ces prêtres ont même assisté au châtiment infligé au père Veron, un prêcheur dominicain fait prisonnier sous les murs de Paris. On l'a jugé pour avoir poussé au régicide le moine Jacques Clément et avoir exalté sa mémoire.

Il a été écartelé sur la place de Tours devant un grand rassemblement du peuple.

Lorsque le corps s'est déchiré, la foule a crié sa joie. Les membres du père Veron ont été brûlés et ses cendres dispersées au vent.

Le roi s'est montré fort satisfait de ses victoires d'Arques et d'Ivry, ainsi que de ce châtiment.

Il a dit à Bernard de Thorenc :

— Dieu me continue Ses bénédictions comme Il l'a fait jusqu'ici.

Thorenc et quelques autres – ainsi, Michel de Polin – ne voient plus le dessein de Dieu dans cette suite de guerres et de massacres. Il m'a répété :

— Dieu ne choisit pas entre les hommes, qu'ils soient rois ou manouvriers. Chacun est libre de Lui être fidèle ou bien d'oublier Ses enseignements. Puis Dieu juge.

Henri n'est pas souverain à s'inquiéter du jugement de Dieu. Il ne doute pas de la bienveillance du Seigneur.

— Je fais bien du chemin, m'a-t-il dit au cours de cette audience solennelle, et vais comme Dieu me conduit, car je ne sais jamais ce que je dois faire. Au bout, cependant, mes faits sont des miracles que le Seigneur a voulus.

Mais il est plus retors qu'il ne veut bien le paraître.

Pour l'heure, il goûte les victoires d'Arques et d'Ivry et ne se soucie pas de son abjuration, mais j'ose avancer, l'écoutant et l'observant, que si celle-ci lui paraissait nécessaire il s'y résoudrait.

Il veut rassembler autour de lui tous les sujets du royaume et les persuader que ce sont les ennemis de la France, les Espagnols, d'abord, qui se dressent contre lui.

Il m'a confié :

— S'il y a de la rébellion, elle vient de la boue et de la fange du peuple excité et ému par les factions des étrangers.

Ces propos sont d'un habile souverain décidé à vaincre à tout prix.

Votre dévoué serviteur,
Vico Montanari. »

39.

Montanari m'avait dit :

— Aidez le roi, Thorenc. Il entend la raison. Ce n'est pas un de ces fanatiques. Sa faiblesse, c'est qu'il ne les comprend pas. Il n'imagine pas que des hommes préfèrent manger du pain dont la farine est faite des os broyés du cimetière des Innocents, plutôt que d'ouvrir les portes à l'armée royale. Aidez-le ! S'il ne l'emporte pas – mais je crois en lui –, les catholiques zélés, les huguenots entêtés feront de ce royaume une boucherie pour le plus grand avantage des Espagnols. Savez-vous ce que Leonello Terraccini me dit ? L'un des maîtres de Paris est Diego de Sarmiento. Il fait distribuer de la soupe aux carrefours pour les affamés. L'odeur est à vomir : on cuit dans de grandes marmites du son, de l'avoine, de la peau de chien, d'âne ou de chat, et les malheureux se battent pour une écuelle de ce potage qui bout dans les chaudrons d'Espagne !

Nous marchions sur les bords de Loire en ce printemps de 1590.

Je savais que le roi désirait me voir pour me confier ce que Montanari avait appelé une « embuscade masquée ».

Je devais me rendre à Paris, que les troupes royales assiégeaient et où l'on mourait de faim, où j'essaierais de rencontrer certains membres du Parlement, des ligueurs, des marchands et même des prêtres qui souhaitaient traiter avec le roi pour en finir avec le blocus.

Selon Montanari, j'étais l'homme le mieux placé pour mener à bien cette mission. Je connaissais Sarmiento et le légat du pape ; le père Verdini avait été mon guide et confesseur durant mes années de jeunesse au Castellaras de la Tour.

— Ceux-là sont obstinés, avait ajouté Montanari. Ils veulent la perte de Henri IV, mais ils ne vous livreront pas aux ligueurs.

Il m'avait serré le poignet.

— Vous ne serez pas étranglé.

Car on pendait, on assommait, on jetait dans la Seine, on égorgeait tous les suspects de modération, tous les « demandeurs de nouvelles », ou ceux qui souriaient et ne se rendaient pas sur les remparts pour défendre la ville contre les troupes de Henri IV.

On tuait d'autant plus qu'il y avait eu des rassemblements sur la place de Grève, où la foule avait crié : « La Paix ! » ou : « Du Pain ! »

— Aidez le roi, Thorenc ! m'avait répété Montanari.

J'hésitais.

J'avais répondu à Montanari que ce monarque qui se prétendait soucieux de ses sujets affamait depuis plusieurs mois les deux cent mille Parisiens, en décrétant le blocus de la capitale.

Les morts de faim se comptaient déjà par milliers.

Je n'en avais encore rien vu, mais j'avais écouté les plaintes des Parisiens qui avaient réussi à sortir de la ville et que Henri IV avait accepté de ne pas refouler.

Cependant, Séguret et Jean-Baptiste Colliard, tout comme les Anglais de l'armée, regrettaient que le roi eût cédé à un accès de pitié : « Il faut étrangler ce peuple, répétait Séguret. Il s'agite ? Les pendus ne dérangent personne ! »

Les cadavres jonchaient la rue des Fossés-Saint-Germain, témoignait Terraccini. On avait mangé les chevaux, les ânes, les chiens, les chats, les rats, on s'était disputé leurs entrailles, des lambeaux de charogne. Et on avait fini par déterrer les cadavres pour faire de leurs os de la farine. Le pain qui en était issu était blanc, d'une saveur à peine amère, mais ceux qui en avaient mangé étaient morts.

Je m'étais assis parmi ces femmes aux visages exsangues, ces enfants pareils à des oiseaux morts. Les mères les serraient contre elles. Elles disaient que l'on avait aussi mangé des enfants. Une mère bien grasse avait dévoré les cadavres de ses deux fils morts de faim. Mais, surtout, les lansquenets s'étaient mis en chasse et une femme, les yeux hagards, m'avait raconté : « Le Louvre est devenu la boucherie des lansquenets. L'un de ces monstres a avoué qu'il avait tué trois enfants et partagé leur viande avec plusieurs de ses compagnons d'armes. »

Un roi qui aimait ses sujets pouvait-il, pour conquérir son trône, les condamner à devenir le gibier de lansquenets ou à se nourrir de cadavres ?

Je l'avais entendu se vanter d'avoir « fait brûler tous les moulins qui fournissent Paris en farine. La raison reviendra à ce peuple quand la nécessité sera plus grande encore et que leurs os déchireront leur peau, tant ils seront devenus maigres... ».

Était-ce là discours de bon roi ?

Montanari haussait les épaules avec indulgence. Henri IV avait accepté de recueillir les Parisiens qui fuyaient la ville encerclée.

— Et puis, Thorenc, Henri IV a la fourberie de tous les souverains. Sans elle on ne saurait régner. Or il veut régner. Voyez-le, aidez-le !

Le roi m'a reçu à bras ouverts, me remerciant, avant que j'aie pu dire un seul mot, d'accepter de me rendre à Paris.

— Je n'ai jamais douté de votre courage, Thorenc.

Il a posé la main sur mon épaule.

Je devais, a-t-il dit, l'écouter avec attention afin de rapporter ses propos aux ligueurs, au duc de Mayenne, mais aussi au jeune neveu de Mayenne, le duc de Nemours, qui commandait les troupes et rassemblait le peuple autour de la Ligue avec grand talent.

— Dites-lui que je veux qu'il soit au service de tout le royaume, et pas seulement d'une Ligue qui ne se bat que pour l'Espagne. Dites à tous ceux que vous rencontrerez que je veux une paix générale, car j'entends soulager mon peuple au lieu de le perdre et ruiner. Que si, pour une bataille, je donnerais un doigt, pour la paix générale, j'en donnerais deux !

Il s'est éloigné de quelques pas.

— J'aime ma ville de Paris, a-t-il repris. C'est ma fille aînée, j'en suis jaloux. Je lui veux faire plus de bien, plus de grâce et de miséricorde qu'elle ne m'en demande. Mais je veux qu'elle m'en sache gré, et qu'elle doive ce bien à ma clémence.

Il m'a pris par le bras.

— Je suis un vrai père de mon peuple, Thorenc. Je

641

ressemble à cette vraie mère, dans Salomon. J'aimerais mieux n'avoir point de Paris que de l'avoir tout ruiné et dissipé après la mort de tant de pauvres personnes...

Ce n'était que fourberie, car il voulait conquérir Paris, et les arquebusiers de l'armée royale tiraient sur les malheureux affamés qui s'en allaient cueillir hors des remparts quelques épis de blé ou des brassées d'avoine. Or, malgré cela, la ville résistait avec ces lansquenets, ces Suisses, ces habitants qui gardaient les remparts, ces moines casqués qui défilaient, crucifix brandi de la main gauche, la droite tenant l'arquebuse.

Il fallait bien que Henri IV me dise qu'il aimerait mieux n'avoir point Paris, puisque en effet il était incapable d'y entrer, même quand ses soldats se déguisaient en meuniers pour tenter de forcer la porte Saint-Honoré – reconnus, ils en étaient chassés – et que d'autres avaient subi le même sort porte Saint-Antoine.

Les canons installés à Montmartre pouvaient bien tirer quelques boulets, la ville résistait.

Et l'armée royale était contrainte de desserrer son étreinte, parce que les troupes espagnoles d'Alexandre Farnèse arrivaient des Pays-Bas, occupaient les deux rives de la Marne, permettant ainsi à quelques bateaux chargés de grain d'atteindre Paris.

C'est aussi sur une barque glissant de nuit le long de la Seine que je suis entré dans le capitale, sautant sur le quai de l'École et me faufilant par la rue de l'Arbre-Sec jusqu'à l'hôtel de Venise où vivait Leonello Terraccini, la Sérénissime République ne rompant jamais totalement avec un camp, quel qu'il fût.

Dès le premier soir, j'ai vu des enfants errants comme des bêtes affamés, et mon cœur en est encore serré.

Chaque fois que je croisais l'une de ces frêles silhouettes qui tendaient leurs mains vers moi, ne voulaient pas d'argent mais du pain, j'avais l'impression que c'était mon fils Jean qui me suppliait de le nourrir et de le protéger.

Jamais je n'aurais imaginé qu'il y eût tant d'enfants dans cette ville. J'en ai vu plus de cinq mille, les plus âgés d'à peine sept ans, défiler en procession, chantant des psaumes, appelant l'assistance divine sur la ville de Chartres dont on venait d'apprendre qu'elle était assiégée par les troupes royales alors que c'était l'un des principaux greniers de Paris.

J'ai suivi la procession des enfants jusqu'à Notre-Dame. C'était carême et les prédicateurs, devant les enfants assemblés, parlaient d'un fils de putain qui se prétendait roi de France et qui n'était qu'un chien, un tyran, un athée, un dépravé qui se livrait à des amours immondes avec les nonnains qu'il violait !

« Maudit soit Henri le Béarnais, l'athéiste, le relaps et l'hérétique ! » clamaient-ils.

Leurs voix résonnaient sous les voûtes de Notre-Dame et je sortis, me frayant difficilement passage parmi la foule.

Sur le parvis gisait un enfant mort, si maigre et menu que les gens entassés dans le chœur l'avaient étouffé.

Ô Seigneur, protégez mon fils !

Je suis allé jusqu'à l'hôtel d'Espagne. Deux grandes marmites fumaient dans la rue Saint-Honoré et la foule des affamés se pressait, écuelle brandie, yeux brillants de fièvre, quand tout à coup une voix aiguë s'éleva, maudissant le fils de pute, l'hérétique qui voulait la mort du peuple de Paris. « Mais Dieu nous sauvera ! »

Sarmiento m'accueillit, la tête penchée, le regard fixe.

— Dieu les sauvera lorsque les armées espagnoles auront défait celles du roi.

Il me tourna le dos, ajoutant avec mépris qu'il était encore temps pour moi de rejoindre le camp vainqueur.

Puis il m'a brusquement fait face.

— Tu as un fils, me dit-on ?

J'ai reculé comme si sa question constituait une menace.

— Quitte Paris, Bernard de Thorenc, a-t-il repris. On y meurt, et les fils ont besoin de père.

J'ai rencontré quelques marchands, des membres du Parlement.

Ils me recevaient à la nuit tombée, j'entrais dans leur maison par des portes dérobées, me glissant dans des caves, marchant courbé dans des jardins, à l'abri des haies, tant ils craignaient les espions de ce Conseil des Seize qui dirigeait la Ligue et avait partout ses espions. L'on était puni de mort, étranglé ou pendu si l'on venait à être soupçonné d'entretenir des relations ou une correspondance avec Henri IV, le roi hérétique.

Ils m'ont parlé dans des pièces sombres, toutes chandelles éteintes.

Leurs demeures sentaient les fruits qui mûrissent, le pain qu'on cuit, la graisse qui grésille. Et, cependant, ils se plaignaient de ne pouvoir, à cause du blocus et de la guerre, se rendre dans leurs propriétés, hors des remparts, et de perdre ainsi leurs revenus.

Ils souhaitaient que la paix fût rétablie, mais elle ne le serait que si Henri IV abjurait.

— Le peuple écoute les catholiques zélés, les prêtres fanatiques qui n'obéissent qu'au pape ou aux Espagnols. Diego de Sarmiento distribue soupe et argent, si bien que les affamés applaudissent le roi d'Espagne.

Eux-mêmes méprisaient ce peuple de ligueurs.

— Les ventres-creux ont besoin de se gaver de paroles, me confia l'un d'eux. Ils se nourrissent de folies. Les prêcheurs le savent. Sarmiento et le père Verdini aussi. Or nous ne voulons pas que le roi d'Espagne et le pape fassent ici la loi. Mais Henri ne sera roi reconnu, légitime, accepté, que s'il renonce à sa huguenoterie, s'il sait parler aux affamés et les nourrir.

Eux n'avaient jamais eu faim. Dans leurs maisons visitées parfois par les « gens de rien » enrôlés dans les sections de la Ligue, on avait trouvé des provisions pour six mois : lard et viande salée, farine et biscuits, fruits et légumes séchés, épices et cruches de vin.

La guerre, le blocus, la faim, c'étaient les enfants et les pauvres, les faibles et les démunis qui en souffraient, non pas les riches ni les prédicateurs.

Vouloir la paix, ce n'était pas Vous trahir, Seigneur, mais Vous être fidèle.

Sauvez les plus humbles, ceux pour qui Vous avez gravi le Calvaire et été crucifié !

645

40.

J'ai parlé de la souffrance du peuple au roi.

M'a-t-il écouté ?

Henri IV était assis sous une grande tente. Il se lissait la barbe où je discernais des poils gris. Penché en avant, la tête rentrée dans les épaules, il me semblait las, fermant parfois les yeux comme pour s'assoupir, indifférent à ce que je lui disais avoir vu et entendu à Paris.

Affichées aux portes de Notre-Dame, j'avais lu les bulles pontificales qui l'excommuniaient. Un membre du Parlement proche de Michel de Polin m'avait confirmé que des listes de noms établies par le Conseil des Seize avaient été répandues parmi les ligueurs. Certains étaient suivis de la lettre P, d'autres par les lettres D et C.

— P pour pendu, D pour dagué, C pour chassé, ai-je expliqué.

Le souverain s'est un peu redressé, puis a murmuré :

— Il n'est pas croyable, le nombre de gens que l'on met après moi pour me tuer, mais Dieu me gardera !

Il était bien roi, homme ne pensant qu'à lui-même et me confiant tout à coup :

— Thorenc, c'est pour ma gloire et pour ma couronne que je combats ; ma vie et tout autre chose ne me doivent rien être à ce prix.

Que lui importait, dès lors, que je lui dise que les lansquenets au service de la Ligue avaient pourchassé des enfants dans les rues pour les tuer et s'en nourrir, ou bien qu'une mère avait dévoré les cadavres de ses deux fils tant la faim l'avait rendue folle ! Et que l'on comptait près de trente mille morts dans la ville, affamés par le blocus.

Il m'a paru insensible, quoiqu'il m'ait dit en se levant :

— Mon dessein a été, depuis qu'il a plu à Dieu de me donner le commandement souverain de tant de peuples, de préparer les moyens, au milieu de tant de troubles, de les faire, avec le temps, jouir de la paix.

Il est sorti de la tente et j'ai été surpris de le voir marcher si prestement et si joyeusement alors que je l'avais cru écrasé de fatigue et qu'il m'avait dit en soupirant :

— Certes, Thorenc, je vieillis fort !

Or, maintenant, il bondissait en selle, riant, ordonnant d'un geste vif à Jean-Baptiste Colliard de l'accompagner...

J'ai à mon tour quitté la tente.

Elle avait été dressée sur les hauteurs de Montmartre, à quelques pas des canons qui, de temps à autre, bombardaient Paris.

Séguret s'est avancé vers moi, se retournant pour suivre des yeux le roi et Colliard qui s'éloignaient.

— Notre vert-galant s'en va visiter le magasin des engins de l'armée ! a-t-il lâché, narquois.

Je n'y comprenais goutte, pour le plus grand plaisir de Séguret, qui me confia qu'il appelait ainsi ces abbayes : la bénédicte de Montmartre – bras tendu, il m'en montrait les bâtiments, desquels le roi s'approchait – et la franciscaine de Longchamp où il se rendrait peut-être après.

— S'il en a encore la force..., car ces nonnes sont des chèvres lascives et elles épuisent le vieux bouc !

Séguret m'a pris le bras. Les bénédictes et les franciscaines d'à peine vingt ans s'ennuyaient tant entre leurs vêpres et leurs matines qu'elles avaient accueilli à jambes ouvertes le souverain et ses gentilshommes, et qu'elles étaient devenues des « engins de l'armée » !

Les dames qui se croyaient les maîtresses du roi – ainsi la belle Gabrielle d'Estrées, si blonde qu'elle en éblouissait – avaient montré leur déplaisir et dit que c'était là non seulement débauche, mais perversion et sacrilège.

— Nous n'avons forcé aucune de ces chevrettes vêtues de cotillons de satin blanc, a précisé Séguret. Elles se sont données en bonnes chrétiennes, sans se soucier de savoir qui était huguenot ou nouveau catholique !

Seigneur, ce roi que je servais, dont je souhaitais qu'il régnât sur le royaume de France, ce monarque qui mettait le blocus autour de sa capitale, forniquait avec des jeunes filles qui s'étaient unies à Vous, jouissait pendant que des enfants mouraient de faim dans Paris et qu'on en tuait d'autres comme du gibier.

Seigneur, j'ai été tenté d'abandonner ce souverain, de ne plus retourner à Paris, comme il me le demandait, de ne plus suivre non plus son armée qui assiégeait Rouen, affrontant les troupes espagnoles alliées à la Ligue, de lâcher ce monarque qui acceptait que ses soldats pillent et massacrent, qui appelait à l'aide six mille Anglais, six mille Suisses et autant de reîtres allemands tout en demandant au sultan turc d'attaquer Philippe II.

Je suis pourtant resté à ses côtés.

— Voulez-vous, Thorenc, me demandait Michel de Polin, que Philippe II soit le protecteur de notre royaume, ou bien qu'il fasse désigner pour le trône l'une de ses filles, mariée à un Habsbourg ? Et nous deviendrions partie mineure du Saint Empire germanique ! Voulez-vous de Diego de Sarmiento pour conseiller de ce souverain-là, et du père Verdini pour son confesseur ?

Je n'ai d'abord pas répondu à Polin, puis je me suis souvenu, Seigneur, de Votre visage aux yeux clos.

Durant plusieurs jours, il m'a hanté.

Je comprenais Votre lassitude, Vos paupières baissées, façon de ne pas damner tous les hommes, de ne pas les brûler de Votre regard dont Vous craigniez peut-être qu'il ne soit par trop impitoyable alors qu'en fermant les yeux Vous manifestiez Votre compassion, Votre acceptation de la liberté des hommes dont Vous savez que toujours, presque toujours ils la dévoient.

Alors, comme Vous, j'ai fermé les yeux.

41.

Les yeux clos, je voyais pourtant l'enfer que les hommes avaient créé sur Votre terre, Seigneur, et comment, à quelque camp qu'ils appartinssent, ils n'étaient le plus souvent guidés que par de sombres passions.

À Paris, où j'étais retourné sur ordre du roi pour tenter de conclure une trêve, je vis, en place de Grève, une centaine d'hommes armés s'avancer, munis de lanternes sourdes. À quinze pas derrière eux marchaient trois crocheteurs qui portaient sur leur dos trois corps nus et qu'escortaient le bourreau et ses valets. J'ai reconnu ces trois hommes que j'avais rencontrés, qui m'avaient fait part de leur volonté d'entrer en négociations avec le roi. Ils étaient prêts à reconnaître Henri IV comme souverain légitime, s'il abjurait sa foi. Les ligueurs l'avaient appris et avaient exécuté ces trois hommes qu'on attachait maintenant à la potence avec, au cou, des inscriptions infamantes : « Chef des traîtres et hérétiques », « Fauteur des traîtres et politiques », « Ennemi de Dieu et des princes catholiques ».

J'ai eu envie de vomir.

Mais telle était la guerre civile dans laquelle, sous l'ample manteau du mot religion, le royaume était plongé.

Et la foule chantait :

> *Depuis onze cents ans*
> *On n'a vu en France*
> *Que de bons rois chrétiens*
> *Qui en grande révérence*
> *Ont tous reçu le sacre avec serment*
> *De vivre catholiquement*
> *Tu fais courir un bruit*
> *Que seras catholique*
> *Tu n'y fus point instruit.*

À mon retour auprès du roi, j'appris que la Provence était envahie par les troupes du duc de Savoie, allié de l'Espagne et de la Ligue, et je tremblai que ses soldats, dont je savais de quoi ils était capables, partant de Draguignan, Aix ou Fréjus, qu'ils avaient conquis, ne gagnent le Castellaras de la Tour et n'y massacrent – puisque telle était la règle – Margherita, Denis le Vieux et mon fils Jean.

J'était prêt à chevaucher jusqu'à ma demeure, quand un courrier vint annoncer que les troupes huguenotes avaient refoulé les soldats du duc de Savoie.

Mais c'étaient toutes les parties du royaume qui étaient parcourues par des bandes de reîtres et de lansquenets se réclamant de la Ligue ou du roi, prétextant défendre la religion catholique ou la cause, s'adressant à l'étranger pour vaincre leur ennemi français.

Diego de Sarmiento accueillait à Paris mille deux cents Espagnols et Napolitains. D'autres s'installaient en Bretagne. Quant au roi, il faisait appel à nouveau à des Anglais et à des Allemands.

Le duc de Mayenne réunit des états généraux à Paris et Sarmiento y présenta les prétendants espagnols au trône de France.

Je me rendis à nouveau à Paris en compagnie de Michel de Polin, franchissant de nuit les remparts, craignant à tout instant d'être pris par une patrouille de ligueurs qui nous eussent aussitôt étranglés ou dagués.

Nous nous glissâmes rue des Poulies, rue des Fossés-Saint-Germain, nous entrâmes dans l'hôtel de Venise où nous attendaient des membres du Parlement de Paris qui se rebellaient à l'idée que le royaume tombât entre des mains espagnoles.

Leonello Terracini faisait le guet pendant que nous discutions.

On nous apprit que le pape Sixte Quint était mort subitement, peut-être empoisonné par des espions espagnols, car on craignait qu'il ne fût favorable à Henri IV dès lors que celui-ci aurait abjuré. Le nouveau pontife, un homme des Espagnols, avait renouvelé l'excommunication du roi. Quant au père Verdini, toujours légat, il poussait les ligueurs à l'intransigeance. Sarmiento les payait en ducats pour qu'ils refusent toute trêve, tout compromis, et dénoncent par avance l'abjuration de Henri comme une tromperie.

Peut-être était-ce Verdini ou l'un de ses prédicateurs qui avait écrit cette chanson que les ligueurs entonnaient :

> *Tu fais le catholique*
> *Mais c'est pour nous piper*
> *Et comme un hypocrite*
> *Tâches à nous attraper*
> *Puis sous bonne mine*
> *Nous mettre en ruine*
> *Noblesse catholique*
> *Mais à quoi pensez-vous*
> *De suivre un hérétique*
> *Qui se moque de vous ?*

Mais je sentais que le désir de paix, donc le ralliement au roi, s'il venait à se convertir, gagnait peu à peu les esprits. Les membres du Parlement chuchotaient qu'il était impossible que le royaume de France eût pour

souverain un étranger. À l'hôtel de Venise nous pas-
sâmes la nuit à rédiger un arrêt qu'ils se faisaient fort
de faire voter et dans lequel ils affirmaient qu'il « fallait
empêcher que, sous prétexte de religion, ce royaume qui
ne dépend d'autre que de Dieu et ne reconnaît autre
Seigneur, quel qu'il en soit au monde dans sa tempo-
ralité, ne soit occupé par des étrangers. »

Michel de Polin avait répété : « La terre même nous
montre ses cheveux hérissés et demande d'être peignée
pour nous rendre les fruits accoutumés... »

Une trêve fut conclue.

J'ai pu rouvrir les yeux, voir, sitôt la trêve proclamée,
les Parisiens franchir les remparts avec provision de
pâtés et de bouteilles pour échapper enfin à la prison
qu'était devenue leur cité.

Les prédicateurs qui, du haut des murs, criaient :
« Mais à quoi pensez-vous, de suivre un hérétique qui
se moque de vous ? » étaient ignorés.

La foule allait en procession, après avoir dîné sur
l'herbe, vers les sanctuaires hors les murs, à Notre-
Dame-des-Vertus, près de Saint-Denis, qui donne la
pluie, ou bien à la Vierge miraculeuse d'Aubervilliers.

C'était un fleuve joyeux que personne ne pouvait
arrêter.

L'archevêque de Bourges, pour les royaux, et celui de
Lyon, pour les ligueurs, se rencontraient et convenaient
que le devoir des sujets était d'obéir au souverain, fût-
il païen ou hérétique, mais que les lois primitives et
fondamentales de cet État obligeaient qu'il fût catholique.

Polin et Vico Montanari disaient qu'il suffisait désormais que le roi abjurât pour qu'il devînt souverain reconnu du royaume et qu'ainsi la paix fût établie et la terre de France à nouveau peignée.

J'ai accompagné Michel de Polin et Enguerrand de Mons auprès du roi de France et de Navarre. Polin ne doutait pas de la décision de Henri d'abjurer.

— Il a déjà changé cinq fois de religion, disait-il. Ce ne sera que la sixième. Il le fera par raison et par intérêt.

J'ai murmuré, en fermant les yeux et en répétant ce que le souverain m'avait dit :

— Il le fera « pour sa gloire et pour sa couronne ».

— Religion catholique et religion réformée sont du même arbre chrétien, complétait Polin. Henri n'est pas un mahométan. Il faut seulement le pousser un peu. Nous le ferons !

Le roi nous attendait dans une petite pièce au plafond bas, dans une demeure de Dreux, cette ville qu'il venait de conquérir et où les cadavres de tant d'hommes pourrissaient encore dans les fossés.

Polin s'est arrêté devant lui, à un pas, bras croisés, jambes écartées, bien planté sur ce sol de grosses dalles grises.

— Sire, il ne faut plus tortignonner, a-t-il dit. Vous avez dans huit jours un roi élu en France, le parti des princes catholiques, le pape, le roi d'Espagne, l'empereur, le duc de Savoie et tout ce que vous aviez déjà d'ennemis sur les bras !

Le roi a reculé, le visage fermé.

— Et il vous faut soutenir tout cela avec vos misérables huguenots si vous ne prenez une prompte et galante résolution d'ouïr une messe.

Le Béarnais a bougonné, tête baissée.

— Vous y êtes obligé, Sire, a repris Polin, pas seulement par votre conscience, mais parce que enfin l'Église est la voie du salut.

Il a hésité, m'a décoché un regard.

— Si vous étiez quelque prince fort dévotieux, je craindrais de vous tenir ce langage. Mais vous vivez trop en bon compagnon pour que nous vous soupçonnions de faire tout par conscience. Craignez-vous d'offenser les huguenots, qui sont toujours assez contents des rois quand ils ont la liberté de conscience, mais qui, quand vous leur feriez du mal, vous mettront en leurs prières ?

Polin a haussé sa voix qui s'est mise à trembler.

— Avisez à choisir ou de complaire à vos prophètes de Gascogne et de retourner courir le guilledou en nous faisant jouer à sauve-qui-peut, ou de vaincre la Ligue qui ne craint de vous rien tant que votre conversion.

Il s'est incliné et, gardant la tête penchée, il est resté un long moment immobile.

J'ai regardé le roi se mordiller les lèvres et j'ai pensé un instant qu'il allait proférer un cri de colère.

Il s'est balancé d'un pied sur l'autre et, brusquement, nous a tourné le dos et est sorti de la pièce.

J'ai prié, Seigneur, tout le restant du jour pour que le roi ait entendu le discours de Michel de Polin.

La paix, je la voulais comme le bien suprême pour ces enfants que j'avais vus, décharnés, dans la rue des Fossés-Saint-Germain, pour ces femmes qui serraient contre elles leurs nourrissons morts de faim, pour tous ces hommes qui ne seraient point voués à être si vite réduits à l'état de cadavres dépecés.

Quelques jours plus tard, j'ai rencontré Séguret. Ils s'est approché si près de moi que je sentais son haleine.

Il a pointé un doigt sur ma poitrine.

— C'est une grande abomination, a-t-il dit. Notre Henri de Navarre va entendre la messe et communier. Tu as gagné, Thorenc !

Il s'est éloigné en agitant les bras, poings fermés.

J'ai appris que Henri avait réuni ses gentilshommes huguenots, ceux qui l'avaient suivi depuis le Béarn et qui avaient réussi à échapper au massacre de la Saint-Barthélemy. Il leur avait dit :

— Mes amis, priez Dieu pour moi ; s'il faut que je me perde pour vous, au moins vous ferai-je ce bien que je ne souffrirai aucune forme d'instruction pour ne faire point de plaie à la religion qui sera toute ma vie celle de mon âme et de mon cœur, et ainsi je ferai voir à tout le monde que je n'ai été persuadé par autre théologie que la nécessité de l'État.

J'ai fermé les yeux – comme Vous, Seigneur.

42.

J'aurais dû être apaisé, Seigneur.

J'ai vu le roi s'agenouiller dans la basilique de Saint-Denis et y entendre la messe.

Je l'ai écouté répondre aux questions de l'archevêque de Bourges qui l'interpellait :

— Que demandez-vous ?

— Je demande à être reçu dans le giron de l'Église catholique, apostolique et romaine.

— Le voulez-vous ?

— Oui, je le veux et le désire.

Henri IV était à genoux devant le grand autel, vêtu d'un pourpoint et de chausses de satin et de soie blancs, son manteau noir lui couvrant les épaules et tombant comme une cape autour de lui et son chapeau, noir aussi, posé à ses côtés.

Il se confessa. Il communia et la foule cria : « Vive le roi ! Vive le roi ! »

J'ai galopé à ses côtés jusqu'au sommet de Montmartre dans ce long et rouge crépuscule du 25 juillet 1593.

Il avait donc abjuré.

La paix peu à peu allait régner.

J'aurais dû être heureux, Seigneur.

Je faisais partie des quelques gentilshommes qui se trouvaient, le dimanche 27 février 1594, à droite et à gauche de l'autel, dans la cathédrale de Chartres, cette église vouée à la Vierge noire où allait se célébrer le sacre

657

du roi. Et il était oint d'une huile sainte conservée à Marmoutier, l'abbaye où avait vécu retiré saint Martin, qui avait évangélisé la Gaule près de deux siècles avant que Clovis ne fût sacré à Reims.

L'on n'avait pu choisir pour le sacre de Henri la ville de Saint-Rémi, encore ligueuse.

Mais, à Chartres, le peuple et la noblesse, les évêques et les archevêques étaient rassemblés pour écouter Henri prêter serment, au nom de Jésus-Christ, de maintenir son peuple en paix avec l'Église, et, « en bonne foi, suivant mon pouvoir, de chasser de ma juridiction et terres de ma sujétion tous les hérétiques dénoncés par l'Église ».

J'ai vu la foule se précipiter comme poules sur le grain quand les hérauts d'armes eurent commencé à jeter du haut du jubé des pièces d'or et d'argent.

Le soir, je me retrouvai assis à l'une des trois tables qui réunissaient pour un festin, autour du souverain, les ecclésiastiques, les seigneurs et les princesses.

J'aurais dû être comblé, Seigneur.

J'ai vu le roi s'approcher des malades qui exhibaient leurs écrouelles, et toucher ces plaies purulentes.

Je l'ai vu laver les pieds de treize jeunes et pauvres enfants.

Je l'ai vu à nouveau se confesser et communier.

J'aurais dû être joyeux en entendant les cris des Parisiens saluant son entrée dans Paris.

Le gouverneur nous a ouvert les portes de la capitale, les troupes y ont pénétré dans le brouillard de l'aube, ce 22 mars 1594, et à l'exception d'une poignée de lansquenets, de quelques étudiants et d'obstinés ligueurs, sur la rive gauche, entre la place Maubert et le collège de Clermont, personne n'a résisté.

Suivies de quelques reîtres et de ligueurs, les garnisons espagnoles et napolitaines quittèrent Paris, Henri leur offrant la vie et l'honneur saufs.

Je fus près de lui à la fenêtre d'une maison proche de la porte Saint-Denis pour regarder défiler – partir ! – sous une pluie torrentielle ces soldats étrangers ; au milieu d'eux, marchant fièrement, j'ai reconnu Diego de Sarmiento et l'ambassadeur d'Espagne, Rodrigo de Cabezón.

J'ai entendu Henri leur lancer tout en les saluant :

— Recommandez-moi à votre maître, mais n'y revenez plus !

J'aurais dû être heureux, Seigneur.

Ce roi victorieux, catholique, était clément, ne pourchassant aucun ligueur de sa vindicte, interdisant qu'on malmenât cet homme qui ostensiblement avait refusé de se découvrir son son passage.

Je l'ai accompagné lorsqu'il a rendu visite aux reines de la Ligue, les mère et sœur des Guises, Mmes de Montpensier et de Nemours, et j'ai pu mesurer, à leurs minauderies, combien elles désiraient complaire au roi, le flattant, le louant de n'avoir infligé pour tout châtiment que le bannissement pour un peu plus d'une centaine de ligueurs.

Tous les autres venaient de faire acte d'allégeance et recevaient récompense en coffres pleins d'écus, en possessions de villes et de terres.

À ceux de ses proches – Séguret, Jean-Baptiste Colliard, Enguerrand de Mons – qui s'irritaient de cette clémence et de ces ralliements achetés, j'entendais le roi répondre qu'il valait mieux payer que tuer et laisser le peuple dans la guerre.

Mais, pour obtenir cette paix, il en coûta au roi, et donc au royaume, six millions quatre cent soixante-sept mille cinq cent quatre-vingt-seize écus.

J'aurais dû être fier, Seigneur.

J'avais été choisi par le roi pour le représenter devant le pape Clément VIII, et le 17 septembre 1595 je me suis avancé jusqu'au trône pontifical qu'entouraient les ambassadeurs de Savoie, de Ferrare et de Venise, et je me suis agenouillé.

J'ai baissé la tête devant celui qui Vous représente, Seigneur. J'ai imploré l'absolution pour le roi Très Chrétien, disant que seule la parole du souverain pontife pouvait absoudre et que, par ma personne, c'était le roi Henri IV qui la sollicitait.

Alors, avec une verge, Clément VIII a frappé mes épaules, et, lorsque je me suis relevé, Henri, roi de France et de Navarre, quatrième du nom, était réconcilié avec l'Église, absous par le pape.

Je Vous ai remercié, Seigneur, pour cette paix qui semblait désormais possible entre chrétiens.

Et cependant, Seigneur, j'avais avancé, tout au long de ces jours que ma raison trouvait bénéfiques, comme si j'avais marché au bord d'un de ces abîmes que décrit Dante quand il explore l'enfer.

43.

Cet abîme, Seigneur, ouvert en moi, je voyais s'accumuler en son fond l'hypocrisie, l'injustice, la haine, la mort – et encore la guerre.

Enguerrand de Mons avait appris que, durant une journée entière, le roi avait tenu à être « instruit » par les évêques avant son absolution à Saint-Denis. Souvent, d'une boutade, il avait écarté les questions qui le dérangeaient, disant ainsi qu'il ne croyait au purgatoire que comme « croyance de l'Église, et non comme article de foi, et aussi pour faire plaisir au clergé, sachant que le purgatoire, c'était le pain des prêtres… ».

— Il s'est moqué, soulignait Enguerrand de Mons. Il a, par ses propos, accusé les prêtres de vendre des indulgences. Luther l'avait dit. Le roi est donc resté huguenot. Quand un évêque a voulu savoir en quelle langue il priait, en français, comme les gens de la cause, ou en latin, comme ceux de l'Église catholique, il a ri, haussé les épaules et dit : « Ni l'un ni l'autre. Je prie en béarnais, comme mon grand-père me l'a appris. »

— C'est un homme de feintes, ajoutait Enguerrand. Je crains qu'il ne soit l'un de ces athéistes qui remuent les lèvres pour donner le change, mais ne prient pas.

Je doutais aussi, à part moi, Seigneur, de ce souverain qui changeait une sixième fois de religion, et, même si je m'en félicitais, je ne croyais pas que l'on pût parvenir à la paix par le mensonge ou l'indifférence.

Vico Montanari, auquel je m'ouvris de mes doutes, se moqua de ma naïveté.

— Chacun, me dit-il, fait commerce de religion comme un marchand qui troque du drap contre des épices, de la soie contre des arquebuses, et chacun pèse au trébuchet de son intérêt. Dieu ne Se soucie pas de ce commerce-là. Il voit au cœur de chaque homme le diamant de sa foi. Il sait si c'est pierre précieuse ou morceau de verre teinté, ou, pis encore, simple caillou peint et façonné comme une émeraude...

Montanari me prit par le bras, m'entraîna jusqu'à cette fenêtre de l'hôtel de Venise d'où nous avions vu, en ce jour sanglant de la Saint-Barthélemy, les massacreurs rassemblés devant la poterne, rue des Fossés-Saint-Germain, et réclamer qu'on leur livrât Anne de Buisson.

Pour échapper à la mort, elle avait dû s'agenouiller dans la cour et se convertir.

Montanari rappela ce moment et nous retournâmes nous asseoir dans cette pièce du premier étage de l'hôtel de Venise où, presque chaque soir, nous devisions.

Depuis l'entrée du roi dans Paris, je logeais chez Montanari, loin des intrigues, des habiletés et des jalousies qui divisaient déjà les proches du monarque maintenant qu'il était le souverain légitime, le puissant roi Très Chrétien.

Chrétien ?

Je m'interrogeais encore.

Montanari recevait à l'hôtel de Venise les libelles que les ligueurs entêtés continuaient d'imprimer et qui fustigeaient le roi.

Ils voulaient que Montanari fasse savoir en Italie que la Ligue survivait, qu'on s'indignait de « la risée qu'a faite le roi en l'église de Saint-Denis », de la « fourberie de cet athéiste ».

Qui pouvait croire à la sincérité de sa conversion ?

Suffisait-il de s'agenouiller devant un autel pour cesser d'être hérétique ?

Oubliait-on que ce Béarnais était un relaps, changeant de religion plus souvent que de pourpoint et de chausses ?

Ces ligueurs qui restaient fidèles à leur foi, alors que la plupart arborait l'écharpe blanche du ralliement au roi en échange de rentes et de terres, je ne pouvais m'empêcher d'avoir de l'estime pour eux.

Je comprenais leur amertume vis-à-vis de ceux qu'ils appelaient des « Maheustres », ces chefs de la Ligue, ces gentilshommes qui se vendaient au roi.

Mais je devais m'en féliciter, puisque ainsi revenait la paix.

Néanmoins, pouvait-on, Seigneur, bâtir une demeure sur le mensonge des uns et des autres, depuis celui qui achetait les consciences jusqu'à ceux qui en faisaient commerce ?

La voix des ligueurs obstinés, notamment de ceux qui écrivirent le *Dialogue du Maheustre et du Manant*, m'était familière, même si je savais à quelles folies elle pouvait conduire.

J'étais ainsi, Seigneur : divisé.

Ceux qui Vous portaient un amour absolu, je les aimais, certes, mais je les avais vus à l'œuvre, emportés par la passion d'extirper tout ce qui ne leur ressemblait pas. Je me défiais de ces fanatiques, mais lisais avec passion leurs phrases.

« Les vrais héritiers de la couronne, écrivaient-ils, ce sont ceux qui sont dignes de porter le caractère de Dieu. S'il plaît à Dieu de nous donner un roi de nation française, son nom soit béni ; si allemand, son nom soit béni ; si espagnol, son nom soit béni ; si de Lorraine, son nom soit béni. De quelque nation qu'il soit, étant catholique et rempli de piété et justice comme venant de la main de Dieu, cela nous est indifférent. Nous n'affectons pas la nation, mais la religion. »

Montanari lisait à son tour et s'emportait contre mon aveuglement : comment pouvais-je à nouveau, après ce que nous avions vu et vécu, écouter la voix des fanatiques ?

— Celui qui veut entendre la seule voix de Dieu, disait-il, doit se retirer dans une cellule de moine et prier le Seigneur, mais ne pas se mêler des affaires des hommes, des royaumes ou des républiques terrestres. Ici je te l'ai dit, Thorenc, la religion est un commerce parmi tous les autres. Retire-toi du monde, si tu ne peux accepter cela, et n'oublie pas que ceux qui veulent instaurer le royaume de Dieu sur la Terre, le gouvernement par la religion, deviennent des massacreurs !

Je lui donnais raison, Seigneur. C'est pour cela que je me tenais aux côtés du roi, que j'approuvais sa politique, que je tentais de convaincre Séguret ou Jean-Baptiste Colliard de lui demeurer fidèles et dévoués.

Séguret baissait la tête, grommelait que l'entourage du roi était désormais composé de ligueurs que l'argent de la couronne avait achetés. Les gentilshommes huguenots des temps de disette, quand Henri de Navarre n'était qu'un « roi sans couronne, un général sans argent, un mari sans femme », avaient été oubliés ou chassés depuis que le Béarnais avait abjuré.

— Doutez-vous que ces changements ne m'aient pas percé l'âme ? ajoutait Séguret.

Et moi qui avais si souventes fois voulu l'occire, je comprenais son dépit, le sentiment qu'il avait d'avoir été trahi.

Pouvait-on, Seigneur, vivre en paix quand tant d'hommes, au profond de leur cœur, doutaient de la foi du roi, de sa fidélité ?

J'ai déjà commencé à voir des visages se fermer sur son passage quand il chevauchait aux côtés d'une litière sur laquelle était étendue Gabrielle d'Estrées, la favorite, la blonde femme aux oreilles, au cou, aux poignets et aux mains parés de boucles, de colliers, de bracelets et de bagues.

Quelqu'un dans la foule a crié : « Voilà la putain du roi ! »

J'ai tressailli : c'était, après les jours de beau temps, l'annonce du retour des orages, la persistance de la haine et, peut-être pis encore, du mépris.

On arrêta peu après un homme qui se nommait Barrière. On sut qu'il avait vu plusieurs curés et pères jésuites. Il s'était confessé de son dessein de punir le tyran hérétique, et il avait reçu bénédiction, assurant que Dieu l'aiderait dans son entreprise.

Ô Seigneur, voilà comment on trahit Votre parole ! Voici comment ceux qui prétendent parler en Votre nom font commerce de leur autorité. Vous couvrent de la boue des choses humaines en Vous mêlant à des pensées de meurtre !

On prit Barrière à la porte de Melun. Il avait sur lui un grand couteau très pointu, aiguisé des deux côtés.

Il ne cacha rien de ses intentions.

On le condamna comme parricide et sacrilège.

J'ai vu en place de Grève le bourreau lui tenailler les chairs avec un fer rouge, lui brûler la main droite, lui briser à coups de barre de fer les bras, les cuisses et les jambes, et l'étendre sur la roue, pantelant, face au ciel, pour qu'il y vive dans la souffrance infernale.

Tant qu'il Vous plairait, Seigneur !

Je l'ai fait remarquer à Montanari : « C'est le premier geste de haine contre le roi depuis son abjuration. »

Il y en eut un autre dont je fus le témoin.

J'étais entré avec plusieurs gentilshommes dans la chambre de Gabrielle d'Estrées où le souverain nous avait conviés.

Je me tenais en retrait quand, tout à coup, j'entendis le roi crier. Je le vis porter les mains à sa bouche cependant que du sang jaillissait de sa lèvre percée, d'une dent arrachée.

Un jeune homme vêtu de noir, dont on se saisit, lui avait porté ce coup de poignard, visant le cou, mais le roi, en se penchant, avait reçu la lame sur la bouche.

On le pansa et il dit :

— Il y a, Dieu merci, si peu de mal que, pour cela, je ne me mettrai pas au lit de meilleure heure !

Mais je vis ses yeux las ; une expression d'abattement lui tirait les traits.

Encore le temps des assassins, des régicides ! Le temps des meurtres encore, déjà !

On questionna le jeune homme, Jean Chatel. Lui aussi avait reçu l'encouragement des pères jésuites dont il avait été l'élève au collège de Clermont.

Il se confessa aux juges. Il livra le nom des pères. On les bannit, on pendit l'un d'eux, on chassa les jésuites de France.

Et Jean Chatel, quant à lui, je le vis place de Grève, à genoux. On lui tranche le poing. On lui tenaille le corps. Et, puisqu'il a blessé le roi, on va l'écarteler, ses membres attachés à quatre chevaux. La foule jubile, criaille. Puis on brûlera ces pauvres débris et on dispersera les cendres au vent.

Quelle peut être la moisson d'une telle semence, sinon la haine et la guerre ?

Henri l'a déjà déclarée à l'Espagne, « à son de trompe et cri public aux provinces et frontières du royaume », pour se venger des torts, offenses et injures reçues de Philippe II.

Le roi va rejoindre ses armées. Je le vois chaque jour. Son visage est couvert de taches rougeâtres cernées de bourrelets purulents.

— Me reconnais-tu, Thorenc ? demande-t-il en se forçant à rire.

Il tremble de fièvre, cette « voisine », comme il l'appelle, qui vient l'habiter souvent.

J'ai entendu Séguret lui dire :

— Sire, vous n'avez encore renoncé à Dieu que des lèvres, et Il s'est contenté de les percer. Mais si vous Le renoncez un jour du cœur, alors Il percera le cœur.

667

Je devine la tristesse du roi. Il porte un emplâtre sur la bouche, la plaie ouverte par le poignard de Jean Chatel étant lente à se refermer.

On tue plus vite un régicide qu'on ne guérit de sa blessure.

Sans compter que celle-ci n'est pas que dans le corps du roi.

Je marche près du carrosse dans lequel il est assis – ou blotti, plutôt –, vêtu de noir.

Les regards de la foule, je les sens à nouveau et déjà impitoyables.

On ne crie plus « Vive le roi ! » Ordre a été donné de se saisir et de punir toutes personnes hostiles au souverain. Et, cependant, j'entends une voix forte qui lance :

— Voilà déjà le roi au cul de la charrette !

Et le rire de la foule se prolonge comme un grelot.

Je m'incline devant lui lorsqu'il descend de son carrosse. Il s'appuie à mon bras.

— Un peuple est une bête, murmure-t-il. Il se laisse mener par le nez, principalement le Parisien. Ce ne sont pas eux, mais de plus mauvais qu'eux qui les persuadent.

Il m'étreint le poignet, se redresse.

— Il faut en finir avec ces pensées de guerre civile, dit-il. Il faut rassembler le peuple contre l'Espagnol qui est le dernier et principal personnage de cette guerre. Nous allons le vaincre !

La guerre, donc ! La chair de l'homme et son sang sont-ils, Seigneur, le manger et le boire quotidiens des hommes ?

Est-ce là à jamais leur nourriture et leur châtiment ?

Je Vous prie, Seigneur, à genoux au bord de cet abîme.

44.

J'ai cru, à peine quelques jours, mais j'ai cru que l'abîme allait se combler, se refermer, et que les hommes, Seigneur, Vous avaient enfin entendu et qu'ils allaient se réconcilier.

C'était le printemps de l'année 1598.

Durant les mois précédents, j'avais chevauché aux côtés du roi. En face de nous, nous avions vu les rangées de piques de l'armée espagnole. Je savais qu'avec l'obstination du vieil homme qui n'a renoncé à rien Diego de Sarmiento la commandait et qu'à plusieurs reprises, à Fontaine-Française ou à Amiens, ses cavaliers, ses hallebardiers s'étaient à ce point rapprochés de nous que j'avais cru voir étinceler au-dessus de nos têtes la faux aiguisée de la Mort.

Le père Verdini, entêté lui aussi à nous expédier en enfer, se tenait aux côtés de Sarmiento et tous deux ne voyaient de salut que dans le triomphe de Philippe II.

Nous avions dû faire retraite, abandonner les corps de centaines de gentilshommes, et, me retournant, j'avais vu fondre sur eux, comme des vautours, les détrousseurs qui escortaient les armées.

À Paris, à l'hôtel de Venise, Leonello Terraccini m'avait rapporté que l'on chantait dans les rues :

Ce grand Henri qui voulait être
L'effroi de l'Espagnol hautain
Maintenant fuit devant un prêtre
Et suit le cul d'une putain.

C'était à nouveau la haine qui empestait.

On crachait de mépris en évoquant Gabrielle d'Estrées que le roi comblait de bijoux et de terres.

Il lui avait offert un duché. Elle s'y pavanait, elle accumulait les perles. Elle trompait le souverain. Et je le voyais se mordillant les lèvres, jaloux, vieilli, cherchant à satisfaire sa jeune favorite, la blonde à la peau d'albâtre, courant les bals avec elle entre deux batailles, forçant, comme l'avait fait Henri III, les portes des maisons pour s'y livrer à des mascarades.

Le peuple de rien détournait la tête, vouait à l'enfer cette « duchesse d'Ordure », et trouvait que ce roi converti restait entre les mains du diable.

« La caque sent toujours le hareng ! » lançait-on.

Et les ligueurs obstinés ne désespéraient pas qu'un régicide, plus heureux que Chatel, ne se contentât pas de percer la lèvre du souverain, mais lui plantât une lame effilée dans le flanc jusqu'à la garde – et jusqu'au cœur.

Ils attendaient cela, ces ligueurs qui, en Bretagne, dans l'Anjou, le Maine, le Poitou, menaient la guerre aux troupes royales, attachant leurs prisonniers aux ailes des moulins, jetant les vivants dans les basses fosses où pourrissaient les cadavres, violant toutes les femmes, égorgeant les paysans et défendant qu'on les enterre, car, disait l'un d'eux, « l'odeur des cadavres est suave et douce ».

Et cela, Seigneur, en Votre nom !

Et les huguenots, tout aussi sauvages, Vous invoquaient, eux aussi !

On ouvrait des « chambres ardentes » où l'on offrait aux tenants de l'une ou l'autre religion de se convertir ou de périr brûlé.

Ces massacreurs, ces violeurs, ces pillards, ces bourreaux Vous priaient, Seigneur.

Pour moi, leurs prières étaient autant de blasphèmes.

Et puis le ciel d'hiver s'est dégagé.

Au mois de mars, j'ai chevauché jusqu'au Castellaras de la Tour. À chaque fois que les sabots de mon cheval frappaient la terre de ces chemins forestiers qui conduisent à notre demeure, j'avais le sentiment que mon cœur éclatait.

J'ai aperçu enfin nos murailles, notre poterne, j'ai franchi le pont au-dessus des fossés.

La cour était envahie par la lumière d'un soleil flamboyant. Un homme – oui, un homme, m'a-t-il d'abord semblé – se tenait sur le seuil.

Je me suis approché. Il s'est incliné, m'a dit : « Père. »

Et j'ai dû serrer les poings pour ne pas tomber contre lui, sangloter en lui tenant la tête.

Il fermait les yeux, peut-être à cause de ce soleil aveuglant ; il avait un air à la fois tendre et apaisé, et cependant – cela m'inquiétait déjà – teinté de tristesse.

Nous avons peu parlé.

C'est lui qui m'a entraîné vers notre chapelle afin que nous priions côte à côte, agenouillés devant cette tête de christ aux yeux clos posée sur un tissu de damas rouge, près du tabernacle.

Quand nous sommes sortis de la chapelle, Jean – il était d'une taille égale à la mienne –, ses yeux droit fixés dans les miens, a murmuré :

— Père, je veux servir Dieu au sein de Son Église.

Seigneur, je le reconnais, j'ai éprouvé un sentiment d'affolement, comme si ce qu'au fond de moi, sans me l'avouer, j'avais imaginé, les dernières années de ma vie passées aux côtés de mon fils, ici, au Castellaras de la Tour, n'était plus qu'un rêve ruiné.

C'était comme si, Seigneur, Vous m'aviez tout à coup imposé de sacrifier mon fils à Votre gloire.

Jean m'a pris les mains.

— Père, a-t-il dit, tu seras dans chacune de mes prières. Nous ne nous quitterons jamais.

J'ai eu honte de mon attitude, d'avoir pensé que cet élan de mon fils vers Vous, pour Vous servir, était un sacrifice.

Je devais au contraire Vous en remercier, Seigneur.

Et je l'ai fait chaque jour devant Votre visage aux yeux clos, dans notre chapelle, priant aux côtés de Jean.

Il devait gagner Rome. Il voulait être de cet ordre des jésuites dont on disait que plusieurs de ses membres avaient armé – et recherchaient encore – des régicides.

Mais c'était sa volonté, Seigneur, et, le jour de son départ, il m'a dit, comme s'il m'avait deviné :

— Je ne suis que le serviteur de Dieu, père.

Je ne veux ni ne peux Vous dissimuler aucune de mes pensées, Seigneur. Ce service de Dieu, Votre service,

672

auquel il se vouait, tant d'hommes, massacreurs appartenant à toutes les religions, l'avaient perverti que j'étais inquiet des propos de mon fils.

Et j'ai murmuré :

— Aime en chaque homme la part de Dieu. Si tu hais un homme, tu hais Dieu.

Quand je suis arrivé à Paris, le premier jour d'avril 1598, les pousses des arbres, à la pointe de l'île de la Cité, dessinaient une étrave d'un vert clair dans l'eau encore sombre du fleuve.

Je me suis à nouveau installé à l'hôtel de Venise. Vico Montanari, ambassadeur de la Sérénissime République auprès de Philippe II, avait été remplacé par Leonello Terraccini. La jalousie ou l'amertume qui m'avaient autrefois opposé à lui – je savais qu'il avait été l'amant d'Anne de Buisson – s'étaient muées en confiance complice.

Nous avions en commun tout ce passé mort, et, quand nous étions assis l'un en face de l'autre, nous n'avions pas même besoin de l'évoquer pour qu'il revive.

C'est Terraccini qui m'a annoncé les bonnes nouvelles de ce printemps lumineux.

Les négociations avec l'Espagne avaient commencé, et chaque souverain était désireux de conclure la paix.

— Trop de morts sans aucune chance de vaincre l'autre, a-t-il dit. Philippe II espérera toujours qu'un régicide le débarrasse de ce roi Henri qui demeure pour lui un hérétique, mais il ne peut plus faire la guerre. Les caisses de l'Espagne sont vides. Tout comme celles du royaume de France. Le souverain a dû demander l'aumône au Parlement pour payer des soldats, acheter des arquebuses. Il n'a plus un écu. La sagesse et le désir de paix viennent souvent aux monarques quand ils n'ont plus un sol vaillant.

C'est aussi Terraccini qui m'a parlé de cet édit que le roi s'apprêtait à signer à Nantes au terme de longues conversations avec les huguenots. Il leur assurait le droit de pratiquer leur religion, et il s'engageait même à payer les garnisons des places fortes qu'il leur concédait.

Les plus zélés des catholiques condamnaient ce texte qui accordait beaucoup aux huguenots : ils conservaient une armée ; ils accédaient aux charges publiques ; ils jouissaient naturellement de la liberté de conscience.

Le pape Clément VIII avait déjà dit : « Cet édit est le plus mauvais qui se peut imaginer. Il me crucifie. »

Mais les plus obstinés des huguenots étaient eux aussi mécontents. Ils étaient certes reconnus, mais le royaume était catholique, et le souverain offrait des compensations, en charge et en écus, en terres et en rentes, à ceux des protestants qui acceptaient de se convertir.

— C'est un édit de paix, a conclu Terraccini.

Puis il a haussé les épaules, penché un peu la tête.

— Une paix de plus..., a-t-il corrigé.

On disait que quatre millions de personnes étaient mortes de ces paix tronquées, reniées, de ces guerres civiles que l'on nommait de Religion, de ces massacres, et je me souvenais du sang coulant sur les pavés de la rue des Fossés-Saint-Germain en ce dimanche de la Saint-Barthélemy, le 24 août 1572.

J'ai donc applaudi à l'édit de Nantes.

J'ai retrouvé le roi à son retour à Paris, quand il s'efforçait de convaincre le Parlement, réticent, de ratifier cet édit.

— Il ne faut plus faire de distinction de catholiques et de huguenots, disait-il, mais il faut que tous soient bons Français et que les catholiques convertissent les huguenots par exemple de bonne vie.

Il s'emportait et je l'approuvais quand il ajoutait :

— Je couperai la racine à toutes factions, à toutes prédications séditieuses, et je ferai raccourcir tous ceux qui les susciteront ! Ne m'alléguez point la religion catholique, je suis plus catholique que vous ! Je suis fils aîné de l'Église... Je suis roi, maintenant, et parle en roi, et veux être obéi... Ceux qui ne voudraient pas que mon édit passe veulent la guerre...

L'édit a été enregistré.

J'ai lu le texte du roi qui le présentait et j'en ai été ému.

Son ton sonnait juste et fort.

« Nous touchons maintenant le port de salut et repos de cet État... Après avoir repris les cahiers des plaintes de nos sujets catholiques, ayant aussi permis à nos dits sujets de ladite Religion Prétendue Réformée de s'assembler par députés pour dresser les leurs et mettre ensemble toutes leurs dites remontrances, nous avons jugé nécessaire de donner maintenant sur le tout, à tous nos dits sujets, une loi générale, claire, nette et absolue, par laquelle ils soient réglés sur tous les différends qui sont ci-devant survenus entre eux et y pourront encore survenir ci-après, et dont les uns et les autres aient sujet de se contenter selon que la qualité du temps le peut porter. »

J'ai su que l'édit avait été scellé seulement à la cire brune, que le roi n'avait point voulu de la verte qui eût marqué que le texte devait connaître une application sans limites de durée, éternelle.

Il n'était donc que pour un temps.

Mais c'était une promesse de paix.

Et j'ai cru, Seigneur, que la fosse commune que les hommes creusaient sous leurs propres pieds, dans laquelle ils s'engloutissaient, allait être comblée.

J'ai même imaginé que Vous me donniez la joie d'assister, à la fin de ma vie, à cette aube pacifique, parce que je Vous avais donné un fils pour Vous servir.

J'ai cru cela quelques jours, puis est venu si vite l'automne...

La pluie était si forte qu'elle déchirait avec rage les feuilles déjà jaunies des arbres de la forêt de Fontainebleau où je chevauchais près du roi, chassant le cerf.

Nous avancions au pas, courbés sous l'averse, Henri lançant vers moi de brefs coups d'œil, et je le sentais las, subissant cet orage avec une sorte de délectation morose, comme si le désagrément venait conforter son humeur.

Il s'est arrêté, s'est tourné et a murmuré :

— Bon Dieu, parmi quels tigres vivons-nous !

Terraccini m'avait rapporté qu'autour du souverain on conspirait contre Gabrielle d'Estrées, qu'il songeait à épouser.

Enguerrand de Mons s'indignait qu'une telle pensée pût habiter un roi de France. Jamais un souverain de ce royaume n'avait épousé l'une de ses catins, qui, de plus, le trompait et donnait des bâtards qui n'étaient pas ceux de son auguste amant !

On répétait un quatrain qu'on retrouvait parfois recopié et répandu à la cour :

> *Mariez-vous, de par Dieu, Sire !*
> *Votre lignage est bien certain*
> *Car un peu de plomb et de cire*
> *Légitime un fils de putain.*

D'autres s'indignaient que le roi eût offert à la « duchesse d'Ordure » la bague qu'il avait reçue au sacre, et qu'il lui fût soumis au point qu'elle proclamait partout que « seul Dieu et la mort du roi peuvent m'empêcher d'être reine de France ».

— Elle oublie qu'elle est, elle aussi, mortelle, ajouta Terraccani.

Et, parlant plus bas encore, il me confia que, dans l'entourage du roi – peut-être même pour obéir à ses ordres –, on songeait, prétendait-on, à empoisonner Gabrielle d'Estrées afin que Henri pût prendre, maintenant que son mariage avec la reine Margot avait été annulé, une jeune épouse capable de lui donner un héritier.

Mais le roi était-il encore assez vert ?

Je l'ai vu, en cet automne de l'année 1598, vieilli et comme accablé lorsqu'il apprenait que l'on avait arrêté un homme qui semblait le guetter pour le tuer.

— Le cœur des rois est en la main de Dieu, murmurait-il.

677

Puis il s'indignait contre ceux qui armaient ainsi les bras des fanatiques. Il s'en prenait à ces « tigres » qui n'avaient pas renoncé à la haine.

— Un roi n'est responsable que devant Dieu et sa seule conscience, disait-il encore.

Il baissait la tête, frissonnait. La « voisine », cette fièvre qui le brûlait souvent la nuit, lui avait rendu visite.

Il confessait :

— Elle m'a laissé si faible, et avec un tel dégoûtement que je ne m'en puis encore ravoir, et la nuit passée je l'ai eue avec tant d'inquiétude que je n'ai pu fermer l'œil.

On murmurait à la cour que le roi avait été trop goinfre de femmes et qu'il payait d'avoir joui de toutes les pucelles et de toutes les putains qu'il avait pu culbuter. Qu'elles lui avaient laissé, en souvenir d'elles, cette maladie qui lui rongeait les sangs.

Il avait même, disait-on, quitté la vie pendant deux heures, et, lorsqu'il avait repris connaissance, il avait dit :

— Je ne veux ouïr parler d'aucune affaire.

Je sentais que la mort était là, qui rôdait.

Elle frôlait le vieil homme que j'étais devenu, elle guettait Gabrielle d'Estrées, elle suivait le roi.

J'entendais Enguerrand de Mons marmonner que cet édit de Nantes que le souverain avait fait enregistrer au Parlement était trop favorable aux huguenots, que des clauses secrètes leur accordaient armes, rentes, garanties, qu'ils constituaient un État dans l'État, que les catholiques, comme l'avait déclaré le souverain pontife, étaient crucifiés par cet édit au point que certains d'entre eux se demandaient s'il ne faudrait pas un jour une nouvelle Saint-Barthélemy !

Oui, Seigneur, j'ai entendu cela.

Les hommes avaient donc repris leur travail de fossoyeurs.

Et je n'avais plus assez de forces pour m'en indigner, trop longue avait été ma vie.

J'avais assisté à trop de massacres pour pouvoir attendre, impotent, qu'un autre flot de sang se répandît autour de moi.

J'ai donc fait mes adieux au roi là où avait commencé ma vie, au Castellaras de la Tour.

Le 7 janvier 1599, soixante et douzième anniversaire de ma naissance, Vico Montanari, qui se rendait à Venise, venant de Madrid, a fait halte dans notre demeure.

Il m'a annoncé la mort – le 13 septembre 1598 – de Philippe II, né la même année que moi.

J'ai tremblé, Seigneur, en écoutant le récit de l'agonie de ce monarque que j'avais si longtemps servi, puis combattu.

Montanari m'apprit que Diego de Sarmiento était mort dans les heures qui avaient suivi le décès du roi.

Je ne pouvais oublier que Sarmiento m'avait, aux temps lointains où je n'étais qu'un esclave chrétien des Barbaresques, appris à espérer. Comme son souverain, il avait rêvé de la Monarchie universelle.

Montanari me décrivit le corps de Philippe, rongé par les ulcères, les vers grouillant dans les plaies. Il me raconta comment le roi avait tenté de se redresser pour dire à l'héritier de sa couronne :

— Voyez, mon fils, où aboutissent les grandeurs de ce monde, voyez ce que c'est que la mort, et tirez-en réflexion, car demain vous allez régner.

À cet instant, Seigneur, j'ai été heureux que mon fils Jean ait choisi d'être l'un de Vos serviteurs, qu'il n'ait pas recherché la puissance terrestre, qu'il n'ait voulu servir que Votre Gloire éternelle.

J'ai pensé que la mort, si elle saisit tous les corps, ne prend les âmes que de ceux qui ont cessé de croire en Vous.

J'ai prié, Seigneur, devant Votre visage aux yeux clos.

Car je crois en Vous.

ÉPILOGUE

Ainsi s'achève, par une parole de foi, le manuscrit de Bernard de Thorenc.

Je ne sais rien de ses dernières années.

Je n'ai retrouvé au Castellaras de la Tour aucune trace de sa sépulture.

Dans la chapelle, aux côtés du tombeau de Michele Spriano, se trouvent des dalles funéraires de la famille Thorenc, mais la plus ancienne d'entre elles, qui célèbre le souvenir d'un François de Thorenc, est datée de 1702, soit plus d'un siècle après que Bernard de Thorenc eut cessé d'écrire.

Rien ne m'a permis de combler cette béance.

Bernard de Thorenc a-t-il vécu jusqu'à ce vendredi 14 mai 1610, le jour où, vers quatre heures de l'après-midi, rue de la Ferronnerie, dans le prolongement de la rue Saint-Honoré, là où la chaussée se resserrait entre des échoppes, un colosse à la barbe rousse, aux cheveux d'un blond flamboyant, au regard illuminé, un pied posé sur une borne et l'autre sur le rayon de la roue droite du carrosse royal, planta jusqu'à la garde, et par trois fois, son couteau dans le flanc de Henri IV ?

Bernard de Thorenc a-t-il tremblé, comme si Dieu lui infligeait une nouvelle épreuve ?

Les jésuites furent en effet accusés d'avoir accueilli et confessé le régicide Ravaillac.

« Le couteau n'a été que l'instrument de Ravaillac, lit-on dans un libelle, peu après le meurtre. Ravaillac, d'autres qui l'ont induit, poussé, instruit, lui ont mis en main le ferrement, en l'esprit ce parricide ; ne s'en sont trouvés coupables que les seuls jésuites, ou leurs disciples. »

Jean de Thorenc était jésuite et j'imagine l'angoisse de Bernard, ses prières, agenouillé dans la chapelle, devant le visage du christ aux yeux clos.

Cette tête sculptée est posée devant moi.

Je l'ai achetée à Maria de Ségovie après avoir fini de retranscrire – de mettre en scène et en forme – le manuscrit de Bernard de Thorenc.

Ce visage du christ dont le bois (la peau) a une couleur (une pâleur) verdâtre, je l'ai placé sur l'un des rayonnages, en face de la table sur laquelle je travaille.

Je me lève souvent, attiré par cette tête. Je m'approche, tends la main sans oser la toucher, puis me décide enfin à l'effleurer, et je suis à chaque fois surpris par la douceur de ce contact.

Le bois est chaud comme s'il s'agissait de la chair d'un corps souffrant.

Bernard de Thorenc a-t-il lu le récit des souffrances infligées à Ravaillac ?

Je le transcris, parce que je crois être ainsi fidèle à Thorenc qui, peu à peu, au long de sa vie, ne mettait plus en accusation telle ou telle religion, plus cruelle qu'une autre, mais l'homme fanatique, aveuglé, celui dont la foi sert de prétexte et d'excuse au désir de mutiler, de tuer, d'infliger le mal, ce Mal qui est en chacun de nous.

Qui incarnait le Mal sur la place de Grève, le 27 mai 1610, jour du supplice de Ravaillac ?

Le régicide porté sur l'échafaud, car les brodequins de la torture lui avaient déjà fait éclater les genoux, cet homme aux yeux fous de douleur et qui continuait de murmurer : « Que toujours en mon cœur Jésus soit le vainqueur » ?

Ou bien le Mal s'était-il emparé aussi de cette foule qui hurlait sa haine, qui se précipitait pour démembrer Ravaillac, et qui se ruait sur un jeune homme qui avait osé murmurer : « Mon Dieu, quelle cruauté ! » ?

Car on a brisé les membres de Ravaillac, on a tenaillé ses chairs avec une pince rougie au feu. Le bourreau et ses aides ont versé dans ses plaies de la poix brûlante, du plomb fondu, de la cire et du soufre, de l'huile bouillante. On a brûlé sa main après l'avoir percée à coups de lame. On lui a fait boire du vin pour qu'il survive dans la souffrance, jusqu'à ce que ses bras et ses jambes, son torse soient disloqués, dénoués, arrachés par quatre chevaux.

Des hommes s'attelèrent aussi pour que les cuisses et les épaules soient emportées.

Le peuple hurlait, s'élançait vers l'échafaud, se disputait les morceaux.

« Et l'on vit une femme qui, d'une vengeance étrange, planta les ongles puis les dents en cette parricide chair. »

Et les misérables reliques sanglantes furent traînées par toute la ville.

« À la fin, ayant été divisé en quasi autant de pièces qu'il y a de rues dans Paris, on en fit plusieurs feux en divers lieux. Et l'on voyait des petits enfants, par les rues, portant la paille et le bois. »

De ce spectacle et de ces acteurs, qu'eût pensé Bernard de Thorenc qu'il n'eût déjà écrit ?

C'est moi qui m'interroge en contemplant la tête du christ aux yeux clos.

J'ai appris ce matin qu'au Soudan, et conformément à la loi musulmane, un voleur va subir une amputation croisée : on tranchera son poing droit et son pied gauche.

J'entends chaque jour qu'un homme s'est tué pour tuer d'autres hommes. Et, pour venger son acte terroriste, on détruit la maison des siens, on traque et on tue ses complices. Ou bien on l'honore comme un saint martyr.

Et je me souviens de ce vers d'Agrippa d'Aubigné qui m'était revenu en mémoire lorsque j'avais rencontré pour la première fois, au n° 7 de la rue de l'Arbre-Sec, Maria de Ségovie :

Les enfants de ce siècle ont Satan pour nourrice.

Le nôtre qui commence, celui d'hier, qui vient à peine de s'achever, ne sont-ils pas semblables à celui d'Agrippa d'Aubigné et de Bernard de Thorenc ?

J'imagine Thorenc agenouillé dans la chapelle, regardant le visage du christ aux yeux clos comme je le fais aujourd'hui.

Peut-être savait-il ce que j'ai appris en consultant le recueil des dépêches des ambassadeurs de Venise dont je me suis souvent servi pour éclairer le manuscrit de Bernard de Thorenc.

Vico Montanari a alors regagné Venise et c'est Leonello Terraccini qui représente, en 1610, la Sérénissime à Paris.

Il écrit, en date du 5 juin 1610 :

« Je me suis trouvé ces jours-ci par deux fois avec le premier président du Parlement de Paris et l'avocat du roi. J'ai découvert qu'ils tiennent pour certain que Ravaillac a été persuadé de longue main à une aussi néfaste scélératesse sous prétexte de religion, qu'il a dit avoir une étroite relation d'amitié avec un religieux ; qu'il mourrait mille fois avant de le nommer. Il dit aussi avoir été confessé quelquefois par un jésuite, à Bruxelles. Et l'on sait que l'on craignait beaucoup, dans la capitale des Pays-Bas, parmi les Espagnols et les catholiques zélés rassemblés autour du légat du pape, l'entrée en guerre du roi de France contre l'Espagne et l'invasion des Pays-Bas par les armées françaises alliées des troupes huguenotes des Provinces-Unies.

« Certains des proches conseillers du roi défunt assurent qu'un complot a été ourdi par les Espagnols et le pape pour empêcher Henri IV d'attaquer les puissances catholiques et de servir ainsi la cause de l'hérésie dont on l'accusait d'être resté en secret le défenseur.

« Les jésuites auraient été l'instrument de ce complot.

« Ils ont réfuté cette calomnie. »

Après de nombreuses démarches, j'ai réussi à consulter les archives de l'ordre des jésuites pour la province des Pays-Bas espagnols.

Parmi la liste des membres de l'ordre pour cette province, j'ai découvert celui d'un jeune père, arrivé à Bruxelles en 1609.

Faut-il que j'écrive ce nom : Jean de Thorenc, que j'y ai lu ?

Chacun l'a déjà pensé.

En chaque siècle, en chaque partie du monde, en chaque religion et en chacun de nous, la vie des hommes est un labyrinthe aussi meurtrier que mystérieux...

Je relis ces mots. Il me semble que Bernard de Thorenc aurait pu les écrire.

J'ai souvent l'impression que sa voix se superpose à la mienne.

Qui s'exprime là, lui ou moi ?

Qui dit que, sans la souffrance du Christ qui parle pour toutes les souffrances, sans Sa compassion pour les victimes de tous les bourreaux, nous serions seulement – *seulement* : voilà le mot qui compte – des bêtes sauvages ?

Hommes-sangliers, comme ce gibier jeté dans l'entrée du Castellaras de la Tour, bêtes sauvages mortes entourées de chiens prêts à la curée.

Face au groin de la sauvagerie, je ne vois que le visage du christ aux yeux clos.

Table

I - PAR CE SIGNE TU VAINCRAS

II - PARIS VAUT BIEN UNE MESSE

Achevé d'imprimer par Printer Industria Gráfica
en septembre 2005
pour le compte de France Loisirs, Paris

Composition et mise en pages réalisées
par ÉTIANNE COMPOSITION
à Montrouge

Numéro d'éditeur : 43669
Dépôt légal : Octobre 2005
Imprimé en Espagne